ARTURO FRONDIZI

EMILIA MENOTTI

Arturo Frondizi

BIOGRAFÍA

PLANETA

Diseño de cubierta: Mario Blanco
Diseño de interior: Alejandro Ulloa

© 1998, Emilia Menotti

Derechos exclusivos de edición en castellano
reservados para todo el mundo:
© 1998, Editorial Planeta Argentina S.A.I.C.
Independencia 1668, 1100, Buenos Aires
Grupo Editorial Planeta

ISBN 950-742-974-3
Hecho el depósito que prevé la ley 11.723
Impreso en la Argentina

Cuando comencé a escribir esta biografía no se había diluido aún el eco de los homenajes póstumos rendidos al gobernante que batalló incansablemente para concretar planes contra el atraso y la dependencia del país. Este libro aspira a reflejar la trayectoria de Frondizi lo más objetivamente posible, porque resulta difícil desligar hechos y apreciaciones en los que la amistad se impone al análisis meramente histórico.

Me acerqué a Frondizi en 1952, para solicitarle una audiencia y recabar su consejo y una orientación en mi labor docente, en años de posiciones inconciliables entre peronistas y opositores, en los que esa dicotomía dejaba su sello en la función de profesores conminados a expresar apoyos y definiciones partidarias.

Frondizi ya había cimentado su prestigio como político y líder indiscutido de la juventud, y sus palabras justas y equilibradas dejaron traslucir una conducta comprensiva y ecuánime que posteriormente se reflejó en su presidencia.

Desde ese instante mi quehacer transcurrió entre la docencia y una vertiente que, a través de líneas convergentes o paralelas, siempre me aproximó a Frondizi. Y así como estuvimos a su lado durante su mandato, también lo hicimos en su injusto derrocamiento.

Al regresar de la amarga y solitaria prisión en Martín García y Bariloche, la común militancia política y la tarea intelectual sellaron una sólida amistad basada en el respeto y el reconocimiento a sus calidades de estadista.

Conocí muy de cerca a Frondizi y a su esposa Elena, culta y dueña de un fino encanto. La relación se hizo más estrecha, y las largas tertulias en la casa de la calle Beruti enriquecieron mi espíritu. En esas activas jornadas de trabajo y amenas conversaciones, pude comprobar la incesante presencia de prestigiosas figuras del país y del exterior que acudían a verlo para intercambiar ideas, exponerle inquietudes y escuchar su opinión.

Fue entonces cuando Frondizi me ofreció la dirección del Centro de Estudios Nacionales, cargo honorario que no sólo me permitió ordenar la biblioteca con un entusiasta grupo de colaboradores y clasificar sus casi

80.000 volúmenes, sino adentrarme en el archivo, cuyas carpetas con documentos, discursos, declaraciones, escritos y recortes me pusieron en contacto con una actividad desplegada incansablemente por más de cincuenta años al servicio del país.

El acceso a ese material, las entrevistas con amigos y ex funcionarios que lo trataron íntimamente, así como mis recuerdos personales, posibilitaron diseñar páginas, lo más fundamentadas posible y sin tabú alguno, basadas en fuentes de inapreciable valor historiográfico y testimonial.

He querido incursionar, a lo largo de esta investigación sobre Arturo Frondizi, en sus ideas, su gobierno, su vida toda, pública y privada, con el propósito de que las generaciones venideras redescubran la fuerza puesta de manifiesto en la defensa de sus convicciones y un estilo político riguroso y austero.

Ello ha significado un esfuerzo apasionante, que pongo a consideración de admiradores y detractores para que, superando prejuicios o encasillamientos ideológicos, lleguen a perfilar una imagen real del estadista que, al escrutar el futuro de su nación, asumió con innegable patriotismo e inteligencia el tremendo desafío de formular un programa revolucionario para profundizar y fortalecer el proceso de industrialización en la Argentina.

Al presentar este libro deseo manifestar mi profundo reconocimiento a todos los que me ayudaron, con dedicación y buena voluntad, a concretar este fragmento de nuestra historia nacional, y dedicar mi tributo de admiración y gratitud como ciudadana y amiga a la memoria de Arturo Frondizi, el hombre que así definió su credo para construir un mundo más justo:

"Yo tengo una fe inmensa en el futuro argentino y en el futuro de la Humanidad. Por eso, mi última palabra, mi última plegaria recordando al poeta, es rogarle a Dios que no me abatan las alas de la muerte antes que yo pueda contemplar el futuro triunfante del hombre".

EMILIA MENOTTI
Junio de 1998

PRIMERA PARTE

LA FORMACION DE UN ESTADISTA

En el corazón de Italia, a las puertas de Roma, está situada Umbria, con caminos por los que se pueden seguir los pasos de San Francisco de Asís quien, con su sayo de ermitaño, recorría a pie esos senderos silenciosos para convertir al hermano lobo, dialogar con las alondras o hablar a los leprosos, arrodillándose ante sus lechos de piedra para limpiar sus llagas abiertas. Considerada como una región única en el mundo, con su legado de artistas, caudillos y santos, Umbria está dividida en dos provincias: Perugia, "donde la roca etrusca convive con el arco gótico del medioevo y con la pintura genial del Perugino y del Pinturicchio"[1] y Terni, la antigua Interamma que suscitó la admiración de Goethe.

Su superficie presenta una corona de pequeñas ciudades que ayudan a conocer la historia del hombre: Gubbio, Spoleto, Todi, Orvieto, Asís, Spello, Norcia, Narni, Bevagna, Citta Della Pieve, Gualdo Tadino, Foligno y Citta Di Castello. El arte asociado a la belleza de una naturaleza pródiga, con la Cascada delle Marmore, creada por los antiguos romanos como una obra de alta ingeniería hidráulica, fue el marco propicio en el que se forjó la personalidad de los progenitores de Arturo Frondizi.

Y en Gubbio, la milenaria ciudad del silencio con sabor de eternidad que mantuvo inalterable su fisonomía medieval y renacentista desafiando el paso de los siglos con la más importante concentración de expresiones culturales y artísticas que documentan etapas de inteligencia creadora, nacieron Julio Frondizi, hijo de Ubaldo Frondizi y de Teresa Minelli, el 12 de octubre de 1865[2], e Isabel Ercoli, cuyos padres eran Ubaldo Ercoli y Virginia Vantaggi, en 1867.[3]

Con respecto a la real escritura del apellido de los padres de Frondizi, debemos destacar que en la partida de nacimiento de Ricardo Amadeo el nombre de sus progenitores figura como Julio Frondizzi e Isabel Scola; en la de su hija Isabel, Julio Frondize e Isabel Escoli; en la de Julio figuran como Frondije. En la partida de nacimiento de Virginia, aparece su madre como Isabel Hercoli; en la de Orestes, como Isabel Erculi y en la de Silvio, como Isabel Treulis. Asimismo, en la de Arturo por error se la menciona como Isabel Erculiz.

En el acta Nº 273 del 3 de octubre de 1949 del Registro Civil de Corrientes, se aclara judicialmente que los nombres correctos son Julio Frondizi e Isabel Ercoli.

En ese ambiente eugubino, en el que la influencia de la cultura clásica romana se destacaba en sus construcciones, su teatro, la basílica de San Ubaldo, su catedral, y en Perugia, sede de la Universidad y con el Arco Etrusco en el que Octaviano esculpió la inscripción *"Augusto Perusia"*, transcurrió la vida de las familias Frondizi y Ercoli, asentadas desde varias generaciones en la región.

Julio e Isabel habían nacido pocos años antes de la entrada de Giuseppe Garibaldi a Roma, el 20 de septiembre de 1870, consolidando la unidad italiana. Este hecho fundamental y la prédica ardiente de José Mazzini, quien había dejado su impronta definitoria de libertad, justicia, fraternidad, influyeron en la formación de esa juventud que asistía a las vicisitudes que el apasionante proceso político había generado en la península.

"Dio e popolo. Pensiero e azione", la divisa que inspiró a los integrantes del *Risorgimento* para plasmar la gigantesca obra de la formación del Estado de Italia, guió seguramente a Julio Frondizi, con su idealismo democrático y su voluntad creadora; en consecuencia, era liberal, ateo, enemigo de las monarquías y las dictaduras, de las supersticiones y las debilidades.

En 1965, Arturo Frondizi se refirió a esa historia italiana inserta en su origen y que tanta repercusión tuvo en nuestro suelo:

> Los nombres de la comunidad italiana figuran en el recuerdo argentino más que por sus eventuales hechos en el Plata, por lo que significan para Italia misma. Y así Mazzini, Garibaldi y Víctor Manuel II nos parecen héroes de una epopeya si no argentina, al menos universal y, por ello, de alguna manera involucrados en lo nuestro.[4]

Julio Frondizi e Isabel Ercoli contrajeron matrimonio el 24 de julio de 1886, en medio de la algarabía de parientes y amigos, y la joven pareja mantuvo con orgullo las más afirmadas tradiciones morales, históricas y costumbrísticas que los ligaban al terruño natal. Al patriótico sentir del *Risorgimento,* mantenido con fervor por Julio, se unía la religiosidad impregnada con el culto de San Ubaldo, protector de la ciudad, que distinguía a Isabel. El trabajo intenso como obligaba la estirpe familiar y el cuidado del hogar, si bien ocupaban el diario quehacer, no les impedía asistir a la célebre carrera de los Cirios, manifestación de antiquísimo folklore que se celebraba el 15 de mayo, día de San Ubaldo. Durante su transcurso, la "Parte de Arriba" y la "Parte de Abajo", los dos barrios de Gubbio que habían sido frecuentemente rivales, incluso en armas, competían en armónica destreza de poesía y música.

El 16 de diciembre de 1887 nació la primera hija, Liduina o Liduvina, y el 24 de diciembre de 1889, Ercilia o Tercilia.

Pocos años más tarde, impulsado por la necesidad de buscar caminos más promisorios, Julio Frondizi cifró sus esperanzas en esa América que surgía como la tierra del porvenir y en la que Garibaldi había cumplido parte de su epopeya. Con su esposa y sus dos pequeñas niñas dejó su Gubbio natal, para construir una nueva vida en otro suelo.

La inmigración

Las corrientes migratorias se incrementaron en el siglo XIX tras la revolución industrial, el constante desarrollo del maquinismo, el crecimiento demográfico y el avance del sistema capitalista con sus mutaciones sociales, políticas y económicas. La incertidumbre sobre las perspectivas futuras y la aguda necesidad de buscar nuevos horizontes para superar la pérdida de propuestas laborales, propiciaron el desplazamiento de conglomerados humanos que se afincaron en tierras extrañas con la esperanza de un devenir promisorio.

La Argentina, cumpliendo el apotegma alberdiano "gobernar es poblar", inspirador de los congresales de 1853, quienes en el Preámbulo de la Constitución prefijaron de manera indiscutida la apertura de su suelo a todos los hombres de buena voluntad, fue receptora de importantes grupos migratorios en los que prevalecían los provenientes de la península itálica.

Casi todos son jóvenes –diría Sarmiento– fuertes, sanos de cuerpo y alma, dispuestos a trabajar, a prosperar y contribuir al progreso de este país que les ofrece hospitalidad y simpatía.

Entre 1872 y 1914, sobre 4.665.723 inmigrantes llegados a nuestro puerto, 2.283.882 eran italianos. La Prensa, en una nota del 4 de enero de 1881, al comentar la incidencia de los distintos núcleos europeos que se radicaban en el territorio nacional, expresó que "ninguno influyó tanto sobre los destinos de la República como el italiano, por el número que centuplica la energía de su acción y por el esplendor de su inteligencia".

Los caracterizaba su espíritu de solidaridad y su sentido comunitario. Esta presencia masiva estaba constituida, principalmente, por agricultores que enriquecerían con su trabajo a la inmensa región pampeana, recién arrebatada al indio. Se iniciaba la gran etapa de la colonización que convertiría a la agricultura y a la ganadería en factores de progreso.

La industria nacional fue impulsada por aquellos obreros y artesanos que trabajaron por su cuenta en pequeños talleres y luego en fábricas. La importante participación de los propietarios italianos en establecimientos o empresas en la Capital Federal y en la provincia de Buenos Aires está registrada

14

con amplitud en el Censo Industrial de 1908. En muchos ramos industriales fueron pioneros y precursores esos inmigrantes italianos que pasaron a formar parte de la historia viva de la Nación.

Llegada a Buenos Aires

A fines de 1892 llegó a Buenos Aires el matrimonio que integraban Julio Frondizi e Isabel Ercoli. Como tantos compatriotas que encaraban el incógnito destino de la expatriación, Julio Frondizi pertenecía a esa corriente inmigratoria calificada, con sólidos fundamentos morales y espirituales que en el siglo pasado aportaron su experiencia, su oficio, su indeclinable laboriosidad, a la joven República Argentina que, después de la aguda crisis del 90, afrontaba el reordenamiento de sus estructuras vitales.

Don Julio contaba veintisiete años y su esposa veinticinco y completaban la familia las dos pequeñas hijas Liduvina y Ercilia, de cinco y tres años respectivamente.

El paso por Buenos Aires fue muy fugaz; las tareas en la ciudad, que dejaba de ser gran aldea para sumarse al torbellino de cambios sociales y políticos, no atrajeron a don Julio, quien firmó contrato con la Empresa Ferrocarriles del Nordeste. Paso de los Libres fue el pueblo en el que se afincó con sus ansias de progreso y bienestar.

La ciudad libreña

En Paso de los Libres, a orillas del río Uru-aa-í o *Rio dos passarinhos* de la mitología brasileña, se produjo el inevitable entronque ítalo-argentino, al trasfundirse en un punto esencial de culturas, modalidades y ritmo vital.

El origen de la ciudad se remonta a la época de las guerras civiles, cuando Joaquín y Juan Madariaga al frente de 108 correntinos cruzaron el río Uruguay por la barra del arroyo Itapitocáy, al sur de Uruguayana, desalojando del poder al gobernador rosista. Concretaban así el pensamiento de Echeverría cuando en su *Ojeada retrospectiva* dijo:

¿Qué pueblo como Corrientes en la historia de la humanidad?... tu pueblo tiene en su mano el destino de la República y los siglos lo aclamarán Libertador.

Para recordar esa valerosa hazaña, el 9 de septiembre de 1843, Joaquín Madariaga fundó un pueblo en el rincón de San Jorge, "a inmediaciones de la confluencia del arroyo Yatay y el Uruguay, con la denominación de Paso de los Libres, alusivo al que en su cercanía ejecutaron por dicho río los valientes 'libertadores' de la Provincia".[5]

Delineado el pueblo con la plaza en el centro y ocho manzanas a su alrededor, su crecimiento dependió de los vaivenes de la política provincial pero, al organizarse la Nación en 1853, se convirtió "en un punto mercantil de consideración y de futuro".[6]

Hacia 1895 su población ascendía a 10.640 habitantes y su cercanía con Uruguayana fue un factor decisivo para un crecimiento que se asentó principalmente en las actividades comerciales y pecuarias. Ese desarrollo favoreció el surgimiento de artesanías domésticas y de oficios intermedios: imprenteros, talabarteros, albañiles, fotógrafos...

Los caminos deficientes la aislaban de los otros centros habitacionales de la provincia, acentuando su relación con la ciudad brasileña. Este cuadro le otorgó a la población libreña un particular estilo de vida social y político.

Primeros años en Paso de los Libres

El desconocimiento del idioma no fue inconveniente para que los Frondizi se incorporaran a la idiosincrasia de la población de Paso de los Libres. La tenacidad de don Julio, su espíritu de lucha y emprendimiento y la formación religiosa de Isabel, quien con fortaleza de carácter dirigió el hogar, les permitió amalgamar las tradiciones de Gubbio con las modalidades litoraleñas y convertir a su casa en un rincón respetado por los amigos que les fue generando su actividad laboral.

Don Julio Frondizi era un obrero especializado en el oficio de la construcción. En un recibo del 15 de noviembre de 1908 consta que recibió la suma de 1.500 pesos moneda nacional de una vecina, la señora Manuela Acuña López, como "importe de una casa que le edifiqué en el terreno de su propiedad". En el membrete leemos "Julio Frondizi, constructor albañil", título que atestigua una profesionalidad reconocida, dado que el monto de la construcción revela que era una obra de gran importancia.

A esta tarea unía la de los contratos firmados con la Municipalidad para la ejecución y construcción de veredas, cunetas, cordones y bocacalles de las principales arterias de la ciudad. Los libros de actas de 1900, 1901 y 1903 son explícitos en este sentido y, por la exigencia del trabajo, demuestran la responsabilidad laboral de Julio Frondizi.

La situación económica estaba respaldada por esa incesante actividad. Los ingresos le permitieron a Isabel Ercoli adquirir en la suma de 280 pesos moneda nacional un terreno con una superficie de 1.584,282 metros cuadrados a Nicomedes Hernández, según consta en la escritura pública del 9 de noviembre de 1900, constatada por el escribano público de la ciudad, don José Alejo Atencio. Aquí levantaría don Julio la casa natal de Arturo Frondizi.

En una subasta pública del 19 de marzo de 1902 compró Isabel un lote en la manzana del terreno 134, según asevera el libro de Actas del Concejo Municipal, presidido por Mariano Madariaga, correspondiente a los años 1891 y 1905. Las metas o finalidades de Frondizi se iban cumpliendo y la formalidad con que encaraba sus compromisos le aseguraron el reconocimiento dentro de la sociedad libreña y un paulatino incremento económico. En la guía de Benjamín Serrano sobre la Provincia de Corrientes de 1904, figura don Julio como propietario de un horno de ladrillos y, además, como agricultor en el paraje Palmar.

La extensión de la línea del ferrocarril requirió más mano de obra especializada para la construcción y dirección de terraplenes, obras civiles y dirección de trazado. Por la capacidad y experiencia demostradas por don Julio, su colaboración fue considerada esencial para la ampliación del ramal hasta Posadas.

Estas tareas no le impedían a Julio Frondizi frecuentar a sus connacionales en la Sociedad Unión y Benevolencia de Socorros Mutuos, fundada el 23 de febrero de 1883 con 37 asociados iniciales y un patrimonio de 7.104,72 pesos moneda nacional. Con espíritu de solidaridad y sentido comunitario colaboró en sus tareas llegando a ser titular de su Comisión Directiva.

La casa natal

La casa natal de Arturo Frondizi, obra que sus padres levantaron con esfuerzo y entusiasmo, sin las adiciones que fue sufriendo con los años hasta llegar al aspecto que tenía en 1980 cuando fue reconstruida, era el refugio apacible en el que los niños disfrutaban de los típicos pasatiempos de su edad, y los mayores, de la seguridad y tranquilidad solariega. Situada en las afueras de la ciudad, era lo que se llama una casaquinta y ocupaba la esquina noreste de la manzana donde se cruzan las calles Rivadavia y Coronel Reguera, anteriormente llamada Libertad.

Su estilo era neoclásico muy simplificado. Los ladrillos estaban asentados en barro y los balcones tenían rejas de hierro. En el patio, junto al pozo de agua, el aljibe y el baño, se levantaba un alto molino. Todas las habitaciones, con pisos de maderas alistonadas y zócalos, se comunicaban entre sí y daban a una gran galería sostenida por columnas de hierro y que lucía brillantes baldosas cerámicas. Las ventanas, que se abrían hacia las dos calles, llevaban postigones con vidrieras y herrerías artísticas.

Las vigas de madera estaban protegidas por una cenefa, motivo ornamental que completaba la armonía de la construcción. El techo era de tejas y los cielorrasos de tejuelas, según la característica de la época, y sólo el cielorraso del zaguán era de pinotea. La estrecha vereda estaba cubierta por pequeñas piedras rectangulares rojizas. Completaba el ambiente una vegetación abundante y colorida que daba sombra en todo tiempo y otorgaba dignidad y señorío a la edificación.[7]

Los hermanos

En esta casona patriarcal y acogedora, resonaron muy pronto las risas y la algarabía de los hijos que prolongaron la estirpe de los Frondizi. Nacieron en la Argentina diez hijos que, con las dos niñas que llegaron de Italia y dos fallecidas prematuramente, sumaron catorce hermanos.

Los tres mayores nacieron en Uruguayana, que contaba con mejor atención médica, pero fueron anotados en Paso de los Libres. El 2 de diciembre de 1896 nació Américo; el 5 de marzo de 1899, Virginia y, el 5 de marzo de 1900, Ricardo Amadeo. Paso de los Libres fue el pueblo natal de seis hermanos: María nació entre 1897 y 1898 y falleció muy joven; Julio, el 12 de diciembre de 1901; Isabel, el 26 de febrero de 1903; Orestes, el 25 de setiembre de 1905; Silvio, el 1° de enero de 1907 y Arturo el 28 de octubre de 1908. Risieri nació en Posadas el 20 de noviembre de 1910.

A todos ellos sus padres les abrieron el camino del estudio. Exhibían una singular característica genética: su poderosa inteligencia la que, unida a su capacidad, les permitió ocupar lugares destacados en el mundo del intelecto y el profesionalismo. Américo, farmacéutico y autodidacta en el aprendizaje de idiomas y griego clásico; Ricardo, profesor de inglés; Silvio, abogado, y Risieri, que desempeñó el rectorado en la Universidad de Buenos Aires, ambos autores de trascendentales obras en el campo de la ideología y filosofía; Virginia, docente por excelencia; Orestes, respetado funcionario al igual que Julio, quien había cursado Medicina sin llegar a graduarse, y Arturo, primer hijo de un inmigrante italiano, un gringuito, que fue elegido presidente de la Nación.

Ercilia, casada con Virgilio Prosperetti e Isabel con Juan Tomás, eligieron el camino del hogar.

NOTAS

1. Frondizi, Arturo: discurso pronunciado en la Universidad de Perugia el 17 de junio de 1960.
2. Falleció en Buenos Aires el 17 de abril de 1941.
3. Falleció en Buenos Aires el 27 de agosto de 1943.
4. Frondizi, Arturo: "Significado de la tradicional amistad entre Italia y Argentina", *Dinámica Social,* setiembre de 1965, pág. 6.
5. Texto de la ley de fundación del 9 de setiembre de 1843.
6. Pellegrini, Enrique: *Paso de los Libres. Crónicas y ensayos,* López Libreros Editores, Buenos Aires, 1974, pág. 153.
7. Estos datos fueron tomados del informe de los arquitectos Ramón Angel Prieto y Marta Graciela Piragine, quienes tuvieron a su cargo la reconstrucción.

Según consta en el Registro Civil de Paso de los Libres, foja 45 del libro 16 partida 359, don Julio Frondizi, de cuarenta y tres años, declaró el día 30 de octubre de 1908 que a las 7 de la mañana del día 28 de ese mes, nació un varón al que pusieron solamente el nombre de Arturo.

Primeras vivencias

Nada mejor para comprender las vivencias de Frondizi en esa primera edad, que reproducir las páginas de unas memorias que comenzó a escribir en 1969 y que nunca terminó ni publicó.

Nací en Paso de los Libres en 1908, dos años antes del Centenario y ocho antes de que Yrigoyen fuera presidente. No recuerdo nada de mi pueblo natal: mi padre trabajaba en la construcción del ferrocarril a Posadas y nuestra casa era tan volandera como sus tareas. Por eso, algunos de mis hermanos nacieron en Uruguayana –donde existían mejores servicios médicos que en Paso de los Libres– y alguno fue misionero. Yo, aunque no tenga ningún recuerdo de mi pueblo, creo haber recogido misteriosamente algunas de las esencias que son propias de los correntinos.

Mis padres eran italianos, de la Toscana. El recuerdo de Gubbio estaba siempre presente en mi casa. Algunos de mis hermanos mayores conocían Italia porque mi madre sabía llevarlos periódicamente a educarse en colegios italianos. Eso ocurría en los tiempos de prosperidad económica de mi familia; en realidad, los cuatro hermanos menores nos criamos en tiempos más difíciles para mis padres y los viajes a la península debieron suspenderse. Pero de todos modos, Gubbio, su paisaje, su gente, su cultura, su santo patrono, estaban permanentemente en las conversaciones y seguramente en el pensamiento de mis padres.

Creo que yo heredé muy acabadamente el carácter de mis padres: él era uno de esos italianos sanguíneos, prontos al exabrupto y a las decisiones irreparables. Mi madre, en cambio, se caracterizó por tener una voluntad férrea sostenida por una estupenda constancia. Fue ella la que decidió quiénes estudiarían entre nosotros; fue ella la que organizó la emigración por tandas del familión a Buenos Aires.

En Concepción del Uruguay

Cuando los hermanos mayores iniciaron sus estudios en el Colegio Nacional y Normal, en 1913, la familia se trasladó a Concepción del Uruguay. El viaje quedó grabado en la memoria del pequeño Arturo quien por primera vez se alejaba de su pueblo natal en el que sus padres residieron durante veintiún años.

Cuando tenía tres o cuatro años mi padre resolvió trasladar toda la familia a Concepción del Uruguay. El motivo de la mudanza era la necesidad de que mis hermanos mayores ingresaran al Colegio Nacional. No recuerdo nuestra partida de Paso de los Libres; en cambio me parece entrever vagamente una ciudad muy grande –probablemente Concordia– mirada desde las ventanillas del tren. [...] En Concepción del Uruguay vivimos en varias casas; todas amplias, con grandes patios y espacio suficiente para contener el familión que éramos nosotros: doce hermanos –mis padres tuvieron catorce hijos pero dos fallecieron muy pequeños– más algunos correntinos que habían viajado con nosotros y estaban prácticamente incorporados a la familia.
Recuerdo entre ellos a Melitón, "el cambá Melitón", que era como un hermano nuestro y sobre el cual circulaban en casa las anécdotas o versiones más extrañas. Mis hermanos mayores solían contar que siendo yo muy chico, en Paso de los Libres, me asomé a mirar el interior de una tina bastante honda y por supuesto me caí adentro; cuando alguien le gritó a Melitón que me sacara de la tina, el "cambá" se encogió olímpicamente de hombros y se fue diciendo: "¡Que lo saque otro! ¡Yo ya lo saqué dos veces!"
Melitón era un morocho bajo, muy fornido y hacía toda clase de trabajos. Llegó a vivir con nosotros en Buenos Aires y luego se independizó.

Iniciación en el catolicismo

Fue bautizado en la Iglesia de la Inmaculada Concepción y sus padrinos fueron el juez federal doctor Tello y su esposa Idalina Luzuriaga de Tello, descendiente del general Toribio de Luzuriaga, dilecto amigo del libertador José de San Martín.
Su madre y su hermana Liduvina –Lidu en el ámbito hogareño– influyeron en su formación religiosa y en 1919 Arturo Frondizi fue promotor del Apostolado de la Oración, título que se reservaba a los adolescentes para promocionar dentro de la feligresía de una determinada parroquia, los principios

fundamentales de la doctrina cristiana y actuar en tareas vinculadas con la catequesis como asimismo ayudar en los oficios religiosos.

Con simpatía rememora Frondizi la presencia constante de Dios, la Virgen y San Ubaldo en su hogar, invocados en forma contrapuesta por su madre y Lidu por una parte y don Julio, quien mantenía muy alto su bandera risorgentista y anticlerical, por otra.

> En los primeros años de mi niñez tuve actividad religiosa, porque mi hermana mayor Lidu era muy religiosa. Mi madre también y aunque no practicaba el culto, nos mandaba a nosotros a cumplir. La relación de mi madre con Dios era directa y se manejaba a través de la Virgen y de San Ubaldo, patrono de Gubbio. Este culto era atendido, según la gravedad de las circunstancias, con más o menos velas delante de las imágenes en casa o con velas y flores que mandaba a la Iglesia. Pero nosotros teníamos una gran contradicción dialéctica. Por un lado mi madre con esa formación, y por el otro mi padre que era ateo furioso. Tan ateo, que todo el día se la pasaba hablando de Dios, a quien responsabilizaba de todo lo que pasaba en la naturaleza, en los animales, en la salud; absolutamente de todo lo que ocurría tenía la culpa Dios. De esa manera, Dios estaba presente en mi casa, a través de mi madre desde un punto positivo, y de mi padre, negativo. Mis hermanas, acompañaban a mi madre.

Primer paso por Buenos Aires

A medida que sus hermanos iniciaban las carreras universitarias, su madre se trasladaba a Buenos Aires para conseguir alojamiento adecuado y facilitarles sus tareas en la gran ciudad. Uno de esos viajes doña Isabel lo hizo acompañada por Arturo, quien continuó en la capital sus estudios primarios. Quizá debido a su timidez, que nunca logró vencer totalmente pero pudo controlar y dominar, y a su tendencia a la introversión y al aislamiento, tuvo la preferente atención de su madre que llegó a la sobreprotección.

Con el transcurso del tiempo, cuando surgía la evocación de Isabel Ercoli, Frondizi no disimulaba su orgullo filial al referirse a esa mujer físicamente pequeña pero de carácter tan fuerte y tesonero.

> Cuando tenía alrededor de diez años vine a Buenos Aires con mi madre y una hermana. Debo conservar todavía una foto que nos sacamos antes de tomar el tren, porque en ese entonces viajar a la capital era toda una aventura. Para mí fue, además, una aventura fatigosa porque habíamos sacado un camarote para cuatro; en uno de ellos iban mi madre y mi hermana y en el otro yo. Pero ocurrió que en algún momento del trayecto subió una señora o señorita y se negó terminantemente a compartir con un hombre su compartimiento. Y no aceptó ninguna explicación en el sentido de que el tal hombre sólo tenía diez años... de modo que tuve que hacer el viaje en el vagón de al lado, sin cama.

En Concepción yo no había hecho cursos regulares. Cuando vinimos a Buenos Aires cursé el tercero y cuarto grado en la escuela primaria ubicada en Las Heras, casi esquina Coronel Díaz. Nosotros vivíamos en el barrio de Palermo, en la calle Bulnes, a una cuadra y media de la Avenida Alvear, frente al Hospital Fernández, donde uno de mis hermanos era interno –estudiaba farmacia– y otro, aunque no lo era, estaba siempre allí como estudiante de medicina.

La directora de esta escuela era una puntana, la señora María Mercedes de la Vega. A pesar de que el curso ya había empezado –y a pesar también de que la escuela era fundamentalmente femenina– pude ingresar y hacer mi tercero y cuarto grados.

Siempre guardé gratitud a la señorita De la Vega, a quien tuve oportunidad de ver muchos años después. El día de mi ingreso a la escuela me presentó a toda la clase y dijo que yo iba a ser un hombre importante en el país... Lo cierto es que a pesar de la abrumadora mayoría femenina, yo no tuve problemas allí, aunque las trenzas de la compañera que se sentaba adelante solían tentarme...[1]

Regreso a Concepción del Uruguay

De regreso a Concepción del Uruguay, compartió con su padre y con Silvio sus últimos tres años de estadía en esa ciudad.

Pronto tuve que volver a Concepción del Uruguay. Mis padres habían resuelto que una parte de la familia quedara en Buenos Aires mientras la otra volvía a Concepción; probablemente mi padre tenía que finiquitar sus negocios antes de poder instalarse en la capital. De modo que mi padre, Silvio y yo regresamos a nuestro pueblo y pasamos allí un año y medio, manejados por una negra africana que durante ese lapso nos hizo comer la misma comida sin la menor variación: arvejas partidas en todas sus formas.

En febrero de 1922 completó sus estudios para obtener el certificado de sexto grado. Rindió su examen en la Escuela Normal y aprobó todas las materias con clasificaciones bajas, a excepción de Historia e Instrucción Cívica y Moral en las que tuvo 8 y 9 puntos respectivamente. Es que, como recuerda Frondizi, su padre, que había sido siempre muy rígido con sus hermanos mayores, tenía una especial debilidad para con los cuatro más chicos, de modo que en este grupo "el que quería estudiaba y el que no quería, no".

NOTA

1. Frondizi, Arturo: *Memorias de un hombre político,* inédito, Archivo personal.

El siguiente paso, al igual que sus hermanos, era ingresar al Colegio Nacional, cuya fama había trascendido los límites de la provincia desde el momento mismo de su fundación por Justo José de Urquiza, en 1849.

El 24 de febrero de 1922 presentó la solicitud de inscripción, de su puño y letra, no muy pareja ésta, con una "F" de Frondizi volada, aparte de otras pronunciadas mayúsculas, aunque sin ningún error. Dice que acompaña un testimonio de la partida de nacimiento que acredita sus años de edad, un certificado de aprobación de sexto grado y una constancia de vacunación de fecha febrero de 1921, extendida por la directora de la escuela "Herrera Vega". Un "concedido" al pie de la solicitud, con la firma del rector Haedo, sellan el ingreso de Arturo Frondizi al Colegio del Uruguay.[1]

Como él mismo confiesa, no había asimilado aún la disciplina que genera el estudio metódico impuesto en un establecimiento educativo, pero esa formación irregular se compensó con las divagaciones culturales y los coloquios filosóficos que se generaban en su casa cuando se reunía toda la familia en los períodos de receso de los estudios de sus hermanos mayores.

Yo era un alumno muy mediocre. Toda mi vida consistía en aguantar las clases a la mañana y después de almorzar salir a jugar al fútbol en el potrero, donde nos quedábamos con nuestros hermanos hasta que se hacía de noche. [...]

Mitzin Bilbol, su profesor de matemática, que con melancolía solía reprocharle su despreocupación comparándolo con sus "antepasados" responsables y estudiosos, ocupa páginas relevantes en esta miscelánea recordativa de Frondizi. Con esta ubicación temporal se refería Bilbol a los hermanos mayores, ex alumnos del establecimiento.

En el proceso memorioso de Frondizi, cabe destacar una anécdota que marca debidamente la relación del profesor con sus discípulos, del docente que se impone por sus conocimientos sin emplear la vara de la justicia que menciona el Talmud.

Un día estaba explicándonos algún tema de su materia; yo me paré y le pregunté qué pasaba si uno sumaba naranjas con tomates. Bilbol bajó la cabeza, me miró largamente por encima de sus anteojos y luego dijo:
–Esa pregunta que usté me hace... ¿es para aprender o para jodé? –Y entre las ruidosas manifestaciones de toda la clase continuó diciendo:– Porque cuando estamos en clase, estamos en clase. Y cuando estamos en joda, estamos en joda...
Lo cual no deja de ser una norma de conducta para toda la vida.

Una actitud ante el ser humano

En esta etapa de su adolescencia nacieron en Frondizi concepciones y actitudes que, a través de los años, se convertirían en concepciones sociales e ideológicas permanentes.

Concepción era, además, un pueblo lleno de lugares ideales para pasear y de tipos muy característicos. Recuerdo que uno de mis paseos favoritos era recorrer el pequeño puerto y ver el trabajo de carga y descarga de los buques. Por allí andaba siempre un hombre trastornado que solía tocar el violín constantemente; una tarde uno de los changadores le tiró una papa con una puntería tan precisa que le rompió el instrumento. Todavía recuerdo la impresión penosa que me provocó el suceso, porque el pobre hombre tocaba el violín con un esfuerzo y una concentración comparables a las de cualquier ejecutante.

El "noviciado" en el Colegio Nacional era duro para los debutantes pero, en especial, para los jóvenes de origen judío, cuya presencia era casi masiva en el establecimiento.
Esa relación se tornó más drástica para con Tobías, hijo de Abraham, maestro de la colonia judía, al que castigaban con el "cacho" en la cabeza, fuerte raspón con el nudillo de los dedos a mano cerrada, aplicados sobre el cuero cabelludo. Eso continuó hasta que "unos hermanos Frondizi, guapos conocedores del muchachaje, tomaron partido por los rusitos" y

ayudados por los fiscales y víctimas, Tobías y su hermano Teodoro, tras la clase de gimnasia, acorralaron a los verdugos que esta vez sufrieron ellos las aplicaciones del "cacho" entrerriano, entre puntapiés y naranjazos. Por largo tiempo los judíos disfrutaron de paz y tranquilidad. El nombre Frondizi quedó en la memoria de Abraham y sus hijos con el más profundo agradecimiento.[2]

Este gesto en defensa de sus semejantes y de repulsa ante cualquier forma de discriminación sería una constante en la trayectoria de Arturo Frondizi.

Primer contacto con la política

En la "Fraternidad", la querida "Frater", institución que había surgido en 1877, de proyección universitaria que servía de hogar a los estudiantes y los hermanaba durante su permanencia en el Colegio, Frondizi conoció a adolescentes de otras provincias que le enseñaron las características de esas regiones del país, lo que le permitió forjarse un panorama nacional que hasta entonces no había imaginado. La amistad con Luis Mac Kay, nacida en las aulas del Colegio, se afirmó con el correr del tiempo, y en 1958 su antiguo condiscípulo fue su ministro de Educación.

Si bien don Julio no militaba en política, manteniéndose alejado de los procesos electorales como de las luchas sociales en las que se enarbolaba la bandera del anarquismo, en una ocasión concurrió con Arturo a un acto en el que los oradores, dirigentes obreros de esa tendencia, hablaron "con lo que me pareció a mí extraordinaria elocuencia".

Otro momento que Frondizi grabó indeleble en sus cálidos recuerdos infantiles fue cuando, en su breve período escolar en Buenos Aires, conoció a Hipólito Yrigoyen cuya figura y trascendente concepción y filosofía de la política despertarían su interés consciente y reflexivo sobre la militancia partidaria.

Siendo alumno de la Escuela "Herrera Vega", nos llevaron a la Plaza de Mayo. No tengo presente si por ser el abanderado o por otra causa, estuve muy cerca del palco en el que se hallaba Yrigoyen, y lo vi claramente. Según me contó mi hermana Virginia, quien se ocupaba de nuestra formación intelectual y que murió en 1964, luego de esta ceremonia le escribí una carta confiándole mis impresiones sobre el Presidente. Afirmaba Virginia que esa carta la había impresionado mucho, teniendo en cuenta mi edad en ese momento.

El militar que no fue

La permanencia de Frondizi en el Colegio Nacional de Concepción del Uruguay fue breve. Aprobado el 2° año y "terminados los motivos que habían determinado el fraccionamiento de la familia, regresamos a Buenos Aires para vivir todos juntos otra vez en vísperas de ingresar al tercer año nacional".

Por influencia de su madrina, la señora Luzuriaga de Tello, orgullosa de su estirpe castrense, Frondizi intentaría en 1924 su ingreso al Colegio Militar de la Nación.

La tradición militar en su familia –*dice Frondizi*– tuvo cierta gravitación en mi vida. Viviendo ya nosotros en Buenos Aires, mi madrina resolvió que yo fuera militar y rendí ingreso. Me aplazaron en una materia, creo que fue anatomía. No he podido conseguir mi ficha de esa época, pero creo recordar que decía "impresiona como persona franca" o algo así, aunque algunos que no me querían cuando fui presidente, decían que era todo lo contrario. A veces pienso divertidamente, lo que hubiera sido mi vida si me hubiesen aprobado en el examen de ingreso de cadete.

El hogar porteño

El 21 de enero de 1924, don Julio Frondizi solicitó los pases y certificados de estudios de Silvio y Arturo para presentarlos a las autoridades del "Mariano Moreno" de la Capital Federal, para la continuación de sus estudios. Este establecimiento contaba con un magnífico cuerpo docente y gabinetes y laboratorios que significaban una verdadera innovación en los planes secundarios.

La familia Frondizi retornaba a una ciudad que no era la Buenos Aires que en 1893 recibiera a los inmigrantes de Gubbio. El avance progresivo hacia la periferia "de decenas de barrios había logrado, además de la realización integral de una gran ciudad, romper la monotonía y alcanzar el atrayente encantamiento de las famosas urbes del mundo".[3]

En una amplia casona de la calle Simbrón Nº 3235 de Villa del Parque fijó su domicilio la familia Frondizi, y el apacible hogar intelectual fue refugio propicio y acogedor para interminables y parlanchinas sobremesas, en las que los hermanos menores se familiarizaban con autores, obras, escuelas literarias y filosóficas. Jóvenes inquietos y ávidos de conocimientos buscaban en la poesía, la literatura en general o en la filosofía, la documentación fundamental para comprender y juzgar la condición humana, el medio para develar la realidad.

Los seducían entonces la poesía de Lamartine, trasunto del mundo apasionado y heroico del romanticismo, las páginas de Anatole France, las trágicas criaturas delineadas por Fedor Dostoievsky o los diálogos de Platón.

El Colegio Nacional "Mariano Moreno"

Arturo se matriculó en 3° año 3ª división, turno tarde. Sus clasificaciones eran buenas, lo que le permitió eximirse en todas las materias. Ese año visitó el establecimiento el príncipe Umberto de Saboya y Arturo integró el juvenil coro que entonó en italiano las estrofas de "Las campanas de San Justo", en su honor.

En 1925, año en que cursó el 4° año 2ª división, una figura destacadísima de las letras universales recorrió el colegio. Era Rabindranath Tagore, el más grande poeta de la India moderna y premio Nobel de Literatura en 1913. Frondizi recordaría siempre como uno de los momentos imborrables de su vida la presencia del venerable autor a quien tanto admiraba.

Frondizi fue adquiriendo madurez en su conducta y en sus estudios, y este sentido de responsabilidad le permitió ser designado celador de 5° año, curso superior al suyo.

Por sus clasificaciones fue inscripto en la 1ª división de 5° año, a la que sólo accedían los alumnos distinguidos del establecimiento. Fue una brillante división y todos sus integrantes se destacaron en las carreras elegidas tras su promoción; la amistad que nació en las aulas se mantuvo a lo largo de los años.

En testimonios brindados por sus compañeros de estudio, todos valoraron la inteligencia de Frondizi.

Durante los años que cursamos nuestros estudios en el querido Colegio Nacional Mariano Moreno –rememoró Pedro Mirarchi–, Frondizi se destacó como un estudiante de primera línea. Era muy apreciado por su carácter, por su forma de ser, por su bondad y aun siendo muy jovencito, por su hombría. Era un muchacho amplio, de una lucidez mental extraordinaria, y no me equivoco al decir que era uno de los mejores promedios durante los años pasados en el Colegio Moreno; un joven que no solamente se dedicaba al estudio, sino que pensaba constantemente en su familia.[4]

A este testimonio se agrega el del doctor Vicente Pataro, amigo entrañable y luego médico personal de Frondizi:

Arturo descollaba por sus dotes personales extraordinarias. Compañero leal, generoso, de entrega total, era locuaz y dicharachero, pero mantenía una total reserva para las cosas importantes.[5]

Los profesores

Bajo la rectoría del doctor Manuel Derqui, eminente pedagogo que aspiraba a convertir a su Colegio en un establecimiento modelo, el "Mariano Moreno" contaba con un plantel de distinguidos profesores, con gran vocación docente y una profunda versación sobre sus disciplinas. Enseñaban y formaban a sus discípulos e impulsaban a la investigación, al esfuerzo personal para llegar a los resultados positivos del saber.

En el archivo del colegio "Mariano Moreno" figura la nómina de los docentes de ese brillante 5° año 1ª división, entre ellos, José Elio Morgado, que los guió a través del mundo de filósofos y sofistas; Ricardo Levene, paradigma del maestro y alto exponente de los valores culturales de la Nación que despertó en Frondizi su interés por los estudios históricos, y Baldomero Fernández Moreno, quien les hizo gustar de la poesía.

Frondizi conservó durante toda su vida en su biblioteca particular, los cuadernos de apuntes del profesor Morgado y los de las clases de Ricardo Levene. Estos eran su joya más preciada y los mostraba con orgullo porque eran la máxima expresión de la enseñanza en un período brillante de la cultura argentina. Un poema corregido por su autor, Fernández Moreno, a quien los alumnos solicitaban la lectura de sus poesías, adornaba una de las paredes de su Fundación Centro de Estudios Nacionales.

Los profesores doctor José María Mesa, de Fisiología e Higiene, y Elio Morgado mantuvieron a través de los años un recuerdo imborrable del joven Frondizi y el segundo se emocionaba al recordar que "gozaba y se enorgullecía de tener alumnos como Arturo y Risieri". Los imaginaba en las calles de la Atenas clásica, con sus togas recogidas en graciosos pliegues sobre su brazo, participando en apasionantes disquisiciones sofísticas y filosóficas. En una esquina de la polis colocaba al filósofo Risieri y en la opuesta, al sofista Arturo.

Los cuadernos de apuntes

En el cuaderno de apuntes de las clases de Lógica del profesor José Elio Morgado, quien lo inició en las nociones de epistemología filosófica, Frondizi, con letra irregular y de difícil lectura, realizó el análisis y perspectivas del pensamiento kantiano en un trabajo de nivel no frecuente en nuestro medio escolar.

La indagación crítica y valorativa en el campo de la exploración filosófica interesó al aventajado estudiante, quien trató de desentrañar problemas que, por su esencia, admiten posibilidades diversas.

¿Por qué razón el hombre debe imponerse en su vida tal norma de conducta, tal modo de obrar, en contraposición a otro? –se pregunta Frondizi–. ¿Lo hace porque una fuerza externa se lo impone sin tener en cuenta su determinación?, ¿lo hace porque una fuerza interna, o sea, su conciencia se lo manda, independientemente de las fuerzas que obran en su exterior?

En este análisis sobre la moral, apeló Frondizi a los planteos de Auguste Comte y Fredrich Nietzsche, pero sus plurales lecturas y las enseñanzas de su profesor delinearon en él una actitud de respeto ante el espíritu creador e independiente del hombre. La misión de los intelectuales y su responsabilidad ante la sociedad fue sostenida desde entonces por Frondizi quien, desde la primera magistratura de la Nación, así lo expresó en el Mensaje dirigido al Cuarto Congreso Nacional de Escritores organizado por la Sociedad Argentina de Escritores –SADE–, en octubre de 1958:

> Estas circunstancias hacen aún más honda la responsabilidad de los intelectuales, puesto que permiten que sus dotes se desplieguen sin otras trabas que las que puedan imponerles la conciencia individual de cada escritor.

Las páginas del cuaderno de apuntes de Historia contienen la interpretación hecha por un adolescente de diecisiete años, de obras de juristas, realistas y nominalistas; de cuestiones tocantes al carácter científico de la historia y juicios de teólogos y pensadores. Su lectura nos lleva a valorar una singular etapa de la enseñanza secundaria argentina que adquiere un relieve excepcional con el paso del tiempo porque capacitaba a los jóvenes para formular sus propias concepciones, sus enfoques personales y sus experiencias particulares.

En los primeros capítulos, Frondizi dio una visión general y sistemática de las ciencias de la naturaleza y del espíritu. Con aguda comprensión analizó el concepto filosófico y los criterios expuestos por historiadores, en el intento de encontrar las claves para dilucidar la evolución de las ideas y su lógica explicación.

Los textos de Alfonso X el Sabio, Solórzano y Pereira, Saavedra Fajardo, Kant, Tomasio y Maquiavelo le permitieron acceder a la profunda cosmovisión filosófica de tan singulares pensadores.

También estudió Frondizi las bases doctrinales de figuras de proyección nacional –como Mariano Moreno, Manuel Belgrano, Juan Bautista Alberdi– e internacional, centrando su interés en lo esencial y peculiar de sus teorías, de sus proyectos y observaciones exactas, vigorosamente expuestos y razonados.

Revista estudiantil Estimulen

En mayo de 1926 los alumnos del "Mariano Moreno" iniciaron la publicación de la revista *Estimulen* en la que volcaron sus inquietudes, vocación intelectual, actividades deportistas, en fin, la vida toda del establecimiento. Su director, Alberto F. Banfi, contó con el entusiasmo de Frondizi, quien publicó en su primer número su trabajo "El nacionalismo en las aulas", en el que apeló al idealismo y voluntad creadora de la juventud "para construir una nación formidable por el amor y grande por el bien".

Con el propósito de impulsar la creación literaria, *Estimulen* organizó un concurso sobre el tema "¿Qué es la Patria?"; Frondizi obtuvo el primer premio con un escrito premonitorio de lo que sería en el futuro la entraña sustancial de su pensamiento.

Debemos desear, y ése es patriotismo alto y fecundo, la patria grande, no en la guerra sino en la paz, potente, pero por la justicia y no por la violencia; el bien en los propios ciudadanos sin perjudicar a las otras naciones.

Su concepto sobre patria lo acercaba al ideal platónico: "La patria nos da la vida, nos sustenta, nos educa".

En otro de sus artículos, "Impresiones de la lectura de *El Príncipe* en clases del doctor Levene", interpretó las propuestas políticas de Nicolás Maquiavelo:

El Príncipe no debe ser leído como un libro de mero valor histórico sino que debe ser estudiado, una y más veces en la vida, como un tratado de gran interés para todos los hombres. [...] Debemos leerlo para compenetrarnos bien de sus teorías y así poder combatir al que está inspirado en él. [...]
No debemos aceptar que se nos enseñe a usar la fuerza y la astucia en vez de la prudencia y la lealtad. No aceptemos que se nos enseñe a ser zorros con garras de león, a fingir siempre lo contrario de lo que pensamos o queremos, a usar la mentira como el medio más eficaz de triunfar.

Lejos estaba de suponer Frondizi que con el tiempo sus opositores lo considerarían émulo de Maquiavelo, al distorsionar los procedimientos utilizados por el presidente para, según las palabras del diplomático florentino, "poner enseguida en práctica lo resuelto y ser obstinado en su cumplimiento". Ese error, basado más en normas de la heurística que de la hermenéutica, fue considerado por Frondizi cuando el 17 de febrero de 1962 dijo: "Porque no renunciamos ni renunciaremos a cumplir hasta el fin el mandato de nuestro pueblo, se nos ha atribuido duplicidad, ambición y soberbia".

Nación y antinomias

En su archivo particular Frondizi guardaba unas borroneadas líneas sobre "Rosismo y antirrosismo no pueden ser patria y antipatria". Este escrito juvenil delinea lo que finalmente sería una concepción y una práctica constantes del autor: el intento de superar antagonismos en aras de un objetivo superior, la patria.

Durante la tiranía el problema político se planteó para rosistas y antirrosistas en forma de dilema; los primeros pregonaban, amparados en la fuerza, con Rosas o contra la patria. Señalamos este hecho a la consideración, porque habría de repetirse en nuestra vida política con caracteres análogos, sin comprender que el concepto de nación o de patria está por encima de cualquier partido, tendencia, facción u hombre. Rosas lo proclamó como verdad axiomática e indiscutida: o federales a su modo o traidores a la patria. La historia que coloca a los hombres y a las ideas en el plano que les corresponde, ha consagrado a muchos de esos traidores –a Sarmiento, a Alberdi, a Echeverría, a Mármol y tantos otros– en figuras tutelares de la nacionalidad.

Desde la función pública o en el diario quehacer político, Frondizi mantuvo rigurosamente los fundamentos de aquel temprano pensamiento de integración y templanza ideológica.

La Historia, generadora de valores

Desde muy joven Frondizi se dedicó a analizar las vertientes positivas de la experiencia histórica como categoría generadora de valores. Con singular entusiasmo integró la "Comisión estudiantil pro adquisición de la casa donde falleció Domingo F. Sarmiento", que propició la compra de la vivienda en La Cancha, en el barrio suburbano de La Recoleta, en Asunción, para incorporarla al patrimonio de la Nación. Como el gobierno del Paraguay, en clara demostración de fraternidad americanista adquirió el histórico solar, en reciprocidad, con la suma ya recaudada, se compraron libros para formar una "Biblioteca argentina" en un establecimiento educativo asunceño.

La admiración hacia José Manuel Estrada, "gran maestro, figura autóctona, ejemplo y guía de las generaciones argentinas", lo llevó a impulsar la formación de la "Comisión de la Juventud pro homenaje al ilustre maestro José M. Estrada" con motivo de cumplirse el 30° aniversario de su fallecimiento. Tuvo notable repercusión en el ámbito educativo y parlamentario la donación de un busto del prócer a la Cámara de Diputados de la Nación, que efectuó el emprendedor grupo estudiantil.

La figura de Estrada volvió a ser evocada por Frondizi en 1919, como presidente de la Comisión del Ateneo del Círculo universitario "Mariano Moreno". Destacó en esa oportunidad el cometido que asignaba el prócer a las altas casas de estudio: "transformar la cultura, fin y objetivo de la Universidad, es uno de los tantos medios para alcanzar posiciones expectables".

Cuando el colegio "Mariano Moreno" organizó el viaje de una delegación del establecimiento a Concepción del Uruguay para rendir homenaje a Justo José de Urquiza, Frondizi fue el encargado de hablar en la ceremonia ante la tumba del caudillo. En su discurso exaltó la acción constitucionalista del gran entrerriano y, como en otras oportunidades, imbuido del espíritu echeverriano, hizo referencia a la participación de los jóvenes en la consecución de una sociedad mejor: "Todo nos queda por hacer; una misión se abre ante nosotros. Alma de Urquiza, guíanos".[6]

Los deportes

Sin descuidar sus estudios, Frondizi se dedicó a la práctica del atletismo, el fútbol y el boxeo en las amplias instalaciones que el colegio poseía en parque Chacabuco y también en la vieja cancha de Gimnasia y Esgrima y en el Club Almagro. Apodado cariñosamente "el flaco Arturo", integró como "back" la defensa del equipo de fútbol y gustaba recordar que, como buen cabeceador, jugaba con boina.

El boxeo lo contó entre sus cultores y, en la categoría peso pluma, representó al colegio en el Campeonato Intercolegial de Aficionados.

Muy alto para su categoría, tenía la gran habilidad de pelear a distancia, lanzando eficazmente su izquierda en jab, que era sin duda su mejor arma en el ring.[7]

En noviembre de 1926, en reñido match fue derrotado por Armando Botte a quien, no obstante y con espíritu de solidaridad deportiva, acompañó en su campaña para coronarse campeón intercolegial.

Terminados los estudios, Frondizi mantuvo su vinculación con el Club Almagro, por su amistad con el doctor Raúl Colombo, su condiscípulo, presidente de la institución. Cuando le preguntaban por su club favorito, siempre respondía, sin vacilar, que era hincha de Almagro.[8]

El 23 de noviembre de 1993, el Club Vélez Sarsfield, como reconocimiento al apoyo prestado al deporte, entregaría a Frondizi, en un gran acto realizado en su estadio, una plaqueta y el carnet nominándolo miembro vitalicio de la asociación.

Finalización del bachillerato

Al finalizar sus estudios, Frondizi mereció la "Mención Honorífica" correspondiente a su promoción. Su boletín de clasificaciones, con sus distinguidos y sobresalientes, es índice de las cualidades del joven egresado que ya tenía bien definida su futura carrera universitaria. La lectura de la *Revista del Río de la Plata* de Gutiérrez y los discursos de Zuviría en el Congreso Constituyente de 1853, así como las clases del doctor Levene, habían decidido su vocación por el estudio de las leyes.

Durante las vacaciones, Arturo y Silvio aprovecharon el descanso para trabajar en tareas que les permitirían obtener una entrada económica, con el propósito de adquirir libros que enriquecerían su formación intelectual. Frondizi evocaba con natural picardía las labores que realizaban como cadetes en una droguería próxima a Corrientes y Maipú, que incluían el diario barrido de la vereda. El farmacéutico, al enterarse que Arturo pensaba ingresar a la Facultad de Derecho y Ciencias Sociales, al tiempo que observaba su pésima caligrafía, perplejo le dijo:

–¿A la facultad? Si firmás como un inmigrante calabrés.

NOTAS

1. Macchi, Manuel E.: "La adolescencia de Arturo Frondizi en Concepción del Uruguay", en Roberto Pisarello Virasoro y Emilia Menotti (directores): *Arturo Frondizi. Historia y Problemática de un Estadista,* Tomo II, El Intelectual, Depalma, Buenos Aires, 1984.
2. Chudnovsky, José: *Pueblo y Pan,* Losada, Buenos Aires, 1967, pág. 212. El 11 de julio de 1937, especialmente invitado, pronunció Frondizi una conferencia sobre el tema "El problema del antisemitismo visto por un argentino", en la Sociedad Israelita "Enrique Heine".
3. Maroni, Juan José: *Breve historia física de Buenos Aires,* Cuadernos de Buenos Aires, XXIX, pág. 91.
4. Mirarchi, Pedro: Testimonio, Archivo personal de la autora.
5. Pataro, Vicente: Testimonio, Archivo personal de la autora.
6. Como presidente de la Nación, Arturo Frondizi presidió en Concepción del Uruguay los actos de traslado definitivo de los restos de Justo José de Urquiza a su mausoleo, el 11 de abril de 1959.
7. *Historia del boxeo argentino,* "El peso pluma Arturo Frondizi", pág. 8.
8. En un reportaje que efectuó *Primera Plana* el 3 de agosto de 1963, pág. 8., leemos: " Frondizi sigue siendo 'hincha' de Almagro. El origen de esa singular 'devoción' es político. Cuando joven, todos sus compañeros de comité, en la sección séptima, eran directivos del Club Almagro, que constituía algo así como una colateral del partido radical. Frondizi jugó su último partido de fútbol en 1953. Tenía entonces 45 años e integró un equipo de abogados en el que también se hallaban Wainfeld y Blejer. Hizo foul y la incidencia determinó la suspensión del partido a los 25 minutos".

La Facultad de Derecho y Ciencias Sociales

En 1927 Frondizi ingresó a la Facultad de Derecho de la Universidad de Buenos Aires, en la que cumplió una brillante carrera. El cuerpo de profesores estaba constituido por docentes de la más elevada categoría profesional. Jurisconsultos, letrados y magistrados, con su solvencia, justificaban el prestigio de sus cátedras, no sólo en el país sino en el exterior de la República y convocaban a jóvenes de distintas nacionalidades que concurrían a Buenos Aires para cursar en su universidad sus estudios superiores.

Frondizi no fue alumno regular, sino libre. En tres años terminó su carrera con clasificaciones sobresalientes, que le valieron el Diploma de Honor. Simultáneamente con sus estudios en la Facultad de Derecho siguió regularmente Filosofía, si bien sin rendir exámenes. Le atraían los planteos de las cátedras y la calidad de los docentes, pero una manifiesta incompatibilidad con el griego y el latín lo impulsó a abandonar esta disciplina en la que su hermano Risieri llegó a ser figura descollante.

El expediente universitario de Frondizi tiene el Nº 106 del año 1926 y consta en él que hizo el doctorado en 1932. El certificado de inscripción como Procurador figura bajo el Nº 2.673, folio 180 del libro Nº 1 de Matrícula de procuradores de la Corte Suprema de Justicia de la Nación, y la inscripción del título de abogado en la Corte Nacional y en la provincia de Buenos Aires la realizó el 11 de marzo de 1931.

Investigaciones

Su inclinación por la historia, la sociología, la política y la filosofía, lo llevó a incursionar en esas disciplinas, a penetrar en sus problemas específicos y a escribir páginas que demuestran los valores reguladores de su conducta. En su archivo personal numerosos manuscritos son prueba evidente de ese afán por superarse y analizar temas que consideraba fundamentales. En uno de esos trabajos consideraba aspectos de la sociología según la concepción de Auguste Comte y, al formular una crítica a su método, afirmaba que

> no existe en este sistema una separación entre el mundo de la causalidad, que es la naturaleza, y el mundo de la finalidad, que es el del hombre; es, por tanto, absurda la pretensión de descubrir leyes absolutas que rijan la evolución de los pueblos como la ley de la gravitación universal del mundo de la causalidad.

Dos monografías, sobre la doctrina contractual de Rousseau una y sobre la filosofía de la historia de Emanuel Kant otra, muestran ya las calidades de un verdadero investigador. Para Frondizi, el nivel teorético-cognoscitivo llegó en Kant a su expresión suprema y, al realizar una exégesis de las reflexiones kantianas sobre los valores, acota:

> El criterio de valoración universal de los hechos históricos consiste en despojarlos de sus elementos contingentes y particulares. Conviene reconocer, no obstante que, en algunos casos, tales elementos particulares pueden llegar a tener valor universal.

Al considerar la identidad de la filosofía y de la historia, se detuvo en otra figura clave del campo de las especulaciones metafísicas, Benedetto Croce, considerado como el más eminente representante del neohegelianismo y del neoidealismo italiano, rescatando su pensamiento de que la filosofía "será una ciencia de Dios o del diablo, con tal que sea universal".

A partir de los razonamientos de Kant y Croce, Frondizi examinó los conceptos fundamentales que particularizan los principios de la historia narrativa, la pragmática y la genética. Según Croce, el historiador debe descubrir la historia con los elementos dejados por el pasado, pero necesita además intuir un pasado, es decir, evocarlo. Estas palabras dejaron profunda huella en él. En una conferencia que pronunció en el Centro de Estudios Nacionales sobre la historia nacional, analizó el proceso de investigación y apuntó al respecto:

> No hay manera de interpretar la historia si no es a través de una visión de conjunto. Los hechos históricos no existen aisladamente, reconocen causas y producen efectos; tienen antecedentes y se proyectan hacia el porvenir... Al hacer el estudio de la historia, no tenemos más remedio que tener a la vista las etapas concretas del desenvolvimiento. Lo importante será que esta visión parcial esté iluminada por el criterio de conjunto, por la presencia del proceso y la determinación del hilo conductor que enlaza a unas etapas con otras. So-

mos al mismo tiempo, protagonistas y herederos de la historia, de toda la historia, sin mutilaciones ni retaceos.[1]

Paul Groussac, con su avasallante personalidad, atrapó al joven estudiante quien formuló consideraciones atinadas sobre su metodología y su evidente credo historiográfico.

Las clases del doctor Ricardo Levene habían despertado la admiración de Frondizi hacia los pensadores de los siglos XVII y XVIII. Con el significativo aporte de la biblioteca de la Facultad, siguió sus investigaciones sobre la temática de los valores espirituales y jurídicos del jesuita Francisco Suárez, del padre Mariana, de Saavedra Fajardo y de Solórzano y Pereira.

Carlos Marx y su doctrina de la plusvalía ocupó el centro de sus especulaciones político-económicas, las que, unidas a otra preocupación obligada en un representante de esa joven generación, el problema de la usura, certifican su vocación por los alientos nutricios de la justicia social. En este sentido, sobre las pautas estructurales de Marx, reconoce Frondizi que "la teoría de Marx tiene una inmediata difusión universal en alas de la novedad y del proselitismo más que por espíritu científico o de revisión crítica".

Múltiples trabajos reafirman la sensibilidad de Frondizi para penetrar en el proceso cultural del país y esclarecen su preocupación por diversos aspectos jurídicos, como el de la reforma de la Carta Magna, reclamada en ese entonces desde esferas oficiales como necesidad preferencial para lograr una mejor administración y el ansiado progreso.

... la reforma constitucional por sí sola no bastará para suprimir todos los males y las injusticias. Ella vale como elemento educador y orientador. Discutida y sancionada una reforma que aborde sin temores el problema agrario o el maquinismo, la miseria, etcétera, será más fácil la formación de una conciencia social que tienda a la abolición de los privilegios e injusticias sociales, y que no haga posible que en un país tan fecundo por sus conquistas de libertad y de derecho, se deba contemplar impasible la explotación del hombre por el hombre.

Desde luego que esta tarea renovadora y revolucionaria no debe detenerse en la reforma de la constitución nacional sino que, cubriendo la estructura misma de nuestra legislación, debe renovar las prácticas y propósitos de los partidos políticos, orientar los gobiernos hacia una política eminentemente económica y social, llegando al terreno mismo de la enseñanza primaria, secundaria y universitaria, para que vaya capacitando a los individuos para desenvolverse de acuerdo al nuevo estado de cosas.

Su pensamiento mantendría este hilo conductor. Décadas más tarde, el 29 de octubre de 1986, escribía en *La Prensa:*

[...] nada de lo que nos pasa a los argentinos es culpa de nuestra Constitución; y aun cuando la modifiquemos, si no hacemos lo que se debe hacer, los problemas subsistirán.

* * *

Al egresar, sus calificaciones le valieron a Frondizi la obtención del "Diploma de Honor en mérito a sus estudios". No lo recibiría hasta 1992...

NOTA

1. Frondizi, Arturo: "La historia nacional", en *Introducción a los problemas nacionales,* CEN, Buenos Aires, 1964, págs. 46-47.

Iniciación en la vida política

Los primeros contactos de Arturo Frondizi con la vida política tuvieron lugar –tras aquellos lejanos recuerdos infantiles– en el Colegio Nacional Mariano Moreno, cuando cursaba tercer año en 1924.

Recuerdo claramente –dice en sus apuntes autobiográficos– la posición política del portero del Colegio. Era un criollo típico, gran jugador de truco que nos explicaba que en el país había dos tendencias: la de los galeritas, la gente "bien", la tendencia de los ricos, y la tendencia popular que representaba Yrigoyen y que dentro del Colegio estaba representada en ese momento, por el profesor de Instrucción Cívica Eduardo Yuffra.

Cuando votó por primera vez el 1° de abril de 1928, sin vacilar colocó en la urna la boleta electoral que ostentaba el nombre de Hipólito Yrigoyen como candidato a la presidencia de la Nación. Para esa generación, Yrigoyen representaba a una corriente que debía cumplir la misión histórica de incorporar a las grandes masas de la población al libre ejercicio del sufragio; corriente que se nutría en el sustrato del catolicismo y en una afirmación nacionalista.

Frondizi conocía el manifiesto revolucionario de 1905 y se sentía identificado con su espíritu y doctrina, cuyas ideas liminares darían contenido a los postulados que sostendría a través de los años.

La Unión Cívica Radical no es propiamente un partido en el concepto militante, es una conjunción de fuerzas emergentes de la opinión nacional, nacidas y solidarizadas al calor de reivindicaciones públicas.

Sus hermanos Julio y Orestes simpatizaban con el radicalismo, y su padre se había afiliado en la circunscripción 15 donde el encargado de firmar su ficha partidaria, Luis Dellepiane, tuvo conceptos elogiosos para su hijo Arturo.

En su *Historia Universal*, Ranke afirma que las concepciones dependen

38

siempre de las circunstancias ante las cuales el autor vive y escribe. En este caso, la revolución de 1930 y la caída de Yrigoyen fueron el fundamento básico de esas circunstancias que llevaron a Arturo Frondizi a una militancia activa y absorbente.

El mundo en los años 30

Se iniciaba una década compleja no sólo en el orden nacional sino en el mundial. La crisis de 1929 trajo aparejada la disminución violenta del intercambio económico; a la conmoción producida en la Bolsa de Nueva York siguió una profunda depresión industrial que se trasladó a todo el globo. En América latina y en la Argentina se exteriorizaron hechos preocupantes como la depreciación del peso, la baja de los precios de los granos y la desocupación en el campo, que generó el éxodo de la población rural hacia las ciudades, provocando la disminución de los salarios.

En su trabajo *Entre dos revoluciones (1930-1943). Presidencias de Uriburu, Justo, Ortiz y Castillo. Las nuevas condiciones mundiales y la segunda guerra mundial,* Frondizi reflexionó sobre los momentos y acontecimientos culminantes de ese pasado inmediato.

> Los años de la crisis económica fueron trágicos para la vida de la humanidad y punto de partida de las catástrofes que posteriormente tuvo que soportar [...] Después de la primera guerra mundial y durante los quince años que la siguieron, Estados Unidos y Gran Bretaña fueron las potencias rectoras del mundo. [...] La crisis de 1929-30 obligó a Estados Unidos a abandonar su aislamiento.

En Italia, Mussolini, tras la marcha sobre Roma, dominaba el horizonte político. En Alemania se desarrollaba el nazismo, que se impondría a fines de la década. En 1931 nacía la República Española, que sería aniquilada por Franco en 1939. Las purgas, los asesinatos, las persecuciones y la eliminación de todo signo opositor, serían las características de estos regímenes.

A fines de 1932, Roosevelt fue consagrado presidente de los Estados Unidos por el período 1933-37 y su programa del *New Deal* puso fin al proceso de desocupación y miseria.

> Roosevelt fue un extraordinario dirigente –dice Frondizi–, pero su acción fue entorpecida por los grandes monopolios estadounidenses, franceses e ingleses que veían con simpatía el eje Berlín-Roma-Tokio.

En 1933, la Unión Soviética fue reconocida por Estados Unidos y pasó a formar parte de la Sociedad de las Naciones, mientras la Internacional comunista extendía su influencia ideológica a todo el mundo.

[La Conferencia de Otawa] liberó las importaciones y exportaciones de los países directamente ligados al imperio y se gravaron las de las naciones que giraban en otras órbitas político-económicas. Se facilitaron inversiones de origen imperial, intentando impedir las de otra nacionalidad.

El impacto de sus acuerdos se hizo sentir en nuestro país que según el doctor Saavedra Lamas, entonces ministro de Relaciones Exteriores, estaba "en una dolorosa dependencia de los mercados exteriores".

Después de la Conferencia de Otawa –manifiesta Frondizi– se hizo bien patente que el curso tradicional de nuestro comercio de carnes sufriría gravísimo impacto, que podía transformarse en un golpe de muerte. El gobierno acudió a remediarlo por el camino más sencillo, cual era consolidar los vínculos que nos ataban a Inglaterra en condiciones de casi colonia.

El golpe de 1930

En la Argentina emergieron los agudos problemas vinculados con los cambios de un contexto socioeconómico en constante crisis y cayó Yrigoyen, no a causa "de la crisis de 1930 sino que ésta es aprovechada como pretexto para derribar al gobierno popular".

A fines de 1929 y comienzos de 1930, existía un espectro de partidos y grupos opositores –tanto de izquierda como del nacionalismo de derecha– que exigían, según la expresión de Alfredo Palacios, entonces decano de la Facultad de Derecho, "la renuncia del presidente Yrigoyen y la restauración de los procedimientos democráticos de las normas constitucionales".

El 6 de setiembre de 1930, una columna militar avanzó hacia la Casa de Gobierno, la ocupó y puso en el poder a un gobierno provisional encabezado por el general José Félix Uriburu. Este proceso fue caracterizado por Frondizi en los siguientes términos.

La oligarquía, que jugó un papel tan importante en los acontecimientos, no habría podido por sí sola hacer la revolución, porque era un factor económico dependiente, sin impulso propio y, por lo tanto, carente de audacia y decisión pero, unida a los intereses imperialistas, que fueron elemento decisivo, precipitó la acción que, por lo tanto, debe ser caracterizada como imperialista y oligárquica.

En un reportaje concedido a la revista Extra el 4 de julio de 1966, afirmó Frondizi:

40

1930 marca en la historia argentina ese punto de inflexión en que o se impone la voluntad de modernización o se refuerza la vieja estructura sobre el hambre y el sufrimiento del pueblo. Los intereses reaccionarios de derecha e izquierda que voltearon a Yrigoyen, después de jaquearlo constantemente en el transcurso de sus dos gobiernos, eligieron el segundo camino.

Frondizi fue testigo de esos desencuentros en un país escindido por las pasiones políticas que perturbaron el desenvolvimiento de la Nación y, años más tarde, su conocimiento histórico le permitió apreciarlo y enjuiciarlo en todo su valor.

La conspiración está en las calles; los conspiradores realizan mítines y manifestaciones; se reúnen públicamente en *Crítica,* en el Jockey Club, en el Club del Progreso. Proclaman la revolución en el Congreso. Mas, el yrigoyenismo no hace nada para anular los planes de la oposición; asiste pasivo al proceso conspirativo. Disponiendo de fuerzas militares, no intenta resistir. La revolución, pues, es, como se dijo entonces, "un paseo militar".[1]

La definida línea que asumió el gobierno de Uriburu, de firmes convicciones fascistas, y la creación de la Sección Especial contra el comunismo que persiguió indistintamente no sólo a los comunistas y socialistas sino también a simples opositores, provocaron el colapso de estructuras políticas e impusieron rasgos absolutos y limitaciones inocultables a la ciudadanía.

Actuación política en la Universidad

Movido por la intención de obtener su título de abogado, Frondizi se mantuvo al margen de un tema de permanente presencia en el ámbito universitario como ha sido el de las agrupaciones estudiantiles, con sus conflictivos enfrentamientos doctrinarios y reclamaciones estatutarias.

El doctor Aristóbulo Aráoz de Lamadrid, compañero de estudios de Frondizi y miembro de la Corte Suprema de Justicia en 1958, dice al respecto:

Arturo Frondizi comienza a participar activamente en las luchas estudiantiles después de la revolución de 1930. Recuerdo perfectamente que en una asamblea que se hizo después de setiembre de ese año, Arturo Frondizi hizo uso de la palabra y expuso su pensamiento. Ahí se enfrentó con Rodolfo Aráoz Alfaro que, joven aún, ya era un viejo luchador universitario, y con otros reformistas de esa época.[2]

El clima de las asambleas era mayoritariamente antiyrigoyenista, tendencia que compartían los jóvenes líderes de la izquierda; en cambio eran escasos los que, con Frondizi, combatían el régimen militar. Poco a poco este panorama se fue revirtiendo en favor del caudillo radical. En una reunión del Consejo Superior Universitario, realizada en noviembre, que presidía el rector Butty, Frondizi, quien se había opuesto a ciertos profesores por su colaboración con el gobierno de Uriburu, irrumpió con un grupo de estudiantes ante el desconcierto de los consejeros. La sesión finalizó abruptamente entre gritos, reproches y el estruendo de petardos.

Su actuación en defensa de la autonomía universitaria, atacada por el gobierno, se puso de manifiesto al pronunciar un discurso en nombre de la Comisión Universitaria en homenaje al doctor José Arias, profesor de Derecho Romano dejado cesante por el interventor de la Universidad.

Primera prisión

El día del golpe de Estado, parado en la esquina de San Martín y Avenida América, Frondizi vio pasar a las tropas apoyadas por civiles que salieron a testimoniar su homenaje al flamante movimiento. En ese instante comprendió el significado y alcances de la revolución y sus profundas perspectivas históricas. Tomó un tranvía que lo llevó al centro y convocó a sus compañeros para una reunión de la que surgió el primer grupo juvenil universitario de resistencia que defendió la autonomía de la casa de estudios.

Los "peludistas", como se denominaba no sólo a los radicales sino también a todos los opositores al régimen uriburista, lo enfrentaron en luchas callejeras. La represión fue dura y las cárceles se poblaron con los defensores del *jus*, de la legalidad institucional. Los "cosacos", como se tildaba a los integrantes del escuadrón montado de la policía, actuaban con extrema dureza para impedir esas concentraciones, produciéndose enconados enfrentamientos que terminaban con la detención de quienes reclamaban por sus derechos vulnerados.

Frondizi, con un flamante título bajo el brazo, levantó su airada voz contra un régimen enemigo de la libertad del hombre.

El mismo 6 de setiembre se reunió en su casa de Villa del Parque con Silvio, Risieri, Isidro Odena, Vicente Pataro y Aristóbulo Aráoz de Lamadrid, entre otros dirigentes estudiantiles, para acordar planes de acción.

Recuerda Frondizi, en el borrador del escrito que elevó a las autoridades cuando fue detenido por esos sucesos:

El 8 de mayo a las diecinueve y treinta, en momentos que transitaba por la calle Florida y Diagonal, me encontré como todos los transeúntes con un numeroso grupo de estudiantes que después de vitorear sus principios reformistas y democráticos, cantaban el himno nacional en medio del religioso silencio de gran cantidad de personas que escuchaban la canción patria respetuosamente descubiertos. En ese momento apareció por la Diagonal un grupo de soldados de caballería al mando de un oficial, el cual hizo caso omiso del himno que en ese momento se entonaba, cargando sobre estudiantes y transeúntes.[3]

Sobre este choque refirió José Rafael Cáceres Monié que Frondizi increpó al oficial, quien por toda respuesta "blandió el sable, apretó las piernas sobre su cabalgadura". Entonces Frondizi, que nunca hizo alarde de valentía,

enfrentó la agresión tomando de las riendas al animal y dándole un fuerte tirón, impidió el seguro encontronazo. Rápidamente huyó acosado por otro agente policial que pretendió "cruzarlo de un sablazo". Un providencial taxímetro estacionado proporcionó a Frondizi los medios de defensa, pues éste dio vueltas alrededor del vehículo, sin que el "cosaco" pudiera alcanzarlo. El chofer del rodado se sintió solidario con el joven abogado y lo alentó a alejarse del lugar, conduciéndolo como pasajero por pocas cuadras. Pero ya la sangre estaba caliente. Arturo Frondizi volvió al lugar de los hechos, sin pensar que forzosamente sería reconocido, y así fue efectivamente, pues el oficial lo advirtió al instante. Esta vez la jauría actuó en forma precisa y ordenada y "los que están a pie" consiguieron lo que no habían obtenido antes. Esposaron a Frondizi en ambas manos, y así, entre vituperios del propio detenido, frases irreproducibles de los transeúntes solidarios con el "preso" y los tirones de los agentes, Frondizi experimentó su primera prisión.[4]

Fue el comienzo de la serie de doce prisiones que sufrió Frondizi por defender sus ideas. Conducido a la comisaría primera y luego a Orden Político, que funcionaba en un viejo edificio de la calle Moreno, fue interrogado por Leopoldo Lugones (h), jefe de Policía, quien deseaba obtener datos concretos sobre supuestos complots y planes subversivos. Fueron dos largos días sin dormir, enfrentando a sus inflexibles carceleros.

Silvio, quien no había sido detenido, ofició de abogado defensor y, al interesarse por la situación de su hermano, recibió una lacónica respuesta:

–Está a disposición del gobierno provisional.

No tardó en replicar el joven letrado con el tono que trasuntaba su dominio de la materia:

–Vea, yo he estudiado Derecho Constitucional y sé que hay un gobierno nacional, un gobierno provincial y un gobierno comunal. Nunca he sabido que hubiese un gobierno provisional.

Si bien eludió en ese momento la cárcel, Silvio pasó muy pronto a formar parte del plantel de detenidos de la Penitenciaría Nacional, cuando presentó el recurso de hábeas corpus en favor de Arturo.

En la cárcel

En la cárcel crecieron y se afianzaron las concepciones de ambos Frondizi destinadas a preservar el orden constitucional y asumir un papel en la lucha por la dignidad nacional. En el archivo de Arturo encontramos los borradores de cartas escritas a amigos encarcelados por motivos políticos. La lectura de esos textos, fechados en 1931, certifican el profundo compromiso humano con quienes, por defender sus ideas, eran víctimas de los mecanismos represivos.

A un día del aniversario de la revolución de mayo me veo en la necesidad de escribirle para enviarle el más caluroso saludo al camarada encerrado en una cárcel por el "delito" de pensar libremente. Hago extensivo este saludo a los obreros y estudiantes, que lo acompañan tras las rejas y que como Ud. tienen una conciencia altiva.
Yo espero de todos la firmeza en las convicciones y la tranquilidad para sufrir la prisión. Me he ocupado de su libertad, lo han prometido, como tuve oportunidad de comunicárselo a su familia.
Saludos afectuosos.

A. Frondizi

Otro documento, escrito por Frondizi durante su cautiverio, describe el duro cuadro que ofrecían las prisiones en 1931. Su fecha probable, mayo de 1931.

Estimado compañero:
[...] Con respecto a la publicación del editorial del diario *La Vanguardia*, le diré que inmediatamente me di cuenta del autor, lo cual me induce a felicitarlo por la audacia y valentía con que ha procedido; con respecto a la situación de los presos sociales, hágole saber que están en peores condiciones que nunca; hubo días que se les privó hasta del café y otras cosas que le contaré en su oportunidad.
El 19 del actual han caído cinco estudiantes más, y estamos juntos en la misma celda, pero ayer a la tarde han salido dos; los nombres son Daniel Gómez Tumini y Alvarez de medicina. [...]
Me olvidaba decirle que desde el 26, nos han privado ir al servicio del cuadro; han cerrado las dos puertas que antes permanecían abiertas y cuando necesitamos ir al servicio, nos acompaña un agente, de manera que puede imaginarse en las condiciones que estamos y especialmente los presos sociales a los que les han cerrado todo medio de comunicación. [...]
Los camaradas aquí presentes le expresan sus más sinceros saludos y su amigo en particular.

F.

La decidida acción de los estudiantes que defendían la autonomía de la Universidad ante la autoritaria decisión del gobierno de reformar sus estatutos fue avalada por Frondizi, quien envió al Gobierno Provisional una nota en la que señalaba los abusos del esquema de poder existente y la legalidad de las convicciones de quienes defendían los principios reformistas de 1918.

Estas circunstancias provocaron una agitación estudiantil de todos conocida que aún continúa, lo que determinó la expulsión y suspensión de profesores y estudiantes.

El gobierno pensó –respeto esa opinión pero me permito tener la mía– que el problema universitario sería resuelto, poniendo los claustros de estudio al amparo de la fuerza policial y encarcelando a cuanto estudiante rebelde hubiera.

La permanencia de Frondizi en Villa Devoto cambiaría el curso de su vida. En la Universidad de San Marcos de Lima, el 17 de abril de 1958, al recibir el título de doctor honoris causa, durante su gira como Presidente electo de la Nación, pronunció un memorable discurso en el que registró aquella toma de decisiones.

Jóvenes estudiantes de la Universidad de San Marcos: Hace casi 30 años yo, como uno cualquiera de vosotros, salí de la Universidad con un diploma bajo el brazo. Estaba orgulloso de haberlo conseguido y me disponía a consagrar mi vida a las disciplinas del derecho, gran vocación de mi vida. [...]
Encontré entonces que había una gran contradicción entre las teorías jurídicas y esa realidad social. En casi toda América, las instituciones estaban subvertidas; el imperio de la ley había sido reemplazado por el imperio de la fuerza y la libertad era un ronco grito de seres encarcelados, torturados y perseguidos.
Me vi entonces frente a una opción: o era un jurista, consagrado al estudio y a la docencia universitaria, o trataba de comprender esa realidad contradictoria, haciendo mía la causa de cuantos luchaban por un mundo más humano y más justo, y luchando yo mismo por transformar esa realidad. Me hice político, y con fidelidad a mi más profunda vocación, traté de hacer de la política, una verdadera docencia ciudadana.

El Diploma de Honor

El clima político producido en el país por la revolución encabezada por el general José Evaristo Uriburu llevó al joven abogado a adoptar una decisión de rebeldía: declinó el Diploma de Honor que le había concedido la Universidad y envió una carta a los diarios explicando el rechazo de la distinción, que sería entregada en acto público por el Presidente de facto de la Nación.

Tengo el agrado de dirigirme a usted rogándole quiera dar cabida en el diario de su dirección a estas líneas inspiradas en el propósito de dejar expresa constancia de que no concurro a retirar el Diploma de Honor que me corresponde en la colación de grados que se realizará en la Facultad de Derecho, como acto de formal protesta por la situación universitaria e institucional. [...]
No puedo concurrir a retirar mi Diploma de Honor de manos de las actuales autoridades, cuando he sido encarcelado bajo la acusación de indeseable dentro de esa misma Universidad que hoy premia mi dedicación y mi capacidad para el estudio. [...]
La hora no es de premios ni de halagos, sino de rebeldías. Cuando las cárceles están colmadas de camaradas, de intelectuales y de obreros; cuando argentinos libres pisan la tierra amarga del destierro; cuando la Universidad se ha cerrado para maestros ilustres y alumnos dignos, mi conciencia no admite otra satisfacción que no sea el restablecimiento de las libertades públicas y de una Universidad en que el derecho de pensar no sea un delito.
Cuando estas aspiraciones se hayan cumplido, retiraré orgulloso el Diploma de Honor legítimamente conquistado, que por imperativo de mi deber hoy dejo en manos de autoridades ilegítimas.

El Diploma recién fue retirado por Frondizi el viernes 20 de marzo de 1992, cuando consideró que no existían en el país discriminaciones políticas ni proscripciones obligatorias. El doctor Pigretti, decano de la Facultad de Derecho y Ciencias Sociales, hizo entrega del amarillento pergamino, celosamente guardado por la casa de altos estudios durante sesenta y dos años a su legítimo poseedor. Las palabras de Arturo Frondizi, conmovedor recuerdo de sus vivencias juveniles y de la responsabilidad de los universitarios señalando rumbos en el proceso cultural de la Nación, fueron aplaudidas por una concurrencia que desbordaba el Aula Magna, constituida mayoritariamente por jóvenes entusiastas que se sintieron representados en sus afanes y preocupaciones por el ex presidente.

NOTAS

1. Frondizi, Arturo: "La historia nacional", en *Introducción a los problemas nacionales,* Escorpio, Buenos Aires, 1965, pág. 58.
2. Aráoz de Lamadrid, Aristóbulo: Testimonios del 29 de agosto de 1979, Archivo personal de la autora.
3. Frondizi, Arturo: Archivo personal.
4. Cáceres Monié, José Rafael: "Las prisiones de Frondizi", en *Arturo Frondizi. Historia...,* ob. cit., Tomo I, pág. 338.

Mientras Frondizi estaba tras las rejas, su madre, Isabel Ercoli, pequeña y enjuta pero enérgica, decidida y de firmes convicciones, ante la reticencia policial que le ponía trabas para ver a su hijo, amenazó con no moverse de la puerta de la seccional hasta hablar con Arturo. Cuando por fin accedieron a su demanda, le entregó una carta de Elena Faggionato, en la que ésta le expresaba su admiración por su valentía, lamentando que un joven tan inteligente estuviera en prisión.

Existía una estrecha amistad entre las familias Frondizi y Faggionato, ambas de Gubbio, y doña Isabel, dice Frondizi, "ansiaba que yo me casara con la mujer que después fue mi esposa y anhelaba que yo tuviese una hija". No dudamos de que, para lograr este vínculo sentimental, influyera sobre Elena para decidirla a escribir aquella carta.

Noviazgo

La primera visita de Frondizi al salir de la cárcel fue a la casa de la familia Faggionato, en la calle Videla Dorna N° 44, para agradecer a Elena su cumplida carta. Los dos jóvenes congeniaron de inmediato, pese a sus disímiles caracteres. Arturo era tímido, introvertido, de costumbres ascéticas, poco proclive a demostrar sus íntimos sentimientos por profundos que éstos fueran. Elena, de pequeña talla, muy bien conformada, era simpática, cordial, romántica, amante del teatro, de los viajes, de prolongadas tertulias con sus amigos, y, sobre todo, de la buena música. Tocaba muy bien el piano, que había estudiado con el maestro Alberto Williams.

El deseo de doña Isabel se había cumplido y se inició un noviazgo en el que Elena tuvo que compartir a Arturo con sus actividades políticas y profesionales. Su rol no fue fácil, pero se convirtió en la compañera ideal. Con inteligencia y amor aceptó las dificultades que a la vida en común podrían deparar los riesgos y el tiempo que le demandaban a Arturo sus obligaciones cívicas y sus convicciones ciudadanas.

Los encuentros de los novios muchas veces, las más, se concretaban en bibliotecas en las que Elena, con admirable e infinita paciencia, tomaba apuntes y hacía resúmenes de los libros que incansablemente Arturo ponía en sus manos; claro está que no eran novelas románticas, sino profundos tratados económicos y filosóficos.

El 22 de septiembre de 1932, en otro de sus "sentimentales" paseos, llevó a Elena a una sesión de la Cámara de Diputados.

Casamiento

En conversaciones con la autora, en su apacible hogar de Villaguay, el doctor Daniel Blejer, uno de los grandes amigos de Frondizi, recordaba con emoción y afecto la ceremonia que unió las vidas de Arturo y Elena.

El día que cumplía 24 años, Frondizi se comprometió formalmente con Elena Faggionato. Dos meses después, el 2 de enero de 1933 suscribieron el contrato de matrimonio civil en el Registro de la Sección Séptima de esta capital, situada en la calle Bartolomé Mitre 4309; el 5 de enero, en la iglesia parroquial de San Carlos Sur se consagró el enlace religioso. Era sin duda un buen augurio el hecho que entrara de lleno a la vida pública del brazo de una mujer como Elena.

Su luna de miel se inició en el City Hotel, en la habitación 846. Ostende fue la primera etapa en su trayecto hacia Mar del Plata. El lugar encantó a los jóvenes porque su soledad les permitió el reparador descanso. Poco después Frondizi, con la ayuda de su padre, de sus hermanos Silvio y Risieri y de sus cuñados, construyó una casilla en la playa que muestra todavía las vigas marcadas y clavadas por Arturo, a quien placía realizar trabajos de carpintería.

Ostende se enorgullece y así lo indica su Guía de Turismo, por haber albergado a dos figuras ilustres, Arturo Frondizi y Antoine de Saint-Exupéry.

Elenita

En 1937 nació Elenita, su única hija, quien recibió una esmerada educación y fue el centro de la atención de sus progenitores.

Frondizi, a quien se le adjudicaba un continente frío y reacio a las manifestaciones afectuosas, tuvo para Elenita el amor lógico de un buen padre de familia.

Un vivo recuerdo de Emilio Perina ratifica este concepto:

Habíamos ido a Mariló, la quinta de Frondizi, Juan Octavio Gauna, César Coronel, Ramón Melgar y yo, a tomar un café y a charlar con el dueño de casa. De pronto llegó un camión del que bajaron un caballo. Don Arturo se alzó como impulsado por un resorte y abandonó la reunión, cosa inusitada en él. "Elenita, Elenita, llegó tu petiso", prorrumpió. Le habían comprado un caballo a Elenita o se lo habían conseguido de alguna forma que ignoro. Lo que no puedo olvidar, lo que tengo fijado en mis retinas es a Elenita trotando en su caballo y a Frondizi corriendo junto a ella también, sosteniéndola para que no se cayera. En un comienzo fue apenas un andar lento, pero Frondizi lo apuró y trotó a su ritmo, con una ternura infinita reflejada en su rostro.[1]

Elenita, estudiosa y responsable, se abocó a la docencia, que fue la vocación temprana de su padre.

Actividad docente

La innata vocación de educador que había en Frondizi se manifestó en su ambición por formar a los niños y jóvenes en una escuela que cumpliera la obra propuesta por Domingo Faustino Sarmiento: "educar al soberano". Es decir, una educación que capacitara la conciencia individual para su participación en la conciencia total de la Nación.

El 30 de octubre de 1929, el Consejo Nacional de Educación le comunicó su designación como "maestro especial de Legislación del Trabajo y Moral Cívica", con carácter de interino, debiendo prestar servicio a las órdenes de la Inspección General de Escuelas para Adultos. El 5 de setiembre de 1930, el Consejo Nacional de Educación recurrió nuevamente a Frondizi, nombrándolo profesor del Curso de Seminario de Bibliografía de las nuevas corrientes pedagógicas (dos cátedras), para la Escuela Modelo "Instituto de Educación Primaria Integral".

La revolución del 6 de setiembre, en un marcado retroceso educativo, suprimió ese Instituto que propugnaba un moderno criterio pedagógico, una educación de frente al país y a su servicio.

Pero, trabajador tenaz y apasionado, no renunció a su afición docente y durante el año 1932 dictó la cátedra de Lógica en el Instituto Evangélico Americano de la Obra Religiosa y Educacional de la Iglesia Luterana Unida en América. La certificación que su director, el profesor D. Viera, expidió el 22 de mayo de 1936 destaca que Frondizi demostró "poseer condiciones que lo acreditan ante esta Dirección y el cuerpo docente del establecimiento como profesor de relevantes méritos y concepto profesional y moral muy buenos".

A partir de esta época, su participación en el mundo educativo sufrió un paréntesis porque la política lo llevó a abordar otras situaciones en ámbitos distintos.

El 23 de mayo de 1932 fue designado miembro de la Comisión Directiva del Centro de Estudiantes de Derecho y Ciencias Sociales y Presidente de la Comisión de Intercambio Intelectual. El 29 de julio el Centro lo nombró delegado al Colegio Libre de Derecho conjuntamente con Isidoro De Benedetti y Baltazar Jaramillo y el 4 de agosto, representante ante la Comisión Directiva del Colegio Libre de Estudios Jurídicos y Sociales.

La *Revista del Centro,* que dirigía Antonio J. Garibaldi, registraba calificadas firmas de colaboradores: los nombres de Silvio y Arturo figuraban junto a los de Saúl Taborda, Sebastián Soler, Pico, Anastasi, Troisi, Artemio Moreno y Amado Alonso.

En el número 2 correspondiente a setiembre de 1932, Arturo Frondizi escribió sobre "La reforma de la Escuela Primaria", donde señalaba las falencias de un sistema educativo que no cumplía con la preceptiva de educar para pensar, "que es privativa de toda misión formadora".

En éste como en otros temas capitales se adelantó a su tiempo, como cuando remarcó las dificultades que entrañaba establecer un programa único de enseñanza para todo el país, prescindiendo de las particularidades regionales.

En 1941 dictaría en la Universidad Obrera Argentina un cursillo sobre Legislación General y el 12 de mayo de ese año, el secretario general M. Bunge, en nombre del Consejo Directivo le enviaba una nota destacando su importante colaboración:

Nos es muy grato poner en su conocimiento que el Consejo Directivo ha resuelto, en su reunión del 10 del cte., agradecerle efusivamente por haber dictado en forma tan científica, clara y ordenada, el cursillo de Legislación General. Sólo lamenta el Consejo el poco alumnado que pudo aprovechar sus magníficas clases. Pero estas clases han servido de buena propaganda para el curso completo de Cultura Obrera, por cuanto el número de inscriptos para el curso ha aumentado mucho, careciéndose ya de lugar para ubicarlos.

Volvería a esa antigua afición en el Colegio Libre de Estudios Superiores.

NOTA

1. Perina, Emilio: Testimonio, Archivo personal de la autora.

Bajo el fuego

El general Uriburu se había comprometido públicamente, al prestar juramento el 8 de setiembre, a no imponer sus ideas mediante la fuerza y a asegurar el pronto retorno a un gobierno constitucional mediante un plan político que contemplaba elecciones graduales de acuerdo con las leyes vigentes. Pero una de las primeras medidas adoptadas ese mismo día, violando sus declaraciones, fue la implantación de la Ley Marcial.

> La violencia del sistema dictatorial aplastó las resistencias que pudieron asomar, de origen radical. Por dos meses no pudo oírse en el país la voz de la protesta radical, ni el radicalismo lograr un mínimum de conexión entre sus hombres representativos para decidir su reorganización, ni sus rumbos en las crisis. Pero jóvenes radicales de todo el país tomaron la iniciativa [...] de abrir nuevos registros de adherentes y convocarlos para [...] redactar el programa del radicalismo y el plan de acción a seguir.[1]

En la Unión Cívica Radical

Arturo Frondizi, que no era aún un afiliado formal porque los registros permanecían cerrados, estuvo presente en esa Asamblea del 8 de noviembre de 1930, comenzando así su intervención en los organismos partidarios que se empeñaban en revitalizar las estructuras de la UCR.

Los gérmenes contradictorios latentes desde los orígenes de la UCR habían conducido a una división ideológica en torno del poder de Yrigoyen. Un sector con raíces en las formaciones más oligárquicas se enfrentó a la excesiva autoridad de Yrigoyen, se aglutinó alrededor de Marcelo T. de Alvear y constituyó el llamado "antipersonalismo", que a partir de 1924 se organizó como partido independiente. Por oposición, a los yrigoyenistas, que expresaban los intereses de la pequeña y mediana burguesía dentro de un marco nacionalista, se los llamó "personalistas".

La decidida participación de la juventud, "la voz que se alza en la palestra/ y no el rebaño que se arrea mudo", según la poética expresión de Walt Whitman, impulsó a las autoridades del Comité Nacional el 9 de noviembre, a convocar a todos los radicales a la reorganización del partido.

Tanto los personalistas como los antipersonalistas deberían anteponer la fe militante a sus particulares concepciones doctrinarias.

En eso andaban muchos dirigentes de una y otra corriente, y no era difícil deducir que el único en condiciones de presidir esa fusión era Alvear [...] Además, era un ex presidente de la Nación, con toda la jerarquía que ello implicaba.[2]

El gobierno nacional llamó el 5 de abril de 1931 a elecciones para gobernador y vicegobernador, senadores y diputados de la provincia de Buenos Aires, convocatoria que posteriormente se hizo extensiva a Santa Fe, Córdoba y Corrientes.

El radicalismo proclamó su fórmula, Honorio Pueyrredón-Mario Guido, y a su alrededor se movilizó la actividad proselitista. Frondizi recorrió la provincia de Buenos Aires, la campaña y las ciudades; alzó su voz en tribunas y en coloquios con correligionarios y amigos, y fue erigiéndose en una figura respetada por su conducta irreprochable y la integridad que caracterizaba su trayectoria.

El escrutinio dio el triunfo a la UCR y el 25 de abril de 1931, ante la euforia que provocó la victoria, regresó Alvear dispuesto a asumir la reorganización de sus acólitos.

Uriburu, fracasados sus intentos por atraer al ex presidente para cumplir sus propósitos de contrarrestar la influencia popular en el gobierno electo, anuló los comicios del 5 de abril, convocando a nuevas elecciones para el 8 de noviembre.

El 16 de mayo Alvear, con el apoyo de las figuras más destacadas de la UCR, invitó a la renovación partidaria, "con todos sus elementos" constituyendo una Junta Reorganizadora, cuyo cuartel fue el City Hotel. Frente a este llamamiento, sus opositores se reunieron en el Hotel Castelar, para equilibrar la futura conducción.

Frondizi asistía a estas divergencias sin participar en forma directa en los conciliábulos. Desde la dirección de *Crisol*, órgano de la Asociación Cultural "Florentino Ameghino", trató de clarificar las expectativas que despertaban esas posiciones. En el primer editorial de la revista expresaba:

Pensamos que para que un hombre esté en condiciones de decidirse libre y conscientemente por el camino más conforme a su propia personalidad, frente a los múltiples que se le ofrecen en el terreno ideológico y político, es absolutamente indispensable que tenga una serie de conocimientos, una cierta capacidad de reflexión, una determinada inquietud espiritual, que lo coloque en condiciones de decidirse por su ciencia y conciencia, y no atraído por la promesa fácil o la dádiva agraviante.

Proscripción y fraude

El 20 de julio de 1931 se produjo el alzamiento del coronel Gregorio Pomar en Corrientes. Si bien la repercusión militar de esta revolución no fue la esperada por la limitación de los medios con que contaba, sirvió para movilizar a las fuerzas vitales de la Nación. La reacción oficial no tardó en manifestarse: allanamientos de locales, detención de gentes, encarcelamiento de los dirigentes, muchos de los cuales fueron invitados a salir del país, entre ellos Pueyrredón y Guido, triunfantes en las elecciones, Ratto, Noel, Tamborini, Torello, a lo que se sumó la deportación de Alvear.

El 28 de agosto el gobierno amplió la convocatoria para el 8 de noviembre, incluyendo en la misma a los electores de presidente y vicepresidente de la República, pero se excluía expresamente de las listas a quienes hubieran participado en la gestión de Yrigoyen.

El 25 de setiembre, el Comité Nacional de la UCR designó presidente del cuerpo a Marcelo T. de Alvear, quien el día 28 fue proclamado para encabezar la fórmula presidencial que integraría con Adolfo Güemes como vicepresidente.

Las inhabilitaciones políticas trajeron como reacción la renuncia de ambos precandidatos y el Comité Nacional, aunque resolvió por unanimidad no apartarlos, formuló "un voto a favor de la no concurrencia a elecciones para el caso que la situación de hecho creada contra el sufragio libre se mantenga en condiciones adversas a la soberanía popular".

Otra arista negativa de ese crucial momento que vivía la República fue la determinación oficial del 28 de octubre –rápida respuesta a la declaración abstencionista del Comité Nacional el día anterior– de ordenar la prisión del anciano ex presidente Hipólito Yrigoyen y su traslado a la isla Martín García.

Con abstenciones, fraude electoral y las más lamentables prácticas de una etapa que se consideraba superada desde la sanción de la Ley Electoral Sáenz Peña, triunfó la fórmula de Agustín P. Justo-Julio Argentino Roca (h).

En ese convulsionado año, Frondizi inició una honda relación con el doctor César O. Liprotti, con quien se había conocido en la defensoría de pobres y ausentes del doctor Emiliano, donde hacían práctica en el ejercicio profesional.

El doctor Liprotti brindó una elocuente descripción de la tarea que emprendieron juntos en el plano laboral.

Resueltos a poner un estudio jurídico en sociedad, alquilamos el departamento del 2° piso D en Tucumán 1621 en la suma de $ 180 mensuales y lo inauguramos el 14 de julio de 1931 con el nombre de "Estudio Liprotti y Frondizi", sociedad que duró hasta 1936, resolviendo el doctor Frondizi dedicarse intensamente a la actividad política.

De aquellos años recuerdo la cantidad de clientes que atendía, sobre todo del fuero penal, por la cantidad de detenidos que estaban con proceso por problemas políticos o a la orden del P.E. Fueron años de muy intensa labor profesional.[3]

Bajo el gobierno de Justo

El 20 de febrero de 1932 iniciaba Justo su gobierno y una de sus primeras decisiones fue disponer la libertad del ilustre prisionero de Martín García, quien arribó a Buenos Aires a bordo de la cañonera *Independencia.* Los años, los vejámenes, no habían disminuido su fortaleza espiritual. Ya en su modesta casa de Sarmiento N° 944, ante la gente congregada para verlo, para recibir su consejo, imbuido de un propósito pacificador, dijo solamente: "Todo ha terminado. Ahora debemos empezar de nuevo".

Los órganos partidarios, el Comité y la Convención nacionales, comenzaron su tarea de reorganización, contando con la presencia de Alvear, que había llegado al país el 21 de julio de 1932, a bordo del *Capitán Arcona,* tras un breve y obligado periplo en Europa.

La conspiración de Cattáneo contra el orden establecido renovó las medidas primitivas del año anterior.

Los doctores Alvear, Güemes y otros dirigentes son detenidos y el doctor Yrigoyen, en malas condiciones de salud, sacado de su casa y llevado al aviso *Golondrina,* en que lo conducen otra vez a la isla Martín García. Sin movérsele un gesto, con la serenidad propia de su fuerza moral y capacidad para la paciencia consciente, con sus ochenta años cumplidos, bajó con gran dificultad las escaleras de su casa.

Morosamente fue revocada la prisión preventiva de los doctores Alvear y Güemes. En enero, en estado delicado, fue traído el doctor Yrigoyen desde Martín García... El comandante Cattáneo sufrió 19 meses de prisión.[4]

Frondizi, mientras vivía hondamente los agudos procesos, diversificaba su actividad escribiendo artículos o colaborando con instituciones culturales y políticas.

Un Clarín Radical, del 1° de octubre de 1933, N° 3, página 17, publicó un estudio de Frondizi titulado "El momento político social argentino":

Se afirma la incompatibilidad entre la democracia y la justicia social porque se parte del error generalizado de creer que la democracia supone solamente la libertad política, cuando en realidad ésta no puede ser sino un medio para realizar la libertad e igualdad económica...

"Las ideas argentinas" (octubre de 1934) y "Forma y contenido de la democracia" (octubre de 1935), publicadas también en *Un Clarín Radical*, son una valiosa aportación para esclarecer una época que se debatía en polarizadas ideologías.

El futuro estadista ya comenzaba a mostrarse con fuerza a través de estas páginas en las que enfocaba asuntos de gravitación decisiva en la vida interna de la Nación. Podemos aplicarle la frase que dijera Octavio Amadeo al referirse a Nicolás Avellaneda: "En sus discursos y escritos siempre hay un pensamiento de gobierno".

Militancia partidaria

La apertura de los padrones partidarios favoreció la reincorporación de don Julio y la afiliación de Orestes, Julio (h) y Arturo a fines de 1932 en la 7ª Circunscripción, cuyo caudillo era el doctor Andrés Ferreyra, al que su largo cautiverio en Ushuaia le confería una aureola de militante heroico y sacrificado.

El Comité Nacional reorganizó la Asociación de Estudios Históricos creada en 1928 y Arturo Frondizi, invitado por las autoridades, disertó sobre "El radicalismo y los problemas sociales". El Ateneo de la 7ª Circunscripción inició una serie de conferencias para dilucidar temas de interés ciudadano y ofreció su tribuna a Frondizi, quien enjuició el régimen de la tierra, cuestión en la que había incursionado desde su juventud.

Su participación en los cuadros orgánicos le permitió conocer a hombres y vislumbrar posiciones polémicas y contradictorias en las que "los legalistas oponían sus críticas a la dirección de Alvear y sus amigos mayoritarios".

La muerte de Hipólito Yrigoyen

El 3 de julio de 1933 murió Hipólito Yrigoyen, "inspirador de las grandes líneas nacionales y populares de la Argentina". Ante la desaparición del viejo luchador que había consolidado un modelo político y económico en la Nación, se dejaron de lado antagonismos y una desconsolada multitud se volcó a las calles para despedir al caudillo, que pocos años antes había caído en medio de la apatía o de la indiferencia de sus compatriotas.

Frondizi, enrolado en las filas del yrigoyenismo, sintió profundamente la desaparición del líder, a quien recordó siempre con respeto y admiración, y junto a Elena presenció el acongojado desfile en el que el pueblo "con un funeral de epopeya", como diría Ricardo Rojas, le rindió su último homenaje.

Estos momentos serían recordados por Frondizi en el trabajo, del 19 de noviembre de 1970, "Sobre la muerte de Yrigoyen":

> El recuerdo de la muerte de Yrigoyen transcurre en mi memoria en dos planos distintos, pero confundidos. Está el elemento personal, emotivo que constituye una vivencia siempre repetida. Y junto a él la reflexión política que, puesto que está en continuo proceso, pudo ser elaborado una y otra vez. [...]
>
> Ese día de julio de 1933, cuando me enteré de la muerte de Yrigoyen, estaba yo postrado por una fuerte gripe [...]
>
> Estando en cama, envié de inmediato un telegrama a la modesta casa de la calle Sarmiento donde estaban los restos de lo que era para mí un hombre símbolo. [...]
>
> El día del sepelio, todavía enfermo, fui junto con mi mujer a formar parte como un joven anónimo, de la gran columna popular. Desde la esquina de Tucumán y Callao vi pasar a miles de argentinos que acompañaban al gran caudillo. Hombres y mujeres de todas las edades y de todas las clases sociales. El espectáculo era imponente no sólo por la multitud sino por su composición humana. Me emocionó profundamente ver a la gente humilde sollozante, y una nota totalmente inesperada para mí, la presencia de una multitud de negros. [...]
>
> Los que el 6 de setiembre nos conmovimos por la soledad de Yrigoyen, pudimos advertir cómo el pueblo había ido a su sepelio a decir que el instinto popular es más fuerte que todos los poderes que lo encarcelaron, lo denigraron y lo atacaron. El caudillo era ya un mito de la Patria.
>
> Viendo pasar su féretro me sentí más yrigoyenista y comprendí por qué él jamás a su fuerza política la llamó partido. La llamó siempre Unión Cívica Radical, pero no como un partido más, sino como un movimiento que encarnaba los ideales de la Patria.
>
> A 40 años de distancia y después que el destino quiso que viviera como él el honor, la soledad y la responsabilidad de la presidencia y también el honor y la soledad de la prisión de Martín García, lo evoco como un inspirador de las grandes líneas nacionales y populares de la Argentina.[5]

El proceso de rebelión del 29 de diciembre de 1933

El 27 de diciembre de 1933, la conducción nacional del radicalismo se reunió en Santa Fe para tratar, entre otros, el tema de la abstención que se había declarado en vísperas de las elecciones presidenciales que consagraron a Agustín P. Justo. Coincidió esta reunión con un movimiento subversivo encabezado por el teniente coronel Roberto Bosch, el mayor Domingo Aquino y el doctor Benjamín Avalos.

Se detuvo a dirigentes y militantes de las provincias de Santa Fe, Entre Ríos, Buenos Aires y de la Capital Federal. Se intervino la Universidad del Litoral y se declaró la cesantía de profesores. Los dirigentes que se encontraban en Santa Fe fueron transportados a la isla Martín García.

Frondizi asumió la defensa de los 176 procesados políticos de la cárcel de Villa Devoto, de los procesados del periódico *La Víspera* y de los suboficiales del Ejército detenidos por el delito de rebelión; lo hizo "no en cumplimiento de habituales obligaciones profesionales, sino como expresión de un convencimiento profundamente arraigado en mi espíritu".

El brillante alegato del joven abogado consta en el Memorial presentado a la Cámara. En lo que fue una sobria pieza jurídica, afirmaba:

> Vengo ante los estrados de este alto tribunal en demanda de una justicia que ha sido negada por el Sr. Juez de 1ª Instancia. No traigo el pedido de clemencia que pueden formular delincuentes arrepentidos o culpables cobardes, sino el reclamo altivo de ciudadanos privados de su libertad [...]

En el análisis del dictamen del Procurador Fiscal, arribó a la conclusión de que el espíritu de justicia había sido sustituido "por un encono pasional y una serie de condenaciones categóricas que no son admisibles en un proceso judicial", porque

> cuantas personas se han detenido a pensar en esta causa, saben que no hay un solo culpable, saben que es un proceso político que podrá costar la prisión a algún ciudadano humilde, para no desmentir totalmente a los hombres que ejercen el gobierno, que hablaron de esa rebelión para justificar extraordinarias medidas de emergencia [...] Si un juez se pone al servicio de un partido, no merece respeto, porque ha desvirtuado la naturaleza de su función; pero si este mismo juez se transforma en ejecutor de los designios de los poderes políticos para perseguir a los adversarios, entonces se hace acreedor al desprecio de sus conciudadanos.

El fallo dictado por el juez Miguel L. Jantus, el 8 de junio de 1934 fue absolutorio de culpa y cargo para 196 detenidos porque Frondizi obtuvo no sólo la libertad de los 176 procesados sino de todos los suboficiales y dos –de los tres– periodistas de *La Víspera*.

Los procesados políticos de Villa Devoto rindieron "un merecido y justo homenaje a su talentoso y valiente defensor", ofreciéndole "cariñosamente la impresión de su brillante y admirable alegato jurídico" y un pergamino firmado por todos los liberados, todo ello costeado mediante una suscripción entre los beneficiados.

Primeras responsabilidades partidarias

La UCR, que había movilizado sus huestes a raíz de los levantamientos de la abstención partidaria y del Estado de Sitio, requirió cada vez con mayor asiduidad la cooperación de Frondizi, que ya era una figura partidaria de consolidado prestigio. El Comité de la Capital lo designó el 12 de julio de 1935 miembro de la Comisión Especial de Organización y Contralor de Padrón y Fichero de Afiliados, y el 18 del mismo mes integró la Comisión de Estudios Jurídicos de la Peña Radical "Doctor Andrés Ferreyra".

El 2 de agosto hizo uso de la palabra en el acto de reafirmación democrática organizado en el Teatro Verdi, por el Club Radical "Victoria 1094", en conmemoración del 45° levantamiento del 26 de julio de 1890. Compartió responsabilidades con figuras de trayectoria como los doctores José L. Cantilo, Emir Mercader, Carlos María Noel, Leónidas Anastasi y Rogelio Araya.

El 21 de agosto, el Comité Capital lo nombró miembro de la Comisión Gremial y, en ese carácter, el 23 de octubre participó en un acto para explicar la posición partidaria en resguardo de las conquistas en el campo social.

El 20 de noviembre, por su tenaz defensa de los derechos humanos, integró como apoderado general la Junta Ejecutiva del Centro de ex presos y exiliados de la UCR, y en las elecciones internas del 2 de febrero de 1936, fue primer candidato a concejal municipal en la lista que apoyaba como delegados al Comité Nacional a los doctores F. Soler, M. Ortiz Pereyra y José P. Tamborini y al teniente coronel Atilio Cattáneo, y sostenía a José Luis Cantilo en la lista de diputados nacionales.

A esta nutrida actividad política, unía una permanente presencia en actos culturales y profesionales. El 31 de mayo pronunció una conferencia en la Asociación Cultural "Juan B. Alberdi", de Pehuajó, provincia de Buenos Aires. La Federación de Líneas de Autos Colectivos lo contó como orador en dos actos realizados el sábado 8 de junio en la Plaza Primera Junta (Rivadavia y Centenera) y el viernes 21 de junio en el Cine Teatro Nilo, Boedo 1063.

La vinculación con la Asociación de Abogados le creó nuevas obligaciones con los organismos internos de la institución. El 23 de marzo de 1935 fue designado para atender su consultorio jurídico y el 25 de setiembre se le comunicó su nominación como miembro del Jurado de Etica.

El acto del 1° de mayo de 1936

La celebración del 1° de mayo de 1936 convocó a dirigentes obreros y políticos de los más diversos signos, con el intento de lograr la conjunción inédita de fuerzas para plantear formas de lucha o acción directa. Frondizi

58

participó en el mismo y Félix Luna describe ese acto, del que fue testigo por vivir en Victoria y Pasco:

> [...] el 1° de mayo de 1936 fue distinto. Esta vez no fueron los socialistas los únicos dueños de la jornada. En la tribuna levantada en Diagonal Norte y Maipú hablaron dirigentes de varios partidos políticos y de la CGT. Era la primera vez que esto ocurría [...] Una docena de oradores se turnó en el micrófono. El joven abogado Arturo Frondizi proclamó la necesidad de "un gran frente popular democrático".[6]

Por la CGT hablaron José Domenech y Francisco Pérez Leirós; por el socialismo, Enrique Dickman, Nicolás Repetto y Mario Bravo, y por el radicalismo, Emilio Ravignani y Eduardo Araujo. La voz comunista fue la de Paulino González Alberdi y en el escenario estaba también Lisandro de la Torre quien, a pedido de la gente, pronunció un breve mensaje.

En este acto apareció la simiente de una aspiración que sería el motivo generador de la constante prédica de Frondizi: la alianza de clases y sectores.

Frondizi doctrinario
País Libre

Frondizi sabía que para que un partido político tuviera perdurabilidad y apoyo popular, debía contar con bases doctrinales elaboradas sobre proyectos sustentados en iniciativas fértiles y concretas. En *Un Clarín l'adical*, N° 1 del 5° año, se refirió a "El programa de la UCR", señalando que éste

> no puede ser obra exclusiva de uno o dos más teóricos, sino la resultante de las necesidades y aspiraciones de la masa que vivificada con el aliento de una labor cultural seria y continuada, pueda abrir un cauce dentro del cual se vaya elaborando y superando la doctrina radical.

La Convención Metropolitana designó a Frondizi, vicepresidente 1° del cuerpo, en noviembre de 1933. Su presencia era necesaria en un órgano que debía elegir los candidatos para las elecciones de 1938.

País Libre fue el semanario representativo del partido. Frondizi integraba el comité de redacción, junto con Roberto de los Ríos, Conrado Eggeos Lecour, Rafael E. Esteban y Alfredo Weiss, con quien había escrito un ensayo histórico sobre "Esteban Echeverría y las generaciones jóvenes".

Los artículos se confeccionaban casi íntegramente en su casa, y Elena, eficaz secretaria, escribía a mano las fajas para su distribución.

País Libre aportó a la campaña electoral el apoyo más amplio, y en sus páginas se enfocaron las más variadas cuestiones. Una de las pocas colecciones, compuesta por 16 números, desde el 24 de abril al 9 de septiembre de 1937, formaba parte de la hemeroteca del Centro de Estudios Nacionales.

Frondizi fue uno de sus más asiduos colaboradores, firmando algunos artículos con el seudónimo de Fidel Ercoli.[7] En uno de ellos, "La crisis actual de la sociabilidad argentina" (*País Libre,* N° 2), planteaba el verdadero sentido de la crisis, señalando las diferencias entre forma y contenido de la democracia.

Si los partidos políticos de tendencia popular persisten en mantener como bandera de acción solamente, ciertos postulados que se refieren a la estructura exterior de la democracia –lo que podemos llamar medios de acción– y no se deciden a dar un contenido a esa democracia –lo que llamaríamos fines de la acción política– asistiríamos a un fracaso ruinoso.

Su pensamiento desarrollista aparece ya perfilado en la publicación N° 2, de la semana del 1° al 7 de mayo de 1937.

Pretendemos llamar la atención a los hombres que militan en el radicalismo, sobre la necesidad de encarar resueltamente la realidad argentina, tal como se presenta. Luchemos por la libertad institucional, pero despleguemos también las banderas de las reivindicaciones económicas y sociales. Lo uno sin lo otro es una fórmula vacía, que nos condenará a un fracaso ruinoso.

NOTAS

1. Del Mazo, Gabriel: *El radicalismo. Ensayo sobre su historia y doctrina,* Ediciones Gure, Buenos Aires, 1959, Tomo II, pág. 162.
2. Luna, Félix: *Alvear,* Editorial de Belgrano, 1982, Buenos Aires, pág. 84.
3. Liprotti, César O.: Testimonio, Archivo personal de la autora.
4. Del Mazo, Gabriel: *El radicalismo...,* ob. cit., págs. 233-234.
5. Frondizi, Arturo: "Sobre la muerte de Yrigoyen", inédito, archivo personal. El 3 de julio de 1959, como presidente de la Nación, inauguró la estatua de Hipólito Yrigoyen en Santiago del Estero, al cumplirse el 26° aniversario de su fallecimiento. Al evocar su accionar y conducta, dijo: "El, que encarnó uno de los grandes movimientos unificadores de la conciencia nacional, nos cita para que nos comprometamos a reconstituir la unión espiritual de este pueblo [...], nos incita a ser dignos de una gloriosa estirpe".
6. Luna, Félix: "El 1° de mayo de 1936 se proclamó un frente llevado a la práctica nueve años después con la Unión Democrática", en *La Opinión,* miércoles 30 de abril de 1975, pág. 9.
7. Fidel fue el nombre que le pusieron en el acta de confirmación y Ercoli, el apellido materno.

Un tema de candente actualidad que obsesionaba a Frondizi era el que se refería a las concesiones eléctricas, al cual se refirió en dos editoriales, "La CHADE contra el pueblo" y "El problema de la electricidad. El camino hacia las grandes soluciones". Comenzaba así una de sus más brillantes intervenciones en defensa de los intereses nacionales.

Implacable fiscal de uno de los fraudes más tristemente recordados de nuestra historia ciudadana, siguió paso a paso el proceso que culminó con ese contrato firmado a largo plazo con la CHADE, sin que se conociera ni el capital de la empresa ni las ganancias obtenidas ni el valor del kilovatio hora...

Hacia 1935, la prestación de los servicios eléctricos en el país estaba repartida entre ANSEC, subsidiaria de ERASCO (Electric Bond and Share Co.) y SOFINA (Societé Financière de Transports et D'Entrepices Indust ielles). SOFINA, con su filial CHADE ejerció la prestación correspondiente a Buenos Aires, Gran Buenos Aires, Rosario y alrededores.

Para asegurarse el mercado del consumo que representaban la Capital Federal y pueblos suburbanos, la Compañía Hispano Americana de Electricidad –CHADE–, apeló a la estrategia de plantear la modificación de la ordenanza-contrato de 1907, para amoldarla a sus aspiraciones, cuando aún faltaban veintiún años para el vencimiento de la concesión.

[...] el radicalismo, con el levantamiento de la abstención [...] entró en la lucha cívica con un gran prestigio popular, que podía llevarlo en cualquier momento a la dirección del país. Los intereses que dominaban la política nacional necesitaban arrastrarlo a un renunciamiento en el terreno de la lucha antiimperialista y ello se realiza cuando (1936) los representantes radicales –junto con los oficialistas– votan en el Concejo Deliberante de la ciudad de Buenos Aires, la prórroga de las concesiones eléctricas que tenía la CHADE y la Italo, integrantes de un gran consorcio internacional. La actitud de los concejales se agravó al contar con la solidaridad de las autoridades partidarias nacionales y posteriormente con el apoyo de la mayoría de los diputados radicales. Era evidente que las autoridades partidarias frente al comicio presidencial de 1937, intentaban con esas actitudes, que el imperialismo admitiera un gobierno de esos dirigentes radicales.[1]

Fue en este proceso donde Frondizi rompió lanzas con la conducción de su partido.

Presiones sobre la UCR

Un documento esencial para el estudio de este proceso es el Informe de la "Comisión Investigadora de los Servicios Públicos de Electricidad", creada en 1943 e integrada por el coronel (R.A.) Matías Rodríguez Conde, como presidente, el abogado Juan Pablo Oliver y el ingeniero Juan Sábato. Al cabo de dos años de ardua dedicación al tema, expusieron sus conclusiones en dos tomos que, por orden del coronel Juan D. Perón, vicepresidente "de facto", fueron secuestrados y destruidos. Uno de los pocos ejemplares salvados de la medida, obraba en poder de Frondizi.

Surge del informe que el 20 de junio de 1936, llegó a Buenos Aires el presidente del Comité Permanente de SOFINA y vicepresidente de la CHADE, Daniel Heideman, en momentos en que públicamente se impugnaba la posición adoptada por los concejales en el debate sobre las concesiones eléctricas y los ciudadanos reclamaban la rebaja de las tarifas eléctricas denunciando las reiteradas violaciones de la Ordenanza por parte de la CHADE.

Su presencia coincidió con la transformación de la CHADE en CADE –Compañía Argentina de Electricidad– que pareció a primera vista como un logro en favor de la política nacional, pero que no era sino un recurso impuesto por la Compañía Eléctrica para superar los inconvenientes creados al estallar la guerra civil española, plan que consistía en "dejar vacía" a la Compañía Hispano Americana de Electricidad –CHADE– Barcelona, con la transferencia del activo físico de su sucursal en Buenos Aires, a una sucursal local.

A principios de octubre de 1936, la CADE presentó al Concejo Deliberante de la ciudad de Buenos Aires un proyecto de prórroga a la concesión por veinticinco años más, optativo para otros veinticinco años, en forma de sociedad mixta. Días más tarde la Compañía Italo Argentina de Electricidad (CIAE) presentó una propuesta similar.

Los concejales de la UCR, con hábiles maniobras, modificaron el 6 de noviembre el número de los miembros de la Comisión de Servicios Públicos para lograr el voto mayoritario favorable en término de horas. Aprobado el despacho, debía ajustarse al lapso fijado por el Reglamento del Concejo Deliberante para su discusión en el seno del Cuerpo.

En ese interregno se procuró desarticular la acción opositora a esas concreciones anómalas, con presiones de toda índole que se hacían sentir en forma directa sobre concejales y miembros del Comité Nacional de la UCR, y con sutiles artimañas sobre su presidente, Marcelo T. de Alvear, quien se encontraba en Europa.

Con fecha 19 de noviembre de 1936, CHADE envió a SOFINA el siguiente telegrama:

> Teniendo en cuenta la actitud poco firme del Comité Nacional del Partido Radical, en el sentido de apoyar las propuestas de los concejales radicales, consideramos útil una gestión ante el doctor Alvear antes de que se embarque en el *Almada Star* en Boulogne, el 21 de noviembre. [...]
>
> Sugerimos que el señor Bock y si fuera posible el señor Cambó vaya a París para exponer la economía de nuestro proyecto, especialmente que la prórroga es una compensación necesaria para la rebaja de tarifas.
>
> Sería deseable que el doctor Alvear telegrafíe al Comité del Partido Radical que preste su apoyo al proyecto.

La respuesta de Mauricio Bock fue categórica:

> Recibirá Ud. informe de Sofina referente a mi entrevista con la persona en cuestión...

Comenzaron los desencuentros dentro del partido radical. El sector no comprometido del Comité Metropolitano se dirigió al bloque radical, manifestándole: "que vería con agrado que la representación del radicalismo en el Concejo Deliberante retirara su proyecto". La decidida participación de Oscar López Serrot, Jacinto Brunet, Adolfo Argerich Lahitte y Félix Rolando, entre otros, logró desorganizar el esquema existente al conseguir ese objetivo el 20 de noviembre.

Según se desprende de la comunicación de la CHADE a SOFINA del 24 de noviembre,

> El Comité Nacional del Partido Radical, después de escuchar a los concejales, renunció a intervenir oficialmente por el momento,

pero autorizó

> la defensa del proyecto [...] Dicho Comité designó una comisión de cinco miembros para dar sobre el proyecto una opinión que prevemos favorable por cuatro votos contra uno.

En un momento dado, el ingeniero Brossens, director general de CHADE notificó a Marcel Rougé, de SOFINA, quien viajaba de regreso a Europa:

> [...] continúan las dificultades en el Comité de la Capital del Partido Radical. Tomamos disposiciones para evitar que Alvear sea influido.

Frondizi enfrenta a Alvear

Inmediatamente después de su arribo a la Capital Federal, Alvear mantuvo dos largas conferencias con el director de la CHADE y representante de la empresa, Rafael Vehils, que se sumaron a la que tuvo lugar en Río de Janeiro con el doctor Luis Roque Gondra, letrado que había actuado como asesor de los concejales radicales.

Como consecuencia de estas reuniones, Alvear convocó a los concejales radicales en su domicilio particular, planteando la necesidad de dejarlos en libertad de acción, lo que significaba revalidar su posición, pero solicitó que concurrieran al Comité Nacional y presentaran un proyecto que debía expresar la fe del organismo en los concejales.

Se acercaba la hora de la votación. Para el 23 de diciembre, a la noche, se convocó a la Convención de la Capital de la UCR, de la que Arturo Frondizi era miembro. Alvear, en una última tentativa para estrechar la brecha sustantiva que separaba a los "chadistas" de la hueste opositora, citó a los concejales, a sus asesores, a dirigentes partidarios y a jóvenes que en su mayoría eran contrarios al proyecto.

Acompañaba a Alvear el doctor Vicente C. Gallo, quien patrocinaba a la CHADE en los juicios que se tramitaban ante la Corte Suprema de Justicia de la Nación. Indudablemente, el presidente del Partido no advirtió la peligrosa influencia de esos capitales en la marcha solemne de las instituciones. Y así, ante la intervención de Frondizi exhortándolo a enfrentar con altivez la injerencia de la CHADE, le replicó rojo de ira, golpeando el puño sobre la mesa:

–¿Quién me va a dar el dinero que necesitaré para gobernar? ¿Usted me lo va a dar, acaso?

Se redobla la presión

La influencia del poder internacional era manifiesta. El 19 de diciembre Heineman se dirigió a CHADE en estos términos:

> Supongo que la Convención de la Capital no se reunirá y aun en el caso que se reuniese y emitiese una opinión desfavorable, los concejales no se someterán. En cualquier caso, triunfe. Buena Suerte. Saludos. Heineman.

El 20 de diciembre Alvear fue visitado por sir George Graham, ex embajador británico en Madrid y Bruselas, vinculado a los intereses de SOFINA y amigo común de Heineman y Alvear, quien mantuvo una nueva reunión con los concejales radicales.

Como la votación definitiva se postergaba, Sofina telegrafió a la Chade:

Le rogamos que emplee todos los medios posibles para decidir al doctor a cesar en sus vacilaciones y darnos un apoyo firme.

El 22 de diciembre, Chade hizo llegar su respuesta:

La Convención de la Capital del Partido Radical está convocada para la noche de mañana, diciembre 23. Nos esforzamos por conseguir un resultado favorable. En todo caso trataremos de conseguir la votación del Concejo antes de la reunión de la Convención.

El debate en la Convención de la UCR

Así ocurrió. La prórroga comenzaba a discutirse con un día de anticipación a la fecha en que fuera convocada la Convención. Mientras se desarrollaba la reunión, Chade telegrafió a Sofina en estos términos:

El debate continúa y ponemos todo en movimiento para apresurar la votación.

A las 14 del día 23 de diciembre se aprobaron las ordenanzas en general; luego, en particular. Cuando se las promulgó, el programa de Sofina se había cumplido íntegramente.

Para horas de la tarde había sido convocada la Convención Metropolitana de la Unión Cívica Radical. *La Prensa*, en su edición del 24 de diciembre, comentó ampliamente las alternativas de la reunión, que tuvo lugar en el local de la calle Lavalle 1576:

A las 23.40 comenzó la asamblea. Se hallaban presentes 107 convencionales. La barra era muy numerosa [...]
Se dio cuenta de los despachos llegados a la mesa directiva [...] Expresaba [uno de ellos] que considerando que la representación de concejales ha obrado con precipitación injustificada, lo que implica una falta de acatamiento al más alto organismo del partido, la convención de la capital resolvía cancelar la afiliación a los ciudadanos que forman el grupo mencionado. Al darse lectura de esta iniciativa la barra prorrumpió en manifestaciones hostiles y aclamó insistentemente el nombre del ex presidente Yrigoyen en tanto el convencional Frondizi, puesto de pie, manifestaba a grandes voces que no era posible continuar la sesión bajo un estado de presión de esa naturaleza. Cuando el orador así se expedía desde la barra partían gritos diversos y se escuchaban canciones partidarias.

A pesar del clima y del ambiente marcadamente riesgoso, Frondizi continuó con su valiente acusación, dejando constancia de su disconformidad con la prórroga de las concesiones.

El orador fue largamente aplaudido por los convencionales y acto seguido se escucharon varias detonaciones al parecer de arma de fuego, que partían desde el lugar ocupado por la barra, produciéndose por tal motivo, momentos de verdadera confusión.

Para silenciar el escándalo, la presidencia promovió el debate secreto. Frondizi nuevamente alzó su voz para oponerse, afirmando que "si se quería sustraer el asunto al conocimiento público, saldría del recinto para denunciar los hechos en la plaza pública".

Desalojada la barra, el proyecto de Frondizi de "designar una comisión de cinco miembros para que se expida sobre el problema de los servicios públicos de la electricidad y se pronuncie sobre la actitud adoptada por los concejales" fue aprobado por 73 votos contra 45.

El antagonismo político no resquebrajó la relación que mantenían Frondizi y Alvear. El presidente del partido admiraba al joven convencional y por ello, a pesar de los duros choques a causa de sus dispares opiniones sobre el tratamiento de la CHADE, reiteró las invitaciones para no interrumpir sus diálogos. Pero fijó una única condición: que los mismos versaran sobre literatura o filosofía, pero nunca sobre cuestiones políticas.

* * *

El negociado del servicio eléctrico de la Capital Federal continuó agitando las estructuras políticas y en 1946 Frondizi como diputado participó activamente en el debate de la Cámara de Diputados de la Nación. En él reclamó el retiro de la personería jurídica a las compañías concesionarias que habían desarrollado una actitud al margen de la ley, y la nulidad de las Ordenanzas impugnadas por ley del Congreso Nacional.

NOTA

1. Frondizi, Arturo: *Petróleo y política,* Raigal, Buenos Aires, 1954, pág. 212.

La creación de la Sección Especial, de raíz totalitaria, hizo que un grupo de abogados defensores de presos políticos, en 1934 viera la necesidad de "aunar criterios e intercambiar experiencias", para elevar con un mayor respaldo un memorial al ministro del Interior, exigiendo respuestas categóricas a sus reclamaciones por los atropellos a la ciudadanía y desconocimiento de sus derechos. Funcionaba en esa época el "Comité Pro Amnistía a presos políticos y exiliados de América", del que Frondizi era secretario desde 1936. Fue en el seno de este Comité donde surgió la iniciativa de darle un carácter más amplio a sus actividades y, con ese propósito, se convocó a una asamblea que se realizó el 20 de diciembre de 1937, en el salón de actos del diario *Crítica*. Entre la numerosa concurrencia figuraban delegados especiales de exiliados del Brasil, Uruguay, Paraguay, Bolivia y Perú.

La Liga por los Derechos del Hombre

Arturo Frondizi abrió el acto, designándose al doctor Mario Bravo, senador nacional por el Partido Socialista, para dirigir el debate, que condujo a la decisión de transformar al Comité en "Liga Argentina por los Derechos del Hombre".

Como acto final, con el objeto de dejar definitivamente constituida la nueva entidad, se procedió a designar la Junta Ejecutiva y el Comité Consultivo, que regirían sus destinos. En la Junta Directiva figuraban Mario Bravo como presidente; Arturo Frondizi, como secretario general, junto a Rodolfo Aráoz Alfaro, Augusto Bunge, Néstor Roffo, Horacio Claps, Nicolás Sotelo, Juan A. Bramuglia, Nicolás Arrúa, E. Pastorelli y F. Vrespi. Los representantes más proficuos del mundo político e intelectual integraban el Consejo Consultivo, como Lisandro de la Torre, Julio Noble, Deodoro Roca, Ernesto Boatti, José Peco y Pablo Lejarraga, entre otros.

Mario Bravo cerró con un improvisado pero brillante discurso el acto en el que se ponía en marcha una institución que lucharía "por asegurar el imperio de la legalidad y detener el avance de la reacción".[1]

El Comité Contra el Racismo y el Antisemitismo

En la misma línea de defensa de la dignidad del hombre, en 1938 se constituyó el "Comité Contra el Racismo y el Antisemitismo". Su secretario general fue el doctor Aníbal Troisi y en su Consejo Directivo figuraban, entre otros, Jorge Luis Borges, Américo Ghioldi, Julio A. Noble, José Peco, Luis Reissig y Carlos Sánchez Viamonte. Un sucinto resumen de su declaración inicial nos permite reseñar los objetivos del Comité:

> Hombres libres, de ideas filosóficas y políticas muy diversas, nos reunimos para afirmar el respeto que esa colectividad nos merece como integrante de nuestra nacionalidad [...] No consentiremos en que se haga de los judíos una minoría, oprimida, vejada y perseguida. Reivindicamos para nuestro suelo, al amparo de las instituciones democráticas que están sufriendo el embate abierto e insidioso de la reacción, la más amplia libertad de pensamiento y de creencia y ninguna limitación para su expresión. [...]
> Detrás de la sistemática campaña racial está el odio a todo lo que es y quiere seguir siendo libre y digno.
> A todos incumbe defender esa libertad y esa dignidad.[2]

Entre los que apoyaron esta Declaración figuraban Frondizi, Arturo Illia, Lisandro de la Torre, Edmundo Guibourg, Diego Luis Molinari, Ricardo Balbín, César Tiempo, María Rosa Oliver y otras destacadas figuras del quehacer nacional.

Los días 6 y 7 de agosto de 1938 se realizó en el Concejo Deliberante de la ciudad de Buenos Aires el "Primer Congreso contra el Racismo y el Antisemitismo", "para esclarecer la conciencia del pueblo sobre el problema, hoy más que nunca agudo y grave, de la persecución racial", según expresión de Emilio Troisi, miembro del Comité Organizador.

Frondizi representó en el Congreso a la Liga Argentina por los Derechos del Hombre, en cuyo nombre habló en el acto inicial.

> Y necesario y útil es el Congreso en estos momentos en que la ola del racismo se extiende definitivamente a otros pueblos, para afirmar, desde estas tierras americanas, la inquebrantable voluntad de mantener las normas que aseguren la libertad para todos los hombres del mundo que quieran habitar el suelo argentino. [...] Porque la República Argentina no puede ni debe torcer esta línea de conducta para inaugurar una política inmigratoria que cierre las puertas de nuestro territorio a hombres aptos, física y moralmente, merced a un examen de sus ideas o una investigación de su raza, cuando las dilatadas

extensiones de nuestra tierra están reclamando material humano que se extienda, para fecundarlo, por todos los ámbitos del país.[3]

Frondizi participó en las deliberaciones del Congreso, integrando la Comisión 4, "El racismo y el derecho internacional argentino", con Reinaldo Bianchini; Enrique Dickman (Partido Socialista); Mario Carlinsky; Arturo Orzábal Quintana; Juan Armendares (Unión Obrera Textil); S. Scheimberg; Isaías Schpilfeiguel, y Eduardo Araujo (UCR Comité Nacional). En el 2° artículo de la declaración final, la Comisión estableció:

[...] que a los fines de garantizar en una forma eficaz esos derechos, se hace necesaria su consagración internacional mediante una convención obligatoria para todos los Estados, y la creación de un tribunal especial, o la admisión de las acciones y recursos de las damnificadas ante la Corte Permanente Internacional por razones de raza o de religión.[4]

En 1938, Frondizi y Mario Bravo se retiraron de la Liga en desacuerdo con la marcada inclinación que había asumido y que le hacía perder su carácter multipartidario inicial.

NOTAS

1. *Crítica*, 21 de diciembre de 1937.
2. Primer Congreso contra el Racismo y el Antisemitismo, 6 y 7 de agosto de 1938, Actas.
3. Idem, pág. 42.
4. Emilio Perina alude a esa posición antirracista de Frondizi: "Yo vi con Frondizi en 1945, los primeros documentales de los campos nazis de concentración. Muchas veces me tocó comprobar cómo controlaba sus emociones, dando la imagen de un Frondizi frío, impasible, imperturbable. No, ese Frondizi es falso, aparente, no real. Ha pasado mucho tiempo y nunca olvidaré aquella noche en que Frondizi se descompuso ante el espectáculo de horror que mostraba la pantalla sobre los campos de concentración. No posaba para nadie, no estaba en la escena política; estaba ante un grupo pequeño de sus amigos. No pudo entonces controlar la emoción que en tantas otras ocasiones ocultaba magistralmente".

El Colegio de Abogados

La participación política de Frondizi no le impidió actuar en la Asociación de Abogados de Buenos Aires. El austero ejercicio de su profesión le planteó la necesidad de resolver estructuralmente el mejoramiento y elevación del gremio.

En mayo de 1935 integró el Consultorio Jurídico Gratuito para pobres, que funcionaba en el local de la Asociación, en la calle Uruguay N° 520, 1° piso.

La Comisión Directiva de la Asociación constituyó en 1936, una Comisión de Ateneo compuesta por cinco miembros y presidida por Frondizi, encargada de proyectar y organizar los actos culturales en vasta escala.

Como consecuencia inmediata de la actividad desplegada, el 4 de junio de 1941 Frondizi fue elegido presidente de la Asociación de Abogados de Buenos Aires, para el período 1941-1942.

La labor que desarrolló la Comisión Directiva desde junio hasta agosto de 1941 fue descollante y privilegió las metas de progreso que se había impuesto.[1]

Con el deseo de divulgar temas jurídicos para elevar la cultura general de la población y servir de guía en planteo y defensa de sus intereses, la Asociación dispuso realizar transmisiones radiotelefónicas semanales por radio Stentor, inauguradas por Frondizi en su carácter de presidente, el miércoles 10 de diciembre de 1941.

En nota a la Cámara de Diputados de la Nación, Frondizi hizo llegar la satisfacción de la Comisión Directiva por la "redacción del proyecto sobre el arancel del honorario del abogado y del procurador por el que la Asociación bregaba desde su fundación".[2]

El 17 de octubre de 1941, Frondizi y Enrique Corona Martínez presentaron un proyecto proponiendo la elección de un día "para que los señores letrados hagan actos recordatorios de sus deberes y derechos como abogados". La Comisión Directiva acordó fijar como Día del Abogado el 30 de abril, "fecha en que se terminó de considerar el proyecto de Constitución Nacional y como homenaje a la misma".

Reelecto para el período 1942-1943, Frondizi compartió esta responsabilidad con su tarea en el Colegio Libre de Estudios Superiores, fundado el 20 de mayo de 1930 por Aníbal Ponce, Roberto Giusti, Narciso Laclau, Carlos Ibarguren, Luis Reissig, a los que pronto se unió Alejandro Korn.

El Colegio Libre de Estudios Superiores

Al suscribir el acta fundacional de esta institución, se pensó en

> la conveniencia de constituir un organismo exento de carácter profesional, destinado a contribuir al desarrollo de los estudios superiores [...] Constará de un conjunto de cátedras libres de materias incluidas o no en los planes de estudios universitarios, donde se desarrollarán puntos especiales que no son profundizados en los cursos generales o que escapan al dominio de las Facultades. [...] Ofrecerá sus cátedras a profesores universitarios de reconocida autoridad y a las personas que fuera de la Universidad se han destacado por su labor personal.

Con la realización de cursillos, conferencias y seminarios, el Colegio Libre de Estudios Superiores comenzó a desarrollar sus tareas llenando el vacío cultural que habían dejado las casas de altos estudios en 1930. En 1940, al cumplir su décimo aniversario logró su organización jurídica, creó filiales en el interior, fundó cátedras permanentes bajo la advocación de figuras rectoras de nuestra cultura y unió a la revista *Cursos y Conferencias* otras publicaciones que ampliaron su acción editorialista.

Fue en este período cuando ingresó Frondizi, quien participó activamente en la vida del Colegio. Allí nació una inalterable amistad con Alejandro Korn, Margarita Argúas, Jorge Romero Brest, Luis Reissig y José Babini.

En 1944 fue elegido vocal titular de la Comisión Directiva y prestó su colaboración en todo lo relacionado con "Publicaciones". En 1941 fue designado secretario general de *Cursos y Conferencias* y a partir de 1952 fue su director.

Entre las importantes colaboraciones de Frondizi destacaremos su artículo "Régimen jurídico de la economía argentina", en base a los apuntes que utilizó en las clases dictadas en 1940, y su curso sobre "El Consejo económico y el porvenir de la regulación de la vida argentina", en el que demostró su gran interés y preocupación por el encauzamiento de la economía del país.

Aun dentro de la marea de las vicisitudes políticas que envolvían a la Nación, Frondizi seguía colaborando en el Colegio Libre de Estudios Superiores cuando el 16 de julio de 1952 el Gobierno Nacional interrumpió la tarea docente del prestigioso centro de estudios.

Su nombre figuró siempre en la lista de socios de esta casa que reabrió sus puertas tras la revolución de setiembre de 1955 hasta que, en diciembre de 1970, acosada por problemas económicos, concluyó definitivamente su actividad.

Notas

1. *Boletín de AABA*, N° 54, agosto de 1941.
2. Ibídem, N° 55, diciembre de 1941, pág. 6.

El profundo desequilibrio político, económico y social fue generando en el país un clima crítico que culminó con la revolución del 4 de junio de 1943. La elección de Agustín P. Justo como presidente de la Nación en 1932 significó un triunfo total de los intereses británicos. La orientación anglófila de su gobierno quedó bien definida en el Tratado Roca-Runciman, firmado por nuestro país y Gran Bretaña el 1° de mayo de 1933. Este pacto aseguraba al Reino Unido una serie de grandes ventajas, en especial en el comercio de carnes. Frondizi juzgó este proceso en los siguientes términos:

> Durante este período, las tendencias totalitarias tomaron gran impulso a través de la acción nazi, que encontraba el campo preparado ideológicamente por el fascismo. El presidente Justo las contuvo pero no las destruyó, permitiendo que subsistiera su influencia tanto en sectores del ejército, como en la educación y en otros aspectos de la vida nacional.

FORJA

La UCR se desdibujaba paulatinamente tras la muerte del carismático Don Hipólito. La juventud ambicionaba retomar la idealidad del 90 y asumir una actitud de pujante altivez enraizada en los principios de legitimidad, sobre los cuales se estructurara su partido, cuyo comando había sido asumido por el ala que se denominaría "unionista" por su proclividad a sumarse a otras fuerzas políticas para oponerse al fraude del oficialismo, en las elecciones para la renovación presidencial que se realizarían a fines de 1943. La conducción de Alvear fue discutida por los afiliados radicales y por la opinión de la ciudadanía de la República, que la consideraba sin fuerza para combatir al régimen. A la oposición de los sabattinistas, afirmada en el triunfo de Amadeo Sabattini en su feudo mediterráneo, se unía el de la Fuerza Intransigente surgida en Santa Fe y el de FORJA.

FORJA (Fuerza de Orientación Radical de la Joven Argentina) era una expresión de combate contra las debilidades que amenazaban la firmeza opositora del radicalismo. Arturo Jauretche, su presidente, fijó los principios sustanciales de la agrupación: volver a la línea yrigoyenista y a los postulados de la Reforma Universitaria de 1918; respaldo a las resoluciones de América latina y enfrentamiento a los imperialismos, tanto de Gran Bretaña como de los Estados Unidos. Dentro de FORJA, fue importantísimo el pensamiento y la acción de Luis Dellepiane.

Para pertenecer a FORJA era condición imprescindible estar inscripto en los registros de la UCR, pero a fines de 1939 se derogó este requisito. Frondizi no militó en FORJA, aunque coincidía con algunos de sus postulados:

Una renovación del pensamiento radical tendría que producir fatalmente una nueva diferenciación, similar a la que se produjera dentro de la Unión Cívica Radical después del 90. FORJA y nosotros iniciamos esta obra. Pero ella fue sobre todo crítica, mas no constructiva; a la crítica debía corresponder la elaboración de un pensamiento y de un programa de acción total. Contribuyó a profundizar el proceso de diferenciación el estallido de la segunda guerra mundial y la aparición de la política llamada de Unión Democrática; culminó el proceso en abril de 1945, cuando fundamos en Avellaneda el "Movimiento de Intransigencia y Renovación".

El Movimiento Orientador

País Libre había propiciado la formación de un Movimiento Orientador para desarrollar una intensa acción dentro del partido, "de conformidad a las disposiciones estatutarias, para representar una corriente constructiva que realizase una obra efectiva, sin distinción de hombres ni tendencias".

El lunes 15 de mayo de 1937 tuvo lugar en el subsuelo del Hotel Castelar una entusiasta asamblea organizadora en la que estuvieron representadas las distintas parroquias de la Capital, bibliotecas y centros culturales de la zona y delegados de los comités de la juventud de Avellaneda y San Isidro.

Arturo Frondizi fue designado presidente para dirigir y ordenar el debate y tuvo a su cargo informar acerca de los principios que habían conducido a la formación del Movimiento Orientador 1937.

Aprobados los Estatutos se constituyó una Junta Ejecutiva integrada por los doctores Rodolfo Alvarez Prado, Arturo Frondizi, Eduardo Gaulhiac y Elías Melópulos y los señores Manuel Andreani, Mario Bernasconi, Atilio Cattaldi, Roberto de los Ríos y Miguel A. Sabattino (h).

Surgía así un órgano que, si bien mantenía la disciplina partidaria, bregaba por una acción más decidida y combatiente.

Enfrentando al régimen del 30

En 1938, Roberto M. Ortiz, antipersonalista y ex ministro de Obras Públicas de Alvear, fue elegido candidato presidencial en las altas esferas gubernativas. Su nominación fue anunciada en un almuerzo realizado en la Cámara de Comercio británica.

El comienzo de la Segunda Guerra Mundial, el 1º de setiembre de 1939, tuvo intensa repercusión sobre la economía y la política argentinas. A diferencia de los Estados Unidos, que impulsaban la participación en el bando aliado de los países latinoamericanos, Gran Bretaña propiciaba la neutralidad sostenida por Ortiz, porque por ese medio se aseguraba la continuidad de los suministros alimenticios argentinos.

Los grupos conservadores reaccionarios se volvieron más agresivos y, respaldados por la campaña expansionista de Hitler, comenzaron a cuestionar el respeto a la institución presidencial y rodearon al vicepresidente Ramón Castillo. Este, no obstante estar apoyado por nazifascistas, tenía simpatías hacia los británicos, y respaldó la tradicional política de neutralidad que observó la Cancillería argentina.

La presidencia de Ortiz había ofrecido la posibilidad de transformar las conflictivas relaciones entre el gobierno y las instituciones políticas. Pese a haber surgido de elecciones fraudulentas, se esforzó por crear un clima de confianza en las más altas jerarquías gubernativas. En *Los Principios*, periódico radical de Lomas de Zamora, escribió Frondizi:

> Las cosas han cambiado, se pregona a todos los vientos. Es preciso tener fe, pues este o aquel gobernante ha prometido legalidad. Como si fuera un problema de hombres y no de principios [...] Todo lo bueno y lo grande que tiene la República no fue el fruto de concesiones voluntarias, sino el resultado de las luchas del pueblo [...] El país tiene problemas angustiosos, creados por la ilegalidad antidemocrática de la oligarquía conservadora y la acción del capitalismo internacional, que operan sobre la economía argentina como si fuera tierra de nadie [...] El pueblo conserva su optimismo sobre el resultado de esta lucha; pero no la tiene en la acción de un factor personal, sino en su propia fuerza, en su voluntad de lucha.

Pero era un tiempo convulso en el que las fuerzas aglutinadas en torno del vicepresidente Ramón Castillo, aceleraban el clima de tensión que culminó con la renuncia definitiva del Presidente el 27 de junio de 1942, tras haber delegado el mando por enfermedad el 3 de julio de 1940 en su vicepresidente. Manifestaba Frondizi: "Se desvanecía la débil posibilidad de legalidad que se había abierto".

Diferenciación en el radicalismo

Entre los años 1938 y 1946, se sintió la fuerza impulsora de la juventud que mantuvo con pertinacia el concepto de la dignidad radical, bajo la inspiración de Moisés Lebensohn.

En las elecciones internas del 13 de febrero de 1938 se pusieron de relieve las tendencias que comenzaban a dividir al radicalismo. Frondizi fue el candidato más votado por los jóvenes y por los opositores a la conducción de la UCR, pero no coincidía con los dirigentes que no vacilaban en provocar una escisión partidaria para lograr la ansiada renovación. Ese mismo día declaraba a *Noticias Gráficas*: "No acepto ni aliento la división del partido, que beneficiaría de inmediato a las fuerzas reaccionarias". Lo que cabía era "proceder enérgica y lealmente a una renovación de forma y de fondo, de hombres y procedimientos".

Frondizi proyectó al plano internacional la conducta sostenida dentro de la UCR. Defendió una política exterior independiente, basada en principios de neutralidad fijados por Hipólito Yrigoyen, muy distintos de los que sostenían los grupos que rodeaban a Castillo –pro británicos–, o a su gabinete –pro nazi–, pero esa neutralidad debía ser absoluta y no utilizada en beneficio de las naciones agresoras.

La muerte de Alvear el 23 de marzo de 1942 acentuó los problemas internos de la UCR, a los que se sumó la convocatoria del V Congreso de la Juventud Bonaerense bajo la conducción de Lebensohn, en mayo de 1942. El movimiento juvenil propendía a "sacudir la conciencia adormecida de los titulares del aparato partidario", coincidiendo con las acciones del grupo intransigente de "Afirmación Radical", integrado por Arturo Frondizi, Ernesto Sammartino, Luis Boffi y Héctor Dasso. Estos sectores disentían con la política unionista del Comité Nacional.

La Gran Asamblea Interprovincial de la Intransigencia convocada en Córdoba el 9 y 10 de enero de 1943, se pronunció por una fórmula netamente radical mientras, en el Hotel España de la Capital Federal, una comisión de la que formaba parte Frondizi agotaba las posibilidades para impedir que la UCR integrara la Unión Democrática.

El fallecimiento de Agustín P. Justo, el 11 de enero de 1943, apresuró los acontecimientos; la Convención Nacional de la UCR suscribió el despacho del sector unionista aprobando la formación de la Unión Democrática y encomendó al delegado Emilio Ravignani tomar contacto con los otros núcleos políticos que conformaban esa concordancia.

El oficialismo, por su parte, proclamó la candidatura del terrateniente Robustiano Patrón Costas, quien el 31 de mayo de 1943, dio a publicidad su plataforma electoral, del más cerrado cuño conservador.

La revolución del 4 de junio de 1943

Pocos días más tarde, el 4 de junio, se produjo un golpe militar por un grupo de oficiales de la logia militar GOU (Grupo Obra de Unificación o Grupo de Oficiales Unidos), integrada, entre otros, por el coronel Juan Domingo Perón.

Decía Lebensohn:

> Sonaron las sirenas de los diarios; los comités dispararon bombas de estruendo, convocando a celebrar la caída del fraude. El pueblo pasó frente a los comités y se detuvo ante los diarios: era ya un pueblo que no se sentía ligado al radicalismo.

La agitación pública ocupó la atención de Frondizi, quien, con unos amigos, se dirigió a Plaza de Mayo para observar *in situ* los acontecimientos. "¡Pobre país!" fue su lacónica expresión, al pensar en el riesgo que podían sufrir las instituciones. Del análisis que realizó sobre la revolución de junio, transcribimos algunos conceptos:

> El movimiento militar del 4 de junio sorprendió a todos, al gobierno y a la oposición. El régimen estaba tan seguro de su continuidad que ya había designado candidato para la próxima renovación presidencial que debía tener lugar en 1944. La oposición se mostró igualmente desconcertada por el "golpe", y éste se desenvolvió conforme a cánones realmente no previstos. En más de un sentido prosiguió la línea que había trazado el gobierno de Ramón S. Castillo, al que la historia le computará en su haber la política internacional independiente en que colocó al país, la creación de la Flota Nacional y su preocupación nacionalista en el más amplio y mejor sentido del término.
> La revolución del 4 de junio, como todo movimiento de esta índole, no expresaba una única corriente de opinión, ni una tendencia única. En su seno se encontraron desde aquellos que pensaban reproducir en el país una experiencia fascista y constituir en América la vanguardia de la victoria del "Eje", hasta aquellos que, pensando en términos nacionales, buscaban los más diversos caminos de solución. Perón fue el exponente de una de esas corrientes. Su reivindicación del yrigoyenismo demuestra su condición de continuador del movimiento nacional.[1]

El general Arturo Rawson, quien había asumido el mando el 4 de junio, fue reemplazado dos días más tarde por el general Pedro Pablo Ramírez. Durante el gobierno de éste se produjo un terremoto el 15 de enero de 1944 que destruyó la ciudad de San Juan. Se adoptaron de inmediato medidas para hacer llegar la necesaria ayuda a las víctimas y dentro de esta campaña de solidaridad, se programaron actos públicos para recaudar fondos, que aumentaron la popularidad de Perón, secretario de Trabajo y Previsión, quien se perfilaba como una de las figuras clave dentro del gobierno y del Ejército. Al realizar los artistas un gran festival "pro víctimas del terremoto" en el Luna Park, prestó su colaboración una figura sin relieve del medio radial, María Eva Duarte. La relación que se inició entonces entre ésta y el coronel Perón culminó con su posterior matrimonio, pasando a desempeñar un papel de gravitación impensada en la vida de la Nación.

Nuevamente en prisión

Se estaba prefigurando un proceso de sensibilidad social pero carente de vocación democrática, y la conducta habitual de Frondizi ante la arbitrariedad le valió una nueva prisión. El 16 de setiembre de 1944 se lo detuvo en Fisherton, Santa Fe, adonde había concurrido invitado por Roque Coulin para participar en una reunión partidaria, bajo la acusación de comunista por su defensa de miembros de la Liga por los Derechos del Hombre y de afiliados a esa corriente ideológica.

Emilio Perina, detenido en esa oportunidad, compartió la celda con Frondizi, en el cuadro 5° de Villa Devoto. En su testimonio recuerda:

[...] la celda era un pequeño universo político. La habitábamos un mozo de apellido Avallay, militante de la Alianza Libertadora Nacionalista, dos socialistas –el profesor Esteban Rondanino y un militante juvenil Julio Kaes–, un hombre negro de apellido Boot –uno de los pocos negros que quedaban por entonces en Buenos Aires–, Frondizi y yo, que tenía militancia radical, pero que era principalmente un dirigente universitario.

Frondizi entró en la celda, pulcramente vestido y "lucía cierto inusitado optimismo en ese ambiente depresivo". Aquel invierno de 1944 fue muy crudo:

Frondizi se acostaba vestido sobre su cama. Por entonces la gente bien vestida usaba cuello duro. El no; ya era moderno y gastaba cuello flexible, pero no abandonaba la corbata ni en esos momentos [...] Era un hombre fino, de modales delicados, abierto y cordial. Llevaba a la cama un libro de economía; leía atentamente y si advertía que alguien le prestaba atención comentaba didácticamente lo que estaba leyendo. Prontamente se convirtió en el centro de aquella pequeña y hacinada población penal.

Su condición de intelectuales los llevó a crear una biblioteca harto curiosa:

78

[...] puesto que las camas eran dobles, entre la cama superior y la inferior ten-díamos una suerte de manta que, a modo de bolsa, recogía los volúmenes que echábamos en ella. Por cierto, algunas veces las ligaduras de la manta cedían y despertábamos bajo un montón de libros.

También destaca Perina la presencia permanente de Elena Faggionato, quien le llevaba comida a Arturo "y se mostraba cordial con todos los detenidos", a los que impresionaba "su entereza tanto como su ternura".[2]

A fines de noviembre Frondizi recuperó su libertad, sumando de inmediato sus esfuerzos a la prédica del núcleo renovador de la UCR.

NOTAS

1. Frondizi, Arturo: *Introducción a los problemas...*, ob. cit., pág. 62.
2. Perina, Emilio: Testimonio, Archivo personal de la autora.

Tres hechos remarcables confluyen en esta parte de nuestra historia: la aparición de Perón con su doctrina basada en la transformación de esquemas agotados; la Declaración de Avellaneda en abril de 1945, con su Profesión de Fe Doctrinaria y su Programa de Acción; el nacimiento del Movimiento de Intransigencia y Renovación.

Ortega y Gasset señaló, en *La rebelión de las masas,* que uno de los acontecimientos que marcaron a fuego la vida pública europea de su tiempo fue la aparición de las masas en la conducción de la sociedad. Con Perón, caso típico de líder axiotímico, esta incorporación alcanza su máxima expresión y los peronistas, proclives a masificarse por necesidades de todo tipo, el 17 de octubre de 1945 impusieron su voluntad que sellaría desde entonces el rasgo característico del régimen que comenzaba a afianzarse en la Argentina.

La Declaración de Avellaneda

Con la reorganización de los partidos políticos autorizada después de la veda impuesta por el gobierno del general Ramírez en diciembre de 1943, la UCR abrió sus padrones para proceder a su reestructuración. En su seno surgieron dos líneas perfectamente delimitadas: el unionismo y la intransigencia. El primero, proclive a imponer la unidad partidaria excluyendo núcleos internos, propiciaba la formación de la Unión Democrática con otras fuerzas políticas para enfrentar al peronismo en las elecciones. La intransigencia rechazaba todo pacto o acuerdo electoral y proponía la renovación del programa de la UCR para dar un contenido nuevo a la fidelidad yrigoyenista.

Conviene recordar que en la Unión Cívica Radical se reemplazaban los cuadros con lineamientos superadores. Tanto en la Declaración de Avellaneda como en la formación del Movimiento de Intransigencia y Renovación –MIR–, Frondizi tomó parte activa para diseñar una nueva orientación con instrumentos doctrinarios que representaran a las corrientes renovadoras del partido.

Moisés Lebensohn fue el gran inspirador de la Declaración de Avellaneda, y Frondizi, su redactor. El juicio de Frondizi nos permite valorizar la importancia que tuvo ese programa dentro del contexto social y económico en el que fue concebido, ya que una de las críticas más duras que soportó durante su mandato presidencial, fue su alejamiento de las concepciones de la Declaración de Avellaneda y de los documentos que se inspiraron en ella.

La Declaración de Avellaneda que precedió en dos años al "Programa", fue la bandera de lucha de la Intransigencia contra los sectores unionistas que representaban una típica mentalidad conservadora, enemiga de los cambios estructurales. Es decir, que se elaboró como la respuesta que la intransigencia daba al unionismo de la UCR, sobre los más importantes problemas nacionales, y como tal, era el otro polo de la actitud que propugnaba el antipersonalismo. El hecho cierto es que visto a la distancia, el programa de Avellaneda fue mucho más una bandera de lucha que posibilitó el triunfo de la Intransigencia que una respuesta científica a los problemas que afligían al país en la década de los años 40. Su Profesión de Fe Doctrinaria constituye una ponderable contribución para establecer los verdaderos objetivos materiales y espirituales que persigue la criatura humana.

La abundante literatura de la posguerra, especialmente las obras de Harold Laski, influía en esa generación, de allí que "el programa seguía una tendencia, en alguna medida "socializante" que tenía ya larga presencia en el "yrigoyenismo", especialmente remarcable en las vísperas del golpe de setiembre de 1930".[1]

El Movimiento de Intransigencia y Renovación

El 26 de mayo de 1945 se realizó en Santa Fe una comida de camaradería en adhesión a la efeméride patria. Al acto, organizado por el Centro de la Juventud "Hipólito Yrigoyen", concurrieron delegaciones de diversos puntos del país. En ella se fijó la posición del Movimiento Intransigente ante la situación imperante tanto en el orden nacional como en el partidario. Durante la reunión se leyó un Mensaje dirigido a la juventud santafesina, suscripto por Bernardino Horne, Alberto M. Candioti, Crisólogo Larralde, César Barros Hurtado, Héctor Dasso, Jorge Farías Gómez, Ricardo Balbín y Arturo Frondizi.

En ese documento se ratificaba el apoyo y acatamiento a la Declaración de Avellaneda, insistiendo en la necesidad imperiosa de volver al régimen de libertad institucional sin condicionamientos ni tutorías, exigiendo la inmediata derogación del Estado de Sitio, la libertad de los presos políticos y sociales, el levantamiento de la clausura de los diarios y el restablecimiento de todos los derechos ciudadanos.

La Intransigencia adquirió fuerza legal cuando en Avellaneda se dio origen al MIR, cuya posición quedó clara en cuanto a sus grandes fines, en la Profesión de Fe Doctrinaria, redactada por una comisión integrada por Gabriel del Mazo, Arturo Frondizi y Antonio Sobral.

En el Primer Congreso del Movimiento de Intransigencia realizado en Avellaneda el 9 y 10 de agosto de 1947, se aprobaron esos documentos rectores, las Bases de Acción Política, la Profesión de Fe Doctrinaria y los Objetivos de Lucha, que inauguraron de manera decisiva, una nueva época en la ideología radical.

El 17 de octubre

Durante el año 1945, los temas analizados se imbrican, al mismo tiempo, con acontecimientos políticos de relevante repercusión: el movimiento del 17 de octubre, la formal declaración de guerra a las potencias del "Eje" y la convocatoria a elecciones junto con la sanción del Estatuto de los Partidos Políticos.

El 12 de octubre de 1945, el general Eduardo Avalos, flamante ministro de Guerra, encabezó un movimiento tendiente a limitar la creciente influencia de Perón sobre el presidente Edelmiro J. Farrell, disponiendo su destitución y su prisión en Martín García.

El sector que combatía a Perón festejó este hecho reuniéndose en la Plaza San Martín. Se pensó en una pronta salida electoral, con la formación de un gabinete civil, ya que muchos dirigentes políticos alentaban este cambio, entre ellos los intransigentes Lebensohn, Larralde, Santiago del Castillo, Juan Gauna, César Coronel, Farías Gómez, Julio Correa y Arturo Frondizi, como así también el procurador general de la Nación, doctor Juan Alvarez.

Se ofreció la jefatura del gobierno al doctor Amadeo Sabattini, pero las vacilaciones del caudillo cordobés, no dispuesto a disgustarse con la conducción partidaria, hicieron fracasar ese intento que sucumbió totalmente cuando Cipriano Reyes y varios dirigentes sindicales movilizaron a los gremios que, con otros sectores sociales del pueblo, se concentraron el 17 de octubre en Plaza de Mayo, exigiendo ruidosamente la presencia de Perón.

El coronel, aclamado, dueño de la situación, contó a partir de ese instante con el aparato público necesario para proyectarse hacia la presidencia de la Nación.

Para Frondizi,

entre el 12 de octubre de 1945 y el 17 de octubre del mismo año se produce la precipitación del alineamiento argentino. Es un trayecto que va desde la Plaza San Martín a la Plaza de Mayo.

La UCR en la Unión Democrática

El llamado a elecciones a concretarse antes de fin de año, otorgó gran dinamismo a la actividad política. El 14 de octubre la mesa del Comité Nacional de la UCR aceptó integrar la Unión Democrática, coalición de partidos opositores a Perón, disposición ratificada por la Convención Nacional el 27 de diciembre, al proclamar la fórmula José P. Tamborini-Enrique M. Mosca.

Consideraban con optimismo el futuro de esta alianza, basándose en el éxito de la "Marcha por la Constitución y la Libertad", del 19 de setiembre, que había agrupado a una verdadera multitud, en el recorrido comprendido entre Avenida Callao y Plaza Francia.

Los intransigentes no habían apoyado esas tramitaciones y el 1° de noviembre, en Rosario, cuestionaron la actitud de las autoridades y entraron en contacto con Amadeo Sabattini para que bajara desde Córdoba, con el objeto de apuntalar sus inquietudes. El carismático conductor, que había rechazado no sólo la propuesta del general Avalos sino también una de Perón ofreciéndole la vicepresidencia, dejó a un lado sus indefiniciones y sus silencios para colaborar con la línea intransigente de Buenos Aires, objetando la formalización de la Unión Democrática, que pese a todo, siguió su curso.

Frondizi diría al respecto:

Los que nos encontramos en ese duro trance cumplimos con nuestro deber con el partido y con el país, luchando contra el candidato oficialista, pero terminado el proceso eleccionario del 24 de febrero de 1946 retomamos la integridad de nuestro programa de ideas y de acción dentro del partido y nos sometimos a la decisión del pueblo radical que en comicios posteriormente realizados nos dio la razón, devolviendo al partido a lo que consideramos su verdadero cauce doctrinario, argentino y popular.

Las elecciones nacionales

La fórmula presidencial era común, pero cada partido presentaba listas independientes de candidatos a senadores y diputados. Frondizi figuró entre los treinta precandidatos a diputados nacionales por la Capital, propuesto por Miguel Sabattino, de la 6ª Circunscripción, lo que le obligó a cambiar su domicilio real que correspondía a la 7ª Circunscripción liderada por el unionista Miguel Ortiz de Zárate, reacio a su nominación.

Perón, al proclamar su candidatura, había manifestado:

Sepan quienes voten el 24 por la fórmula del contubernio oligárquico-comunista, que con ese acto entregan, sencillamente, su voto al señor Braden. La disyuntiva, en esta hora trascendental, es ésta: O Braden o Perón. Por eso, glosando la inmortal frase de Roque Sáenz Peña, digo: "Sepa el pueblo votar".[2]

Ignoraba a su oponente Tamborini, usando en su lugar el nombre del embajador norteamericano con quien las autoridades nacionales habían mantenido discrepancias que obligaron a reemplazar al diplomático.

La campaña fue dura y los enfrentamientos alcanzaron una desmesurada magnitud. "Braden o Perón" gritaban los partidarios del candidato oficialista, identificando a la Unión Democrática con los intereses de los Estados Unidos. "Tamborini o Hitler" respondían los opositores, en clara alusión a la formación fascista de Perón, destacada en el "Libro Azul", que contenía denuncias de actividades a favor del Eje por el gobierno argentino.

El 24 de febrero de 1946 votó el 88 por ciento de un padrón de algo más de 3 millones de inscriptos. El binomio Perón-Quijano triunfó contra una alianza que parecía invencible; logró el 56 por ciento de los sufragios (1.527.231) y 304 electores; Tamborini-Mosca obtuvieron el 44 por ciento (1.107.155 votos) y 72 electores.

Moisés Lebensohn analizó con mucha sagacidad ese momento:

[...] La dictadura por una parte y el radicalismo complementaron el juego. Encerraron mañosamente al pueblo en un dilema irreal: justicia social por una parte; Orden Constitucional, por otra, cual si fuesen términos antitéticos...

Arturo Frondizi fue uno de los candidatos más votados y pasó a integrar el Bloque de los 44 diputados de la oposición, lo que evidenciaba el inmenso reconocimiento por parte de la ciudadanía hacia un político con ideas definidas y una personalidad manifiesta.

NOTAS

1. Frondizi, Arturo: Archivo personal.
2. Perón, Juan Domingo: *El pueblo ya sabe de qué se trata,* pág. 201.

Las elecciones del 24 de febrero de 1946 permitieron el funcionamiento del Congreso clausurado por la revolución del 4 de junio de 1943. Una mayoría peronista dominaba la Cámara de Diputados con 109 bancas sobre un total de 158. La minoría contaba solamente con 49 diputados para superar el cerrojo que imponía el oficialismo. De ellos, 44 pertenecían a la UCR, uno al Partido Demócrata Progresista, dos al Demócrata Nacional, uno a la UCR Antipersonalista y uno a la UCR Bloquista.

Arturo Frondizi, diputado nacional

Frondizi se incorporó al Congreso Nacional el 29 de abril de 1946 y desempeñó su mandato hasta el 30 de abril de 1948, siendo reelecto el 7 de marzo de 1948 para el período 1948-52. Tenía treinta y ocho años y un concepto bien afirmado sobre la misión del Parlamento:

Para que exista un régimen constitucional en la República no es suficiente la existencia de un edificio que se llama Congreso Nacional ni un recinto como éste, ni un reglamento ni estas bancas. Es preciso que el Congreso argentino funcione en la integridad de su capacidad y de sus atribuciones; es imprescindible que en el Congreso de la Nación Argentina se sienten sí, representantes de partidos políticos, pero que, por sobre todo, se sienten representantes del pueblo dispuestos a servir los ideales de la Nación Argentina en sus grandes aspiraciones.[1]

Frondizi aportó un nuevo perfil a la Cámara. Su figura delgada y alta, su palabra clara, incisiva, con un tono levemente metálico en el que sobresalían sus acentuadas elles típicas de su dejo correntino, identificaban al hombre público intachable y severo. Frondizi no cayó nunca en la difamación; sus discursos discurrían por otros andariveles, manteniendo una unidad que ni los momentos polémicos conseguían quebrar. Con su índice inquisitorial subrayaba los párrafos esenciales de sus argumentaciones.

Amaba los grupos de estudio, los centros de investigación que le aportaban estrechos contactos con la realidad y un repertorio de datos que le permitían profundizar sus indagaciones.

Su conducta austera, que no sólo se reflejaba en su vestimenta –siempre traje azul y camisa blanca– le valió el sobrenombre de "el Obispo", al que Luis Mac Kay unió el de "Savonarola" por su rigurosidad para juzgar conductas. "Por tu implacable persecución a todo cuanto consideras licencioso –le decía– vas a ser ahorcado y quemado."[2]

Su esposa Elena recordaba con emoción esa etapa en la vida de Frondizi:

> [...] no faltó jamás a las reuniones que podían prolongarse todo el tiempo que hiciera falta. Cuando regresaba a casa, corregía los borradores de sus intervenciones en el recinto para darlas luego a la prensa [...] En la Cámara eran poquísimos los diputados opositores, de modo que los 44, que orgullosamente se nombraban a sí mismos "los 44 de fierro", tenían que trabajar, prepararse y estar permanentemente alertas para multiplicarse. Siempre privó el deseo de hacer bien las cosas, en serio, para el bien de la patria.

David Blejer gustaba evocar esos momentos:

> A Frondizi lo he visto en sesiones memorables y gracias a la ayuda invalorable de Elena, su esposa, pudo contar siempre con la información necesaria, a la que también tuvieron acceso sus compañeros de sector.

Frondizi no se alteraba ni aun cuando muchos asuntos eran llevados a la Cámara sin la tramitación debida, con el evidente propósito de obstaculizar la labor de la minoría. Poseía documentación para cada tema en más de 150 carpetas que en paciente y minuciosa tarea había recopilado, clasificado y archivado con Elena, de manera que cuando se planteaba un debate sorpresivo –procedimiento al que los peronistas apelaban con frecuencia porque temían el enfrentamiento oratorio de los radicales–, llamaba por teléfono a Elena, quien tomaba el subterráneo e inmediatamente llevaba a la Cámara las carpetas con la información necesaria para afrontar un tema no prefijado.

El Bloque de los "44"

Las orientaciones internas de la UCR no perjudicaron, aparentemente, la cohesión estructural del Bloque. No obstante, esas tendencias marcaron una manifiesta línea divisoria al evaluar los objetivos nacionales, con una óptica divergente en el tratamiento de proyectos vinculados con el desarrollo global del país.

Al constituirse el Bloque Radical, la paridad de representación de unionistas e intransigentes hacía prever la división de cargos, pero la presidencia y la vicepresidencia recayeron en los intransigentes Ricardo Balbín y Arturo Frondizi, respectivamente.

El bloque de los 44 tenía una intensa actividad; correligionarios y extrapartidarios concurrían al Congreso para brindar su entusiasta cooperación. Se notaba el incesante aporte de estudiantes universitarios y de jóvenes profesionales para quienes la vinculación con los legisladores radicales constituía una estimulante experiencia.

El nivel de la bancada opositora era de una capacidad indiscutible, y actuaban como custodios de la legalidad y del cumplimiento de las normas concertadas.

En el orden interno procuraban neutralizar la escisión, ya bien demarcada, entre unionistas e intransigentes.

Frondizi, desde su banca, entró en contacto con problemas que le hicieron comprender "cómo puede ser de agudo el enfrentamiento de un criterio doctrinario con la realidad". Si bien no quebró la línea fuertemente opositora del grupo unionista y mantuvo una conducta crítica, ello no le impidió sostener principios de fondo adecuados a la necesidad de concretar una base económica, sin la cual la justicia social naufragaría.

La disertación en el Instituto Popular de Conferencias

El 19 de julio de 1946 Frondizi ocupó la tribuna del Instituto Popular de Conferencias del diario *La Prensa,* desde la que desarrolló el tema "Programa para un estudio de la economía argentina". Fue presentado por el secretario de la institución, el doctor Oscar A. Marino, quien resaltó que el orador "había perfilado, con envidiable precocidad, los relieves de una personalidad vigorosa y destacada en el campo de nuestra política".

Emilio Perina recuerda aquella jornada:

El suntuoso salón de conferencias de *La Prensa* estaba repleto aquella tarde. La gente se agolpaba en los pasillos: grandes latifundistas, grandes propietarios y modestos profesionales que admiraban al orador. [...] Frondizi expuso los grandes objetivos nacionales y habló del nuevo Derecho, desarrollando –si no me equivoco– las ideas de Celestino Bouglé. En medio de los aplausos di vuelta la cabeza y pude ver a Elena –allá en el fondo–, secándose sus emocionadas lágrimas con un pañuelo.

Los grandes temas nacionales

Su obra parlamentaria, que abarcó temas económicos, políticos, internacionales, culturales, sociales, etcétera, comprende 522 actuaciones entre Proyectos de Declaración, Proyectos de Resolución, Proyectos de Ley (todos ellos fundados y suscriptos), Pedidos de informes; Despachos de Comisión, Mociones y Debates.

Frondizi fue considerado por sus pares como "uno de los oradores más brillantes de las últimas décadas". De sus innumerables intervenciones rescataremos algunas para recrear la presencia de un diputado que honró a su banca.

PLAN SIDERÚRGICO

En las sesiones del 8-9 de mayo de 1947 fue debatido el Plan Siderúrgico y en él Frondizi planteó uno de los grandes interrogantes que aún seguimos formulándonos los argentinos: si se impone o no la industrialización del país. Pese a la definición partidaria en contra de toda forma de sociedad mixta, en el choque con la realidad concreta, el bloque de diputados radicales, aunque dejando a salvo su criterio, apoyó el plan siderúrgico bajo la forma jurídica mencionada.

Frondizi había trabajado este tema con el general Savio, con el que se entendía muy bien; analizaron juntos el proyecto de San Nicolás y la ley de siderurgia que fijaba una ancha franja para la actividad privada. En los debates se perfiló con nitidez la visión del estadista por impulsar todo emprendimiento industrial.

[...] la siderurgia debe llevarse adelante, en la medida que sea realizable, combinando las tres posibilidades: mineral nacional, hierro viejo y mineral importado.

Diría años más tarde:

Me felicito de haber contribuido con mi voto a la sanción del plan siderúrgico del general Savio, de los planes hidroeléctricos y de otras iniciativas desarrollistas.[3]

Cuando falleció el general Savio, Frondizi rindió su homenaje a "un militar que honró al ejército argentino", destacando que

la gran tarea, la labor fundamental de Savio, fue la comprensión del papel que debía jugar la siderurgia en el futuro desenvolvimiento argentino [...] y su nombre tendrá que estar en el frontispicio de esa gran industria argentina.

Su participación fue en disidencia con la posición del Bloque que se oponía al homenaje porque Savio había integrado la columna que derrocó a Yrigoyen. Cabe recordar que, fiel a su palabra, durante su presidencia se aceleraron las obras en la Planta Siderúrgica de San Nicolás, a la que se denominó "General Savio".

SALTO GRANDE

Frondizi fue el miembro informante por la minoría al debatirse el problema hidroeléctrico y el tratado suscripto entre la República Argentina y el Uruguay, relacionado con la construcción de usinas, diques y puentes en los rápidos del Salto Grande del río Uruguay. Su conocimiento histórico le permitió brindar una documentada información sobre el aprovechamiento de los recursos hídricos no sólo en la zona relacionada con los términos del convenio, sino con los de la laguna Iberá en Corrientes, que permitiría "la posibilidad de la regulación de las crecidas del río Paraná y las posibilidades de volcar el exceso de agua del río Paraná al Uruguay".

Ambos bloques votaron coincidentemente el proyecto que fortalecería al federalismo y beneficiaría a ambas repúblicas del Plata.

SERVICIOS ELÉCTRICOS

El antiguo problema generado en 1936 con la CHADE se presentó nuevamente, ante la honda preocupación de Frondizi quien, en la sesión del 7 y 8 de agosto de 1946 manifestó:

> [...] yo tengo la esperanza que antes de terminar el período parlamentario de 1946, los hombres de todos los sectores políticos que nos sentamos en este recinto, podamos tener la satisfacción de ofrecer al futuro argentino una gran solución: nacionalizar el servicio eléctrico de la ciudad de Buenos Aires.

El sector de la mayoría reconoció la legítima inquietud de Frondizi por encontrar una justa solución al polémico problema de las concesiones y el servicio eléctrico que seguiría proyectándose hacia el futuro.

A doce años de la sesión de agosto de 1946, Frondizi como presidente de la Nación, enfrentó con realismo la transformación del sistema eléctrico que había ambicionado como diputado nacional.

EL PETRÓLEO

La nacionalización de la Unión Telefónica; la nacionalización y monopolio por el Estado de la industria del petróleo, contaron con el encendido verbo de Frondizi.

En el debate que se suscitó sobre el tema del petróleo, defendió "una política de capitalización no al servicio de intereses privados sino al servicio de los intereses nacionales". Y resaltó la necesidad de contar con el petróleo, herramienta imprescindible para la transformación económica argentina.

Se habla muchas veces de la industrialización en el país. Estamos de acuerdo; pero la industrialización necesita combustibles. Se habla de la mecanización de la agricultura, que también requiere combustibles. Se habla de elevar el standard de vida, para lo cual son indispensables los combustibles. Se habla de la mecanización del ejército y se olvida que para eso se necesitan también combustibles. Toda la economía argentina está ligada a la posibilidad de disponer de mayores cantidades de combustibles, en otras palabras, está ligada a la posibilidad de una autonomía energética, de la cual cada día nos alejamos más [...] La importancia del problema del petróleo no es exclusivamente nacional, sino internacional. Esa importancia es fundamentalmente política porque es origen de luchas y choques entre las grandes potencias, que intentan el sometimiento de las pequeñas potencias.

Si bien se atuvo a la conducta partidaria en materia de hidrocarburos, anticipaba ya la necesidad del autoabastecimiento, objetivo irrenunciable que sostuvo posteriormente, en una de las batallas más duras que debió librar como presidente.

Frondizi exaltó en la Cámara la figura del general Mosconi y enumeró las soluciones de fondo propuestas por su sector: entrega a YPF de la exploración, explotación, industrialización, almacenaje, transporte, importación y comercio del petróleo, con la consiguiente desaparición de todas las empresas privadas.

Nosotros tenemos pasión argentina por estos problemas. Podemos estar equivocados, pero creemos que no. Las generaciones futuras dirán de nosotros que hemos defendido con calor una posición que hace a los intereses de la Argentina como país y al destino del pueblo de la República.

Esta posición sería replanteada años más tarde por Frondizi, ante la necesidad de aplicar una política real.

El agro

Correspondió a Frondizi examinar el problema de los "Arrendamientos y aparcerías rurales", en la sesión del 25 y 26 de junio de 1947. Con este tratamiento culminaba un largo proceso durante el cual "los problemas agrarios, en lugar de ser encarados por hombres vinculados al campo, eran entregados al manejo de burócratas y de improvisados financieros". Antes de la votación, que resultó afirmativa, Frondizi hizo una advertencia:

Lo que el país necesita en materia agraria no son soluciones de emergencia, no es este dar oxígeno de a poco a los campesinos argentinos. Lo que necesita el país es una solución de fondo de este problema candente, tanto en los aspectos de la tenencia de la tierra, como en los medios financieros y técnicos, como en los aspectos sociales, como en los problemas de la industrialización y de la comercialización.

En concordancia con estas expresiones, escribió diecisiete años después que el problema seguía en pie porque era evidente que "la ley escrita no es suficiente para alterar la realidad económico-social", y que la solución era ofrecer estabilidad y seguridad al agricultor en la explotación de su predio.[4]

Política internacional

Cuatro intervenciones clave permitieron fijar sus planteos en cuanto a las Relaciones Exteriores: la ratificación del Acta de las Naciones Unidas, el Acta de Chapultepec, los Acuerdos internacionales de Bretton Woods y la ratificación del Tratado de Río de Janeiro.

EL ACTA DE CHAPULTEPEC

Por este documento, firmado en 1945, los estados americanos se comprometían a concertar en un futuro inmediato un tratado para prevenir y reprimir las amenazas y los actos de agresión contra cualquiera de ellos. El marco de referencia era la "guerra fría"; el enemigo, la agresión comunista. Nuestro país no había firmado el Acta, pero ante la presión de los Estados Unidos, el Poder Ejecutivo envió al Congreso el pedido de aprobación a su adhesión.

Frondizi se opuso al mismo en la sesión del 29-30 de agosto de 1946.

La Argentina [...] no puede suscribir sin reservas ni el pacto de las Naciones Unidas, ni las Actas de Chapultepec. Hay allí obligaciones de todo tipo que la Argentina no podría cumplir [porque] podría llegar a destruirse la formación no solamente de una conciencia nacional, sino también la formación del país desde los puntos de vista económico, financiero, militar y cultural.

Su preocupación por el alcance de esos tratados lo llevó a dar especial importancia a la política argentina como fuerza de oposición a ciertos intereses de los Estados Unidos.

No estoy de acuerdo en que la Argentina renuncie al derecho de resolver acerca de la justicia de una guerra para intervenir en ella o no; no estoy de acuerdo en que se creen obligaciones interñacionales de tipo automático exclusivamente sobre la base de una invasión de una nación americana, [...] no estoy de acuerdo [en] ratificar en el futuro los acuerdos de Bretton Woods, que establecerán una gran central mundial para controlar nuestro desarrollo industrial y nuestro porvenir económico.

Frondizi expuso una temática nacionalista y democrática y atacó la política de los bloques y el artificio de las solidaridades geográficas y la política económica y financiera totalmente capitalista de los acuerdos de Bretton Woods, que crearon el Fondo Monetario Internacional y el Banco Internacional de Reconstrucción y Fomento.

El despacho de adhesión al Acta fue aprobado con el voto favorable de 95 diputados –92 oficialistas, los diputados demócratas nacionales Díaz Colodrero y Pastor y el antipersonalista Vanasco–. Los diputados radicales se abstuvieron de votar.

Aprobación de la Carta de las Naciones Unidas

En la misma sesión se trató la ratificación del Pacto de las Naciones Unidas. Frondizi, quien resaltó los aspectos formales del documento, destacó sin embargo sus desinteligencias con otros puntos sustanciales que nos harían tributarios de las cláusulas contenidas en el Pacto, en caso de ser aprobado.

[...] la mayoría de este cuerpo va a votar el Pacto de las Naciones Unidas sin ninguna reserva y sin salvar por lo menos los dos principios fundamentales de la política internacional argentina: la universalidad del organismo y la igualdad jurídica de todos los Estados, que no dependen de una declaración técnica que se formule en el pacto, sino de la estructuración de los distintos organismos.

Ratificó una vez más su convicción de que la política internacional de un país debe ser la proyección, en el ámbito mundial, de los ideales e intereses nacionales.

Perón, para anular las acusaciones de colaborar con el fascismo, hizo aprobar la Carta de San Francisco y el Acta de Chapultepec, pero no pudo gravitar sobre la ciudadanía, en la que la posición de Frondizi generaba consenso por la autoridad del dirigente radical.

El Tratado con Gran Bretaña

Una de las sesiones más extensas del Parlamento fue la de la discusión del Convenio Comercial firmado con el Reino Unido el 27 de junio de 1949. Durante los días 24, 25 y 26 de agosto de 1949, se debatió en la Cámara de Diputados dicho Tratado y los legisladores interpelaron a los ministros de

Hacienda, de Industria y Comercio, de Economía, de Agricultura y Ganadería, de Finanzas y de Relaciones Exteriores.

Diría Frondizi al respecto:

> La consideración del Tratado con Inglaterra obligó al Bloque a medir el alcance de su decisión, no sólo en cuanto a conducta internacional, sino como definición antiimperialista. Se desechó la posibilidad de votar la ratificación con reservas y se optó por el rechazo liso y llano, pese a que el Tratado contenía buenas disposiciones, [pero en su esencia] contraría a los intereses argentinos.

Esa participación de Frondizi que sus amigos y opositores le vieron desplegar superando el lógico cansancio general por la extensa duración de la jornada legislativa, conforma un excepcional capítulo de nuestra historia económica. Intentaremos resumir sus planteos que nos muestran su opinión industrialista, robustecida con datos y documentos. Lamentó que "la mala conducción de la vida nacional" no hubiera encarado como correspondía el proceso de industrialización que generó la posguerra.

> A Inglaterra siempre le ha interesado evitar el proceso de industrialización argentina, e impedir que él se desarrolle con la rapidez que nosotros deseamos,

decía, para agregar que la inconvertibilidad de la libra esterlina

> ha impedido que la Argentina dispusiera de divisas para adquirir en otros países maquinarias destinadas al equipamiento industrial.

Pasó revista a los planes de los Estados Unidos y la Gran Bretaña con respecto a América latina, pero delimitó los alcances de su intervención:

> en todos estos conceptos no hay una afirmación contra el pueblo inglés ni contra el pueblo norteamericano [...] nosotros creemos que la lucha de los países como la Argentina [...] está ligada a los hechos de los respectivos pueblos de cada uno de esos países contra los grandes intereses monopolistas que procuran explotarlos en su propio país o en otros países.

Denunció que la política económica establecida en el Tratado, "nos mantiene atados a la política económica y comercial inglesa". Continuó con el examen de los precios fijados para las carnes, el petróleo y el carbón y, al votar contra la ratificación del Convenio sostuvo con firmeza:

> Nosotros no queremos estar ni en el área inglesa ni en el área norteamericana; queremos estar en el área argentina, manteniendo relaciones con todos los pueblos del mundo.

EL TRATADO DE RÍO DE JANEIRO
Y EL TRATADO INTERAMERICANO DE ASISTENCIA RECÍPROCA

En mayo de 1948, tras las elecciones a diputados nacionales y renovada la Cámara con la incorporación de nuevos representantes y la reelección de otros –Frondizi entre ellos–, entró al recinto el mensaje del Poder Ejecutivo pidiendo la ratificación del Tratado de Río, que ya contaba con la aprobación del Senado.

Recién el 16 de junio de 1950 se pidió sorpresivamente que la Cámara se constituyera en Comisión para aprobar el Pacto. Esta convocatoria, después de tan largo silencio, obedecía a dos hechos concomitantes: la visita del secretario adjunto de Estados Unidos, Mr. Miller y la misión financiera del ministro de Hacienda, doctor Ramón Cereijo, al país del Norte. Coincidentemente el *New York Times* había publicado que

la condición sine qua non para el arreglo financiero y económico argentino-norteamericano, era la ratificación por nuestro país de los pactos militares de Río de Janeiro.

Frondizi recopiló antecedentes, transcribió opiniones y enfocó el tema en un folleto, *El Tratado de Río de Janeiro-1947,* destacando no sólo el contenido jurídico y el "sentido de las obligaciones que consagra este pacto militar", sino también las discordancias que sobre política internacional se planteaban dentro de la UCR.

Frondizi fue el encargado de fundar la oposición de su bloque a la constitución de la Cámara en comisión. Pese al escaso tiempo acordado por el Reglamento, defendió con pertinacia la posición partidaria.

Seguramente este pacto se aprobará; pero yo tengo la esperanza de que por lo menos se permita un debate amplio para analizar los aspectos del mismo, para examinar en forma pública cuáles son sus consecuencias para el presente y el futuro; para demostrar cómo se toma el camino de preparación para la guerra, especulando con el conflicto armado para obtener soluciones económicas y financieras.

El diputado Dellepiane apoyó esos conceptos. Para discutir en el recinto el Tratado fueron designados Frondizi y Zabala Ortiz pero su intervención no fue posible porque la mayoría cerró el debate. El Tratado fue aprobado en general; votaron a favor los diputados peronistas y el representante demócrata nacional Reynaldo Pastor; se opusieron los diputados radicales.

No obstante, al tratarse en particular, Frondizi diseñó su pensamiento con términos aún vigentes:

Nuestro concepto es fundamentalmente universalista; y por eso no aceptamos la existencia de bloques militares y económicos agresivos a los cuales el esfuerzo de la República tenga que sumarse. Queremos que nuestro país, partiendo de esa concepción de unidad del género humano, haga valer su sentido y responsabilidad como país soberano, lo cual no significa aislarse, sino buscar las propias raíces nacionales para proyectarse hacia el mundo, no al servicio de unos o de otros, sino al servicio de la humanidad.

Al explicar estos Tratados, Frondizi opinó que

la aprobación del Acta de Chapultepec, sin reserva alguna, ha sido una de las más graves declinaciones de nuestra política internacional; pero resulta que el Pacto de Río aprobado en tiempo de paz, va mucho más allá que dicha Acta de Chapultepec aprobada en plena guerra.

En pocas palabras resumió el voto negativo de su bloque:

[...] porque creemos que la ratificación de los pactos de Río de Janeiro implica un acto de deslealtad hacia el destino de paz de la República [...] preferimos salir mañana ante el pueblo de la Nación a decirle que hemos combatido contra una política internacional que consideramos enemiga del destino argentino...

El Tratado fue aprobado y quedó sancionada la Ley N° 13.903.[5]

Ley de Residencia N° 4.144

Toda vez que se presentaba en la Cámara algún proyecto para derogar la ley N° 4.144, Frondizi hacía valer su opinión porque, decía,

Me inicié en la vida profesional atacando a esa ley en los tribunales de la capital, para defender precisamente a los obreros a los cuales se les aplicaba.

Esta ley votada el 22 de noviembre de 1902, en momentos en que la situación económica gravitaba negativamente sobre los trabajadores, establecía que el Poder Ejecutivo podía "ordenar la salida del territorio de la Nación a todo extranjero que haya sido condenado o sea perseguido por los tribunales extranjeros por crímenes o delitos comunes". Asimismo podía ordenarse la salida de todo extranjero "cuya conducta compromete la seguridad nacional o perturba el orden público". Diría más tarde Frondizi en su libro *Petróleo y Política*:

Así nació desde fines del siglo XIX la idea de dictar una ley de expulsión de extranjeros, que fue sancionada en una sola noche –noviembre de 1902– al paralizarse el puerto por una huelga [...] Es así que quedará como un símbolo que la primera ley obrera es la 4.144, es decir una ley de represión y no de protección.

El 28 de junio de 1951, al discutirse el decreto N° 536 sobre Seguridad del Estado presentado por el diputado Colom, Frondizi demostró sus arraigadas convicciones democráticas:

La ley de 1902, la ley de Residencia Número 4.144 está en pleno vigor [...] Cuando se haga la historia de la legislación represiva en la Argentina, es de toda evidencia que se reconocerá que están en una misma línea la ley 4.144 a la que siguió la 7.019 de defensa nacional, y el decreto 533 y demás legislación represiva dictada por el gobierno del general Perón.

Ya en debates anteriores, del 5 de julio de 1946 y del 16 de junio de 1948 Frondizi había fundado su oposición a la ley 4.144, que no había sido dictada "contra los extranjeros, sino contra la clase trabajadora".

La historia de la ley 4.144 [...] puede servir de hilo conductor para caracterizar el proceso social argentino [...] No fue casualidad que esa ley se sancionó en 1902; obedeció al desarrollo económico, a las luchas de los grupos sociales, al nacimiento del proceso industrial y al consiguiente nacimiento del proletariado con conciencia de sus intereses.

Y agregaba:

Ni en 1902, ni en 1930, ni en 1948, la ley 4.144 ni ninguna otra que la reemplace afectará al status jurídico de los extranjeros; como tales, ellos seguirán gozando en la República de todos los derechos. Entonces y ahora, la ley 4.144 representa un medio de represión dentro de la lucha social argentina.

Esta ley fue derogada el 18 de junio de 1958. En el mensaje leído ante el Congreso de la Nación el 1° de mayo de 1958, había expresado el presidente Frondizi su voluntad de sancionar "la más generosa ley de amnistía que se recuerda en la historia de la República" y "derogar leyes represivas de antigua y reciente data".

NOTAS

1. Cámara de Diputados de la Nación: *Diario de Sesiones,* 1° de junio de 1950.
2. Cuando viajé a Florencia, Frondizi me pidió que visitara el lugar donde se había llevado a cabo el suplicio de Savonarola, como lo efectuara él años atrás, y que en su nombre evocara al indomable fraile que murió en defensa de sus ideas.
3. Frondizi, Arturo: *Mensajes presidenciales, 1958-1962,* CEN, Buenos Aires, 1978, Tomo V, pág. 118.

4. Frondizi, Arturo: *El problema agrario argentino,* Desarrollo, Buenos Aires,1965, pág. 35.

5. Con motivo del conflicto bélico del Atlántico Sur e Islas Malvinas, en abril de 1982, la Argentina solicitó la aplicación del TIAR en el seno de la OEA, pero por encima de las cláusulas del Tratado, se hicieron sentir las posiciones particulares de cada Estado. En *El Nacional* del 7 de mayo de 1982, decía Frondizi que "cualquier compromiso regional, se extingue en la medida en que pueda afectar la preservación del área de influencia de la superpotencia occidental".

El predominio de la mayoría peronista en el Parlamento fue absoluto, lo que le permitió imponer su voluntad dentro del recinto impidiendo el libre accionar de la minoría, con sus gritos, sus agravios o con el cierre intempestivo del debate, que le valió el apodo de "Cerrojazo" al diputado Astorgano, encargado de cumplir inexorablemente con esa misión. Las permanentes contiendas verbales sostenidas entre ambos sectores ponían a prueba la rapidez para la réplica oportuna, la frase mordaz, la respuesta intencionada y algún intento frustrado de pugilato.

En la Comisión de Presupuesto, Frondizi le enrostró al diputado Visca sus actitudes destinadas a crear tensiones. Con visible enojo le dijo:

–Vea diputado Visca, la historia tiene que saber qué clase de hombre es usted, para lo cual voy a escribir yo mismo su biografía.

Visca, imperturbable, respondió:

–¡Gran idea doctor! Usted la escribe y yo la vendo y nos hacemos ricos los dos.

Frondizi era enemigo de los duelos, pero no siempre pudo eludir participar en ellos, ya fuese como padrino o como protagonista directo. En una oportunidad reclamó a Cooke por los términos con que se había referido a los radicales, apuntando que hablaba con la dura fe de los conversos. Cooke, considerándose injuriado, le envió sus padrinos. Al efectivizarse el lance, Frondizi tiró hacia arriba, porque no quiso lesionar en absoluto a su adversario.

Desafuero de diputados

Al renovarse la Cámara de Diputados, el Movimiento Intransigente de la UCR propició la reelección de Arturo Frondizi. Como resultado de las elecciones del 7 de mayo de 1948 ingresaron al Bloque legisladores que unieron sus esfuerzos y capacidad a los representantes que venían luchando desde 1946 contra el predominio de una cerrada mayoría. Junto a Frondizi, reelecto, debemos mencionar a Atilio Cattáneo, Arturo Illia, Alfredo Roque Vítolo, Agustín Rodríguez Araya, Federico Fernández de Monjardín...

El nuevo período legislativo se caracterizó por los enfrentamientos ríspidos e intolerantes apañados por la presidencia parcial e ineficaz de Héctor Cámpora. El objetivo del gobierno, o más precisamente del Ejecutivo, fue conseguir un Congreso sumiso y esta situación limitó la materialización de los proyectos de la oposición.

Comenzó un plan intensivo para coartar la tarea de ese grupo batallador, con un recrudecimiento de medidas excepcionales para reprimir su desempeño. A la expulsión de Ernesto Sammartino en 1947, siguieron en 1949 las de Agustín Rodríguez Araya (10 de junio) y Atilio Cattáneo (diciembre) y el desafuero y posterior encarcelamiento de Ricardo Balbín el 29 de setiembre. Cuando la presión gubernativa hizo sentir toda su fuerza para someter a la oposición,

> Frondizi que por sobre todas las cosas era un luchador por la libertad, a partir del 51 se dedicó a proteger a los perseguidos políticos, muchos de los cuales no tenían más opción que emigrar. Organizó con algunos amigos decididos un equipo que sirvió para sacar del país a muchísima gente, fuesen o no correligionarios, entre ellos decenas de militares [...] Frondizi como promotor de toda esta tarea, tenía la triple responsabilidad de sacar del país a los que fuera posible, brindar a los que estaban en la cárcel asistencia jurídica y ayudar a los familiares de unos y otros.[1]

Los diputados Ernesto Sammartino y Atilio Cattáneo, siguiendo el camino de Agustín Rodríguez Araya, pudieron exiliarse en Montevideo merced a la acción efectiva de Frondizi, quien burló con habilidad y talento la persecución de las fuerzas policiales.

Juicio al diputado Frondizi

En la sesión del 22 de setiembre de 1948, la mayoría cambió sorpresivamente el Orden del Día, reemplazando el tema Estatuto del Docente por el proyecto que creaba la Dirección Nacional de Asistencia Social, dependiente de la Secretaría de Trabajo y Previsión. Frondizi recriminó a los peronistas por ese cambio y denunció "cómo se quiere obligar al Parlamento argentino a la improvisación en materia legislativa para poder llevar después, como una ofrenda a salones dorados, la decisión de una mayoría que no representa en este momento...". Siguen palabras testadas en el Diario de Sesiones por resolución de la Cámara en la sesión del 27 de setiembre.

El diputado Candioti respaldó a su colega de bloque y la mayoría, al considerarse agraviada por esas palabras, exigió a través de sus miembros Visca, Decker y Filippo, la ratificación o rectificación de las expresiones. Frondizi reafirmó plenamente sus términos, porque coincidió en que no tendían a ofender a ningún diputado.

El diputado Visca solicitó la formación de una Comisión, a fin de que "el señor diputado tenga la oportunidad de ratificar o de rectificar las apreciaciones que ha formulado". La votación afirmativa autorizó a la presidencia a designar a los cinco miembros de la Comisión Especial, que quedó integrada por los diputados Bagnasco, Roche, Beretta, Atala y Balbín. El 27 de setiembre, la Comisión tras escuchar a los diputados y requerirle la rectificación o ratificación de las opiniones incriminadas, resolvió:

Archivar las actuaciones relacionadas con las expresiones vertidas en el recinto por los señores diputados Frondizi y Candioti, en la sesión del 22 de setiembre de 1948, que dieron motivo a la designación de la comisión prevista en el artículo 157 del reglamento de la Honorable Cámara.

El diputado Beretta, en nombre de la Comisión, aclaró que al aceptar ambos diputados dejar sin efecto las palabras que la Honorable Cámara había reputado injuriosas, la comisión daba por terminado su cometido.

Una intervención del legislador Garaguso, quien consideró que Frondizi había retirado toda la frase motivo del debate y no solamente lo testado, motivó la réplica inmediata del representante de la minoría:

Yo soy diputado, pero antes que diputado soy un hombre de honor. He dicho lo que he dicho en el seno de la Cámara. No tengo que decir una sola palabra más ni menos que eso. En el seno de la comisión manifesté que el sentido de mi pensamiento estaba fijado en las palabras claras y categóricas que he dicho en mi discurso. No tengo que agregar ni quitar ni una coma a ese discurso. Esta es mi última palabra.

El señor diputado Garaguso se equivoca de medio a medio si piensa que yo me he de quebrar un solo minuto en el seno de esta Cámara disminuido en la totalidad de mi jerarquía moral.

Para evitar que se votara negativamente el despacho, Ricardo Balbín resaltó la personalidad de Frondizi y destacó que había

tenido el valor civil de expresar [...] cuál era la verdad de sus convicciones, que lo ha ratificado en el seno de la comisión [...] Esta es la conducta limpia del señor diputado Frondizi en esta emergencia, que no se disminuye ni se agranda, como la del diputado Candioti, al entrar en la comisión o salir de ella.

También se expidieron por el voto favorable Joaquín Díaz de Vivar, caballeresco diputado correntino, quien manifestó:

100

El señor diputado Frondizi, mi adversario político, mi apasionado, mi enconado adversario político, ha pronunciado un discurso que tiene una expresión incorrecta, en mi opinión, pero dicha en el momento de la lucha apasionada, violenta, llena de fricciones, como es la que nos toca vivir. [...]
Yo digo que no es digno, que no es honesto, que no se procura dignidad a la vida republicana exigiendo la humillación a un diputado de la oposición. Yo no deseo, señor presidente, para el Parlamento de mi Patria hombres ajados y mustios, ¡sino enhiestos y libres!

Y Visca, el vehemente adversario, protagonista de polémicos encuentros verbales con Frondizi, reconoció que

Frondizi, con su palabra autorizada participó en muchos debates en los que tocó problemas profundos, sin perder la posición de ataque, pero con elevado tono de crítica constructiva.

En conversación con la autora, recordó Díaz de Vivar las presiones que se hicieron sentir sobre la bancada oficialista para concretar la expulsión de Frondizi; entre ellas las de Eva Perón. Esta había concurrido al Palacio Legislativo y en uno de los pasillos, con voz de tono elevado y enérgico le recriminó que él, quien había gozado de su confianza, hubiese hecho una exaltada defensa de Frondizi. Díaz de Vivar, molesto por la pública recriminación, contestó con firmeza y autoridad: "Yo hice un juicio de valor sobre la actitud de un opositor que siempre se mantuvo en los cauces constitucionales dentro de la Cámara".

Puesto a votación el dictamen de la Comisión, resultó afirmativo por 90 votos sobre 110 diputados.

Desafuero de Ricardo Balbín

Al votarse el desafuero de Balbín, combativo, agudo en sus críticas y figura clave en esa etapa en que el juego de los partidos se hacía cada vez más significativo, Frondizi se anotó de inmediato en la lista de oradores. La Presidencia de la Cámara, con un meditado plan restrictivo, sólo permitió hacer uso de la palabra al inculpado, quien pronunció un discurso admonitorio que finalizó con un emotivo reconocimiento a sus aguerridos compañeros de bancada:

Si éste es el precio que debo pagar por el honor de haber presidido este bloque magnífico que es una reserva moral del país, han cobrado barato. ¡Ni fusilándome quedaríamos a mano!

Balbín, por 109 votos contra 41, fue despojado de sus fueros y, posteriormente, recluido en la cárcel de Olmos. Frondizi, vicepresidente 1° del Bloque, pasó a desempeñar la presidencia que había ejercido Balbín. Pero lo hizo sólo formalmente, pues siempre dijo: "El presidente está en la cárcel de Olmos". Y durante diez meses visitó todos los sábados en la prisión a su amigo y compañero de sector.

El Bloque quedaba reducido por estas expulsiones y sufrió una merma considerable cuando veinte diputados no aceptaron la prórroga de sus mandatos como consecuencia de la promulgación de la Constitución de 1949. Con esta actitud "dieron una serena lección de integridad moral y de firme conducta cívica".[2]

Expropiación de los bienes de La Prensa

A partir del 25 de enero de 1950, se inició un conflicto que culminaría con la expropiación de los bienes del diario *La Prensa*, uno de los más encarnizados opositores del gobierno.

El asesinato del obrero gráfico Roberto Núñez (24 de febrero); la actitud del personal "dispuesto a imprimir el diario no para defender a la empresa comercial sino para demostrar que defendían la libertad de prensa"; la clausura de los talleres por orden del juez, fueron algunas de las etapas del proceso de odio desatado contra *La Prensa*.

El 1° de marzo de 1951, Arturo Frondizi, Emir Mercader, Luis Dellepiane, Arturo Illia, Oscar López Serrot, F. Fernández de Monjardín, Ricardo Rudi, Francisco Rabanal, Fernando Solá y José Pérez Martín presentaron un proyecto de ley solicitando al Poder Ejecutivo información sobre la suspensión de las ediciones de *La Prensa*, desde el día 26 de enero de ese año.

En la sesión extraordinaria del 16 de marzo de 1951, sus palabras fueron un alegato contra la censura:

> El país asiste a una nueva etapa del proceso de anulación total de las libertades argentinas. El asunto planteado en la Honorable Cámara debe ser considerado en sus dos aspectos: como un ataque directo al diario *La Prensa,* y como parte del proceso general a que he aludido.
> Nosotros no hemos estado ni estamos con muchas de las posiciones asumidas por el diario *La Prensa,* pero Yrigoyen pudo decir con honor y con gloria desde la isla Martín García: "Jamás cerré un diario, jamás deporté a nadie" [...] Nosotros no defendemos a *La Prensa*, sino a la libertad de prensa, en su plenitud de derecho humano.

Rechazó de plano la formación de una "Comisión Parlamentaria Mixta Interventora e Investigadora" propuesta por el oficialismo, porque temía a esos poderes omnímodos. Y no se equivocó en su juicio, porque el 9 de abril de 1951 aquélla presentó un proyecto de ley declarando de utilidad pública y sujetos a expropiación todos los bienes que constituían el activo de la sociedad colectiva *La Prensa*.

Como miembro informante de la minoría de la Comisión, se opuso a esa medida:

> Aquí no está enjuiciada *La Prensa* como empresa comercial o como diario; lo que está enjuiciado es el concepto mismo de libertad de prensa. Es por ello que podemos decir que a través de acontecimientos como éstos lo que en realidad se está resolviendo es el propio destino del país.[3]

El debate suscitado en el recinto el 12 de abril no impidió que, al votarse en general el despacho, sobre un quórum de 110 diputados votaran 98 por la afirmativa y 12 por la negativa.

La Prensa fue reabierta el 3 de febrero de 1956. Pese a haber defendido "con el puño lleno de verdades" a un diario que caía abatido "por una oscura dictadura", durante su presidencia Frondizi fue duramente combatido por este rotativo. *La Prensa*, que respondía a múltiples intereses no siempre coincidentes con la marcha de la Nación, celebró el derrocamiento de Frondizi en marzo de 1962.

Nueva defensa de Ricardo Balbín

Mientras se celebraba el 12 de marzo de 1950 la elección de gobernador de la provincia de Buenos Aires, en la que Balbín era candidato por la Unión Cívica Radical, fue detenido por orden del juez federal de Rosario. Días después fue remitido al Juzgado Federal de San Nicolás. Balbín se negó a prestar declaración ante esa jurisdicción e impugnó su detención amparándose en sus inmunidades de diputado nacional.

En el Juzgado de La Plata se tramitó una nueva causa y Balbín reiteró su posición de amparo en sus inmunidades. Los argumentos utilizados para proceder a su detención se basaban en los discursos pronunciados por el dirigente radical en San Nicolás y Adrogué.

El Comité de la provincia, presidido por Moisés Lebensohn, designó a los doctores Arturo Frondizi y Amílcar A. Mercader para solicitar la nulidad de los procedimientos y la nulidad y revocatoria de los autos de prisión preventiva. Sus alegatos no pudieron publicarse como deseaba el Comité de la Provincia de Buenos Aires porque la Cámara ordenó la destrucción de las versiones taquigráficas de las exposiciones de ambos, pero fue posible editar las piezas forenses sobre la base de reconstrucciones hechas en torno de los sumarios e informes orales ante la Cámara Federal de La Plata, el 11 de abril de 1950.

La pieza jurídica de Frondizi es de elevado tono y en ella apela a las normas del Derecho Constitucional, la evolución de las instituciones argentinas, a los fundamentos y doctrina de la Corte Suprema de Justicia y la Constitución Nacional, cuyos artículos 61, 62 y 63 habían sido violados al mantener detenido al diputado nacional Ricardo Balbín. Decía Frondizi:

Lo que V.E. debe decidir ahora mismo sin códigos, sin leyes, sin libros, como acto de voluntad de la conciencia jurídica y moral, es no sumarse a la destrucción de las instituciones democráticas argentinas y decir una palabra de serenidad y de justicia, advirtiendo cuáles son los límites infranqueables en una República representativa y democrática. Diga V.E. si está decidida a confirmar y revocar la decisión que atropella los fueros de un diputado nacional. [...] Sabemos bien que el proceso a Balbín no es el proceso a un hombre. Es el proceso a todo el Bloque de diputados nacionales de la Unión Cívica Radical que él preside y que defendió con serena e inquebrantable energía las instituciones libres de la República, los intereses del pueblo y la soberanía del país. Es el proceso a la Unión Cívica Radical como fuerza democrática, que no entregó ni entregará sus armas ni sus cuadros humanos para construir un sistema despótico. Es un proceso a la democracia argentina en todo lo que tiene de fuerza social transformadora. [...]

NOTAS:

1. Blejer, David: Testimonio. Archivo personal de la autora.
2. Frondizi, Arturo: *Alberto Candioti, símbolo de la resistencia argentina*, febrero 1953, Archivo personal de Arturo Frondizi.
3. El diputado Visca, presidente de la Comisión Bicameral, se había convertido en un auténtico "acusador público". En una oportunidad se encontró en el ascensor de la Cámara con los diputados Frondizi y Uranga. Este, con tono cáustico, le advirtió que pensara bien su actitud al ordenar el cierre de diarios, porque cuando cayera el gobierno, iba a ser juzgado. Visca respondió: "Diputado Uranga, Ud. no termina de conocer la realidad. Ud. me amenaza diciéndome que cuando caiga el gobierno voy a ser juzgado, pero debiera saber que todas las mañanas paso por la Casa de Gobierno a buscar la lista de los diarios que hay que cerrar, de modo que si no cumplo la orden, voy a ser juzgado y condenado ahora. Como Ud. ve, mi elección es correcta". En papeles del archivo de Arturo Frondizi.

LA REORGANIZACIÓN DE LA UCR

La UCR debió abocarse a la reorganización partidaria después de la derrota infligida por el peronismo el 24 de febrero de 1946. Arturo Frondizi aludió a la contraposición de las líneas internas del partido.

Desde 1936 y sobre todo después de febrero de 1946 se afirmó en el radicalismo un proceso que he denominado de diferenciación. Necesitábamos afirmar nuestras diferencias con el "unionismo" y lo hicimos. Necesitábamos diferenciarnos en la crítica del peronismo, porque había opositores que querían retrotraer al país al pasado, sustentando ideas superadas por la realidad económica y social, y que querían destruir conquistas positivas.[1]

Las autoridades que habían aprobado la incorporación a la Unión Democrática presentaron su renuncia, siendo reemplazadas por una "Junta de los Siete", presidida por Gregorio Pomar e integrada por tres intransigentes, Frondizi, Lebensohn y Sobral, y tres unionistas, Monfarrell, Fajre y Garay.

El "Manifiesto de los Tres"

La necesidad de fijar los objetivos que guiarían a la nueva conducción llevó a Frondizi, Sobral y Larralde a redactar en diciembre de 1945 el "Manifiesto de los Tres", que postulaba:

1. Recuperación de los grandes principios y reivindicaciones radicales de emancipación popular y nacional.
2. Afirmación de la Unión Cívica Radical como fuerza revolucionaria para realizar la justicia social que exige el pueblo de la Nación.
3. Intensa tarea de esclarecimiento público sobre la base de esas reivindicaciones en todos sus aspectos: institucionales, económicos, sociales y culturales, para poner en evidencia el peligro en que vive el país: continuar bajo la política del actual gobierno que no interpreta ningún sentido revolucionario auténtico del pueblo argentino o caer en el régimen de la oligarquía fraudulenta que gobernó hasta el 4 de junio de 1943.

4. Caducidad de todas las autoridades de distrito, para que la reorganización pueda hacerse desde abajo con un limpio sentido democrático y con la participación de la juventud, las mujeres y los obreros.

5. Obligatoriedad del voto directo y representación de las minorías, principios que, estando consagrados en la Carta Orgánica, han sido reiteradamente violados en algunos distritos.

6. Régimen de asambleas de afiliados para que sean éstos los que resuelvan la orientación del radicalismo y para que juzguen la forma en que sus representantes han servido los intereses del partido y del país.

El Primer Congreso del MIR

Si legítima fue la preocupación de Frondizi y de los intransigentes por mantener vigentes los términos del Manifiesto de los Tres, no menor fue la actividad desplegada para convocar al Primer Congreso Nacional del Movimiento de Intransigencia y Renovación, que se reunió en Avellaneda entre el 9 y el 10 de agosto de 1947.

Con el propósito de redactar un plan de lucha con objetivos claros y solidez doctrinaria, la Asamblea constituyó una Comisión Política *ad hoc*, integrada, entre otros, por Frondizi, Del Mazo, Sobral y Lebensohn.

Conforme a lo previsto, se perseveró en destacar que el radicalismo era "la corriente orgánica y social de lo popular, del federalismo y de la libertad", poniéndose a consideración tres despachos: la Profesión de Fe de la UCR, las Bases de Acción Política y el Manifiesto de Declaración Política.

La renovación programática era necesaria para enfrentar la acción compulsiva del gobierno, que dificultaba con todos los medios a su alcance el libre ejercicio de sus derechos a los ciudadanos enrolados en las filas de la oposición. Al tiempo, se ahondaban las diferencias entre los intransigentes y los unionistas.

Reunido en febrero de 1948 el nuevo Comité Nacional, que no funcionaba desde 1946, eligió como presidente al doctor Roberto Parry. Este triunfo de la Intransigencia demostró que el ala progresista del partido se afirmaba cada vez más como lo habían demostrado las elecciones internas en la provincia de Buenos Aires, en los que la enérgica conducción de Moisés Lebensohn le permitió fortalecerse en un bastión clave del unionismo.

La Convención Nacional de la UCR convocada en abril de 1948, presidida por Ricardo Rojas, votó por unanimidad los documentos aprobados por la Asamblea del MIR. Sus postulados eran los más apropiados para enfrentar con propiedad al peronismo, al que las dádivas demagógicas empleadas en las campañas partidarias le reportaban votos seguros.

Primer viaje al exterior

Después de insuflar una savia vigorizante en el proceso de renovación partidaria, Frondizi inició un viaje a los Estados Unidos y Europa, el primero que efectuaba en su vida.

En los Estados Unidos conoció a Albert Einstein, Robert Oppenheimer y Enrico Fermi. Los grandes científicos quedaron impresionados por este político hábil, experto en la ciencia humana.

Robert Oppenheimer invitó a Frondizi a compartir con ellos, durante un año, las investigaciones a que estaban abocados, en el Instituto de Altos Estudios de la Universidad de Princeton, ofreciéndole una vivienda para que residiese en el lugar con Elena. Pero la invitación fue declinada por el diputado, al que aguardaba su banca. Recordaba Frondizi este momento, e ironizaba al respecto:

> Perdí la oportunidad de ocuparme de cosas maravillosas y de conversar con hombres como Einstein, Oppenheimer y Fermi, para discutir con Visca en la Cámara de Diputados.

NOTA

1. Frondizi, Arturo: *Qué es el Movimiento de Integración y Desarrollo,* Sudamericana, Buenos Aires, 1983, pág. 24.

La reforma constitucional de 1949

Perón apeló a un nuevo recurso para fortalecer su gestión y consolidar su permanencia en el poder. Convocó a una Convención Nacional con el propósito expreso de modificar el artículo 77 de la Constitución Nacional y lograr así la reelección presidencial aunque para lograr un mayor consenso, se propuso incorporar al texto los derechos del trabajador, de la familia, de la ancianidad, de la educación y la cultura, así como la función social de la propiedad, el capital y la actividad económica y decisiones sobre hidrocarburos y fuentes naturales de energía, a las que declaraba propiedades imprescriptibles e inalienables de la Nación.

El 5 de diciembre de 1948 se eligieron 158 convencionales, de los cuales 110 eran peronistas y 48 radicales.

Tras la reunión preparatoria del 24 de enero de 1949, la Convención Nacional inició sus sesiones el 1° de febrero con la presidencia de Domingo Mercante.

Presidió el Bloque Radical Moisés Lebensohn quien, en plenitud de su talento, denunció que esa Convención Nacional era una farsa convocada al solo efecto de lograr la reelección de Perón y que, si se modificaba el texto constitucional de 1853, no era por convicciones ni principios jurídicos permanentes, sino por intereses circunstanciales. Para no avalar esa enmienda, el Bloque Radical abandonó el recinto, y la Asamblea, sin la presencia de la oposición, aprobó la reforma constitucional el 11 de abril de 1949.

Se ahondan las diferencias en la UCR

Como consecuencia de la irregular aprobación de la reforma constitucional, los diputados unionistas sugirieron no jurarla y abandonar las bancas parlamentarias. La proposición no fue aceptada por los intransigentes porque consideraban que era el único reducto con el que contaban para enfrentar al oficialismo.

En la Convención Nacional de Rosario de 1950, volvieron a enfrentarse intransigentes y unionistas. La conducción intransigente fue acusada de que sus planteamientos doctrinarios no respondían a la esencia del radicalismo. Frondizi dijo en esa oportunidad:

> [...] Invito a los hombres del sector de la minoría a un debate sobre los planteamientos doctrinarios económicos, sociales, políticos, culturales e internacionales, para que el país diga si la esencia revolucionaria y transformadora de la Unión Cívica Radical la ha interpretado el movimiento de la intransigencia, o la interpreta la posición de la "unidad" radical, con las viejas posiciones del pasado argentino [...]. Durante muchos años no estuvimos de acuerdo con las direcciones del partido. ¡Cuántas cosas hemos sufrido! [...] La lucha que hemos afrontado en todos los rincones de la patria los hombres que no estábamos de acuerdo con la dirección que existía en el partido hasta 1946, fue una lucha oscura, tenaz, cruenta [...]
>
> Cuando llegamos a 1945, se produce la delineación de dos políticas dentro de la Unión Cívica Radical: una la de los hombres que creían en la posibilidad de derrotar al despotismo por medio de la "Unión Democrática", con el "partido socialista", con el partido "comunista" y la otra la de los que creíamos que eso comprometía las esencias doctrinarias fundamentales del radicalismo [...] Y nos fuimos un día un grupo de hombres a la ciudad de Avellaneda y nos reunimos allí. ¿Y qué ocurrió? No salimos a decir que los hombres partidarios de la "Unión Democrática" eran comunistas, no salimos a decir que eran hombres manejados por los intereses norteamericanos. Nada de eso. Fuimos allí y redactamos un documento doctrinario que figurará o no en la historia de la Unión Cívica Radical.

Frustrada vicepresidencia de Evita

Si bien el mandato de Perón terminaba recién el 4 de junio de 1952, el Poder Ejecutivo envió a la Cámara de Diputados un proyecto de ley el 4 de julio de 1951, que fijaba las elecciones generales para el 11 de noviembre de ese año, estableciendo el sistema de elección directa y por circunscripciones que modificaba las normas de la Ley Sáenz Peña. Este lapso de sólo cuatro meses favorecía al oficialismo, que ya había pensado en la fórmula presidencial, pero no a la oposición, que aún no había armado su aparato electoral.

Nadie ponía en duda el deseo de Perón de contar con el apoyo de Evita, cuya nominación para la vicepresidencia era propiciada por los sectores gremiales, por el Partido Peronista Femenino y por un gran sector de la población que la consideraba como "la abanderada de los humildes". Pero la salud de Eva Perón desmejoraba día a día, y el mismo Perón en su libro *Del poder al exilio* reconoce que "los primeros síntomas de la enfermedad de Evita se manifestaron hacia fines de 1949". De todas maneras, pese a su aspecto demacrado y a su figura exangüe podía, por su sola presencia, ser factor de éxito y entusiasmo entre las masas.

Esta posibilidad generó un clima adverso en las Fuerzas Armadas –especialmente entre los jóvenes oficiales–, en cuyas unidades se produjeron tensiones inocultables. El clima conspirativo creciente no impidió que el Comité Confederal de la Confederación General del Trabajo –CGT– proclamara la fórmula Perón-Perón el 2 de agosto de 1951.

Con una adhesión enfervorizada se multiplicaron los actos de apoyo al binomio presidencial. El miércoles 22 de agosto se efectuó la concentración culminante, que se convirtió en un "Cabildo Abierto" del movimiento peronista. Allí, tras un diálogo dubitativo con el "corazón multitudinario", Evita confirmó aparentemente su aceptación. "Compañeros, como dijo el general Perón, yo haré lo que quiera el pueblo."

El 31 de agosto sucedió lo inesperado. Eva Perón renunció a su candidatura y el Congreso, como tributo especial, denominó a esa fecha como "Día del Renunciamiento". Perón, que ya tenía el pleno apoyo de las instituciones que respondían a la jefatura de Evita y para evitar enfrentamientos con los militares que se oponían a la postulación de su esposa, nada hizo ante esa maniobra emocional. Llegado el momento, propuso para reemplazarla al doctor Quijano, quien ya ejercía esa magistratura.

La fórmula Balbín-Frondizi

El radicalismo, a su vez, reunió el 4 de agosto en Avellaneda a su Convención Nacional con el propósito de proclamar la fórmula presidencial con la que concurriría a los comicios.

El sector sabattinista votó por la abstención y los unionistas se retiraron del recinto cuando el partido hizo suyas las bases de acción política aprobadas por la Convención Nacional de 1948. Además, consideraron prematura la elección de candidatos. Los intransigentes avanzaron con sus posiciones y proclamaron candidatos a presidente y vicepresidente de la Nación a los doctores Ricardo Balbín y Arturo Frondizi, el 6 de agosto de 1951. Y así fue como se combinaron la pasión y el verbo encendido de Balbín con los razonamientos irrefutables y la poderosa capacidad de análisis de Frondizi.

La proclamación de los candidatos se hizo en plaza Constitución de la Capital. Hablaron en ese acto Balbín, Frondizi, Larralde, Sabattini y Rabanal, en un abierto desafío a la actitud beligerante de la policía montada, que en determinado momento cargó contra los manifestantes, quienes tuvieron que desbandarse en forma desordenada.

Conato revolucionario

Este año de 1951, si bien estremecido por la campaña y las elecciones presidenciales, se caracterizó por la dureza de los acontecimientos políticos, entre ellos, el conflicto del diario *La Prensa* y la expropiación de sus bienes; la detención de dirigentes radicales; la sanción al doctor Walter Beveraggi Allende con la privación de la ciudadanía por haber formulado declaraciones contra el gobierno argentino en los Estados Unidos, y los desafueros de Yadarola, Santander y Zabala Ortiz.

En este clima cívico, parte de la ciudadanía intentó revertir la situación de "quiebra total del crédito interno y externo, tanto en lo moral y espiritual como en lo material".

Algunos sectores del Ejército se mantenían en un estado latente de conspiración, y los nombres de los generales Eduardo Lonardi y Benjamín Menéndez sonaban ligados a un posible golpe antes de las elecciones. Finalmente, la conjura quedó en manos del segundo,

> cuyo plan era audaz y tenía la ventaja de poder desarrollarse en rápido trámite. Los revolucionarios saldrían de Campo de Mayo con el regimiento de tanques; incorporarían al Colegio Militar y se dirigirían a un punto situado entre La Tablada y San Justo para reunirse con el Destacamento de Exploración de La Tablada que previamente habría ocupado la base aérea de Morón [...] el avance de la columna hacia la Capital Federal se haría por la Av. Juan B. Alberdi y después por Rivadavia hasta la Casa de Gobierno.[1]

Arturo Frondizi no intervino en la conspiración pero se mantuvo informado de todo el trámite previo. Un oficial del Ejército amigo de Balbín, le solicitó a éste ponerse en contacto con gente del partido. El dirigente radical consideró que la figura indicada para esas conversaciones era Frondizi, quien se contactó con Menéndez. En una reunión con el jefe militar y varios políticos, entre los que estaba Américo Ghioldi, se habló de la posibilidad de hacer estallar bombas en los ferrocarriles, planteo al que se opuso Frondizi porque no creía conveniente efectuar actos de terrorismo que oscurecerían los móviles de la revolución.

Lamentablemente, sectores civiles ya estaban organizados para llevar adelante ese proyecto, como ocurrió cuando un artefacto estalló en un subterráneo ocasionando cinco muertes.

Todo se había planeado perfectamente en los papeles, pero la realidad desmintió esa coordinación de fuerzas y el movimiento del 28 de setiembre de 1951 fracasó porque muchos de los comprometidos no participaron, salvo la aviación, que sobrevoló la ciudad arrojando proclamas revolucionarias.

Los jefes del movimiento fueron detenidos y remitidos a las cárceles del interior del país.

Ese intento revolucionario no alteró la agenda política, y el 11 de noviembre de 1951 se realizaron los comicios, garantizados en su legalidad por las Fuerzas Armadas.

La fórmula Perón-Quijano obtuvo 4.784.803 votos; la de Balbín-Frondizi, 2.415.712.

Perón tiende un puente

Perón no ignoraba que Frondizi era "una cabeza de primerísima categoría", según la expresión de Díaz de Vivar, su par en la Cámara de Diputados. Por esta razón, en un intento por obtener su colaboración y, a la vez, colocarlo en una situación comprometida ante sus correligionarios y ante la opinión pública, por intermedio del presidente de la Cámara de Diputados, Héctor Cámpora, solicitó mantener una entrevista con él, como la que ya se había efectuado con el diputado Reynaldo Pastor el 16 de diciembre.

Frondizi había observado con disgusto la fijación de afiches con la leyenda "Pastor ha ido a pedirle perdón a Perón". Para no exponerse a la tergiversación del encuentro, respondió aceptando la invitación pero con condiciones que impedirían un intencionado manejo político: la conversación debía anunciarse públicamente, desarrollándose con los micrófonos de la cadena oficial de radiodifusión entre ambos interlocutores.

Cuando Frondizi fue elegido presidente del Comité Nacional de la UCR, recibió un requerimiento similar, por vía del ministro del Interior, Angel Borlenghi. La respuesta fue la misma que había dicho a Cámpora, pero al llegar a su casa de la calle Rivadavia, lo esperaban policías de civil que, cumpliendo órdenes, allanaron su departamento y procedieron a detenerlo, trasladándolo a la Comisaría 11. Esta medida pudo cumplirse porque ya no lo amparaban los fueros parlamentarios.

Nuevo triunfo de los intransigentes

El 26 de julio de 1952 el país se paralizó por la muerte de Eva Perón. Inmensas caravanas dolientes desfilaron ante sus restos y altares simbólicos fueron levantados en todo el país. Un mes antes –junio de 1952–, Perón había iniciado su segundo período constitucional.

La nueva situación que presentaba el país impulsó la movilización de las fuerzas del radicalismo, y la Intransigencia logró la reunión de la Convención Nacional, el 5-8 de diciembre, bajo la presidencia de Lebensohn.

Se plantearon en su seno dos posiciones: una era la de abstención a toda convocatoria electoral, sostenida por la línea Córdoba de Sabattini y el Unionismo; la otra, la línea combatiente, representada por los intransigentes, que eran mayoría en la Convención, de lucha integral, es decir, en todos los frentes. El MIR triunfó ampliamente y sus razones desmoronaron la cerrada posición de los unionistas y se impusieron para respaldar la visión de Frondizi, de Lebensohn, de Dellepiane, en esa hora argentina.

El 6 de febrero de 1953, la Comisión de Informaciones de Problemas Económicos y Sociales del Comité Nacional eligió como presidente a Frondizi, y a José Enrique Godano, Julio Oyhanarte y Nicolás Babini como secretarios. La Comisión se abocó de inmediato a preparar un informe sobre el Segundo Plan Quinquenal en sus diferentes aspectos, y un proyecto de declaración sobre ese documento preparado por Ricardo Mosquera, Nicolás Babini, Ataúlfo Pérez Aznar y Julio Oyhanarte, que fue aprobado por unanimidad.

Auge de la violencia política

Mientras la línea combatiente proseguía su incansable labor, se producirían hechos vandálicos que signaron uno de los momentos más críticos del gobierno peronista. El desabastecimiento producido por la escasez de alimentos había generado un malestar creciente entre la población, a lo que se sumaba el aumento del costo de vida y los rumores sobre el suicidio de Juan Duarte, puesto en duda ante las acusaciones de su madre, Juana Ibarguren, involucrando a Perón en ese suceso.

Para paliar la situación, la CGT convocó el 15 de abril de 1953 una gran concentración en Plaza de Mayo de apoyo a Perón. Durante su desarrollo, una irracional explosión en la boca del subterráneo provocó pánico y furor entre la concurrencia. El grito de "¡leña!, ¡leña!" fue azuzado por la respuesta de Perón "Eso de la leña que ustedes me aconsejan, ¿por qué no empiezan ustedes a darla?". Y la multitud se dispersó, produciendo el saqueo e incendio de la Casa del Pueblo, sede del Partido Socialista en Rivadavia al 2.100. El siguiente objetivo fue la Casa Radical de Tucumán 1.660; a ella siguieron la Casa Radical de la provincia de Buenos Aires –Moreno al 2.400– y el Comité Nacional del Partido Demócrata, ubicado en Rodríguez Peña 525.

Grandes hogueras fueron alimentadas con los libros de sus bibliotecas. Por último, ese esbozo de guerra civil culminó con la destrucción incendiaria del edificio del Jockey Club, en Florida al 600. Cuadros, tesoros artísticos, muebles, alfombras, desaparecieron entre las llamas, a las que los bomberos dejaron seguir su curso. El Petit Café, al que identificaban con la oligarquía, como así también el diario La Nación, sufrieron la intentona de ataque, pero aquí los agresores fueron dispersados por la fuerza pública.

A mediados de mayo fueron detenidos Frondizi, Balbín, Nicolás Repetto, Alfredo Palacios, Adolfo Vicchi, Reynaldo Pastor, los Laurencena –padre e hijo–, Carlos Sánchez Viamonte y los intelectuales Roberto Giusti y Francisco y José Luis Romero. En la Penitenciaría se unieron a Francisco Pinedo, recluido desde el año anterior. La escritora Victoria Ocampo fue enviada a la cárcel de mujeres.

Junto a un faraónico festival cinematográfico en Mar del Plata, que daba una visión frívola y alegre de la Argentina, estaba la realidad: persecuciones, censura, con un ministro del Interior, Angel Borlenghi, que con medidas aparentemente más ortodoxas, intentaba afirmar a un régimen que comenzaba a tener fisuras indisimulables.

Estas supuestas liberalidades –excarcelación de algunos detenidos tras un pedido expreso de sus autoridades partidarias– pueden atribuirse a la visita de Milton Eisenhower a Buenos Aires en representación de su hermano, el presidente de los Estados Unidos, a quien querían ofrecer una imagen de país pacífico y democrático.

Las argumentaciones no fueron lo suficientemente convincentes para los convencionales nacionales de la UCR, que conocían a fondo la mutilación de los principios republicanos. En su declaración del 27 de abril de 1953, reafirmaron "la decisión de persistir en la lucha y afrontar todas las contingencias en defensa de los principios de libertad y dignidad del hombre", y para ello

las representaciones públicas del Radicalismo permanecerán en sus funciones para enjuiciar la índole antiargentina del régimen y sus transgresiones morales e institucionales [...] los simpatizantes prestarán su servicio al país ocupando su puesto de lucha en la acción organizada del Radicalismo por el esclarecimiento de la conciencia pública y la reconquista de las libertades abolidas...

La súbita muerte de Lebensohn, el 12 de junio de ese año, causó estupor y congoja porque con él desaparecía un líder cabal, un formidable luchador acorazado contra todo negativismo y todo tipo de agravios. Y, con el gran ausente, la UCR debía dedicarse a una nueva reorganización interna.

Hacia la máxima conducción del radicalismo

La renovación de las autoridades partidarias movilizó a los sectores del radicalismo, perfilándose dos tácticas de lucha dentro de la Intransigencia. El periódico *Intransigencia*, en enero de 1954, las identificaba con precisión, de acuerdo con sus intereses,

114

que hacen que uno de los sectores coincida con el viejo planteo de los sectores conservadores de la UCR (denominados genéricamente unionistas): centrar los objetivos tácticos en la recuperación de la libertad y postergar para después el debate interno y el choque de ideas. [...] La otra posición, como la primigenia de la intransigencia por la que velamos, sostiene que no debe abdicarse de ninguno de los postulados programáticos de sentido revolucionario creados, por los que el Radicalismo viene luchando sin concesiones ni treguas contra el régimen. [...] ratifiquemos nuestra voluntad intransigente de realizar plenamente la liberación argentina, firmes en la posición de lucha frontal en todos los frentes, que es la posición de Arturo Frondizi.

La candidatura de Frondizi como delegado al Comité Nacional de la UCR, se afirmaba cada vez más. Frondizi agradeció a sus correligionarios esta nominación porque

la Unión Cívica Radical continúa siendo la única posibilidad argentina de moralidad, libertad y justicia, porque a través de la acción intransigente afirmó su unidad doctrinaria y su insobornable conducta cívica. Por ello, al aceptar mi candidatura a delegado al Comité Nacional, proclamada por "Intransigencia y Renovación", ratifico mi fe en la Unión Cívica Radical, sin renunciamientos ni debilidades, asegurará al pueblo la plenitud de la democracia, único sistema de vida que permite el libre desenvolvimiento de la personalidad humana. [...]

El 9 de octubre de 1953, el Comité de la Capital convocó a los afiliados del distrito para que el día 6 de diciembre eligiesen los delegados al Comité Nacional, y a la juventud, sus representantes a los organismos nacionales: Junta Ejecutiva y Congreso Nacional.

Se presentaron tres listas. La lista Hipólito Yrigoyen, integrada por un grupo de intransigentes secesionistas; la Tradicional (Alem, Yrigoyen, Alvear), y la lista Intransigencia y Renovación. El resultado fue adverso al Movimiento de Intransigencia, que quedó en segundo lugar con 2.970 votos, contra los 3.250 de la lista Tradicional.

El 10 de diciembre se hizo la proclamación de los candidatos surgidos en ese acto electoral, conforme al siguiente orden: Titulares: Mariano O. Rosito, Emilio Ravignani, José F. Alvarez Nadal y Arturo Frondizi; suplentes: Celia Feijoó y María Florentina Gómez Miranda.

El 16 de diciembre el Movimiento de Intransigencia y Renovación realizó una Asamblea para analizar los resultados de la elección y declaró que sostenía el nombre del doctor Arturo Frondizi para la presidencia del Comité Nacional porque

encarna en esta hora argentina el contenido popular y nacional del Radicalismo [...] Encarna también las esperanzas defraudadas de los que, engañados por el espejismo de la propaganda totalitaria, creyeron en las promesas de liberación social y nacional del régimen imperante.

Presidente del Comité Nacional de la UCR

Durante los días 30 y 31 de enero de 1954, tuvo lugar la sesión preparatoria del Comité Nacional.

En la mañana del 30, luego de reiteradas e inútiles invitaciones a los delegados de Córdoba, coincidentes con el Unionismo en su absoluta oposición para constituir el bloque intransigente, la mayoría de este sector organizó el bloque designando presidente al doctor Cialzeta. Resolvieron, asimismo, propiciar la candidatura del doctor Illia como presidente provisional del Comité, pese a que, solidario con sus compañeros de delegación, no se había presentado a la requisitoria de los intransigentes para que se incorporase al bloque.

Por moción de Luis Mac Kay, por unanimidad se aprobó esa designación. Como secretarios fueron elegidos Monjardín, de Buenos Aires, y Claudio Zanoni, de Santiago del Estero.

Tras el análisis de los poderes de los delegados, el 31 de enero se procedió a la elección del presidente del Comité Nacional. Arturo Frondizi obtuvo 43 votos y Cialzeta uno, el voto de Arturo Frondizi, absteniéndose el presidente provisorio Illia.

De acuerdo con la disposición del artículo 22 de la Carta Orgánica y el 6° del Reglamento Interno, bastaba la presencia de 20 miembros para la constitución del Cuerpo, por lo que la intentona de los unionistas y de la Intransigencia nacional para obstaculizar el quórum fracasó.

El doctor Illia proclamó presidente a Arturo Frondizi y lo invitó a ocupar el cargo. Este, en su discurso, fijó la línea política de la UCR frente a los problemas fundamentales de la vida nacional, que ratificaría en el "Mensaje al Pueblo Argentino", del 11 de febrero de 1954:

El radicalismo es una fuerza cívica que aparece en nuestro proceso histórico para luchar por la moral y la libertad del hombre y que, en consecuencia, mientras quede un solo resto de dictadura en nuestro suelo, los radicales tienen la obligación de entregar hasta su vida para combatirla. [...]

Nosotros tenemos conciencia clara de que nuestra lucha no es sólo contra una dictadura política encarnada en un hombre, sino que es una lucha definitiva contra todo un sistema y contra las fuerzas visibles e invisibles que lo sustentan. Las dictaduras no nacen ni se sostienen por sí mismas. Son siempre la consecuencia de condiciones morales, culturales, sociales y económicas, y por eso nuestra misión definitiva consiste en cambiar las condiciones que hacen posible en América latina la subsistencia de regímenes fundados en la violencia. Porque sabemos todas estas cosas, la Unión Cívica Radical se ha definido no sólo como fuerza antitotalitaria, sino también antiimperialista o sea de emancipación nacional frente a los intereses extranjeros que quieren dominarnos política y económicamente.

Dirigiéndose a la juventud, se expresó en estos términos:

Sé que seréis dignos de la juventud de 1890, de 1893 y de 1905. Es decir, que tendréis espíritu revolucionario. Recordando que ellos no tuvieron miedo ni a la pólvora ni a las ideas. Pensad que vuestra lucha no es sólo lucha argentina, es también lucha por la emancipación de América latina...

El "Mensaje al Pueblo Argentino"

En el Mensaje del 11 de febrero, las nuevas autoridades del Comité Nacional refrendaron la política delineada al asumir sus cargos y dividieron el texto en ocho secciones, que englobaron todos los aspectos que importaba resaltar.

I – El país vive una honda crisis moral.
– El Radicalismo restaurará el sentido moral de la vida argentina.
II – Están suprimidos todos los derechos humanos.
– El Radicalismo destruirá los instrumentos del despotismo y asegurará la vigencia de las garantías jurídicas de la libertad.
III – Están destruidas las instituciones democráticas.
– El Radicalismo reconstruirá las bases institucionales, federalistas y comunales de la organización nacional.
IV – Se impide el desarrollo cultural y los organismos educativos han sido transformados en instrumentos destructores de la personalidad.
– El Radicalismo creará condiciones culturales que contribuyan a formar la personalidad y que exalten la libertad y la dignidad del hombre.
V – Se pretende emplear a las fuerzas obreras como instrumentos políticos del Régimen.
– El Radicalismo reconoce a los trabajadores su plena autonomía y la preponderante función histórica que les corresponde.
VI – El Régimen consolidó los privilegios económicos de la oligarquía y del imperialismo.
– El Radicalismo destruirá todos los privilegios y creará una economía al servicio del pueblo.
VII – La política internacional del Régimen ha carecido del contenido argentino.
– El Radicalismo se ajustará al principio de Yrigoyen: "no estamos con nadie contra nadie, sino con todos para bien de todos".
VIII – El Régimen carece de poder político real y de perspectiva histórica.
– El Radicalismo luchará junto al pueblo por una profunda transformación democrática.

Vientos de escisión

Frondizi, como presidente del Comité Nacional, debió afrontar una difícil situación dentro del partido. Para que la Capital Federal pudiera participar en las elecciones a diputados, intervino el distrito metropolitano, donde los grupos opositores a su conducción pretendían declarar la abstención sin tener en cuenta que esta medida traería como consecuencia la disolución del partido según la ley electoral vigente.

Los unionistas desconocieron esta disposición adoptada casi al cierre del vencimiento del plazo para presentar las listas, y tomaron la sede partidaria de Tucumán al 1.600, eligiendo presidente a Walter Perhins. El Comité Nacional pasó provisionalmente al Comité Provincia de Buenos Aires presidido por Balbín y, por suscripción entre los afiliados, adquirió un local en Riobamba 460.

La separación del Unionismo era ya un hecho, y esta actitud no fue sino el preámbulo de las decisiones que se adoptarían en la Convención de Tucumán.

Las elecciones del 25 de abril de 1954

En esta irreconciliable pugna de intereses, el gobierno convocó a elecciones para cubrir el cargo de vicepresidente, acéfalo desde la muerte de Quijano, el 3 de abril de 1952.

La UCR sabía de las maniobras fraudulentas específicamente comiciales, materializadas en la adulteración de padrones y en la transferencia sistemática de electores de uno a otro municipio; de la prensa cautiva; de la desaparición de actas y urnas; de la presión ejercida sobre los fiscales opositores, y, en fin, de las incontestables ilicitudes que, expuestas por los apoderados del partido, no habían podido seguir su curso ante la Justicia para mostrar los vicios de la elección de noviembre de 1951.

No ignoraba la Unión Cívica Radical que tales maniobras podían repetirse pero, no obstante, consideró que participar en el acto eleccionario le permitiría denunciar desde las tribunas los retrocesos del peronismo que, "jaqueado por sus contradicciones internas y desgastado por la inmoralidad e ineptitud de sus equipos", se había convertido "en gestor del privilegio y de los inversores imperialistas".

El peronismo llevó de candidato al almirante Alberto Teissaire, en tanto que la Convención Nacional del radicalismo, en su sesión del 14 de febrero de 1954, designaba a Crisólogo Larralde como postulante para la vicepresidencia de la Nación.

Larralde, a pedido de los convencionales y de los correligionarios que desbordaban el recinto, pronunció una vibrante alocución en la que aludió a las tribulaciones que había vivido el partido

en momentos en que llega Frondizi a la presidencia del Comité Nacional y en momentos en que toma la presidencia del Comité de la Provincia de Buenos Aires el doctor Balbín; una pareja de hombres con quienes estoy total y cabalmente solidarizado.

La necesidad de fijar sus responsabilidades futuras lo llevó a exponer las líneas generales que guiarían su proceder:

Yo quiero que el Partido Radical tome las características de un vasto movimiento de carácter social que avance en el terreno de las ideas con atrevimiento, para que ese radicalismo que no pretende tener en sus fórmulas la panacea de la vida humana, liquide los privilegios económicos; las irritantes desigualdades sociales sin que el pueblo que reciba esos beneficios tenga que perder como los pueblos sometidos a los totalitarismos de cualquier color, sus libertades individuales y sus derechos políticos.

Durante la campaña proselitista, el oficialismo recurrió con cierta frecuencia a medidas represivas, generalmente dentro del contexto de los poderes excepcionales del presidente. El juego de los partidos se hacía cada vez más difícil; movidos por intereses y opiniones disímiles, con discursos incendiarios, se aproximaron al desenlace electoral.

Se votó el 25 de abril y el escrutinio dio el triunfo al Partido Peronista con 4.494.106 sufragios. Larralde obtuvo 2.493.422.

NOTA

1. Luna, Félix: *Perón y su tiempo,* Sudamericana, Buenos Aires, 1986, pág. 194.

El triunfo del 25 de abril otorgó al gobierno un exceso de poder. Desde la muerte de Evita, un balance del panorama nacional otorgaba a Perón una suficiencia perjudicial para la marcha de la República, acentuada por el clima de frivolidad que presidía la actividad presidencial.

Esta declinación gradual de la función gubernativa, unida al acentuado deterioro de la situación económica y a un recrudecimiento de la represión a la oposición, trajo aparejado el rompimiento de Perón con la Iglesia –tras el lanzamiento de una campaña oficial contra ella– y con parte de los cuadros de las Fuerzas Armadas, que superaron indecisiones y contradicciones ante el desgaste global del gobierno.

La UCR, por su parte, trató de crear conciencia de la gran crisis moral que existía en el República. Los dirigentes radicales hurgaron en la realidad para corregir las falencias que contaminaban el núcleo social. Reclamaron el cumplimiento de la ley de amnistía porque, no obstante el tiempo transcurrido desde su sanción (diciembre de 1953), en las cárceles existían numerosos civiles –entre ellos Cipriano Reyes, sometido a duras torturas– y militares –todos los encarcelados con motivo de los sucesos del 28 de setiembre– presos por razones políticas.

El 15 de mayo de 1954, el Comité Nacional se dirigió "al pueblo argentino" señalando que el peronismo "se apoya tan sólo en sus métodos opresores".

Perón se enfrenta con la Iglesia

El 27 de noviembre dio a conocer otra Declaración, en este caso de solidaridad para con los católicos que habían comenzado a ser víctimas del aparato represivo del oficialismo, al pretender éste "poner la religión al servicio de los regímenes políticos". A la ley de divorcio, en el conflicto planteado con la Iglesia, el gobierno sumó el 8 de mayo el proyecto de separación de la Iglesia del Estado; el 13 de ese mes se derogó la enseñanza religiosa en las escuelas y siete días más tarde se convirtió en ley la separación estatal del catolicismo, aboliendo la exención de impuestos a entidades religiosas.

Este conflicto fue agravándose a medida que declinaba la moral oficial, lo que llevaría a fundar, el 8 de julio, el Partido Demócrata Cristiano, cuyos principales dirigentes fueron Manuel V. Ordóñez y Lucas Ayarragaray, vinculados con la jerarquía eclesiástica.

La procesión de Corpus Christi del sábado 11 de junio de 1955, realizada sin la autorización del gobierno que había dado su consentimiento para el día jueves 9, fue una ferviente confluencia de múltiples intereses: al arraigado sentimiento religioso de varios cientos de miles de personas que se volcaron en las calles en solidaridad con la Iglesia perseguida, se unió la reacción ante la inoperancia, la injusticia y la decadencia ética del partido gobernante.

La Iglesia asumía el desafío que la hora reclamaba y exigió decisiones enérgicas y coherentes para revertir ese proceso abiertamente inconciliable con la filosofía evangélica.

La reacción oficial no tardó en manifestarse.

Ante la supuesta quema de una bandera argentina por los feligreses, se aplicaron las facultades otorgadas por "El estado de guerra interno", y el 14 de junio se expulsó a los monseñores Manuel Tato, provisor y vicario general y obispo auxiliar, y Ramón Novoa, canónigo diácono, acusándolos de promover disturbios "que atentaban contra el estado soberano".

El intento de golpe del 16 de junio

A la oposición de la Iglesia se unió el descontento de las Fuerzas Armadas, tradicionalmente ligadas a la grey católica. El 16 de junio, oficiales de la Marina y la Fuerza Aérea, con la conducción del contraalmirante Samuel Toranzo Calderón, de la Infantería de Marina, hicieron pública su rebelión con el bombardeo a la Casa de Gobierno y a la Plaza de Mayo. El objetivo era matar a Perón quien, advertido a tiempo, se refugió en el Ministerio de Guerra.

El hecho armado, realizado prematuramente, impidió la participación de efectivos comprometidos como los que respondían al general Justo León Bengoa, pero dejó gran número de víctimas civiles que a esa hora del día colmaban Plaza de Mayo en respuesta a una convocatoria oficial. También hubo que lamentar el suicidio del almirante Gargiulo en el Ministerio de Marina, al conocer el fracaso del movimiento.

Toranzo Calderón y otros jefes fueron condenados a diversas penas, aunque no hubo condenas de muerte, y diputados nacionales y provinciales, concejales, autoridades partidarias, afiliados, periodistas, universitarios y religiosos, fueron encarcelados e incomunicados. Frondizi también sufrió prisión desde el día 17 hasta el 28 de junio, pese a que la UCR declaró ser ajena al levantamiento.

Al estado de guerra interno se agregó el estado de sitio en todo el país. La masa peronista, enardecida e instigada desde la radio oficial, procedió a incendiar la Curia eclesiástica, las iglesias de San Francisco, San Ignacio, Santo Domingo, San Miguel, La Merced, La Piedad, San Juan y Nuestra Señora del Socorro. Muchas obras de arte atesoradas en los templos fueron destruidas ante la pasividad de una policía que tenía instrucciones de no actuar.

Frondizi y la UCR ante el conato revolucionario

Con respecto al movimiento del 16 de junio, Bernardo Larroudé, que intervino en todo el proceso, comenta que Frondizi, aunque no participó en la conspiración, se mantuvo informado sobre todos los pasos por noticias que le acercaban sus amigos, entre ellos Candioti, que en esa oportunidad ocupó la estación Cuyo.

Antes del pronunciamiento, cuatro aviadores de la base de los *Gloster Meteor* de Morón habían visitado a Frondizi para exponer su plan de acción: bombardear el palco de las autoridades, entre ellas Perón, durante la exhibición de un avión de fabricación nacional en dicha base. Frondizi los escuchó atentamente pero se opuso a la materialización de esa intentona porque, si bien coincidía en la necesidad de derribar al gobierno, no apoyaba el crimen político como medio para lograr aquel fin. Como le gustaba relatar, salvó en esa ocasión, como en otras, la vida de Perón, sin tener en cuenta que éste lo había detenido en varias oportunidades.

El 29 de junio de 1955, Frondizi, en su carácter de presidente de la UCR, dio a conocer un documento titulado "La Unión Cívica Radical y el 16 de junio", cuyas conclusiones finales eran:

1° La responsabilidad de los trágicos sucesos del 16 de junio de 1955 es enteramente del gobierno.

2° El Radicalismo reitera su solidaridad con cuantos sufren cárcel, persecución o destierro por defender las libertades argentinas.

3° La UCR continúa su lucha por el restablecimiento de la moral y la democracia en la vida de la República.

Se esperaba esta declaración porque el partido había asumido un papel preponderante dentro de la oposición. Si bien atribuía al gobierno la culpabilidad por los sucesos, porque la supresión de las libertades y la crisis eco-

122

nómica conducían a esos tempestuosos estallidos, exigía a su vez, serenidad y cordura, respeto y ecuanimidad. Sólo así se evitaría que el pueblo tomase el camino de la violencia.

Frondizi organizó un importante plan de ayuda a las familias de los revolucionarios y a todos aquellos que podían ser víctimas de represalias del gobierno. Se organizaban rifas, colectas, y se recibían donaciones para mitigar su difícil situación, similares a las que se habían realizado con motivo de la revolución de 1951, con los detenidos en Río Gallegos, Rawson, Santa Rosa, Reconquista.

La "apertura" de Perón

Perón procedió a la reorganización de su gabinete, en el que Oscar Albrieu reemplazó a Angel Borlenghi. El 5 de julio, en contraposición a los duros discursos en los que había instado a sus seguidores al camino de la lucha, exhibió el complejo claroscuro de la política, al emplear un lenguaje de conciliación en un llamamiento a la concordia, proponiendo una tregua a las fuerzas en pugna.

La radiotelefonía, a la que desde hacía diez años la oposición no tenía acceso, se puso a disposición de los dirigentes de los partidos políticos, para que expusieran sus opiniones.

El jefe de Estado, con el apoyo de una holgada mayoría electoral, ofreció esa posibilidad porque no consideró que menoscabara su liderazgo ni que se desgastara el movimiento que había puesto en marcha.

El 25 de julio se autorizó al presidente del Comité Nacional de la UCR a utilizar ese medio para dirigirse al pueblo.

El mensaje radial de Frondizi

El 27 de julio de 1955 fue un día distinto. Ante la inminencia de la palabra de Frondizi, las calles desiertas brindaban la prueba categórica de la expectativa originada.

Poco antes de las 21, llegó a los estudios de Radio Belgrano –Ayacucho y Posadas– en compañía de su hija Elenita. El estado mayor radical –Balbín, Alende, Noblía, Monjardín, López Serrot, Donato del Carril, Uzal, entre otros– lo esperaba para asistir al trascendente momento. Recordaba Frondizi:

[...] faltaban escasos minutos para comenzar el mensaje cuando se hizo presente un coronel del SIDE con la misión de fiscalizar el texto y evitar alguna modificación que pudiera provocar la inmediata suspensión de la transmisión, ya que mi voz se grababa y salía al aire con unos diez segundos de demora.

Larralde ya había facilitado el texto a Albrieu para que Perón conociera su contenido, pero Frondizi había manifestado que no aceptaría correcciones ni censuras porque, en ese caso, se negaría a hablar por radio.

Con una inflexión clara y concisa, Frondizi comenzó su disertación. Formuló cuatro advertencias, en las que fijó el camino de la recta aplicación de la Constitución de 1853, resaltando que el Radicalismo no "acepta bajo ningún pretexto, soluciones que de cualquier manera restrinjan o violenten el sistema representativo, republicano y federal"; que su lucha "nunca estuvo dirigida contra personas o grupos de personas, sino contra sistemas políticos y sociales del pasado y del presente que, si subsistieran, negarían altura y nobleza al porvenir"; que "antes de sacrificar una sola de las reivindicaciones preferimos ser perseguidos por nuestra lealtad a la causa del pueblo y no gozar de la tranquilidad cómplice que pudiera obtenerse, traicionándola", y finalmente que "la pacificación sólo podrá resultar del cumplimiento de un conjunto de condiciones objetivas que moralicen y democraticen al país".

Luego se refirió a las medidas indispensables para crear un clima de paz, que permitiera la discusión elevada y constructiva de los grandes problemas nacionales, de las doctrinas y de los programas de gobierno.

Las transformaciones de fondo en los aspectos económicos, sociales e internacionales fueron reclamadas por Frondizi, quien desmintió que el perfil opositor se pronunciara por el colapso total y destacó que, en esa tarea de realización democrática y emancipadora, era imprescindible "que junto a los partidos políticos, actúen los grandes sectores sociales integrantes de la Nación: las fuerzas del trabajo, las fuerzas de la producción, las expresiones del espíritu y de la fe, los intelectuales y las Fuerzas Armadas".

Todos los diarios destacaron esta primera intervención radial de la oposición, y la revista *Esto Es* terminó la crónica de la audición con esta singular definición: "ahora sabemos que el doctor Frondizi tiene una voz microfónica".[1]

La opinión pública reclamaba su presencia en locales y bibliotecas partidarias. También desde el exterior se le formularon invitaciones, como la cursada desde Chile en ocasión de los actos de homenaje tributados al ex mandatario Pedro Aguirre Cerda, figura señera en quien se encarnaban virtudes ejemplares de la democracia americana. Pero todo quedó supeditado a la marcha del proceso político.

En efecto, no obstante la publicitada reconciliación que permitió hacer uso de los micrófonos a Vicente Solano Lima (9 de agosto) y a Luciano Molinas (22 de agosto), cuando Alfredo Palacios –quien había pedido compartir el espacio con Nicolás Repetto– no aceptó someter el texto de su discurso a un control previo, se le negó la autorización.

Asimismo, al día siguiente de su disertación, Frondizi fue convocado por

124

el juez federal Gentile para "conversar sobre los términos" de la misma. No había intimidaciones públicas o notorias pero el clima iba enrareciéndose cada vez más, como lo destacaban los diputados de la UCR desde el Congreso Nacional.

La "renuncia" de Perón

En la noche del 30 de agosto llegó a los diarios *La Prensa* y *Democracia* una carta de Perón en la que daba a entender su cansancio por las responsabilidades asumidas durante tan largo período de gobierno. Persiguiendo la vibración de las cuerdas más sensibles de sus seguidores, anunciaba la posibilidad de su retiro, con lo que prestaría "el último servicio desde la función pública", pero, para concretar esa decisión, debía estar seguro del imperio de una calma absoluta en el país, en el que no existía sino "la común conspiración de los eternos aunque inoperantes, enemigos del pueblo, que deberá contárselos siempre en acción, enconados pero impotentes".

Nadie creyó que el espíritu sanmartiniano inspirara la sinceridad de la carta. La publicación del documento trajo como consecuencia las previsibles medidas de la Confederación General del Trabajo, que decretó un paro general y la convocatoria de los trabajadores a Plaza de Mayo para el 31 de agosto a las 10.

Eran casi las 17 cuando comenzó el acto. Ante la indiferencia de la gente, habló el secretario general de la CGT, Di Pietro. La presidenta de la rama femenina del Partido Peronista intentó hacer uso de la palabra, pero las primeras expresiones de la señora Delia D. de Parodi fueron acalladas por un sordo rumor que muy pronto cubrió la plaza: "¡Perón! ¡Perón!".

A las 18 y 25 se recortó la figura del líder en el balcón de la Casa de Gobierno y el signo violento de su arenga auguraba infinitas posibilidades de nuevos desencuentros para el país.

La consigna para todo peronista, esté aislado o dentro de una organización, es contestar a una acción violenta con otra más violenta... ¡Y cuando uno de los nuestros caiga, caerán cinco de los de ellos!

[...] hemos de imponer la calma a cualquier precio y por eso necesito la colaboración del pueblo [...] Veremos si con esta demostración nuestros adversarios y nuestros enemigos comprenden. Si no lo hacen... ¡pobres de ellos!

El amenazante *Vae Victis* de Breno contra los ciudadanos romanos surgía aterrador en una Argentina que asistía a una coyuntura difícil en su economía y en su programa productivo. De allí la reacción inexplicable de Perón, que poco antes había hablado de una tregua conciliadora pero que ahora cambiaba de estrategia al contar solamente con el apoyo de la clase trabajadora para garantizar la estabilidad del gobierno.

El discurso del 31 de agosto fue el último que pronunció Perón desde el balcón de la Casa Rosada durante su segunda presidencia. Los peronistas creyeron que las palabras de Perón significaban el regreso del Perón desafiante del 17 de octubre. Pero la oposición se mantuvo alerta ante este desborde, cuyas consecuencias eran previsibles.

Frondizi explica esa etapa del proceso político-económico que conllevó a la reacción de las Fuerzas Armadas y a la caída de Perón.

El desgaste propio del gobierno, algunos excesos de funcionarios y temas tales como la congelación indefinida de los alquileres urbanos, con la consiguiente prórroga sin término de los contratos, las leyes de agio, con persecución y pena de cárcel para los comerciantes, alejaron, a su vez, a importantes sectores de las clases medias. El conflicto religioso erosionó aún más la situación del gobierno, mientras una desafortunada idea de crear milicias obreras ante cuyo lanzamiento el general Perón, inexplicablemente, no reaccionó con la agilidad que le era característica, enajenó, por último, a buena parte de los cuadros de las Fuerzas Armadas y neutralizó, incluso, a aquellos que seguían siendo leales a la legalidad.[2]

Perón, acosado por los infinitos problemas que no podía superar, apeló a la magia de sus palabras porque no ignoraba que la conspiración ya estaba en marcha.

NOTAS

1. *Esto Es*, N° 88, semana del 2 al 8 de agosto de 1955, tercer año, pág. 6.
2. Frondizi, Arturo: *Qué es el...*, ob. cit., pág. 19.

Las Fuerzas Armadas estimaron que la acción insurgente era el único camino posible que les dejaba la política del gobierno. La gestación del movimiento revolucionario del 16 de setiembre fue imponiendo a los jefes involucrados el despliegue de una multiplicidad de entrevistas y reuniones. Los preparativos se sucedieron con vertiginosidad inusitada. Una Junta Nacional Revolucionaria ordenaba la estrategia a seguir, que se basaba en el mayor sigilo para que nada afectara la tarea prevista. De allí la decisión de no informar sobre el momento exacto del pronunciamiento a los grupos civiles hasta después de la "hora cero", en que recién comenzarían a desempeñar los roles asignados.

El "jefe de la resistencia"

En carta al profesor Próspero Germán Fernández Albariño del 24 de diciembre de 1983, el doctor Eduardo Héctor Bergalli aclara que se excluyó de esa reserva a Arturo Frondizi, a quien se mantuvo informado de todos los pasos a seguir porque, "quiérase o no, Frondizi era el jefe de la resistencia".[1]

La conversación sobre el desarrollo del proceso, para evitar oídos indiscretos, se realizó en un automóvil conducido por Bergalli, en el que viajaban Frondizi y el capitán de fragata Aldo Luis Molinari.

Al bajarse del vehículo, Frondizi, apretándole fuertemente la mano a Bergalli con signos de preocupación, le dijo:

–No olvide Bergalli de transmitir a los jefes revolucionarios que si esta revolución triunfa, debe ser hecha fundamentalmente contra un sistema, para restaurar las libertades republicanas y el sentido democrático y ético de la vida política, y no contra el pueblo –al tiempo que saludaba a los dos compañeros que reanudaban el viaje con un:– Suerte, viva la patria.

La presidencia de Lonardi

El general Lonardi, al frente del Comando de Operaciones de las Fuerzas Armadas, en la medianoche del 15 al 16 de setiembre estableció en Córdoba el centro de las actividades revolucionarias. Las fuerzas sublevadas contaron con el apoyo unánime de la Marina y la Aeronáutica.

Esta situación obligó a Perón a emitir un mensaje que, sin ser una renuncia tácita, podía interpretarse como un abandono del poder. Delegaba sus responsabilidades para buscar refugio en la embajada del Paraguay, desde donde pasó a una cañonera de esa bandera que lo condujo a Asunción, primer destino de un largo exilio.

El 23 de setiembre, una multitud recibió a Lonardi en Plaza de Mayo. Este asumió el gobierno de la Revolución Libertadora, como se denominó al nuevo régimen provisional. Desde la presidencia, Lonardi moldeó y acuñó el nuevo perfil nacional que impondría a su línea gubernativa "ni vencedores ni vencidos". Al decir de Frondizi, "el 16 de setiembre de 1955 marcó un hito en el calendario político-histórico argentino".

La mesa directiva del Comité Nacional de la UCR, el 21 de setiembre expuso al pueblo la síntesis de la jornada vivida.

La sangrienta lucha que acaba de librarse en la República ha sido consecuencia inevitable de una situación a la que el país fue conducido por el despotismo que cerró todos los caminos de la libertad. La Unión Cívica Radical, desde la primera hora y sin interrupción, agotó los medios pacíficos e intentó crear en el país condiciones de convivencia entre los argentinos por las vías del comicio y del debate de ideas, anhelo compartido por las Fuerzas Armadas. El alzamiento fue el último recurso a que se vio compelido un pueblo privado de toda posibilidad de resolver en paz y concordia los angustiosos problemas de su existencia nacional. El régimen que acaba de caer, que negó la libertad, la justicia y la moral y negoció la soberanía, queda señalado para siempre como el único responsable de esta tragedia.

La Unión Cívica Radical esperaba el anhelado reencuentro de "todos los habitantes de este suelo en la libertad, la dignidad y la paz", y, para lograrlo rogó a sus simpatizantes que se abstuvieran de participar en violencias ni siquiera verbales. Es que, a la hora de evaluar potenciales hegemonías, Frondizi tuvo conciencia de las profundas dicotomías que habían dividido a la Nación, que no podrían superarse si no se creaban espacios de diálogo como herramienta insustituible para intercambiar opiniones y puntos de vista basados en el respeto recíproco.

No participó en los lógicos festejos y se dedicó a tratar de enfocar la nueva política con proyectos viables que ayudaran al gobierno a lograr la ansiada reconciliación. El mismo confesaría que, mientras la gente celebraba alborozada en las calles, él se encerró en su casa para meditar.

Había que construir y no deshacer. El 19 de octubre, el Comité Nacional exhortó a los trabajadores a defender sus conquistas y a participar en la reconstrucción nacional. La central obrera acogió ese ofrecimiento y el 22 de noviembre el gremialista Hugo Di Pietro hizo un llamado "a los trabajadores a fin de mantener la más absoluta calma y continuar en sus tareas".

Aramburu toma el poder

Poco a poco la Revolución Libertadora fue abandonando la línea inicial y se impusieron los más enconados sectores antiperonistas decididos a no perdonar agravios, incrementando así las brechas internas. El lema "ni vencedores ni vencidos", pasó a ser letra muerta cuando, el 13 de noviembre, Lonardi fue reemplazado en la presidencia provisional de la República por el general Pedro Eugenio Aramburu, continuando el almirante Isaac Rojas en la vicepresidencia.

Ese mismo día, el subsecretario naval Arturo Rial presentó un documento suscripto por veinte importantes representantes de las Fuerzas Armadas, que sería el primer decreto ley firmado por Aramburu. En él se remarcaba la posición a adoptar en el futuro para impedir el retorno de Perón: disolución del partido peronista, prohibición a sus dirigentes a actuar en cualquier actividad política.

Estas restricciones se hicieron extensivas, el 1° de marzo de 1956 con el decreto 4.161, a la utilización del nombre, imagen o símbolos vinculados con Perón, cuya violación se consideró "delito de opinión" no excarcelable. *La Prensa* cumplió celosamente esta resolución, y cuando se refería a Perón o a su gobierno lo hacía con los términos de "el tirano prófugo" y "el régimen depuesto".

Al tener que enfrentar una huelga general ordenada por la CGT, el gobierno declaró ilegal el paro y solicitó la intervención del organismo sindical, disponiendo que los gremialistas que hubieran desempeñado puestos sindicales desde febrero de 1952 al 16 de setiembre de 1955 no podrían ocupar cargo alguno, medida complementada poco después con la reestructuración de la Confederación General del Trabajo y el reconocimiento de sindicatos plurales.

Asimismo, se estableció un Consejo Militar Revolucionario, luego Junta Militar Consultiva, que asumiría las funciones de contralor del Poder Ejecutivo por la disolución del Congreso Nacional.

Frondizi y la Revolución Libertadora

El 30 de noviembre se volvió a escuchar la voz de Frondizi por Radio Belgrano. Su discurso señaló el apoyo de la Unión Cívica Radical a las autoridades de la Revolución Libertadora, para que el país superase los males ocasionados por el peronismo. Si para lograr esos propósitos se exigía el sacrificio del pueblo, no debía ser en detrimento de sus legítimas conquistas. Se opuso al cierre de fábricas, talleres y a despidos injustificados. Defendió el derecho de huelga y la libertad sindical, y precisó que la crisis se superaría promoviendo una sólida economía agropecuaria con el aditamento de altos niveles de producción industrial.

La revolución que se había hecho en nombre de la libertad –decía Frondizi– debía asegurar esa libertad para que el pueblo pudiera decidir su futuro.

Frondizi apoyaba las miras del gobierno, al que brindó la bandera de un programa, negándose a aceptar entendimientos realizados a espaldas de los intereses populares.

El escritor Ezequiel Martínez Estrada, figura de amplio prestigio intelectual, el 8 de noviembre de 1955, hizo llegar a su antiguo compañero del Colegio Libre de Estudios Superiores una carta referida a los problemas suscitados con la caída de la dictadura. Decía Martínez Estrada:

[...] La causa de nuestros males es orgánica, constitucional. No puede suprimirse por retoques parciales de las partes periféricas que se deterioran y descomponen. El trabajo de reorganizar y reconstruir es enorme y debe estudiarse minuciosa e inteligentemente. Hay que reestructurar y no enmendar; rehacer y recrear el país. Pasarlo de un plano a otro sin violencias, como se cambia de lugar un rascacielos.
Nada debe hacerse destruyendo, sino construyendo. El lema debiera ser "construir destruyendo y destruir construyendo". Nada debe ser abolido sin antes tener preparada la pieza de cambio. Reemplazar y cambiar sin interrumpir el funcionamiento normal de aquella sección que debe desmontarse y destruir sin piedad. El plan debe cumplirse por etapas o ciclos siempre con arreglo a las modificaciones que se operen en otros sectores. Sectores son: la Producción primaria, la Industria, el Comercio, el Transporte y también la Enseñanza, las Ciencias, las Artes, las Letras, la Religión, etcétera. [...]
Todo lo que sea restaurar sin un plan de recreación será tiempo perdido y preparar la revancha de todas las fuerzas reaccionarias jamás sofocadas del todo entre nosotros...[2]

Estos postulados coincidían con la visión de Frondizi. Y existía, sin duda, un evidente desequilibrio entre esta propuesta y la de quienes apoyaban en forma irrestricta la política gubernamental.

La Junta Consultiva

Una de las primeras medidas del gobierno provisional había sido disolver el Congreso, intervenir las provincias y declarar en comisión al Poder Judicial, al mismo tiempo que se afectaba la autonomía universitaria con la designación de nuevas autoridades. La falta de un cuerpo legislativo que colaborase en el dictado de las urgentes resoluciones para democratizar el país indujo a los sectores liberales a establecer un órgano de asesoramiento basado en los moldes constitutivos de la Unión Democrática.

Como demostración de los objetivos de la Revolución Libertadora durante la breve gestión de Eduardo Lonardi, se creó la Junta Consultiva Nacional presidida por el almirante Rojas e integrada por ciudadanos militantes en diversos partidos políticos que aportarían una necesaria cuota de asesoramiento en esta seudoparticipación gubernativa. Muy pronto la Junta fue perdiendo jerarquía e independencia al convertirse en un centro de discusiones partidarias, más que de control a la acción del gobierno, cuya política económica disminuía notoriamente los ingresos reales de la clase trabajadora.

Las diferencias dentro de la UCR se manifestaron dentro de la Junta Consultiva. No sólo los cuarenta y cuatro delegados unionistas a la Convención Nacional —sobre un total de 213— antepusieron sus razones de carácter político para mantener posturas opuestas a las del Comité Nacional, sino que muchos intransigentes se alinearon con aquellos que no estaban dispuestos a cumplir los compromisos contraídos por sus autoridades.

Ratificación de una política pacificadora

El 9 de marzo de 1956, Arturo Frondizi fue reelecto Presidente del Comité Nacional. En ese carácter, el 11 de marzo reiteró, por Radio Belgrano, la conducta partidaria al fijar:

[...] la Unión Cívica Radical desea un gobierno provisional estabilizado para que pueda cumplir serenamente con su cometido. En consecuencia, no hemos hecho nosotros planteos de divergencias que mantenemos con actitudes y decisiones del gobierno, porque no deseamos obstaculizar el cumplimiento de sus finalidades fundamentales que son las de restablecer las condiciones de democracia y libertad dentro del país.

[...] el gobierno no debe tomar medidas de fondo que puedan alterar las estructuras políticas, económicas, sociales, culturales o la posición internacional de la República. Y ello es así, porque corresponden estas decisiones a los poderes constitucionales argentinos libremente elegidos. [...]

El radicalismo no tiene urgencias electorales, pero el país sabe que se están creando dentro del pueblo, tensiones de carácter político y social, y que esas tensiones desaparecerán en gran medida si el gobierno expresa una decisión definitiva que encauce a la República por las normas de carácter constitucional. [...] Nosotros respetamos profundamente a los ciudadanos que militan en otros partidos, pero declaramos que nuestro partido no entrará en acuerdos ni en coaliciones de carácter político que conducen, en definitiva, a la renuncia de los ideales de unos y otros.

Finalmente, fijó en esta disertación lo que sería la razón de su trayectoria pública:

Si el pueblo argentino nos entrega a través del voto, la responsabilidad de ejercer el gobierno dentro de la República, de ninguna manera realizaremos un gobierno partidista. Apelaremos a la voluntad de todos los argentinos y solicitaremos la colaboración de cuantos coincidan con nuestras orientaciones, aunque no militen en nuestras filas.

No desconocía Frondizi que muchas de las medidas de gobierno generaban situaciones muy perjudiciales para un núcleo importante de la población, y es por ello que, ante el clima de inseguridad social que comenzaba a manifestarse, el 1° de Mayo, día de los trabajadores, habló por Radio Splendid.

Hizo un llamado admonitorio al gobierno reclamando que la movilización de las riquezas no debía realizarse en beneficio de unos pocos, sino del engrandecimiento nacional porque, en caso contrario, los actos de desesperación podían traer muy malas consecuencias en ese mundo desigual e inequitativo. En contraposición, insistió en el programa del partido, que ofrecía la aplicación de medidas viables para superar la crisis. Había que detener los despidos e inhabilitaciones, el confinamiento de dirigentes gremiales, las intervenciones de los gremios y aumentar los salarios porque el alza del costo de vida impedía realizar planes de desarrollo.

Pero al mismo tiempo, advirtió a los trabajadores que no debían cometer sabotajes, conspiraciones ni golpes de fuerza. No predicaba resignación frente a las injusticias sino serenidad para hacer valer sus derechos y legítimos intereses, íntimamente ligados al conjunto del proceso democrático argentino.

Las manifestaciones de Frondizi en este mensaje fueron debatidas en el ámbito de la dirigencia sindical y tuvieron como resultado el apoyo total del Movimiento Obrero Peronista.[3]

La Convención Nacional, pese a las discordancias que comenzaban a mellar la identificación de la mayoría, aprobó la conducta del presidente del Comité Nacional, por ajustarse estrictamente al diagnóstico de la situación señalada por el máximo organismo partidario.

El movimiento revolucionario de junio de 1956

El peronismo no se resignaba ante su derrota y una conspiración fue abriendo paso al desborde de las pasiones, en especial, desde la creación de los Comandos Paralelos que ejercían un control real sobre las instituciones armadas, de acuerdo con el principio piramidal y jerárquico de la milicia. El jefe del intento revolucionario o "Movimiento de Recuperación Nacional" fue el general Juan José Valle, con quien colaboraban los generales Miguel Iñiguez y Raúl Tanco.

El plan incluía actos terroristas y el secuestro de prominentes personalidades políticas. El levantamiento, que tenía ramificaciones en el interior del país, se inició a medianoche del 9 de junio. Los rebeldes tomaron el Regimiento 7 de La Tablada y el Cuartel General del Distrito Militar de Santa Rosa en La Pampa, pero fueron rápidamente sofocados porque las autoridades, que contaban con el apoyo de la Fuerza Aérea, estaban al tanto del movimiento.

Las medidas adoptadas contra los sublevados fueron de una dureza no registrada en la historia argentina desde sus intentos de organización. Se proclamó la ley marcial y se decretó que cualquier persona que perturbara el orden público, con armas o sin ellas, sería sometido a juicio sumario. Los fusilamientos de los complotados –27 hombres entre oficiales, suboficiales y civiles– conmovieron a la población. El jefe del movimiento, general Valle, prófugo, se entregó cuando se levantó la pena de muerte pero, no obstante, fue fusilado en la Penitenciaría Nacional, pese a las gestiones realizadas para evitar ese desgraciado hecho. En esos momentos muchos argentinos vieron proyectarse sobre el país la sombra de Dorrego.

Esos episodios provocaron reacciones encontradas en el pueblo y en las organizaciones políticas. La franca adhesión que suscitó en algunos núcleos que no ocultaban el temor de un retorno peronista, contrastaba con la de quienes sostenían que esa violencia enconaba aún más a las posiciones adversas que dividían al país. Esa dualidad de criterios fue visible en el Partido Socialista. Mientras Alfredo Palacios, embajador argentino en Uruguay, amenazaba con alejarse del cargo, Américo Ghioldi sentenciaba: "Se acabó la leche de la clemencia".

Frondizi, enemigo de las luchas y derramamientos de sangre entre hermanos y que había escrito artículos con el seudónimo de Dorrego, debió enfrentar posiciones dispares en su partido. Asumió una actitud personal y fue a entrevistarse con Aramburu para pedir la suspensión de los fusilamientos. Luego explicó que ese impulso respondió a genuinas cualidades humanas. Sobre estos episodios y la actuación que tuvo en ellos, Frondizi señaló:

La falta de comprensión de estas realidades llevó a algunos militantes peronistas a caer en la encerrona del 9 de junio de 1956, a la que puso punto final el lúgubre episodio de los fusilamientos. El odio llegaba a extremos tan críticos que recuerdo haber sido fustigado dentro del Radicalismo, incluso por gente que militaba formalmente en la intransigencia, por las gestiones realizadas para lograr la suspensión de las ejecuciones. Se me acusó de falta de solidaridad con la Revolución y de intención demagógica por cumplir con una misión que, en lo humano, me era impuesta por una convicción de respeto a la vida, a la que he sido invariablemente fiel durante toda mi actuación pública y que en lo político estaba nutrida por mi certeza y la de algunos de mis amigos y colaboradores en el Partido, de que los vientos así desatados no podían dejar de acarrear nuevas y más fuertes tempestades. La violencia, sobre todo cuando es ejercida por el Estado y en forma clandestina, tal el caso de las ejecuciones practicadas, sin juicio ni sumario, es una cizaña y muy difícil de erradicar, que termina por emponzoñarlo todo.[4]

Cena con el general Aramburu
Divergencias entre Frondizi y Balbín

En junio, el gobierno provisional inició consultas con los dirigentes políticos, con el propósito de llegar a una normalización constitucional, planteando la posibilidad de reformar la Constitución de 1853. El general Aramburu, con el deseo de conocer la opinión de Arturo Frondizi y Ricardo Balbín sobre diversos problemas nacionales, invitó a ambos dirigentes de la UCR y a sus esposas, Elena Faggionato de Frondizi y Lía de Balbín, a una cena íntima que se realizaría en la quinta presidencial de Olivos.

Al finalizar la comida, que transcurrió en un ambiente sumamente cordial, el anfitrión y los representantes radicales pasaron al escritorio para celebrar una reunión privada. Interesaba al Presidente recabar informes sobre la actitud que asumiría el partido ante diversas medidas tomadas por el gobierno surgido de la Revolución Libertadora. La inquietud del general Aramburu fue satisfecha por Frondizi quien puntualizó el pensamiento de la máxima dirigencia partidaria.

–General –dijo–, nosotros vamos a prestar todo nuestro apoyo a las medidas que consideremos buenas o positivas para la Nación, pero todas aquéllas que consideremos erróneas, merecerán nuestra crítica.

Ricardo Balbín, su compañero de luchas con quien compartiera la fórmula presidencial de 1951, en actitud tensa y nerviosa respondió a la requisitoria de Aramburu con una aseveración que difería sustancialmente de los conceptos expuestos por Frondizi:

–Mire, general, siempre he estado, en un todo, de acuerdo con Frondizi, pero hoy no comparto su actitud: la Revolución Libertadora terminó con la dictadura de Perón y, en consecuencia, yo le voy a prestar todo mi apoyo público, hagan bien o no las cosas.

Tan dispares apreciaciones planteaban una contradicción, puesto que poco tiempo antes, en la sesión constitutiva del Comité Nacional, el 10 de marzo de 1956, Balbín había manifestado su adhesión sin retaceos a cualquier posición o declaración del presidente de la UCR: "Vaya a todos los despachos del gobierno y trate tranquilo todos los problemas. Sepa que lo respaldaremos firmemente".

Esta discordancia de pareceres entre los dos dirigentes radicales era índice elocuente de que la aparente unidad partidaria llegaba a su fin, ya que tanto una como otra respuesta, señalaban dos líneas definitorias que desencadenarían el proceso irreversible de la escisión del partido.

El criterio profundamente antiperonista de Balbín fue factor que gravitaría notoriamente en la ruptura de la UCR. Cabe señalar que esta cerrada conducta de Balbín terminó en 1972, al producirse la entrevista con Juan D. Perón en la residencia de Gaspar Campos, para culminar en 1974, cuando, en nombre de su partido, "el viejo adversario", despidió "como amigo", los restos de Perón, en el recinto del Congreso Nacional.[5]

Frondizi, el 25 de junio por Radio El Mundo, advirtió que si bien apoyaban el programa de reconstrucción del gobierno provisorio, éste debía presentar un plan político fijando el plazo de su duración, la fecha de los comicios y de la entrega del poder, posponiendo toda reforma de la Constitución que, de realizarse, sería tan vulnerable como la de 1949.

Convocatoria a elecciones

El 6 de julio, en la comida de camaradería de las Fuerzas Armadas, el presidente Aramburu anunció que era "decisión del gobierno de la Revolución, llamar a elecciones en el último trimestre de 1957, fecha en que recién estarán listos los padrones para autoridades nacionales, provinciales y municipales". Expresó, asimismo, que se sancionaría el Estatuto de los Partidos Políticos –lo que tuvo lugar el 16 de octubre– y que se consideraría la redacción de una Ley Electoral. Anunció que se "estudiaría la posibilidad de convocar a una Convención Constituyente para reformar la Constitución Nacional".

El Presidente Provisional declaró que "para estos últimos propósitos el gobierno propicia y espera un amplio debate nacional de todos los sectores de la opinión pública" y terminó su exposición dirigiéndose a sus camaradas de la Marina, Ejército y Aeronáutica: "he hablado en vuestro nombre, comprometiendo también vuestra responsabilidad".

La UCR, al borde de la división

La Unión Cívica Radical se preparó para esas jornadas, y la Junta Nacional del MIR, para contar con una sólida base que les permitiera abordar con solvencia la elección de la fórmula presidencial, realizó una encuesta entre dirigentes de todo el país sobre los nombres de los candidatos que votaría la Convención partidaria. Sobre 600 encuestados, 407 votos fueron para Arturo Frondizi, 2 para Balbín y 180 para la proclamada abstención.

Ante el resultado de la encuesta, Balbín, que sostenía el voto directo de los afiliados, renunció a la Junta Nacional del Movimiento de Intransigencia y Renovación. Como réplica a su actitud, el presidente de ese organismo, Alejandro Gómez le envió el 18 de agosto una carta en la que le recordaba que se había aplicado "el mismo método de consulta y encuesta que, en 1951 usted aceptó y del cual resultó candidato primero de la Intransigencia y después del partido", y lo invitaba a una reunión de la Junta en "la esperanza de que en la reunión común surja la solución que el país anhela".

Pero las posiciones fueron incompatibles y no se llegó a la ambicionada solución.

En setiembre se reunió el Comité Nacional en San Juan para fijar la posición con respecto al anunciado Estatuto de los Partidos Políticos el que, a su parecer, sólo debería contener normas generales de ordenamiento legal, aclarando explícitamente: "debe mantenerse el derecho al uso de cualquier denominación tradicional o no, con los indispensables aditamentos para evitar que se confunda a la opinión pública".

La reforma de la Constitución

El 26 de octubre, ante el pueblo congregado en la plaza principal de la ciudad de Tucumán, el Presidente provisional declaró la decisión de "realizar elecciones nacionales de convencionales constituyentes por el sistema de representación proporcional, apenas queden listos los padrones y con anticipación a las elecciones de autoridades nacionales, provinciales y municipales".

Esta declaración hecha en nombre de la Revolución Libertadora no cumplía con lo anunciado el 6 de julio, de realizar un amplio debate nacional sobre la necesidad de la reforma constitucional ni con la decisión de llamar a elecciones en el último trimestre de 1957.

La Convención Nacional de la Unión Cívica Radical, que había sostenido que las reformas constitucionales debían hacerse después de alcanzada la normalidad institucional, tendría que enfocar esa nueva situación en la reunión programada para el 9 de noviembre en la ciudad de Tucumán.

La Convención Nacional de Tucumán

La Comisión Nacional se reunió en el Hotel Savoy de la ciudad de Tucumán los días 9 a 12 de noviembre de 1956. Se inició con la asistencia de 121 convencionales bajo la presidencia de Ismael Amit, vicepresidente 1° del organismo. Las sesiones transcurrieron en un ambiente de fervor y gran responsabilidad.

La Convención se abocó a la consideración de los proyectos de reforma de la Carta Orgánica, uno de los cuales, presentado por los convencionales balbinistas y sabattinistas, reclamaba la elección de la fórmula presidencial por el voto directo de los afiliados. Se resolvió designar una comisión especial para su estudio y, en lo referente al Programa partidario, declaró vigente la plataforma electoral votada en agosto de 1951 y ratificada en febrero de 1954.

Se aprobaron declaraciones sobre arrendamientos rurales, defensa de la libertad, problemas internacionales, la mujer en la política, el petróleo argentino y el federalismo.

La Convención sesionó con quórum holgado: sobre el total de convencionales que integraban el cuerpo, 213, se habían reunido 204, todos del Movimiento de Intransigencia y Renovación, faltando los de Catamarca y Salta, distritos en proceso de reorganización.

POSICIÓN ANTE LA REFORMA DE LA CONSTITUCIÓN

En el transcurso de las deliberaciones iniciadas en las últimas horas del domingo 11 que se prolongaron hasta las 5.45 del lunes, se produjo despacho sobre la anunciada reforma de la Constitución Nacional, declarando:

[...] el Poder Constituyente reside en el pueblo y sólo el Congreso como órgano representativo del pueblo y de las provincias, tiene la potestad de promover la reforma de la Constitución conforme al artículo 30 de la misma, que tal facultad no puede ser ejercitada por el actual gobierno, que ha asumido el poder político por elección y a nombre de las Fuerzas Armadas, según lo ha reconocido reiteradamente el Señor Presidente Provisional; que en las actuales circunstancias la interferencia de una convocatoria a elecciones de constituyentes perturbaría y retardaría el proceso de normalización política y de pacificación social que el pueblo reclama y que el gobierno se ha comprometido a realizar; que dicha convocatoria, en la que están ostensiblemente interesadas las minorías representativas del privilegio y de intereses antinacionales, podría conducir al país a una situación política de consecuencias inciertas y riesgosas.

Por todo ello, la Convención resolvió demandar:

[...] que se desista de la proyectada reforma constitucional y advierte que en caso de concretarse el propósito enunciado, concurrirá a la Convención Reformadora movida por la determinación de incorporar a la Ley Suprema de la Nación, las reivindicaciones políticas, económicas, sociales y culturales que integran su programa y constituyen la base insustituible de la democracia y la libertad.

LA CANDIDATURA PRESIDENCIAL

El Cuerpo procedió luego a elegir la fórmula presidencial conforme a lo estipulado por la Carta Orgánica.

Frondizi no descansaba en su afán por acercar a los distintos sectores; preocupado por dar una imagen de trabajo en conjunto dentro de la Unión Cívica Radical, no quiso enjuiciar la acción disolvente de hombres con valores y grandeza, pero también con debilidades y mediocridades.

Pese a que la Convención decidió reeditar el procedimiento abordado en 1951 cuando se proclamó la candidatura de Balbín, el dirigente bonaerense y sus partidarios plantearon la invalidez de dicho procedimiento e hicieron pública crítica del mismo, exigiendo la realización de comicios internos con el voto directo de los afiliados. Esta posición, que tendía a bloquear la candidatura de Frondizi, contaba con el apoyo de los medios oficiales interesados en neutralizar la fuerza de la mayoría de la Convención.

Una razón de peso los mantenía firmes en esa tesitura; el padrón de la provincia de Buenos Aires excedía en su volumen al del resto del país, lo que les otorgaba una enorme ventaja en caso de aplicar el voto directo, máxime al contar con el apoyo del distrito Córdoba.

La sesión fue breve, pero tensa; al no aprobarse la propuesta de Balbín sobre el voto directo, sus postulantes se retiraron, actitud que sería definitiva dentro del partido.

La elección fue hecha por votación secreta; comenzó a las 23.40 y terminó a las 0.45 del lunes 12 de noviembre.

El nombre de Frondizi no tuvo oposición; fue proclamado candidato a presidente de la Nación, por el voto unánime, por aclamación, de los 136 convencionales.

Frondizi llegó a esa nominación con un gran prestigio nacional, respaldado por su obra política. Era la voz más escuchada en todo el ámbito del país y a quien con más fuerza atacaban los detractores, porque su concepción del mundo del futuro comenzaba a disgustar a algunos factores de poder enquistados en la dirigencia argentina.

En cuanto a la vicepresidencia, reclamó reuniones y consultas hasta llegar a su aprobación.

En los análisis previos, se especulaba con lograr la participación de Crisólogo Larralde, quien había manifestado a Frondizi su deseo de integrar la fórmula presidencial. Este dirigente, que era una de las figuras con más arraigo entre la juventud, se caracterizaba por no haber ambicionado funciones electivas o dignidades públicas. En vísperas de la reunión de la Convención en Tucumán, visitó a Frondizi en su casa de la calle Rivadavia, y le expresó:

–Doctor Frondizi, usted sabe que yo nunca quise tener candidaturas o cargos públicos, pero ahora tengo una aspiración, la de ser candidato a vicepresidente completando la fórmula que usted va a encabezar.

Frondizi respondió que estaba totalmente de acuerdo y creía que la Convención iba a votar por unanimidad su candidatura a la vicepresidencia de la Nación.[6]

Francisco Hipólito Uzal, activo participante en esos acontecimientos, opinó:

> [...] la fórmula Frondizi-Larralde, además de la fuerza formidable que involucraba en sí misma, resolvía de hecho el conflicto latente por la candidatura presidencial; al integrarla Crisólogo Larralde quedaba descartado el nombre de Balbín, pues un solo distrito no podía acaparar los dos términos.

A pesar del aval de Frondizi a su candidatura, las críticas circunstancias que ya presagiaban el cisma partidario y su activa militancia junto a Balbín frustraron la designación de Larralde.

Se mencionó entonces a Donato del Carril, en esa época embajador en Rusia, quien rechazó la nominación por motivos éticos. Consideraba que, por haber sido uno de los primeros en proponer la candidatura presidencial de Frondizi, si aceptaba integrar la fórmula su actitud podía despertar suspicacias y, además, los antiguos lazos afectivos que lo unían con Balbín, le creaban cuestionamientos de carácter íntimo. No obstante, mantuvo su lealtad hacia Frondizi, en cuyo gobierno se desempeñó como ministro de Economía y embajador en los Estados Unidos.

En francas conversaciones, Frondizi comentó a quien esto escribe, que la presencia de Del Carril hubiese resguardado a su gobierno de los ataques de algunos núcleos militares, y que siempre lamentó la ausencia de su amigo en la fórmula presidencial.

Emergieron luego, con posibilidades, dos nombres: Luis Mac Kay y Héctor Noblía. Mac Kay, entrerriano de Gualeguaychú, con sus firmes convicciones católicas, era el hombre indicado para neutralizar la propaganda que atribuía a Frondizi tendencias comunizantes. Noblía, representante de la provincia de Buenos Aires, provenía del sector que había liderado Moisés Lebensohn, y se lo consideraba adscripto a un pensamiento progresista.

En la Convención, las sucesivas votaciones no lograron los sufragios necesarios para ninguno de los dos precandidatos.

Surgió entonces inesperadamente, por iniciativa del bloque de Santa Fe, el nombre de Alejandro Gómez. Gómez era un dirigente de esa provincia litoraleña y uno de los primeros en colaborar en la formación del Movimiento de Intransigencia y Renovación.

David Blejer nos brindó su opinión sobre esa postulación:

> Llegó a la candidatura de vicepresidente por mera casualidad, en contra de la opinión de la mayoría de los convencionales, incluso los de su provincia.

Pero en la Intransigencia de Santa Fe se había dado una situación particular que descolocó a todos los dirigentes y enturbió sus planes estratégicos. Ello fue la incorporación al Movimiento del doctor Silvestre Begnis, que venía del Unionismo pero con un prestigio personal y profesional tan arrollador que por unanimidad fue consagrado candidato a gobernador. Con muchas dificultades los dirigentes santafesinos, agobiados además por una división interna que obligaba a un permanente equilibrio entre norteños y sureños, armaron la lista de candidatos, en la que no cabía Alejandro Gómez. Resolvieron entonces sostener su candidatura a vicepresidente de la Nación en el seno de la Convención Nacional. Lo hicieron no porque creyeran que Gómez era el candidato indicado, muy al contrario, sino para resolver el problema provincial. Pero de este compromiso no pudieron apearse nunca.

> En las sucesivas votaciones de la Convención Nacional, cuyo candidato mayoritario era Mac Kay, sin alcanzar la mayoría absoluta, los santafesinos votaron siempre por Gómez a pesar de la mayoría incontrastable que en el grupo opositor a Mac Kay tenía Noblía. Fue así como al final y casi por fatiga, los partidarios de Noblía, de Del Mazo, Zanichelli y Gelsi votaron junto con los santafesinos por Alejandro Gómez, sin que nadie creyera en él. Fue casi instantáneo el arrepentimiento de quienes, cegados por pasiones mezquinas, impidieron el acceso de Luis Mac Kay a la fórmula que hubiera sido así una fórmula solidaria.

Gómez obtuvo 131 votos; los cinco restantes fueron para Luis Mac Kay.

Discurso programático

Visiblemente emocionado, Frondizi hizo uso de la palabra tras la proclamación de la fórmula Arturo Frondizi-Alejandro Gómez, en el teatro "Alberdi". Su discurso contenía los que consideraba conceptos básicos para lograr la reconstrucción nacional, con la fijación de directrices ideológicas que definían los profundos cambios en el alineamiento de las corrientes en pugna.

Planteaba con sus palabras el gran debate que culminaría con la división partidaria en 1957:

-- Propiciar el reencuentro de los argentinos "sin odio ni miedo":

[...] porque el ser humano que vive en esta tierra, necesita liberarse del odio y del miedo para que le renazcan en plenitud, la confianza y la esperanza [...] que le permitirán construir con optimismo el futuro que el país necesita.

– Asegurar la moral y la libertad:

El Radicalismo quiere asegurar en el país moral en la vida pública y moral en la vida privada, porque para nosotros no existen dos morales sino una sola concepción ética que nos obliga a la misma conducta en la intimidad de nuestro hogar, en la calle, en la plaza o en la acción pública. Queremos esta moral y esta libertad como base permanente de la convivencia argentina y afirmamos la necesidad de que funcione plenamente el sistema institucional que consagra nuestra Constitución.

– Preservar una economía de abundancia:

Queremos una economía integral que parta del desarrollo de los recursos agropecuarios, que se preocupe de la extracción de las riquezas del subsuelo, a través de una política minera que sirva los intereses del país y del pueblo y que esté integrado por un vasto desarrollo de la industria. Entonces, agro, minería e industria, serán la base del desarrollo material de la República.

– Elevar el nivel de vida:

Afirmamos el derecho de todos los argentinos a un trabajo bien remunerado, lo que implica plena ocupación para la plena producción y salario vital mínimo y móvil porque quien trabaja tiene el derecho de poder vivir él y su familia con dignidad [...]
Aseguramos libertad sindical y derecho de huelga y les decimos que coincidimos con sus planteamientos de un poderoso sindicato para cada una de las ramas de la producción. Queremos también una sola y gran central obrera [...]
Queremos que todos los argentinos sin restricción de clases sociales tengan acceso a todas las fuentes de la cultura [...] El Radicalismo afirma la necesidad de la instrucción gratuita en todos los ciclos y la necesidad de formar los técnicos y los obreros especializados que el país necesita en este vasto plan de construcción argentina... y postula la completa libertad para todas las manifestaciones espirituales.

– Fuerzas Armadas y Defensa Nacional:

[...] el país no debe abandonar el concepto de defensa nacional. [...] El concepto de defensa nacional abarca los aspectos militares y también conceptos económicos, sociales y políticos que nos llevan a hacer la afirmación de concepto integral de nuestra defensa nacional. [...]
Las Fuerzas Armadas [...] tendrán los recursos necesarios para mantener un alto nivel técnico porque [...] sin una fuerza armada técnicamente bien equipada, no existe la posibilidad de una política internacional propia ni de una profunda política de transformación económica y social.

– Política Internacional:

En lo internacional nos interesa fundamentalmente el mantenimiento de la defensa de la libertad de todos los pueblos, de los principios de democracia y de autoabastecimiento [...] Queremos que Argentina mantenga relaciones con todas las naciones del mundo. Queremos el principio de cooperación económica y del comercio con todo el mundo...

Sin fecha precisa sobre las elecciones nacionales, la Unión Cívica Radical presentaba ante el país una fórmula presidencial y un programa. La lucha política excedía, a partir de noviembre de 1956, los límites partidarios para proyectarse en todo el país, con el propósito de aglutinar a su alrededor fuerzas dispares en un proceso de reconstrucción nacional.

El cisma radical

Frondizi, desde su proclamación, anteponía su lema "no atacaremos ni nos defenderemos", en su deseo de resguardar la unidad partidaria. Crisólogo Larralde, pese a no haber aceptado la candidatura que le ofrecieran los convencionales, inició tratativas para evitar la escisión, instigada desde una prensa comprometida que resaltaba con marcados titulares cada manifestación denegatoria hacia la fórmula Frondizi-Gómez.

Los unionistas, convertidos ya en férreos enemigos de la intransigente Convención, convocaron a la Junta Nacional del núcleo Unidad e iniciaron gestiones para obtener la personería de un nuevo partido.

El 18 de diciembre se constituyó el Comité Nacional del Unionismo, presidido por Miguel Angel Zavala Ortiz, respaldado por la decisión de un juez nacional que denegó al Comité Nacional de la UCR detentar la exclusividad de la sigla partidaria.

Balbín desacató la proclamación de Frondizi y renunció al Comité Nacional de la Unión Cívica Radical el 25 de enero de 1957, remarcando su adhesión sin retaceos al programa del gobierno.

El 30 de enero de 1957, el Comité Provincia de Buenos Aires de la Unión Cívica Radical, donde los balbinistas eran mayoría, tomó la decisión de decretar la ruptura del partido. Durante la reunión, Ricardo Balbín declaró: "Los que servimos con lealtad al radicalismo, sabemos cómo duele el paso que hemos dado". Pero lo cierto es que con ese paso se inició una nueva etapa de encrespamiento de los conflictos. No se apeló al diálogo por encima de la intolerancia, para lograr acuerdos sustantivos. Las pasiones impidieron que un franco debate evitara la separación de un partido de indiscutida tradición en nuestra nación.

Poco después, los comités provinciales de Córdoba, Santiago del Estero y Chaco, sabattinistas, adoptaron la misma resolución, a la que adhirieron también los comités unionistas de Santa Fe, Entre Ríos y Capital.

Cuatro sectores disidentes –balbinistas, sabattinistas, unionistas y rabanalistas– pudieron constituir un Comité Nacional presidido por Crisólogo Larralde.

Oscar Alende, a cargo de la presidencia del Comité Nacional, intervino esos distritos, pero el cisma ya se había concretado.

El gobierno, pocos días antes, al renovar su gabinete incorporó a notorias figuras del balbinismo, como Carlos Alconada Aramburú y Acdeel Salas. Aunque no se expresara de manera explícita, era manifiesta la simpatía con que las autoridades nacionales veían ese nuevo nucleamiento de los radicales.

El unionismo endureció su posición antifrondicista más que los intransigentes, a muchos de los cuales aún costaba cortar de raíz y censurar principios que habían compartido hasta hacía unos meses.

El mensaje a "veinte millones de argentinos"

Frondizi, por su parte, no dejaba de repetir ideas que sostenía desde un cuarto de siglo, con la esperanza de traducirlas en hechos. En un mensaje dirigido a "veinte millones de argentinos", el 9 de febrero de 1957, se refirió a la crisis que afectaba al radicalismo, para esclarecer ante la ciudadanía, las situaciones de hecho que amenazaban la estabilidad de la Unión Cívica Radical.

> La reciente segregación de algunos sectores del Partido es definitiva e irreconciliable.

No se trataba de hombres ni de ambiciones:

> No hay ni en los que se van ni en nosotros. Tampoco están en discusión aspectos reglamentarios o formales [...] como en otros momentos decisivos del Radicalismo y del país, se debaten en esta crisis interna problemas de fondo.

Lamentó que en la segregación, además de los unionistas, "herederos directos de los antipersonalistas", figuraran "sectores de la Intransigencia":

Hombres que fueron mis compañeros de lucha y con quienes compartí muchas horas de adversidad. Lamento profundamente ver que se alejan, pero mi corazón y mi pensamiento están ahora, como ayer y como siempre, al servicio de una causa más alta que el afecto personal.

Dio el perfil exacto de la división al decir:

El país comprenderá ahora por qué esta crisis es definitiva: somos dos cosas distintas. Hablamos dos idiomas, sentimos dos pasiones diferentes.

Advirtió que podía apelarse a una intervención oficial a la UCR para urdir "una reorganización a espaldas del pueblo radical".

Explicó que, ante la opción planteada prefería seguir el programa del partido apoyado esencialmente por la juventud.

De haberlo querido, pude haber sido el candidato de todas aquellas fracciones. Me hubiera bastado apoyar incondicionalmente al gobierno y postergar el planteo de los postulados económicos y sociales de inevitables consecuencias oligárquicas y antinacionales. Me hubiera bastado no pedir amnistía ni criticar las medidas represivas y antidemocráticas de ciertos sectores revolucionarios; ni reclamar el inmediato retorno a la normalidad y la convocatoria a elecciones. En otras palabras, debía traicionar el programa del Partido y alzarme contra el claro mandato que me ha conferido el pueblo radical.

Porque sostengo este programa y estas ideas, se me combate y se pretende cerrar el camino de la Unión Cívica Radical. Me llaman fascista, nazi y comunista. No lo he sido nunca, no lo soy, ni lo seré jamás [...] no haré ataques personales ni me defenderé. No he de transformarme en empresario de odios. Seguiré cumpliendo con mi deber...

Y ofreció "el programa nacional y popular destinado a los veinte millones de argentinos".

Constaba de doce puntos en los que hacía referencia a la posición del partido en cuanto a integración económica; libertad plena cultural, laboral, protección del salario real de los trabajadores; apoyo técnico a las Fuerzas Armadas, política internacional independiente, fijados en su discurso de proclamación del 12 de noviembre.

Terminó su disertación recordando a figuras que por servir a la causa del pueblo, habían sufrido los peores embates, Alem, Lisandro de la Torre, Hipólito Yrigoyen, y pronunció una frase que se hizo proverbial: "no me suicidaré, no me iré del país, ni cederé".

La Unión Cívica Radical Intransigente

En el mes de marzo se planteó la validez de los nombres que correspondían a las dos agrupaciones. Con un aditamento al nombre partidario nacieron la Unión Cívica Radical Intransigente (UCRI) y la Unión Cívica Radical del Pueblo (UCRP).

> Así comienza un acelerado proceso de diferenciación en el radicalismo y surge la nueva intransigencia, que toma en sus manos la construcción del frente nacional.[7]

A partir de esa redefinición de categorías políticas opuestas, la palabra integración comenzó a expresar la constante preocupación de la UCRI, frente a las contradicciones sociales que presentaba la realidad. Su plan aglutinó un mosaico ideológico en torno de Frondizi, que se comprometió a adoptar sus sólidos principios y mantenerse en ellos. Se multiplicaron los centros políticos desde La Quiaca hasta Tierra del Fuego. Se superaban diferencias ideológicas o tácticas para acompañar la idea motriz del desarrollo propugnado por Frondizi. Su grupo generacional, la juventud, la clase media y trabajadora radical, empresarios, universitarios, artistas, adscribieron a su programa sin condiciones.

Apoyos partidarios
El grupo Alem

Desde fines de 1956 había comenzado a colaborar con Frondizi un grupo de jóvenes que realizaban tareas en el Comité Nacional y que luego continuaron su activa participación propagandística desde un local en Avenida Leandro N. Alem al 500. Se constituyó así el grupo Alem, con Nicolás Babini, Noé Jitrik, Félix Luna, Eduardo Zanoni, Ismael Viñas, Néstor Grancelli, Juan Ovidio Zavala y Ariel Ramírez, entre otros.

Agiles, talentosos, intelectuales, tuvieron a su cargo la redacción de artículos, boletines, afiches y la organización de actos propagandísticos, en especial, el de la proclamación de la fórmula en la Capital Federal. Este se realizó en Plaza Once el día 5 de abril de 1957 y congregó a una verdadera multitud.

Refiere Nicolás Babini:

> Nuestros cerebros publicitarios inventaron una fórmula mural, "El 5 en 11", que tuvo enorme fortuna pero no logró disuadir a la Providencia. A poco de inicia-

do el acto, que había congregado a una multitud, se desató un diluvio que la dispersó en pocos minutos, pese a los esfuerzos de Oscar Alende que, sorprendido en el uso de la palabra, se desgañitó profetizando que eran "sólo cuatro gotas". El gotero debió ser cósmico porque apenas nos salvamos de perecer todos ahogados. Como dato curioso agregaré que fue, además, el único sitio de la ciudad donde llovió.[8]

Los apoyos extrapartidarios
Rogelio Frigerio

La estructura política impulsora del cambio generada por la palabra de Frondizi, fue el punto de encuentro y de fusión entre representantes de diferentes tendencias que se acercaron al dirigente, para expresarle su pleno apoyo en la campaña electoral.

> En medio de ese trajín –dice Frondizi– lo conocí a Rogelio Frigerio. Nos reunió un entrañable amigo común, Narciso Machinandiarena y el encuentro tuvo lugar en casa de la hermana de éste, Delia Machinandiarena de Jaramillo, viuda de quien fuera el primer director de la revista *Qué!*, de efímera vida en los años iniciales del peronismo. Fue en una calurosa tarde de enero de 1956 y si alguien me pidiera que fijase una fecha de nacimiento del desarrollismo, indudablemente citaría ese día [...] La sólida formación científica de Frigerio, en cuya personalidad se aúnan en rara combinación una apasionada vocación nacional con una imperturbable disciplina intelectual, aportó los fundamentos de un método de interpretación de la realidad, bajo cuyo prisma fuimos inventariando la situación del país, sus necesidades y sus posibilidades.[9]

Frigerio fue un hombre de negocios que se incorporó al movimiento frondizista sin tener militancia activa anterior.

> Habíamos advertido –dice– que el doctor Frondizi estaba en condiciones de presidir una reformulación política profunda, a pesar de que el país entonces estaba desgarrado por el enfrentamiento –aparentemente insuperable– entre peronismo y antiperonismo. Tomar contacto con él fue un objetivo inmediato.
> Desde nuestro primer encuentro las coincidencias surgieron con naturalidad. Más que tener inicialmente las mismas ideas, lo que nos permitió empezar a trabajar juntos fue admitir ambos que los problemas podían desmenuzarse buscando lo realmente esencial que estaba en juego y debía desenvolverse o modificarse. La fidelidad a ese método nos permitió –por encima de todas las contingencias, intrigas y presiones– trabajar juntos durante más de tres décadas.[10]

La revista *Qué!* fue la tribuna impulsora de su pujante colaboración: con él trabajaban Marcos Merchensky e Isidro Odena, que venían del socialismo; Raúl Scalabrini Ortiz y Arturo Jauretche, que llegaban desde el peronismo, y antiguos nacionalistas, empresarios y algunos jóvenes "que comenzaban a entender que la ruta de la resolución nacional no pasa por el izquierdismo declamatorio y libresco, sino por el permanente cotejo en la realidad", como opinó Arturo Frondizi.

En la calle Luis María Campos se constituyó ese equipo de investigación de relieve intelectual, al que se sumaron figuras significativas como Dardo Cúneo, Eduardo Calamaro, Mariano Montemayor y Ramón Prieto.

Frondizi, el 3 de febrero de 1958, explicó la importancia de la incorporación de estos grupos extrapartidarios que coadyuvaban a difundir los principios de la UCRI, en una abierta y manifiesta compenetración conceptual.

> Hemos recibido la adhesión individual o colectiva, de ciudadanos de diversos sectores y de activos militantes políticos, que no son radicales intransigentes. [...] Hombres de reconocida militancia católica han hecho público su apoyo a nuestra candidatura sin comprometer a la Iglesia, que está por encima de los partidos políticos, aunque también tenga y manifieste preocupación por los problemas nacionales. Estos ciudadanos han resuelto apoyar, en esta hora decisiva, a la UCRI, porque comparten las posiciones radicales intransigentes en materia de afirmación moral, convivencia política, concepción de la familia y orientación educacional, porque brinda las mejores posibilidades de respeto y de aplicación de sus propios ideales de bien común y de grandeza nacional.

La Convención Constituyente de 1957

El gobierno provisional, en contradicción con lo establecido el 6 de julio de 1956, planteó una nueva agenda electoral. El 17 de octubre dio a conocer el Estatuto de los Partidos Políticos y, pocos días más tarde, el 26 del mismo mes, anunció su decisión irrevocable de realizar elecciones nacionales de convencionales constituyentes, por el sistema de representación proporcional, para reformar la Constitución de 1853.

La Convención Nacional del Radicalismo se expidió sobre esa convocatoria y Frondizi, como candidato a la presidencia de la República, en junio de 1957 explicó ampliamente el pensamiento intransigente:

> Todo paso dado fuera del artículo 30, es un paso hacia la ilegalidad. Cuando la convocatoria es inválida, inválidas son también la Convención Constituyente y las normas que de ella emanen.

"Se niega a una gran parte de la ciudadanía el derecho de elegir a quien quiera", dijo, y puso su acento en la falta del clima democrático necesario para efectuar tan importantes modificaciones.

A treinta días de las elecciones no se ha levantado el estado de sitio, un partido que cuenta con el apoyo de importantes sectores populares se encuentra proscripto, con gran parte de sus dirigentes presos, exiliados o inhabilitados. El país no puede reformar su Constitución en este ambiente de violencia y de revancha que muchos sectores oficialistas estimulan en lugar de apaciguar.[11]

Frente a esa situación, la UCRI resolvió concurrir a los comicios para sostener cuestiones de fondo:

1- Presentarse con candidatos propios para evitar que los partidos oficialistas dominen la Asamblea e impongan una Constitución contraria a los intereses de la Nación.
2- Los convencionales intransigentes llevarían el mandato de dejar sin efecto la convocatoria.
3- Se reclamarían comicios generales con el sistema de la Ley Sáenz Peña.

Los juristas de la UCRI analizaban los aspectos legales de la convocatoria, denegando al gobierno provisional la potestad iniciadora de la reforma basada en "poderes revolucionarios" no prescriptos en la Carta Magna.

El voto en blanco

En medio del ajetreo político, comenzó una amplia campaña publicitaria en favor del voto en blanco, resaltando la actitud del gobierno en favor de la Unión Cívica Radical del Pueblo, a la que estimaba, premonitoriamente, como ganadora.

El votoblanquismo restaba posibilidades a los sectores opositores; de allí que la UCRI efectuó denuncias en torno de la maquinación oficial e intentó persuadir al elector peronista de que la mejor manera de oponerse al gobierno era con el voto positivo.

Comprendo bien la actitud de muchos miles de argentinos que quieren votar en blanco como acto de protesta contra la disolución de su partido y la prisión e inhabilitación de sus dirigentes. Pero [...] un voto en blanco es un fusil descargado: es renunciar a la lucha y dejar el campo libre al enemigo.[12]

No sólo propiciaba el voto en blanco el oficialismo, sino también la dirigencia proscripta que, con fines especulativos difundía órdenes imprecisas atribuidas a Perón, grabadas en discos en los que anunciaba su presumible arribo al país, en un supuesto y hasta risueño avión de color negro.

La Asamblea Constituyente

Así se llegó al 28 de julio de 1957. Los resultados de esta elección piloto, especie de test implementado desde el gobierno para pulsar la distribución política del país, arrojaron un dictamen desfavorable al proyecto oficialista, porque la UCRP no logró una aplastante mayoría. La paridad de votos dejó a un lado especulaciones previas ya que ninguna de las agrupaciones políticas logró pluralidad absoluta.

La UCRP tuvo el 24,2%, con 2.106.524 sufragios; la UCRI, el 21,3%, con 1.847.603, y los 2.115.861 de votos en blanco representaban el 24,3%. Los socialistas lograron el 6% y los demócratas cristianos, el 4,8%.

Estos guarismos acordaron la estrategia a emplear en la campaña presidencial, y el caudal de votos en blanco acentuó en los partidos el interés por atraer a esa masa compacta y mayoritaria.[13]

Reunida la Asamblea Constituyente en la ciudad de Santa Fe, inició sus sesiones el 30 de agosto con 75 bancas para la UCRP y 77 para la UCRI; la representación de otras agrupaciones completó el número de 210 convencionales.

La delegación intransigente presidida por Oscar Alende, el 20 de agosto, en base a lo establecido por el partido, impugnó la legitimidad de la Convención y se retiró poniendo en peligro el quórum.

En esas condiciones, se declaró la nulidad de la reforma de 1949, y el 26 de octubre se incorporó al texto el artículo 14 bis con los derechos sociales, y la facultad de dictar los códigos de aeronáutica y minería al artículo 67 inciso 11.

Poco después asumieron igual actitud que la UCRI los sabattinistas, por entender que no era el momento propicio para reformar la Constitución y, por último, se retiraron los conservadores, alterados por la forma caótica en que se desarrollaba la Asamblea.

Ante estas vicisitudes, la Asamblea Constituyente dio por concluidas sus sesiones el 14 de noviembre de 1957.

Años más tarde Frondizi efectuó un análisis de la Asamblea y de la actuación que cupo en ella a su partido:

El mandato fue fielmente cumplido, aunque no se pudo concretar la impugnación, pues una maniobra de los restantes grupos políticos impidió el discurso del presidente del bloque de la UCRI. Nuestros convencionales, que estaban en permanente contacto conmigo, resolvieron retirarse para no convalidar con su presencia el manejo que se intentaría de esa Asamblea. Desde ese momento la Convención quedó herida de muerte. La escenografía montada por el gobierno para darle oxígeno a su operativo, con transmisión radial de las sesiones y un vasto operativo de los medios de comunicación resultó, a la postre, un tiro por la culata. A poco andar estallaron las contradicciones entre los diversos grupos representados y un primer retiro del bloque conservador fue seguido por el abandono de las deliberaciones del grupo sabattinista de la UCRP con lo cual la Asamblea quedó sin quórum. Sólo pudo votar un publicitado agregado al artículo 14 de la Constitución que incluyó, entre otras cosas, la garantía constitucional del derecho de huelga, una medida supuestamente progresista que en realidad sólo mostraba el ánimo juridicista y formalista de quienes la proyectaron.[14]

Divergencias en el seno del gobierno

Dentro del gobierno provisional se movieron distintos grupos con el intento de obstaculizar la firme presencia de Frondizi en el convulsionado quehacer político.

Las Fuerzas Armadas se encontraban divididas frente al tema político en tres corrientes bien definidas, a las que el ingenio periodístico designó como quedantista, continuista y juegolimpista. Los quedantistas querían, lisa y llanamente, dilatar el llamado a elecciones hasta las calendas griegas, mientras ejecutaban con fría determinación el plan de desmantelamiento de la economía y de destrucción de los bastiones defensivos de lo nacional; los continuistas optaban por una estrategia más sutil: amañar la elección de forma de obtener el triunfo de una candidatura que prolongara constitucionalmente la Revolución Libertadora; los juegolimpistas, por su parte, se definían por el respeto a la palabra empeñada y la prescindencia del gobierno en la contienda electoral.[15]

Se trazaron diversas hipótesis e iniciativas; entre éstas figuró un supuesto Plan Cangallo, atribuido a la Marina, que se conoció alrededor del 27 de octubre de 1956, y cuyo objetivo era impedir a toda costa la Convención Radical a reunirse en Tucumán el 9 de noviembre, donde Frondizi tenía todas las posibilidades de ser consagrado como candidato presidencial.

Se creaba una situación difícil entre las tres armas, que generaba enfrentamientos entre la Marina y la Fuerza Aérea y el Ejército. Oficiales nacionalistas del Ejército atribuyeron decisiones hegemónicas a la Marina, que en su mayoría no compartía la línea de Frondizi y se inclinaba por la convocatoria de la Constituyente, previa a las elecciones generales.

Los problemas internos comenzaban a afectar la pública unidad de los integrantes del gobierno. Varios intentos de copamiento del mando llegaron hasta el pedido de renuncia de Aramburu y la toma del poder por Rojas, pero fracasaron al conocer las autoridades los pormenores de esas crisis en el ámbito de las Fuerzas Armadas.

Se aplicaron medidas contra militares nacionalistas que defendían las tradiciones del ejército, con el relevo de jefes y el traslado a bases secundarias del interior del país, y se ratificaron los poderes de la Junta Militar.

Los cambios en el gabinete tendieron a implementar, por parte de Aramburu y Rojas, el plan político que se cumplió con la reunión de la Asamblea Constituyente y la promulgación del decreto que llamaba a elecciones generales para el 23 de febrero de 1958. Con este último se afirmó la posición del sector que propiciaba el libre juego electoral. Quedaba así abierto el camino para que los partidos iniciasen sus campañas en un lapso que se preveía conflictivo.

La campaña presidencial

Los partidos políticos comenzaron a aglutinar sus fuerzas para enfrentar las responsabilidades de la contienda electoral y exponer los principios que sostendrían ante la posibilidad de ascender al gobierno.

La Unión Cívica Radical del Pueblo proclamó como candidato presidencial a Ricardo Balbín, cuya conducta y antecedentes le permitían gozar del reconocimiento de un importante núcleo cívico que se caracterizaba por su ferviente oposición al peronismo. Lo acompañaba como aspirante a la vicepresidencia el doctor Santiago del Castillo, del riñón sabattinista.

El Partido Socialista impuso la fórmula de dos figuras de indudable prestigio, los doctores Alfredo Palacios y Carlos Sánchez Viamonte; el Conservadorismo se presentó con el binomio Reynaldo Pastor y Aberg Cobo; un grupo escindido constituyó el Partido Conservador, avalando al doctor Vicente Solano Lima, y el Partido Demócrata presentó a Héctor González Iramain-Carlos Aguinaga.

Los doctores Lucas Ayarragaray y Horacio Sueldo se presentaron respaldados por la Democracia Cristiana, y los demócratas progresistas aportaron al comicio las figuras de Luciano Molinas y Horacio Thedy. El Partido Cívico Independiente, creado por el ingeniero Alvaro Alsogaray, se presentó con Juan B. Peña y Ana Z. de Goyeneche. Los candidatos eran figuras de reconocido prestigio que se habían destacado en sus áreas específicas de acción, la política, la justicia y la universidad.

La UCRI había sido la primera en ofrecer una fórmula con el respaldo de un programa y de los organismos partidarios. Frondizi-Gómez podían enfrentar esa contingencia política con una estrategia preelectoral que se ajustaba a un esquema definido en torno de sus premisas que resumían el tono de la campaña proselitista: superar las antinomias, integrar la Nación y desarrollar sus fuerzas productivas.

Cuestionamientos a la política integracionista

Pero el inesperado contraste del 28 de julio de 1957 que había relegado a la UCRI al tercer lugar, provocó reacciones adversas en algunos militantes que reclamaban "un retorno a las fuentes" y una crítica revisión del esquema propagandístico, para llegar con posibilidades de éxito al llamado electoral del 23 de febrero.

Comenzó a cuestionarse la propuesta integracionista, que podía limitar el apoyo de un sector de la ciudadanía que no se identificaba con el peronismo, porque la tajante división peronismo-antiperonismo subsistía en la sociedad argentina. Refiriéndose a esos sucesos acotó Mariano Montemayor:

> En las filas de la UCRI, a su turno, no faltaron los que vieron en las cifras comiciales la demostración palpable del fracaso de la integración. Los que querían ese "programa radical" o los que rasgaron sus vestiduras ante las declaraciones de Frondizi sobre la enseñanza libre, redoblaron su ofensiva para partidizar a la UCRI.[16]

El nuevo lineamiento político replanteaba algunas propuestas del programa que la Intransigencia había llevado a Tucumán, inspirado en la Declaración de Avellaneda. Frondizi explicó que

> lo revolucionario de la concepción que nosotros presentamos en ese momento a consideración de los argentinos radicaba, precisamente, en que superaba los encasillamientos tradicionales, ofreciendo nuevos cauces para una renovada y superadora etapa en la historia del Movimiento Nacional, en la búsqueda de sus perfiles contemporáneos.

La incorporación de Frigerio y su sólido equipo a la campaña, que inauguraba una nueva manera de encararla abierta a todas las vertientes de pensamientos, erosionó la buena voluntad de algunos correligionarios y fue punto de partida del proceso anímico que llevaría al candidato a vicepresidente, Alejandro Gómez, a situaciones de intensa conmoción institucional en noviembre de 1958.

Gómez, reiteradamente, expresaba a Frondizi su oposición a lo que denominaba el "crudo oportunismo" de Frigerio dirigido a una masiva captación de votos peronistas en clara desvirtuación de lo auténticamente radical. Defensor a ultranza de la Declaración de Avellaneda, postuló su cumplimiento irrestricto, y alertó sobre "la paciente suplantación guiada por el equipo de la revista *Qué!*, del programa popular y democrático del radicalismo intransigente".

Gómez confesaría tiempo después que anhelaba fusionar ambas intransigencias –la de la UCRI con los balbinistas– después de las elecciones porque "la unión de los viejos amigos hace prever un futuro promisorio para el radicalismo". Por ese camino lograría "disminuir o anular la influencia de los equipos de la avenida Campos 665, a los que no conocía bien pero cuyo vocero, la revista *Qué!*, me daba idea cabal de quiénes se trataba".

La mesa directiva del Comité Nacional encomendó a Gómez la presidencia de la Comisión Nacional de Acción Política, organismo partidario encargado de dirigir, orientar y coordinar la propaganda para el comicio. Para Gómez fue una tribuna propicia que le permitió explayar sus conocidos disensos y encarecer a sus correligionarios "no alejarse jamás de la auténtica interpretación de la Declaración de Avellaneda".[17]

Frondizi debió asimilar impugnaciones y pedidos de rectificaciones y procuró equilibrar los principios contrapuestos y peligrosamente antagónicos. Sus permanentes consultas, sus profundas reflexiones no podían circunscribirse a una concepción ideológica inamovible. De allí que, sin abandonar la sustancia nacional de la Declaración de Avellaneda, debió amoldarse a los nuevos reclamos del país real.

> Para no engañar a nadie y no despertar falsas expectativas –dijo Frondizi–, la dirección de la UCRI, a nuestra instancia, resolvió que los discursos y las declaraciones del candidato presidencial constituían la plataforma partidaria con prelación sobre cualquier otro documento.
> En consecuencia, el verdadero programa estuvo expuesto a los argentinos en los veinte discursos programático pronunciados durante la campaña.

Coincidencias con los obispos

Se debatieron las ideas que habían servido esencialmente para combatir al peronismo en un momento dado y los principios fundamentales necesarios para "sacar al país del pantano de su estancamiento", como la industrialización acelerada y una paulatina tecnificación del agro, el autoabastecimiento petrolero, la promoción de las industrias básicas, la creación de la infraestructura de las comunicaciones y transporte; es decir, se tendía a eliminar lo que obstaculizaba el crecimiento sostenido de las fuerzas productivas.

En el reportaje que le hiciera la revista *Qué!*, el 25 de junio de 1957, Frondizi compendió las más valiosas y sustanciales coincidencias con lo expresado en la Pastoral del Episcopado argentino:

> I – La unidad de la Nación, "en defensa de su patrimonio espiritual y material y del derecho que le asiste a desarrollar sus posibilidades, tarea en la que debemos estar todos los argentinos".
> II – La importancia de la familia como célula básica de nuestra sociedad, "porque es una garantía de vida moral para el país. Por eso le debemos la ma-

yor protección; el programa del partido no ha sostenido, como no lo sostuvo ahora, la implantación del divorcio".

III – La libertad de enseñanza, porque "no soy partidario del monopolio estatal, sino del derecho de los padres a elegir la escuela para sus hijos y el de los ciudadanos a instituir los centros de enseñanza que sus convicciones o las exigencias técnicas les dicten".

IV – Reforma educacional "que contemple en forma espontánea las complejas necesidades espirituales y materiales de la Nación y propenda a la formación de técnicos, hombres de ciencia y profesionales en las ramas que más importen al desarrollo de la Nación".

V – Separación de la Iglesia del Estado: sostuvo la improcedencia de ese planteo, jamás postulado por el partido.

VI – Ratificó su decisión de una sola central obrera y un solo sindicato por rama de producción.

Maniobras contra la UCRI

A pesar de todos los esfuerzos esgrimidos por los sectores que enfrentaban a la UCRI, la figura de Frondizi crecía día a día, razón que había impulsado a Aramburu, en una reunión llevada a cabo en Puerto Belgrano, a plantear la alternativa de levantar la proscripción al peronismo con la intención de restarle votos –propuesta que contó con el firme rechazo de los sectores militares–, o alentar la formación de partidos neoperonistas como la Unión Popular, el Partido Blanco, el Partido Populista y el Partido de los Trabajadores.

Estas agrupaciones no tuvieron el respaldo del Comando Táctico Peronista, cuyos integrantes, a partir de febrero de 1958, distribuyeron copias fotostáticas de una carta de Perón desde Santo Domingo en la que ordenaba a los partidos neoperonistas el retiro de sus candidatos y la expresa decisión de votar por el doctor Arturo Frondizi.

Al mismo tiempo, desde otras esferas se distribuyeron notas apócrifas encomendando a los peronistas el voto en blanco. Esta difusión panfletaria tendía a confundir a la masa para que repitiera el votoblanquismo, lo que beneficiaría a los candidatos de UCRP.

Nada de esto impidió el triunfo de la UCRI. El 23 de febrero de 1958, un país escindido por las pasiones políticas que perturbaban su desenvolvimiento y evolución, concurrió a las urnas. El resultado electoral otorgó la victoria a la fórmula Frondizi-Gómez, que totalizó 4.049.230 votos contra 2.416.408 del binomio Balbín-Del Castillo. Los votos en blanco sumaron 690.000.

La euforia que provocó el triunfo del 23 de febrero eclipsaría el debate interno. El partido cerró filas en torno del presidente que asumía en condiciones críticas, jaqueado por los sectores que lo habían combatido y, en forma permanente, urdían conspiraciones.

NOTAS:

1. Testimonio de Bernardo Larroudé a la autora.
2. Carta de Ezequiel Martínez Estrada a Arturo Frondizi, del 8 de noviembre de 1956, Archivo de la autora.
3. Testimonio del analista político Ramón Prieto, delegado de Perón en el exilio, a la autora.
4. Frondizi, Arturo: *Qué es el...*, ob. cit., pág. 23.
5. Conversaciones de Arturo Frondizi con la autora.
6. Conversaciones de Arturo Frondizi con la autora.
7. Frondizi, Arturo: *El movimiento nacional. Fundamentos de su estrategia,* Paidós, Buenos Aires, 1983, pág. 158.
8. Babini, Nicolás: *Frondizi, de la oposición al gobierno,* Testimonio, CELTIA, Buenos Aires, 1984, pág. 176.
9. Frondizi, Arturo: *Qué es el...*, ob. cit., pág. 27.
10. Frigerio, Rogelio: "Aún es válida la experiencia desarrollista de hace 30 años", en *Todo es Historia,* N° 249, marzo de 1988, pág. 13.
11. Establecer el estado de sitio en vísperas electorales no era nuevo en nuestra historia política. Así lo refleja una caricatura de *Don Quijote,* del 10 de julio de 1892, en la que se hacía exclamar a Leandro N. Alem:
"El estado de sitio se da en las naciones
para ganar las elecciones".
12. Frondizi, Arturo: *Cargue su fusil y tire contra los enemigos del pueblo,* disco-manifiesto, 1957, Archivo personal de Arturo Frondizi.
13. Al día siguiente de las elecciones, recuerda Francisco Hipólito Uzal que Frondizi les dijo: "'Es lo mejor que nos podía suceder, no ganar pero estar cerca. Si hubiéramos triunfado, el camino hasta la elección presidencial se habría puesto muy difícil. En cambio, ellos se han endulzado y eso nos garantiza el comicio. Ahora nos espera la gran tarea, a ustedes, Uzal, a todos nosotros; hay que convencer a esos dos millones de ciudadanos que han perdido su voto, que en la próxima no pueden darse ese lujo. Desde la tribuna y en el mano a mano, tenemos que mostrarles nuestro programa y nuestra actitud, que es la misma de siempre. Y que es la de Yrigoyen, al lado del pueblo, y no de los poderosos'. Su optimismo nos contagió y le recordamos que en efecto, en esta campaña, tratando de convencer a peronistas a votar por la UCRI, nos contestaban invariablemente así: 'No, en ésta vamos a votar en blanco; en la otra sí, votaremos por ustedes'. Fueron miles de respuestas similares, en nuestro caso particular. Pero era un índice". En Francisco H. Uzal, *Frondizi y Balbín. Historia de un enfrentamiento,* Theoría, Buenos Aires, 1989, pág. 150.
14. Frondizi, Arturo: *Qué es el...*, ob. cit., pág. 36.
15. Idem, pág. 32.
16. Montemayor, Mariano: *Claves para entender a un gobierno,* Concordia, Buenos Aires, 1963, pág. 113.
17. Emilio Perina, quien tuvo un papel preponderante en el proceso pre electoral, integrando el grupo extrapartidario que apoyó a Frondizi, en su libro *Detrás de la crisis* refiere que "lamentablemente, nuestros esquemas chocaban con la Comisión de Acción Política de la UCRI y con la creciente hostilidad de los viejos amigos de Frondizi [...] Gómez comenzaba a ser víctima de un proceso de automagnificación y juzgaba infalibles todos los métodos que diariamente lucubraba para ganar las elecciones. Su más acariciado sueño –según me confesó entonces– era el de llamar a Frigerio el día siguiente de la elección, preguntarle cuánto se le debía por su aporte a la lucha y 'darle una patada en el traste'. Sumamente per-

meable a las presiones de los elementos más extremistas y ortodoxos de la UCRI, asumía con frecuencia actitudes que exigían la presencia del doctor Frondizi, pues yo me sentía incapaz de apaciguarlo. Uno de sus más lastimosos arranques de histeria se produjo cuando aparecieron los primeros afiches que consignaban, en letras muy grandes, el nombre de Frondizi, pero no el suyo. También debí asistir a una situación muy penosa cuando Gómez promovió una reunión de urgencia allí mismo, en el consultorio de Wainfeld, para someter a Frondizi a una especie de absolución de posiciones. El episodio comenzó a las 20 y 30 y no concluyó sino después de las 23. Recuerdo que hicimos comprar unos sandwichs y cenamos en la cocina, mientras Frondizi, con didáctica paciencia, trataba de calmar los ánimos. Las embestidas contra *Qué!*, y los sectores extrapartidarios, eran furiosas. Cuando terminó la reunión, Frondizi se ofreció a llevarme a mi alojamiento, y apenas nos sentamos en su automóvil me dijo desconsolado: '¿Se da cuenta con quién tengo que trabajar?'''. En Perina, Emilio: *Detrás de la crisis*, Periplo, Buenos Aires, 1960, págs. 111 y ss.

El resultado de las elecciones del 28 de julio de 1957 había gravitado en los partidos políticos. Los obligó a considerar desde una perspectiva global la conquista de esa masa compacta, solidaria, mayoritaria, que había expresado su opinión por medio del voto en blanco. El triunfo de la UCRI el 23 de febrero de 1958, a su vez, puso sobre el tapete el tema del supuesto "Pacto" de Frondizi con Perón. Vale la pena abordar este tema íntegramente, retrocediendo a sus antecedentes y llegando hasta su conclusión, durante la presidencia de Frondizi.

Contactos Balbín-Perón

Antes de las elecciones del 23 de febrero de 1958, con la vista fija en la masa que había votado en blanco, los partidos y movimientos de oposición multiplicaron su actividad. En una reunión entre el presidente provisional Pedro Eugenio Aramburu, el doctor Ricardo Balbín y el capitán Francisco Manrique, se analizó la posibilidad de llegar a un nucleamiento común entre la Unión Cívica Radical del Pueblo y los peronistas.

Ante las posiciones encontradas que podía generar en el partido esta operación, se acordó que el hermano de Balbín se entrevistara con el dirigente peronista Jorge Antonio, para lograr el apoyo a favor del voto en blanco, reproduciendo la metodología utilizada cuando la elección de constituyentes en 1957.

A tal efecto se instaló una oficina, especie de comando del voto en blanco, en el Hotel Hermitage de Montevideo, que mantendría contactos con emisarios oficialistas por un lado y peronistas por otro, encargándose de transmitir al general Perón el deseo de la masa peronista de persistir en su abstención con el voto en blanco, y conseguir una orden en ese sentido. El encargado de esta misión sería el mayor Vicente, a quien se facilitaría la entrada al país para ese fin político.

Con el propósito de influir psicológicamente en el ánimo de Perón, Jorge Antonio organizaría en Caracas un plenario de dirigentes peronistas para defender el votoblanquismo.

Lo que nuestros adversarios procuraban anudar –*dice Frondizi*– apuntaba a profundizar las divisiones manteniendo al pueblo apartado de la participación y perpetuando la división de la familia argentina.

Tácticas de Perón

Pero pese a esas maniobras, dentro de la conducción y de la masa peronista se afirmaba la idea del voto positivo. Perón seguía atentamente la marcha del proceso, y el 22 de noviembre de 1957 escribió a John W. Cooke, quien encabezaba el Comando Adelantado de la conducción peronista:

Asunto Frondizi: Las declaraciones mías estaban dirigidas a aclarar que yo no tenía nada que ver con las versiones que se hicieron circular de acuerdos míos con este señor, publicada por la A.P. a nombre de un periodista Neuman. Creo que era necesario, precisamente, para evitar que la campaña confusionista se extendiera, pero, usted puede seguir el juego que le convenga, como lo ha hecho. Siempre estaremos a tiempo para cualquier cosa al respecto.

Y más adelante agregaba:

Asunto Elección de Febrero: Yo mantengo la misma opinión de siempre. Intervenir en ella indirectamente apoyando a cualquiera que sea, es dar un escape político que la dictadura no tiene y dar apariencias de legalidad a una elección que todos sabemos que es fraudulenta. La experiencia de estos años nos demuestra que la intransigencia absoluta es la única posición compatible con nuestra causa.[1]

Buen analista político, en medio del juego y el fuego, estableció las reglas. Para abrir el fuego, avivaba "la resistencia a fondo, la insurrección y la intransigencia más absoluta y definitiva"; para medir las fuerzas y continuar con el juego, pensó en posibles acuerdos básicos. No cabía en sus metas llegar a ultimidad alguna, sino imponer ventajas sobre grupos constituidos para inducirlos a aceptar su estrategia, porque en caso contrario podía comenzar su ocaso con el accionar de otros políticos capaces de promover el bienestar y el progreso.

Para patentizar esta dualidad política: voto pasivo o voto activo, Perón eligió el camino de la táctica diagonal. La realidad le mostraba que era muy difícil conducir el partido desde afuera. Un posible triunfo del Partido Blanco sacaría la conducción del movimiento de sus manos y haría casi imposible su retorno al poder. Al mismo tiempo, el triunfo de la UCRP significaría la consolidación del antiperonismo. Los hechos mismos lo empujaban a la alianza con Frondizi.[2]

158

Desde su contexto político, propuso el contacto con la dirigencia frondicista para volcar a favor del candidato de la UCRI los votos peronistas, de acuerdo con la tesis presentada por Ramón Prieto, secretario del Comando Adelantado. Con esta decisión, su figura en el exilio mantendría la vigencia política, que había disminuido un tanto con su huida del país.

El 31 de diciembre de 1957, un telegrama a Prieto le anticipó su consentimiento para entrevistarse con un representante de Frondizi.

Entrevista Frigerio-Perón

Con ese propósito, el 2 de enero viajó a Caracas Rogelio Frigerio, quien concilió con Perón un acuerdo tácito sobre ciertas conductas a seguir en caso de obtener el triunfo electoral. Este compromiso dio origen, en un sentido formal, al controvertido "Pacto", denunciado por Perón en 1959 y negado en su autenticidad por Frondizi.

La estada de Frigerio en Venezuela duró solamente tres días, que coincidieron con la inmediata caída del dictador Marcos Pérez Jiménez y el abandono del territorio venezolano por Perón, quien se radicó en Santo Domingo. No se realizaron conversaciones posteriores como dieron a conocer ciertos medios oficiales.

Rogelio Frigerio se refirió a esos hechos para que no fuesen juzgados basándose en configuraciones previas, confundiendo el tema.

Era evidente que Frondizi no podía titularizar las conversaciones con el peronismo, so pena de centrifugar a su propio partido, todavía preso en gran medida de los sentimientos incubados en la lucha contra Perón y su gobierno. Por esa razón me tocó a mí concretar las conversaciones con el líder justicialista, que a la sazón estaba en Venezuela, exiliado.

Viajé, en consecuencia, a Caracas para hablar con Perón. Nuestro entendimiento fue bien claro: nosotros desde el gobierno daríamos los pasos necesarios para asegurar las conquistas sociales alcanzadas por los trabajadores, la existencia de una central obrera legítimamente representativa, levantaríamos las proscripciones e inhibiciones que pesaban sobre muchos dirigentes y funcionarios de su gobierno e iríamos creando progresivamente las condiciones para su reinserción en la vida institucional.[3]

Isidro Odena, en su libro *Libertadores y desarrollistas,* expresó:

Las condiciones de polarización política a las que se había llegado parecían asegurar el triunfo a Frondizi, con el apoyo de gran aporte de las bases peronistas, cualquiera fuere la decisión de Perón y de los dirigentes. [...]
Además, su predisposición para el entendimiento surgía del hecho de que fue él

quien pidió la entrevista con un hombre de Frondizi. Lo hizo una vez persuadido de que el votoblanquismo no tenía perspectiva y de que al peronismo le convenía apoyar al candidato de la UCRI. [...] Frigerio se limitó a exponer la posición de Frondizi [...] sobre la situación nacional y sus perspectivas. Planteó [...] el papel que debían asumir en ella el movimiento obrero y el peronismo y las medidas fundamentales que adoptaría el gobierno desarrollista. Era un compromiso pero no contraído en esa reunión, sino públicamente a lo largo de toda la campaña electoral.[4]

Acusaciones del balbinismo

El radicalismo del pueblo comenzó a urdir la existencia de un pacto a espaldas de la ciudadanía, para restar el ya evidente apoyo de los peronistas a Frondizi y malquistarlo con las fuerzas militares. Para coadyuvar a la explicación del tema, transcribimos las opiniones recabadas por Robert Potash sobre este controvertido asunto:

Dentro del gobierno, los más altos jefes militares no podían resignarse a creer que Frondizi pudiera hacer un trato con Perón, y en más de una ocasión optaron por ignorar las pruebas que los ministros civiles del gabinete les ofrecían. [...] el ministro de Relaciones Exteriores, doctor Alfonso Laferrère, solicitó urgentemente una reunión con el presidente. En presencia tanto del general Aramburu como del vicepresidente Rojas... presentó testimonios y otros documentos reunidos por el personal diplomático argentino que atestiguaban los contactos entre representantes de Frondizi y Perón, y que demostraban la existencia de un pacto político entre ambos. El almirante Rojas, según él mismo lo recordaría más tarde, propuso que el presidente convocara al doctor Frondizi para que confirmara o negara los hechos, pero no se tomó ninguna medida: "Lo cierto es que ni el general Aramburu ni yo creímos que el doctor Frondizi pudiese haber contraído un compromiso de esa naturaleza con Perón", dijo Rojas [...] "La Junta Militar nunca se reunió formalmente para analizar la posible existencia del pacto Perón-Frondizi; al menos, no existe referencia a eso en las actas de las sesiones mantenidas por el ministro de Marina". Cuando el ministro Alconada Aramburú aseguró que tenía pruebas de ese acuerdo, el almirante Hartung "consideró que esa era una estratagema del ministro probalbinista para lograr que la UCRI fuera proscripta".[5]

Desmentida de Frondizi

Frondizi en todos sus discursos aludió al pacto, desestimando su existencia en los términos que le achacaban los opositores, mientras éstos, con el correr de los días, incrementaron sus ataques con versiones de una mayor dependencia y menos autonomía con respecto a los mandatos de Perón.

Varias son las referencias de Frondizi a esas maniobras. El 30 de enero de 1958 dijo en Pergamino:

> No hemos hecho ni haremos pactos secretos o públicos con nadie, ni concesiones de ningún género. No nos apartaremos ni una línea de nuestro pensamiento de integración nacional, que puede resumirse así: paz espiritual y bienestar material para todos los argentinos.[6]

El 19 de febrero habló por Radio Belgrano, denunciando que las acusaciones sobre el pacto tenían el propósito "de evitar el triunfo de la causa popular":

> El tercer flanco de ataque usa el argumento del peronismo. En ese terreno se está desarrollando una vasta maniobra cuyos detalles debo denunciar [...] Por una parte se trata de señalar que nuestras candidaturas están sujetas a compromisos y pactos secretos, para lo cual sirven de base directivas llegadas recientemente al país. Esta campaña está apenas en sus comienzos. Los próximos días mostrarán multiplicada la maniobra. Pero todos los intentos serán inútiles, porque nadie podrá ser llamado a engaño. Frente a la primera faz de la maniobra, ratifico lo que el pueblo sabe, pero ahora como un solemne juramento: no me ata ningún compromiso con nadie, que no sea el que he contraído públicamente con el pueblo al prometer que bajo el gobierno radical intransigente en la Argentina no habrá persecuciones ni inhabilitaciones políticas o gremiales. Se instaurará la más perfecta igualdad jurídica y todos los ciudadanos recuperarán sus derechos políticos.

El fantasma del Pacto

Tras el triunfo del 23 de febrero, mientras Frondizi encaraba su plan de gobierno, una conjunción opositora alentaba conflictos reales o potenciales. Dirigentes radicales dieron a conocer un documento con el texto del "Pacto" firmado entre Arturo Frondizi y Juan Domingo Perón:

> [...] el General Juan Domingo Perón y el doctor Arturo Frondizi acuerdan el cumplimiento del siguiente Plan Político:
> I– [...] *frente a la elección del 23 de febrero de 1958, el peronismo*
> a) declarará que los partidos neoperonistas que deseen pertenecer al Movimiento deben retirar sus candidatos;
> b) ordenará a los peronistas que hayan aceptado candidaturas que las renuncien [...]
> c) [...] dejará en libertad de acción a la masa peronista a fin de que sufrague en la forma que mejor exprese su repudio a la dictadura militar [...]
> d) [...] lo expresado en el punto c) no implicará, por parte de los peronistas, compromiso alguno con los partidos que elijan para expresar su protesta;

Los padres y hermanos
de Arturo Frondizi.

Casa natal de Arturo Frondizi, en Paso de los Libres, provincia de Corrientes,
antes de que fuese reconstruida en 1980.

La boda en la iglesia de San Carlos,
5 de enero de 1933.

Arturo Frondizi y Elena Faggionato.
En su luna de miel, enero de 1933.

Frondizi, su esposa y su hija Elenita, en el departamento de la calle Rivadavia, 1958.

Hipólito Yrigoyen sube al buque que lo trasladará a su prisión en la isla Martín García.

Grupo de diputados nacionales de la UCR, 1948. Frondizi es el primero de la derecha, sentado de espaldas a la pared.

*En Radio Belgrano,
el 27 de julio
de 1955.
A la derecha: Con
Ricardo Balbín,
minutos antes
de pronunciar
su discurso.
Abajo: Acompañado
por dirigentes
de su partido,
Frondizi se dirige
al país en su carácter
de presidente
del Comité Nacional
de la UCR.*

Frondizi en el acto partidario de 1956 en Plaza Once,
el único sitio de la ciudad en que llovió a torrentes.

La Convención Nacional de la UCR sesionando.

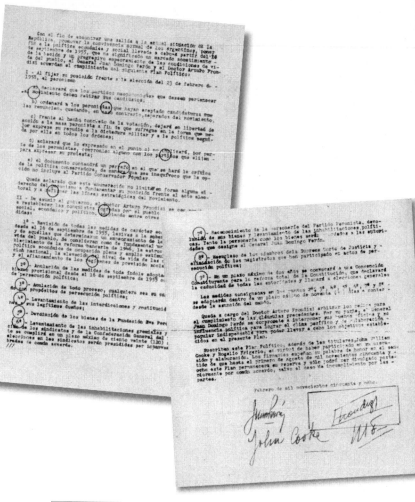

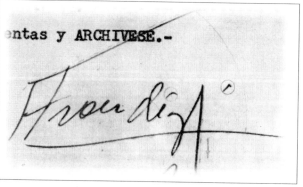

Facsímil del "Pacto Perón-Frondizi". El recuadro y el círculo en la supuesta firma de Frondizi fueron trazados por los peritos calígrafos oficiales, que desestimaron su autenticidad.

Arturo Frondizi asume
la Presidencia de la Nación
el 1º de mayo de 1958.
Arriba: *Con Alejandro
Gómez, el almirante Rojas
y el general Aramburu
en la transmisión del mando.*
A la izquierda: *Rodeado
por amigos y correligionarios.*
Abajo: *Saludando después
de la ceremonia.*

Sus ex condiscípulos del Colegio Nacional "Mariano Moreno" lo visitan en la Casa de Gobierno en junio de 1958.

Arturo Frondizi al asumir la Presidencia de la República.

e) [...] la opción no incluye al Partido Conservador Popular [...]

II– De asumir el gobierno, el doctor Arturo Frondizi se compromete a restablecer las conquistas logradas por el pueblo en los órdenes social, económico y político, adoptando entre otras las siguientes medidas:

1°– Revisión de todas las medidas de carácter económico adoptadas desde el 16 de setiembre de 1955, lesivas a la soberanía nacional, y de aquéllas que determinaron un empeoramiento de las condiciones de vida del pueblo. Se consideran como de fundamental urgencia el restablecimiento de la reforma bancaria de 1946, la estructuración de una política económica de ocupación plena y amplio estímulo a la producción nacional, la elevación del nivel de vida de las clases populares y el afianzamiento de los regímenes de previsión social.

2°– Anulación de las medidas de toda índole adoptadas por el gobierno provisional desde el 16 de setiembre de 1955 con propósitos de persecución política.

3°– Anulación de todo proceso, cualquiera sea su carácter, iniciado con propósitos de persecución política.

4°– Levantamiento de las interdicciones y restitución de los bienes a sus legítimos dueños.

5°– Devolución de los bienes de la Fundación Eva Perón.

6°– Levantamiento de las inhabilitaciones gremiales y normalización de los sindicatos y de la Confederación General del Trabajo [...]

7°– Reconocimiento de la personería del Partido Peronista, devolución de sus bienes y levantamiento de las inhabilitaciones políticas. Tanto la personería como los bienes serán acordados a las autoridades que designe el General Juan Domingo Perón.

8°– Reemplazo de los miembros de la Suprema Corte de Justicia y eliminación de los magistrados que han participado en actos de persecución política.

9°– En un plazo máximo de dos años se convocará a una Convención Constituyente para la reforma total de la Constitución, que declarará la caducidad de todas las autoridades y llamará a elecciones generales.

Las medidas consignadas en los puntos 2°, 3°, 4°, 5°, 6°, 7° y 8° se adoptarán dentro de un plazo máximo de noventa (90) días a contar desde la asunción del mando.

Queda a cargo del doctor Arturo Frondizi arbitrar los medios para el cumplimiento de las cláusulas precedentes. Por su parte, el General Juan Domingo Perón se compromete a interponer sus buenos oficios y su influencia política para lograr el clima pacífico y de colaboración popular indispensable para poder llevar a cabo los objetivos establecidos en el presente Plan.

Suscriben este Plan Político, además de los titulares, John William Cooke y Rogelio Frigerio, en virtud de haber participado en su discusión y elaboración. Los firmantes empeñan su palabra de honor en el sentido de que hasta el primero de agosto de mil novecientos cincuenta y ocho este Plan permanecerá en reserva y sólo podrá ser divulgado posteriormente por común acuerdo, salvo el caso de incumplimiento por las partes.

Febrero de mil novecientos cincuenta y ocho.

La sola lectura de la cláusula 9ª de la II Parte basta para resaltar la falacia de este documento. No era Frondizi político capaz de asumir este compromiso traicionando la confianza depositada en él.

La interpelación al doctor Vítolo

El 2 de junio de 1959, transcurrido un año del gobierno de Arturo Frondizi, el ministro del Interior, doctor Alfredo Roque Vítolo, en conferencia de prensa exhibió esa copia del documento y volvió a negar la autenticidad del "Pacto". Para poner fin a esta discusión en términos compatibles con la organización republicana, se instó a la inflamada oposición a llevar la acusación al seno de la Cámara de Diputados.

Vítolo requirió del doctor Frondizi la verdad absoluta. Y Frondizi respondió a su ministro del Interior con una nota fechada el 14 de junio de 1959 que decía:

[...] El jueves pasado, Ud. negó en conferencia de prensa, la autenticidad de un supuesto compromiso que habría yo contraído, cuando era candidato a la Presidencia de la Nación. Como en el curso de la semana que se inicia Ud. contestará a una interpelación política en el Congreso Nacional, me he decidido a escribirle.

No he suscripto pacto político alguno. La firma que se me atribuye ha sido falsificada. Puede Ud. empeñar en esta afirmación, mi honor ante Dios y ante la Historia. Los únicos compromisos que tengo adquiridos son los que asumí públicamente ante el pueblo de la Nación.

Junto con la copia de ese supuesto pacto, se han distribuido incitaciones a la insurrección, escritas por el dictador depuesto, por lo que creo indispensable que se advierta al país, que no existe posibilidad alguna de restauración y que vamos a actuar con inflexible severidad contra los que procuren subvertir las instituciones y crear el caos. [...]

El 17 de junio de 1959 se interpeló al ministro del Interior. Con la vehemencia que le caracterizaba advirtió que no era la primera vez

que sale a relucir el supuesto pacto entre el entonces candidato a la presidencia y Perón [...] Se habla del pacto como de una acción siniestra. Tengo que decir a los señores diputados que antes de ahora, antes de la elección presidencial se denunció la existencia del pacto; y fue en aquella emergencia, antes de los comicios y no después, cuando el candidato y el partido fijaron con claridad su posición frente al electorado del país.

Luego trajo a colación las versiones que circulaban sobre la aparición de un ejemplar del "Pacto" suscripto en Caracas y manifestó:

[...] declaro, en nombre del Poder Ejecutivo, que el presente pacto concretado en el documento que se dio a conocer en copia fotográfica, es falso. Pregunté a los señores diputados dónde se habría redactado el documento, y se me dijo en Caracas. El estudio de la copia fotográfica señala, señor presidente, que este fraguado documento fue hecho con una máquina "Remington Rand" argentina.

Las pruebas presentadas por Vítolo eran irrebatibles, y el contenido de ese papel, inconcebible desde el punto de vista lógico, ético y político. De allí que la Cámara de Diputados, el 17 de junio de 1959 votara la siguiente declaración:

1°. Hacer suyo el informe rendido en la sesión de la fecha por el señor ministro del Interior en nombre del Poder Ejecutivo.
2°. Declarar que la denuncia del falso pacto político atribuido al señor presidente de la Nación doctor Arturo Frondizi, con motivo de los comicios realizados el 23 de febrero de 1958, responde al plan subversivo concertado para alterar el orden constitucional de la República y frustrar el desarrollo económico argentino que transformará al país.

Sin embargo, el "Pacto" se siguió esgrimiendo como elemento de crítica y desvalorización de un triunfo legítimo e indiscutible. Ante lo cual, el Poder Ejecutivo ordenó se practicara una pericia con el fin de determinar la autenticidad de la firma de Frondizi en ese documento. El examen se vio entorpecido puesto que nunca fue hallado el original, y debió trabajarse con una copia. Los peritos señalaron que no debía descartarse la posibilidad de que, una vez confeccionado el documento, se hubieran adosado las firmas mediante fotografías de las mismas, usadas en otros documentos privados o de carácter oficial. En cuanto a la firma que aparecía como perteneciente al doctor Arturo Frondizi, en sus rasgos "no es similar o coincidente con la que usaba Frondizi en sus actos normales y que la extensión de la firma inclinaba a sostener juris tantum, que no pertenecía al entonces presidente de la Nación".

¿Pacto de trastienda o política de integración?

Basta releer los discursos de campaña electoral de Frondizi, para comprender que la UCRI ofrecía soluciones para superar la crisis económica y un concepto integrador para poner fin al profundo enfrentamiento entre los argentinos. Si el acuerdo con Perón se basaba en estas premisas fundamentales: reconocimiento del peronismo; una sola Confederación General del Trabajo; el desarrollo económico y una política exterior independiente, nada era tan censurable ni aleve, ya que los pactos integradores tienen poderosos antecedentes en nuestra historia.

Quizás los más trascendentes hayan sido los propuestos por Urquiza, paradigma de la unidad nacional. Triunfante en Caseros, convocó a los gobernadores rosistas para superar dicotomías y buscar la sólida estructuración constitucional de la República, y el Acuerdo de San Nicolás aseguró la sanción de la Constitución de 1853 en Santa Fe. Tras Cepeda, en 1859, ofreció a los vencidos el Pacto de Unión Nacional o de San José de Flores del 11 de noviembre de ese año, que puso fin a la segregación de Buenos Aires para llegar al reencuentro de los argentinos. Cuando los porteños rompieron este tratado, Urquiza se retiró del campo de Pavón sin desbordes ni reproches, porque así se sellaría definitivamente la integración nacional.

Estos pactos positivos, que marcaron un sino histórico porque tendían a un fin superior, también fueron criticados en su época por quienes seguían con ataduras reaccionarias y prejuicios paralizantes.

En contraposición a estos acuerdos públicos, existieron también los concertados a espaldas de la ciudadanía; estos pactos, este contubernio, según la expresión de Yrigoyen, sí eran los que trataban de perpetuar en el poder intereses contrarios a los sentimientos populares. Entre ellos podemos mencionar el Acuerdo Mitre-Roca de 1891, reflejado en una caricatura aparecida en *Don Quijote* del 27 de diciembre de 1891. Aparecen en ella Julio A. Roca, con su cola de zorro que reflejaba su habilidad política, y Bartolomé Mitre, en un estrecho abrazo. La leyenda puesta en boca de Roca es definitoria:

Le doy cuantos abrazos me da gana,
porque el partido de éste, no es partido de macana.

El "Pacto" con Perón fue una cuña que se introdujo en la gestión gubernativa de Frondizi, agitada como un factor denigrante y descalificador. Pero las denuncias al respecto apuntaban a la esencia de su política: la conciliación nacional.

No fue oportunista ni simple suma electoral su acercamiento a la masa peronista, sujeta a los más inciertos vaivenes desde la caída de su líder. Para Frondizi no existía desarrollo posible si no se integraba humana y territorialmente al país. El transcurso de los años dio la cabal dimensión de aquel sueño de Frondizi y nadie pretendió gobernar con un único apoyo partidario. Con el correr del tiempo, los acuerdos y conciliaciones conformaron otros tipos de relaciones interpartidarias, más abiertas, sin que ello vulnerase la ética de los partidos políticos.

NOTAS

1. Perón-Cooke, *Correspondencia,* Tomo III, Parlamento, Buenos Aires, 1984, pág. 45.
2. Apéndice documental. "Juan D. Perón, Mensaje al Comando Táctico Peronista, en Ciudad Trujillo, 3 de febrero de 1958". En archivo personal de Arturo Frondizi.
3. Frigerio, Rogelio: "La crisis de noviembre de 1958", en Roberto Pisarello Virasoro y Emilia Menotti (directores): *Arturo Frondizi. Historia y problemática de un estadista,* Depalma, Tomo V, Buenos Aires, 1993, pág. 380.
4. Odena, Isidro: *Libertadores y desarrollistas, 1955-1962,* La Bastilla, Buenos Aires, 1977, pág. 86.
5. Potash, Robert: *El ejército y la política en la Argentina, 1945-1962. De Perón a Frondizi,* Sudamericana, Buenos Aires, 1981, pág. 356.
6. *La Nación,* 31 de enero de 1958.

Frondizi, en medio del despliegue que le insumía la formación de su gabinete, proyectó una gira por países hermanos de América, con el propósito de imprimir un enérgico impulso a las relaciones bilaterales. Realizaba esta gira con el rango y ceremonial que correspondía a su jerarquía de presidente electo, pero la presión incesante del "gorilismo", el ala más dura de la Revolución Libertadora, mostró su influencia al impedir que lo acompañaran los edecanes designados por el gobierno.

Ejército y Marina habían objetado el nombre de Raúl Damonte Taborda, director de *Resistencia Popular.* Frondizi rechazó ese primer intento de cercenar su autoridad y Damonte Taborda viajó al Uruguay. Esta situación causó la ausencia de los edecanes.

Cuando el presidente electo inició su primera gira, su prestigio político y su tarea parlamentaria habían creado una notable expectativa en los países americanos. El viaje se llevó a cabo en el curso del mes de abril de 1958 y comprendió a Uruguay, Brasil, Chile y Perú.

En Uruguay

El 7 de abril Frondizi llegó al Uruguay, acompañado por su hija Elenita, los gobernadores Oscar Alende, Raúl Uranga y Fernando Piragine Niveyro, así como por diputados electos, intelectuales y periodistas de distintos alineamientos y raíces políticas.

Tras una conferencia de prensa y reuniones con los miembros del Consejo Nacional de Gobierno, presidido por Carlos Fisher, y de la Suprema Corte de Justicia, se dirigió a la Asamblea Nacional.

Al recibir la distinción de "Parlamentario uruguayo", destacó Frondizi el valor de esa nominación, y a lo largo de su discurso resaltó la amistad que enlazaba a ambos pueblos, a través de la historia, la literatura, la economía, las esperanzas y las realidades. Se detuvo en la importancia de la presencia de capitales para la empresa de recuperación económica:

En América latina nos faltan capitales. Es cierto y estamos dispuestos a conseguirlos del exterior. Pero si está bien que miremos hacia otros lugares del mundo, bajemos los ojos y miremos nuestra tierra.

Ahí están los vanos saltos de agua, el petróleo dormido, la tierra fértil que espera el esfuerzo y la técnica que la fecunde. Esta es la naturaleza que Dios nos ha dado, pero, además, tenemos nuestro gran capital humano. Debemos tener decisión, confianza, fe. La misma decisión, la misma confianza y la misma fe que tuvieron nuestros padres, cuando se lanzaron a construir un mundo nuevo sobre la tierra desierta, sin otro capital que su inteligencia, su voluntad y su corazón esperanzado.

En su disertación rescató la idea del país que se iría forjando según las posibilidades que le proponía la realidad, y es por ello que se dirigió a los jóvenes, responsables del futuro de la Nación.

Las nuevas generaciones, las nuestras y las que vendrán, deben a esta tierra generosa un hondo cumplimiento: realizar en ella el sueño de los antepasados y construir un mundo justo, pacífico y libre para todos los hombres. Cumpliremos así el destino de América, que es mucho más que un conjunto de naciones unidas por ideales comunes: América es una empresa colectiva de redención humana.

En Brasil

El 9 de abril, Frondizi partió de Carrasco rumbo a Río de Janeiro, donde fue recibido por el presidente Juscelino Kubistschec y once ministros. Un público numeroso colmó la avenida que debían transitar hasta el Palacio Catete.

Tras el banquete oficial ofrecido en el Palacio Laranjeiras, Frondizi ofreció una conferencia de prensa en la Asociación Brasileña de Prensa. El periodismo lo esperaba. Esas expectativas se habían adelantado ya en las primeras planas de los diarios.

Imprensa Popular, de tendencia comunista, expresaba:

¡Sea bienvenido el presidente electo de la Argentina! [...] El Brasil se honra en la visita del representante máximo de la nación hermana y amiga, al cual debemos gratitud todos los latinoamericanos por su actuación precursora en la fase de las grandes luchas de liberación...

A su vez, el *Diario Carioca* sugirió que el gobierno brasileño aprovechara tan importante presencia para dar el primer paso en el sentido de engranar la activa política de integración económica sudamericana que venimos realizando con los esfuerzos que, con el mismo rumbo, se muestra dispuesto a seguir el nuevo gobierno que debe instalares dentro de poco en el país hermano.

La Asamblea Legislativa recibió a Frondizi en sesión extraordinaria, pero el discurso más explícito y brillante fue el que pronunció en el Palacio Itamaraty. Allí Frondizi tuvo clara conciencia de la continuidad de la política exterior del Brasil, que se remontaba a la época del Imperio –en contraste con la de su país, generalmente sujeta a contingencias políticas–, al observar los cuadros de dignatarios monárquicos, con casacas ornadas con condecoraciones y cabezas con albas pelucas, que adornaban las paredes del palacio. Sus reflexiones se agudizaron al enfocar los temas económicos, que eran los que se esperaban con mayor inquietud.

> Los países de América latina afrontamos difíciles circunstancias económicas. Padecemos todavía las consecuencias de una estructura basada en la exportación de materias primas, que encuentran un mercado mundial cada vez más restringido, al tiempo que las manufacturas de importación son cada vez más costosas. Los precios internacionales desvalorizan [...] Este panorama real nos obliga a extraer conclusiones también objetivas [...] Estamos en condiciones de imprimir un enérgico impulso a nuestro desarrollo económico, que reclama una integración del agro, la minería y la industria [...] Puede llegar a haber una siderurgia sudamericana si conjugamos nuestros esfuerzos y nos proponemos esa meta común.

La respuesta del presidente brasileño fue por demás positiva:

> Somos como dos hermanos que se reconocen mejor, que se sienten más solidarios después de haber madurado, de conocer peligros, de pasar por sufrimientos que humanizan y elevan más a los pueblos que todas las prosperidades fáciles. No somos más simples países jóvenes, que disputan alegremente el privilegio de la vida fácil y de la fácil prosperidad.

Otra reunión de caracteres destacables fue la que mantuvo en San Pablo, con el gobernador del Estado, Janio Quadros, y el *Prefeito* de la ciudad, Aldhemar do Barros. Visitó las fábricas de automóviles Willys y Mercedes Benz en la localidad de San Bernardo, reiterando ante la prensa sus propósitos de mejorar las relaciones y crear un futuro mercado latinoamericano similar al europeo.

En este viaje Frondizi tomó contacto por primera vez con Juscelino Kubistschec y con Janio Quadros, con quienes planteó las posibilidades del intercambio bilateral a partir de la necesidad recíproca del desarrollo, privilegiando metas identificables de progreso y expansión económica. De estos primeros contacto surgirían posteriormente el apoyo y colaboración efectiva de la Operación Panamericana y los Acuerdos de Uruguayana.

En Chile

El 14 de abril llegó Frondizi al Aeropuerto de los Cerrillos, donde se estrechó en cordial abrazo con el presidente, general Carlos Ibáñez del Campo. La consabida reunión de prensa demostró que era un agudo estudioso de las relaciones argentino-chilenas. Expuso su futura política económica:

En materia de integración económica nosotros llegaremos hasta donde los gobiernos hermanos quieran. Plantearemos con lealtad la defensa común de nuestros productos. Los debemos continuar desarrollando como compartimientos estancos...

El acto central tuvo lugar en la Universidad de Santiago el 15 de abril. Su discurso académico abordó nuevamente el tema de la integración económica:

La industrialización es, por último, también una transformación cultural. Tiene exigencias que requieren altos niveles de especialización en todos los planos. Necesita obreros instruidos, intelectualmente despiertos y con sólida preparación. Necesita técnicos capaces, con vocación de estudio y con grandes conocimientos científicos y tecnológicos. Necesita hombres de empresa cultos e informados, que sepan impulsar por igual la producción económica de sus establecimientos y la tarea de sus investigadores en gabinetes y laboratorios. La industria reclama y promueve adelantos científicos y tecnológicos. Excita la imaginación, despierta el espíritu de inventiva y, al crear nuevas concentraciones urbanas, pone cada vez a más seres humanos en contacto con los bienes de cultura.

Al terminar su exposición dijo con énfasis:

Realizaremos esta política de aproximación fraternal, con el mismo sentido con que hemos enunciado la política de aproximación latinoamericana: sin prevenciones ni hostilidad hacia nadie. La integración latinoamericana tampoco lesionará ninguna soberanía nacional porque no es admisible que esa conjunción de esfuerzos pueda convertirse en vehículo de ambiciones hegemónicas.

El público, en su mayoría de jóvenes universitarios, siguió con atención la exposición, pero esperaba escuchar no sólo al estadista sino también al político que había enfervorizado a la juventud de su patria. Frondizi, al terminar su discurso, ordenó ostensiblemente los papeles sobre el pupitre, y anunció que había terminado la conferencia del presidente electo para dar paso al luchador que desde los veinte años había sufrido cárcel por no ceder ante imposiciones limitativas de sus derechos. Fue el Frondizi de la tribuna, el defensor de las libertades y la dignidad del hombre.

Según Nicolás Babini que formaba parte de la comitiva, "fue una arenga digna de sus mejores tiempos; un final que nos conmovió a todos".

El poeta Pablo Neruda, al escuchar las palabras de Frondizi, le obsequió un ejemplar de sus *Obras completas,* con la siguiente dedicatoria: "Para Arturo Frondizi, cuyas palabras en Chile despertarán a nuestra América".

En Perú

Frondizi llegó al Aeropuerto de Limatambo el 17 de abril. Lo aguardaba el presidente, Manuel Prado, de formación conservadora, que había sido electo con el apoyo del APRA, entonces proscripto, y se disponía a iniciar un plan de estabilización económica.

Un fuerte estado gripal del presidente electo obligó a limitar la agenda protocolar, pero, no obstante, en la Casa de Gobierno se realizó un acto en el que fue condecorado con la Orden del Sol en el grado de Gran Cruz.

La Universidad de San Marcos, centro de las más elevadas tradiciones culturales de una América que había asimilado la formación humanística que le transfirieran la España de Carlos V y los principios revolucionarios de la Reforma de 1918, concedió a Arturo Frondizi el Doctorado Honoris Causa. Este recordó la honrosa tradición de esa casa de estudios y destacó la misión que debía cumplir la Universidad para lograr "que cada nación alcance el grado de desarrollo que permita un alto nivel de vida espiritual y material a toda su población".

Asumió públicamente el compromiso de consagrar todos sus esfuerzos para que la Universidad pudiese cumplir

> plenamente su misión formativa y científica. Los gobiernos tienen la obligación de proporcionarles todos los medios para que ello sea posible, y así lo hará el próximo gobierno constitucional argentino, pero no queremos que las grandes realizaciones del arte, de la ciencia y la filosofía de nuestros países estén supeditadas al resurgimiento fortuito de algunos ingenios individuales.

La persistente dolencia que aquejó a Frondizi durante toda la gira le impidió viajar a Quito, por lo que desde Perú, despedido por una entusiasta presencia de público y de delegaciones de colegios de Lima, regresó a Buenos Aires para enfrentar aquella crítica reunión con los representantes de las Fuerzas Armadas en la residencia de Olivos, el 27 de abril.

El período que se inauguró el 23 de febrero de 1958 adquirió características inusuales dentro de una comunidad que se aprestaba a reiniciar su camino hacia la normalización constitucional. Frondizi, como presidente electo, se dedicó a la tarea de esclarecer los problemas que exigían una pronta solución. Mantuvo entrevistas con el presidente Aramburu, quien puso a su alcance toda la información oficial, para que indagara *in situ* la documentación correspondiente a cada ministerio.

La personalidad de Frondizi era renuente a las acciones impremeditadas y a los golpes de efecto. Entendía que la posibilidad de desarrollo era inexistente sin una estricta planificación de su estrategia, de "la determinación de las metas, la correcta elección de las prioridades y la instrumentación del soporte político de las medidas de cambio" que, consecuentemente, despertarían resistencia y críticas en los sectores vulnerados de sus intereses.

En contraposición con esa planificación, los elementos golpistas, tras su fracasado intento de postergar los comicios, rechazaban el resultado electoral al considerar el apoyo peronista incompatible con la legalidad que se quería instaurar, porque implicaba volver a una etapa totalmente superada. Y aprovechando la presencia de ministros enrolados en esta línea, apelaron a una manipulación del poder para influir sobre el presidente Aramburu y las Fuerzas Armadas y evitar la entrega del gobierno a la UCRI.

Fricciones

El general Pedro Eugenio Aramburu, con entereza republicana, respaldó la posición del doctor Frondizi en un intento de diluir el enfrentamiento entre "quedantistas" y "continuistas", que alcanzaría su punto culminante al acercarse la fecha de transmisión del mando. A pocas horas de conocerse el resultado comicial, invitó a los doctores Frondizi y Gómez a la Casa de Gobierno, desde la que se difundieron oficialmente los resultados del escrutinio. En este acto Frondizi elogió públicamente a las Fuerzas Armadas por el rol asumido en respaldo del proceso de estabilización democrática, de acuerdo con la palabra empeñada en 1955.

Pero al reconocimiento del protagonismo que cupo al general Aramburu como Presidente provisorio en el reencauce institucional, sumó Frondizi su cumplimiento absoluto del compromiso adquirido con el pueblo, para disipar cualquier duda que pudiera crear fisuras con quienes habían depositado su confianza en el cronograma electoral de la UCRI.

Cuando Frondizi estuvo fuera del país, en su gira latinoamericana como presidente electo, no cejaron los intentos de prorrogar la continuidad del gobierno provisional hasta tanto se "educara al pueblo".

Por otra parte, la Junta Militar estaba muy interesada en que Frondizi les anticipara el nombramiento de sus futuros colaboradores. En Ejército, especialmente, se temía la designación de ministros de orientación nacionalista por cuanto desbaratarían –según ellos– el plan de democratización realizado hasta entonces.

La Marina ya se había opuesto a la creación de un Ministerio de Defensa, que aglutinaría a las secretarías de cada arma. Temía que, de ser designado un general para ese cargo, las otras dos fuerzas quedarían subordinadas perdiendo su independencia y la igualdad numérica de representación. Esta intranquilidad era infundada puesto que Frondizi, al proponer esa reforma ministerial, había manifestado de manera clara y rotunda que para esa importante función sería designado un civil de gran prestigio y respetada trayectoria.

Sabía la Junta Militar que Frondizi había decidido elegir a oficiales en servicio activo para las secretarías militares, desestimando la opinión de las tres armas que preferían oficiales en retiro que hubieran prestado su apoyo en forma manifiesta a la Revolución Libertadora.

Otra determinación de Frondizi que generó malestar entre los representantes de las Fuerzas Armadas, fue la de unir la Comandancia en Jefe con las secretarías respectivas. Con esta reestructuración había tendido a evitar fricciones que perjudicarían la unidad del arma, entronizando desacuerdos y un estado latente de desconfianza y rencores, pero para los efectivos militares significaba restarles una jefatura.

Almuerzo en Olivos

Ante el revuelo provocado por el manejo de diversos nombres para cubrir cargos en Ejército y Aeronáutica, se concretó un almuerzo para el día sábado 26 de abril que, por enfermedad de Frondizi, se trasladó al domingo 27 en la residencia de Olivos. Frondizi concurrió a Olivos con la ingrata perspectiva de recibir planteos que podían condicionar la entrega del gobierno y la majestad de su investidura.

El almirante Hartung fue el redactor del acta labrada en esa oportunidad, testimonio del ríspido camino que deberían transitar las flamantes autoridades.

Al llegar a Olivos, antes de las 13,00 horas, a pedido del General Aramburu y en compañía del Almirante Rojas, nos encontramos allí con el General Osorio Arana y General Cabanillas por Ejército, y el Comodoro Landaburu por Aeronáutica; estando además el Coronel Fernández Suárez, dando informes sobre el estado de excitación que se encontraban los dirigentes de la agrupación política UCRI. Según el citado Coronel, existió un divorcio marcado entre el Doctor Frondizi y el partido político que lo apoyaba, a raíz de la infiltración comunista y nacionalista que tenía gran influencia con el Doctor Frondizi. Así, el Coronel Fernández Suárez contó que el Doctor Gómez, Vicepresidente electo, estaba dispuesto a tomar la bandera de ese grupo y hasta trasladarse a Rosario desde donde daría el "grito de Rosario" contra el Doctor Frondizi y en favor del partido UCRI; que lo seguían todos los Diputados y Senadores y dirigentes, así como Gobernadores, Vicegobernadores, Diputados y Senadores Provinciales. [...] según él esa noche anterior se había resuelto no permitirle al Doctor Frondizi el nombramiento de ningún Ministro fascista.

Durante todo el almuerzo se abundó en detalles del estado de subversión de los Jefes y Oficiales del Ejército. Se dijo que existían grupos dispuestos a secuestrar a cualquier General que fuera designado Ministro y no tuviera dotes democráticas y que si se lo nombraba al General Solanas Pacheco se armaría un gran lío en el Ejército. Que hasta se pensaba usar las tropas de desfile para desviar su plan de desfile y entrar a la Casa de Gobierno. [...]

Al terminar el almuerzo llegó el Doctor Frondizi [...] y luego de los saludos de práctica entramos al escritorio de la residencia de Olivos, el Doctor Frondizi con el General Aramburu, el Almirante Rojas, el General Ossorio Arana, el General Cabanillas, el Comodoro Landaburu y yo exclusivamente.

Allí el General Aramburu inició la conversación diciendo que las Fuerzas Armadas no conocían aún los nombres de los Ministros Militares que acompañarían al Doctor Frondizi en su gestión y que existía cierta inquietud en las Fuerzas que convenía calmar y que a tales efectos, dejaba que las Fuerzas opinaran cada una de sus problemas. [...]

El ministro de Aeronáutica, comodoro Landaburu, objetó la posibilidad de la designación del Comodoro Huerta, porque pertenecía al cuerpo auxiliar y no era piloto aviador, por su formación nacionalista y por la amistad que lo unía con los comodoros Krause y Mac Laughlin, ex ministros de la fuerza y militantes de esa línea ideológica. Frondizi contestó que había hablado con Huerta y con Rojas Silveyra pero no les había ofrecido el Ministerio, y que pensaba hablar con Landaburu para resolver en definitiva.

Luego el general Cabanillas manifestó que el Ejército no deseaba que el general Héctor Solanas Pacheco ocupara la Secretaría correspondiente al arma, por ser de tendencia nacionalista y débil de carácter para el mando. Aramburu aclaró que estas objeciones tenían el propósito de ayudar a Frondizi y no eran una imposición del arma; manifestó su total repudio al general Solanas Pacheco y su "apoyo total al general Toranzo Montero, a la sazón amigo de Frondizi, pero como candidato del grupo del general Labayrú, candidato de transacción, pues no tenían otra salida".

Frondizi dejó hablar largamente a los generales, y luego respondió:

"He hablado con dos señores Generales, Toranzo Montero y Solanas Pacheco; ambos deben presentarme la lista de sus colaboradores y entonces decidiré cuál de los dos será Ministro.

"En cuanto a las observaciones con respecto al General Solanas Pacheco, [...] la única observación es que todos sus colaboradores son nacionalistas y que es un hombre débil de carácter y fácilmente manejable; pero olvidan que ustedes mismos son los que lo han mantenido en servicio activo hasta ahora y además acaba de ser ascendido a General de División y no creo que si no tuviera carácter, podría ejercer ese alto puesto; por lo menos sus superiores jerárquicos no lo juzgan así."

La contestación fue perfecta pues añadió que él garantizaba que no habría reincorporaciones en las Fuerzas Armadas, pues no debía producir distorsiones en los cuadros ni acarrear perturbaciones en los cuadros de oficiales.

Al inquirir el doctor Frondizi la opinión de la Marina, la respuesta de los almirantes Isaac Rojas y Hartung fue concluyente: "Marina no tiene problemas, sólo percibe las inquietudes de las otras Fuerzas y esas inquietudes repercuten en su seno".

El doctor Frondizi les adelantó el nombre del almirante Estévez para desempeñar la Secretaría de Marina, designación que fue recibida sin ninguna objeción ni reticencia.

Dirigiéndose al almirante Hartung, Frondizi le comunicó que había pensado en él para desempeñar esa función, pero se había inclinado por oficiales en servicio activo.

Poco después –dice Hartung– se retiró el doctor Frondizi por estar muy cansado y agotado, quedando en nuestro espíritu la sensación de que haría los nombramientos que él deseara sin ocuparse de otras inquietudes.

Seguimos hablando por unos instantes nosotros y tanto el Comodoro Landaburu, como el General Ossorio Arana y el General Cabanillas tuvieron la sensación de su derrota, mientras con el Almirante Rojas vimos al General Aramburu desesperado por desvanecer, ocultar o atenuar su ataque al General

Solanas Pacheco, pues ya tuvo la sensación de que sería Ministro pese a sus esfuerzos en contra. Por eso pidió a los concurrentes a la reunión guardar estricto secreto de lo tratado y de la contestación del Doctor Frondizi. Creo que los camaradas del Ejército así lo hicieron, pues su inquietud perduró hasta el 1º de Mayo, sin tener conocimiento de las designaciones. El Comodoro Landaburu sí tuvo la sensación de su derrota.

Se había librado una lucha palmo a palmo, pero Frondizi ejerció con indoblegable determinación las facultades constitucionales de Presidente de la República. En Ejército la designación recayó en el general Héctor Solanas Pacheco; como secretario de Aeronáutica el elegido fue el comodoro Roberto Huerta, y en Marina el primer secretario fue el almirante Adolfo Estévez.

Las vísperas del 1º de mayo

La Junta Militar había dispuesto que los jefes más antiguos de las tres armas pasaran por el domicilio del doctor Frondizi, en la calle Rivadavia 4651, para acompañarlo al acto de transmisión del mando. El doctor Alfredo Roque Vítolo, su ministro del Interior, repetía en rueda de amigos que hasta último momento no sabían realmente si esos militares acompañarían a Frondizi a la Casa de Gobierno a hacerse cargo de sus funciones como primer magistrado, o lo llevarían a prisión.

El jefe de la agrupación de jeeps que prestaba escolta al auto presidencial, comentó tiempo después a Frondizi que ellos también estaban ante esa misma disyuntiva, porque debían esperar una señal convenida previamente por el ministro de Guerra, general Ossorio Arana, que individualizaría la actitud a tomar: o presidente en ejercicio o presidente cautivo.

Pero Aramburu cumplió con la palabra empeñada.

En honor a la verdad histórica –dijo Frondizi– es necesario dejar aclarado que [Aramburu] asumió una actitud favorable a la entrega del gobierno, con lo cual los "quedantistas" perdieron la posibilidad de encontrar apoyos políticos suficientes para impedir que yo asumiera la presidencia de la Nación.

A más de una década de su advenimiento al poder, se le preguntó a Frondizi si justificaba haber aceptado el gobierno en esas condiciones. Su respuesta, tras una necesaria meditación, fue afirmativa.

Si bien es cierto que el gesto de rechazo o la renuncia después de haber asumido seguramente habrían tenido favorable repercusión en términos de imagen, de nada habrían servido al país. Lejos de ello, hubieran provocado do-

176

lorosos perjuicios [...] Para los desarrollistas el acceso al gobierno es una fase necesaria de la lucha política, pues sólo disponiendo de sus instrumentos se pueden lanzar las transformaciones requeridas por la Nación; pero de ninguna forma es un pedestal para el éxito personal.[1]

NOTA

1. Frondizi, Arturo: *Qué es el...*, ob. cit., pág. 64.

SEGUNDA PARTE

EL PRESIDENTE FRONDIZI

El 1° de mayo de 1958, el doctor Arturo Frondizi asumió la primera magistratura de la Nación, cuando aún no había cumplido cincuenta años. Las ceremonias preparadas para la transmisión del mando se realizaron con la sobriedad que imponía la crítica situación económica por la que atravesaba la Argentina.

En el recorrido hacia el Congreso Nacional, las calles no ofrecían el aspecto exultante que se deducía del resultado de las elecciones del 23 de febrero. Aún no se había disipado el temor a conflictos generados por las movilizaciones propagandísticas y el mismo Frondizi había aconsejado a sus partidarios que no realizaran manifestaciones.

La periodista Beatriz Schneider West escribió a Frondizi su impresión sobre ese histórico día:

> Aún hoy, al cabo de cuatro años, no puedo olvidar el espectáculo del día en que usted asumió el mando. No puedo olvidarme de la soledad de esas calles de Buenos Aires [...] y la emoción inmensa que sentía cuando lo vi pasar, solo, desafiante, con la sola grandeza de su espíritu y de su talento. [...] Hizo el viaje entre filas de Fuerzas Armadas. Sentí que eran adversarios, que miraban con desconfianza, mientras grupos de jóvenes peronistas lanzaban al aire globos con el nombre de Perón y el público miraba con indiferencia.

Pero el clima cambiaba ostensiblemente en la tradicional Avenida de Mayo. Hacia allí convergieron las vibraciones de la emoción ciudadana, "los mil rostros exaltados, entusiastas, brillantes o pintorescos de la intensa jornada", dirá la crónica del diario *La Nación*.

En la Asamblea Legislativa

A las 9.42, el presidente de la Asamblea Legislativa, profesor F. Fernández de Monjardín, invitó a los representantes de ambas Cámaras a ocupar sus bancas y declaró iniciada la reunión.

Delegados especiales de cincuenta y ocho países asistieron a los actos. Entre ellos, Manuel Prado, presidente del Perú; Carlos L. Fischer, presidente del Consejo Nacional de Gobierno del Uruguay; Richard Nixon, vicepresidente de los Estados Unidos; Andrè Le Troquer, presidente de la Asamblea Nacional de Francia; Gaetano Azzariti, presidente de la Corte Constitucional de Italia; Mikhail P. Tarazov, presidente del Presidium del Soviet Supremo de la República Socialista Federativa Soviética de Rusia y vicepresidente del Presidium del Soviet Supremo de la Unión Soviética. Estaban también monseñor Humberto Mozzoni, representante del Papa Pío XII e intelectuales de reconocido prestigio internacional, como Germán Arciniegas y Arturo Uslar Pietri.

Además de los altos funcionarios políticos, militares y eclesiásticos, ocupaban un lugar preferencial en el Palco de Honor Carlos J. Rodríguez y Jacinto Fernández, fundadores de la Unión Cívica Radical.

A las 9.56 entraron al recinto de la Asamblea Legislativa los doctores Frondizi y Gómez, quienes fueron recibidos por el doctor José María Guido, mientras el público y los legisladores aplaudían entusiastamente, a excepción del bloque de la Unión Cívica Radical del Pueblo.

Arturo Frondizi con voz grave, pausada y firme, leyó la fórmula del juramento.

Yo, Arturo Frondizi, juro por Dios Nuestro señor y estos Santos Evangelios desempeñar con lealtad y patriotismo el cargo de Presidente de la Nación y observar y hacer observar *fielmente* la Constitución de la Nación Argentina.

No pocos advirtieron el énfasis en la palabra "fielmente", una sugestiva coincidencia con el juramento prestado en 1928 al asumir por segunda vez la presidencia Hipólito Yrigoyen.

El mensaje del 1° de mayo

Luego el Presidente procedió a leer el "Mensaje-programa", que constaba de 22 carillas y 7.600 palabras, en el que expuso sus ideas y sus propósitos en materia de gobierno. La sola mención de los puntos a desarrollar ponía de relieve un pensamiento dirigido a todo el país y no a un sector determinado de la población. Esta vocación integracionista fluye de los términos con que inició su discurso.

La Nación Argentina inicia hoy un nuevo período constitucional, que las circunstancias han convertido en comienzo de una nueva era. En sus aspectos concretos, este comienzo está colocado bajo el signo de la normalización institucional. [...] He llegado a la Presidencia de la Nación como candidato de la Unión Cívica Radical Intransigente, pero he sido votado por vastos sectores del pueblo argentino que quieren bienestar, libertad, paz y progreso.

A partir de hoy, gobernaré para todos los argentinos y reclamaré el concurso de cuantos comparten los anhelos del pueblo, cualquiera sea su militancia política y sin otra condición que su honestidad y su capacidad. [...]

Abandono toda tarea partidista y declaro solemnemente que desde la Casa de Gobierno no se hará política de partido. La Argentina necesita que se establezcan las condiciones de una profunda convivencia civilizada, comenzando por una efectiva convivencia política. [...]

Hoy, 1º de mayo de 1958, el gobierno de la Nación, en nombre del pueblo, baja el telón sobre cuanto ha ocurrido hasta este preciso instante. Cerramos una etapa para poder dar, entre todos, un gran paso hacia adelante.

EL ESTADO DE DERECHO

El Estado de Derecho, al que Frondizi siempre ajustó su conducta estuvo presente en su mensaje inaugural. "Tuvo la voluntad de garantizarlo, dentro del contexto real que ofrecían el país y su circunstancia", diría Horacio Oyhanarte.

La Constitución prevé, sabiamente, el equilibrio y el funcionamiento armónico de todos los poderes del Estado, sobre la base del acatamiento a la voluntad, a los derechos y a la realización del pueblo argentino. Sus disposiciones regulan las funciones, las atribuciones y la interdependencia de los poderes, reservando el veredicto final al pueblo entero que lo pronuncia a través del comicio limpio.

La reorganización del Estado debía ajustarse, en gran medida, a aquel concepto de Paul Valéry: "Si el Estado es fuerte, nos aplasta. Si es débil, perecemos".

Pero es necesaria también una sana actitud de comprensión por parte de todos los sectores del pueblo, para que todos nos ajustemos espontáneamente al estado de derecho, que no puede resultar solamente del respeto de la Constitución y las leyes. Debemos tomar conciencia de que el orden jurídico crea responsabilidades y que cada uno debe sacrificar algo de sí para no interferir en el derecho ajeno. Todos tienen que contribuir, con su parte de tranquilidad, al orden institucional y al orden público, únicos que harán posible el goce pleno de los beneficios de la libertad.

EL FEDERALISMO

Para Frondizi, de acuerdo con los cánones constitucionales, el federalismo debía ser un instrumento de consolidación de la Nación y no un medio de disgregación del pacto federal.

182

El federalismo argentino ha sido, históricamente, un factor de integración nacional, y esa concepción debe ser rigurosamente preservada frente a los embates de quienes, amparándose en una afirmación localista de las autonomías provinciales, propugnan una versión mal llamada federalista de la economía, ajena a la realidad y a los bien entendidos intereses de las respectivas provincias, cuya suma constituye la Nación Argentina. Las riquezas del país son patrimonio de todos los argentinos y solamente un desarrollo armónico del país en su conjunto puede aprovechar por igual a todos sus hijos.

LA ECONOMÍA

En el capítulo referente a la economía nacional, formuló Frondizi advertencias graves porque la situación del país era dramática. Pero, con una decisión que reflejaba la singularidad positiva de su conducta, remató su pensamiento con esta afirmación: "Estamos en crisis, pero no le tenemos miedo a la crisis". Para combatirla, proclamó la necesidad de "movilizar todas las energías y los recursos" para lograr una mayor producción y un aumento de los bienes de consumo, y expresó su fe en las riquezas potenciales del país y el esfuerzo solidario de la comunidad para asegurar el bienestar general.

El camino para lograrlo es promover una rápida y poderosa capitalización nacional sobre bases de justicia social, e imprimir un enérgico impulso de desarrollo que el país está totalmente capacitado para emprender.

Hizo un llamado admonitorio para suprimir las deformaciones burocráticas causantes del perturbamiento del proceso productivo y consecuencia, a su vez, de un sistema erróneo al que había denominado "cesarismo burocrático".

Debemos combatir los males de la burocracia como uno de los principales factores que paralizan el esfuerzo nacional. No estamos contra los empleados [...] sino contra las deformaciones de un sistema. Para impulsar su propio progreso, el país necesita una administración pública eficiente, ágil y moderna.

Énfasis en la inversión privada

Ubicó dentro de sus confines reales la adecuada promoción del sector privado y la recomposición del poder público para cumplir con el plan de reestructuración presentado a la Asamblea Nacional.

[...] la solución más efectiva es dar fuerte impulso a la actividad privada de carácter productivo, para crear fuentes de trabajo más provechosas y atractivas que el empleo público y ofrecer un destino menos limitado e infecundo a los miles de jóvenes, que consumen en la burocracia su capacidad de trabajo y de creación.

Como la capacidad de ahorro era limitada, preconizó la conveniencia de las inversiones extranjeras que operarían como factores de aceleración del proceso económico.

Las nuevas industrias que se instalen, tenderán en su emplazamiento geográfico, al fomento de las economías regionales y a la creación de centros productivos en el interior del país, basados en el aprovechamiento de los recursos locales. El régimen fiscal y la política crediticia estarán al servicio de ese objetivo...

Esta concepción de la inversión en general, y en especial la externa, como herramienta para la industrialización integral y la superación del subdesarrollo, sería una constante en la trayectoria de Frondizi. En un folleto editado en 1984, objetaría la opinión de algunos sacerdotes de América latina, que consideraban que la inversión extranjera era instrumento de dependencia más que de liberación, en estos términos:

Cuando es convocada hacia nuevas actividades económicas, que integran el aparato productivo o elevan la productividad de economías regionales que languidecen aplicadas a las actividades primarias tradicionales, tales inversiones tienden a cambiar la estructura económica subdesarrollada y dependiente y poseen, objetivamente y más allá de la motivación de sus ejecutores, un carácter liberador y superador de aquella dependencia.[1]

Al considerar Frondizi en su Mensaje la función económica del Estado, demostró su proclividad a no propiciar nuevas estatizaciones,

puesto que consideramos que los graves problemas económicos que afronta hoy el país no se resolverán transfiriendo actividades del sector privado al sector público. Consideramos, asimismo, que deben desaparecer de la vida política argentina las prácticas de confiscación que, bajo distintos pretextos y apariencias, han contribuido a crear un clima de incertidumbres e inseguridad incompatible con el concepto de país civilizado.

Política energética

La política energética propugnada por Frondizi puede sintetizarse en su propósito de

alcanzar el autoabastecimiento energético, basado en la explotación de los yacimientos de petróleo y carbón y en la utilización de la potencia hidroeléctrica. [...] Aplicaremos allí todos los recursos disponibles para reactivar la producción, puesto que es la inversión más remuneradora que el país puede encarar. Aceptaremos la cooperación del capital privado en la medida en que los recursos oficiales sean insuficientes, pero sin dar lugar a concesiones ni a renuncias del dominio del Estado sobre esa riqueza preexistente.

Acto seguido, anunció:

[...] atento a la importancia vital que para el porvenir del país tiene la explotación de nuestro petróleo, asumiré personalmente la responsabilidad de dirigir Yacimientos Petrolíferos Fiscales [...]

Fiel a esa propuesta, designó "delegado personal del Presidente" en YPF a Arturo Sábato, quien sería figura clave en la "batalla del petróleo".

Siderurgia

En el Mensaje, dedica Frondizi una sucinta referencia a la siderurgia, "garantía de progreso y soberanía nacional":

La puesta en marcha de la planta de San Nicolás tendrá prioridad absoluta en los programas. Activaremos la explotación de los yacimientos de carbón y de mineral de hierro de Río Turbio y Sierra Grande, y continuaremos con la ampliación de las plantas de Zapla. La creación de una poderosa industria pesada constituye actualmente el basamento indispensable de todo programa de desarrollo e integración económica nacional.[2]

LA CUESTIÓN SOCIAL

El Mensaje dedica otro de sus pasajes substanciales a exponer las bases sociales del desarrollo nacional, deteniéndose en el costo de vida y su relación con el salario. *La Nación* del 2 de mayo comentó al respecto:

Acaso se advierta, sí, una estimación distinta de la situación económica del país, que en sus palabras de ayer, en el Congreso, apareció bajo una luz más cruda que durante el período electoral. Sin dudas el conocimiento directo del Estado de las Negociaciones Públicas [...] ha permitido al nuevo mandatario medir en toda su amplitud el fenómeno crítico derivado de una economía para la cual, es ahora insuficiente la calificación de maltrecha.

Las orientaciones para la gestión gubernativa tomarían, efectivamente, como punto de partida el diagnóstico: "La situación del país es dramática".

En el área sindical, anunció medidas para consolidar los mecanismos de participación, conciliación y resolución de los conflictos.

Devolveremos la normalidad y la tranquilidad al campo sindical. Cesarán las intervenciones, interdicciones e inhabilitaciones gremiales.

La entrega de las organizaciones sindicales que todavía deban reintegrarse a sus legítimos dueños, obreros o empleados, deberá cumplirse en término breve y perentorio. Deberá asegurarse a todos los trabajadores la más completa libertad para designar a sus representantes, sin que nadie sea privado del derecho de elegir y ser elegido.

Para que pudiera cumplirse una efectiva superación nacional, Frondizi instó a todos los sectores sociales a recuperar la vitalidad material y espiritual del país y lograr la

transformación económica nacional [...], puesto que toda obra de creación puede surgir, únicamente, del seno del pueblo [...]

LA EDUCACIÓN

En el marco de su política de integración completa, en todos los campos: político, económico y social, Frondizi anunció que, en el terreno educativo, se regiría por los principios de la libertad de aprender y enseñar.

Todo argentino debe tener asegurado el acceso a la educación y el derecho de elegir, para sí o, como padre, para sus hijos, el tipo de enseñanza que prefiere. La salvaguardia de estos derechos es esencial, porque la imposición obligatoria de un espíritu determinado en la enseñanza constituye un avance peligroso en el ámbito sagrado de la conciencia.

Para lograr un efectivo plan de educación en sus tres ciclos, se comprometió a encomendar a personas competentes, capacitadas y experimentadas la dirección de la enseñanza del país para que resolvieran, en estrecho contacto con el personal docente y directivo, los problemas concretos del área. Por primera vez se otorgaba a los docentes la posibilidad de colaborar en la elaboración de formulaciones constructivas para responder a las mutaciones de una sociedad moderna y dinámica.

LAS FUERZAS ARMADAS

Frondizi encaró la cuestión militar a partir de su necesaria subordinación al poder civil:

El período revolucionario ha terminado. De aquí en adelante las Fuerzas Armadas no deciden. Ahora deciden los representantes del pueblo del cual forman parte los ciudadanos que componen aquéllas. El ejército retorna a sus cuarteles; la marina a sus buques y la aeronáutica a sus bases, para cumplir las decisiones constitucionales e incorporarse al gran esfuerzo nacional que hoy se inicia. No deliberan más.

Luego avanzó sobre una definición del papel de las instituciones militares:

> Las Fuerzas Armadas argentinas son guardianas de la soberanía y baluarte de la defensa nacional, pero tienen también a su cargo importantes sectores de la economía del país. [...] Son el brazo armado de la Nación Argentina y también el brazo impulsor del desarrollo nacional.

POLÍTICA INTERNACIONAL

El presidente fijó el criterio del gobierno en materia de política internacional, al servicio de la hermandad latinoamericana, del entendimiento y de la plena soberanía de todas las naciones en un plano de absoluta igualdad. Definió la posición argentina como la de un Estado inserto en el marco occidental pero inmerso en la geografía del subdesarrollo. Este fue el pivote sobre el cual asentó las bases de un plan para las naciones de América latina, con las que se debían coordinar las acciones a partir del interés común del desarrollo.

> América latina es un destino común, una empresa común de redención humana. Para que Latinoamérica sea una poderosa comunidad de naciones es indispensable que cada una de ellas alcance la mayor prosperidad posible, pues el desarrollo de cada nación latinoamericana permitirá acelerar el desarrollo de las demás.

Otro aspecto de la política internacional que al presidente Frondizi le interesó puntualizar desde el primer día de su gobierno, fue el referente

> a la necesidad de que la solución de los problemas de carácter internacional se trate y se lleve a cabo dentro de las Naciones Unidas,

pero señalando en forma destacada que la Argentina

> deberá comerciar con todas las naciones de la tierra, sin discriminaciones y sin inmiscuirse en los problemas internos de otros países.

En la Casa Rosada

Terminada la ceremonia en la Asamblea Legislativa, una sección de motociclistas y un escuadrón de Granaderos a Caballo precedieron al auto descubierto en el que Frondizi, acompañado por el general Ossorio Arana y el brigadier Humberto Ahrens, se dirigió a la Casa de Gobierno. En un "carrier" marchaba junto al vehículo presidencial, el comandante en jefe de las fuerzas en desfile, general Dumas, quien, con el doctor Frondizi, pasó revista a las tropas de Ejército, Marina y Aeronáutica que formaban un cordón hasta el palco levantado en la calle Balcarce. Acompañaban a estas fuerzas cadetes bolivianos, peruanos y uruguayos venidos expresamente para la ceremonia. En el frente occidental de Plaza de Mayo, un gran cartel ostentaba con nítidos caracteres la leyenda "Bienvenido Presidente".

Cuando Frondizi llegó a la Casa Rosada, fue recibido por el jefe de la Casa Militar, capitán de navío Francisco Manrique. En un estrado levantado en el Salón Blanco, con el sillón de Rivadavia de espaldas al busto de la República, se realizó la ceremonia en que las autoridades salientes le entregaron los atributos del poder. El abrazo en el que se confundieron ambos presidentes, el provisional y el constitucional, ponía fin a un largo proceso de angustias y esperanzas, sintetizado en aquel sombrío pensamiento de Scalabrini Ortiz, del 18 de marzo de 1958: "¡Todavía quedan seis semanas!".

El doctor Jorge Ernesto Garrido, escribano general de Gobierno de la Nación, procedió a leer el acta de entrega del mando. Tras ese acto simbólico pero que en realidad configuraba la efectividad del poder, Frondizi tomó juramento a los ministros que integrarían su gabinete. Terminada la ceremonia, acompañó a Aramburu y Rojas hasta la salida de la Casa de Gobierno, por la puerta de la calle Rivadavia.

Comenzaba para Frondizi un difícil camino. Ya no tendría vida privada, ni el menor descanso, ni la más leve satisfacción personal, porque a partir del 1° de mayo se lo miraría, se lo mediría y se lo juzgaría con un rigor como pocas veces se dio en nuestra agitada y azarosa vida política.

NOTAS

1. Frondizi, Arturo: *La inversión extranjera ¿instrumento de liberación o dependencia? Crítica a la posición de algunos sacerdotes de América Latina,* edición del autor, Buenos Aires, 1984, pág. 16.
2. *La Opinión,* entrevista con Arturo Frondizi en el 25° aniversario de SOMISA, 21 de junio de 1972: "En esta cuestión del acero, yo debí librar dura lucha en el bloque de los diputados radicales. Allí se llegó a afirmar que la inclinación del gobierno del general Perón por producir acero constituía una prueba más de su contenido fascista y antidemocrático, y se ponía como ejemplo los casos de Hitler y Mussolini, quienes tenían pasión por montar plantas siderúrgicas en Alemania e Italia. Los debates no fueron fáciles; finalmente, conseguimos que primase el criterio de apoyar la esencia de la cuestión por encima de las formas, pero allí ya quedaba evidenciado un divorcio, en cuanto a la interpretación de la realidad argentina dentro de la fuerza política que representaba el radicalismo".

El gabinete

Los ocho hombres que acompañaron al doctor Frondizi al asumir el mando como ministros de su gabinete integraban un homogéneo conjunto conformado por distinguidas personalidades del quehacer político, económico, jurídico, científico y militar argentino: abogados, médicos, ex legisladores, profesores universitarios, estudiosos de los grandes problemas nacionales y gente avezada en el mando militar

El primer decreto suscripto por Frondizi inmediatamente de asumir la Presidencia de la República fue el que designó al doctor Alfredo Roque Vítolo como ministro del Interior. Por el decreto N° 2, se nombró a los siete ministros secretarios de Estado. Recayeron esas nominaciones en el doctor Carlos Alberto Florit para Relaciones Exteriores y Culto; el doctor Luis Rafael Mac Kay en Educación y Justicia; el doctor Héctor Virgilio Noblía en Asistencia Social y Salud Pública; el general de división Héctor Solanas Pacheco en Guerra; el contraalmirante Adolfo Baltazar Estévez en Marina; el comodoro Roberto Huerta en Aeronáutica, y el doctor Emilio Donato del Carril en Hacienda. Por el mismo decreto se encargó del despacho de los ministerios de Obras Públicas, Transportes y Comunicaciones, al ministro del Interior; de Agricultura, Ganadería y Comercio e Industria, al ministro secretario de Hacienda, y de Trabajo y Previsión, al ministro de Asistencia Social y Salud Pública.

El tercer decreto dispuso el nombramiento del doctor David Blejer para las funciones de subsecretario del Ministerio del Interior.

Ese mismo día, Frondizi firmó el Mensaje dirigido al Senado solicitando la designación del señor Hernán Giralt para el cargo de intendente municipal de la ciudad de Buenos Aires.

Al confiar la Jefatura de la Policía Federal al capitán de Navío Ezequiel Niceto Vega, el ministro del Interior anunció que la Policía no sería instrumento de represión política o gremial, sino que se constituiría en el firme amparo de las garantías individuales de todos los habitantes, para servir a los propósitos del gobierno "que inicia sus tareas de desenvolver una política de integración, de pacificación, de reencuentro nacional".

Trabajo en equipo

La metodología de trabajo que Frondizi impuso a sus colaboradores se basaba, esencialmente, en el funcionamiento de un equipo solidario y cohesionado por la identidad de metas:

Dentro del grupo cada cual realizaba su tarea, pero todos estábamos imbuidos del sentido general, lo cual facilitaba el ensamble. Dejamos a un lado los formalismos burocráticos, pasamos por encima de las formalidades de la rutina administrativa, aun cuando no de la rigurosidad ética de los procederes, y sometimos cada uno de los problemas y de los actos a seria y ajustada crítica y autocrítica [...] Esta experiencia resultó una formidable innovación con respecto a las prácticas políticas tradicionales.[1]

El doctor Julio Oyhanarte, ministro de la Corte Suprema de Justicia de la Nación durante la presidencia del doctor Frondizi, expresó que la calidad humana y política de la gente que colaboró en el gobierno, constituyó un hecho relevante:

Eran dirigentes avezados, realistas –dice–, conocedores del país y de la idiosincrasia de sus habitantes, y tenían ya asumida la forma de ver y sentir la realidad que Frondizi había creado en ellos.

Según el ingeniero Alberto R. Costantini, las reuniones de gabinete constituían los foros en los que cada ministro exponía los problemas más salientes de su ministerio. Frondizi, antes de cada reunión, realizaba un estudio sereno y pormenorizado de los asuntos que se someterían a su consideración, tanto en sus aspectos enunciativos como en sus consecuencias prácticas, por lo que a veces formulaba observaciones o señalaba correcciones a las reseñas expuestas.

Juan Ovidio Zavala, secretario de Transporte, se refirió a la increíble capacidad de trabajo de Frondizi. En reuniones que finalizaban a la madrugada, solicitaba un informe sobre determinado tema al ministro o secretario del área correspondiente. A las seis de la mañana de ese mismo día, mediante un llamado telefónico reclamaba con urgencia la entrega del documento que ya consideraba concluido. El desmedido esfuerzo físico a que se vio obligado Frondizi, influyó en su salud, ya que en diversas etapas de su gobierno sufrió dolencias que no lograron perturbar el normal desarrollo de sus funciones.

Frondizi mantuvo siempre un "gran agradecimiento hacia quienes me acompañaron en el gabinete y trabajaron con lealtad y sin segundas intenciones".[2]

190

La relación con el Congreso

Como resultado de los guarismos electorales, la Cámara de Senadores estaba compuesta exclusivamente por legisladores de la UCRI. En la Cámara de Diputados, de los 187 representantes, 133 conformaron el bloque oficialista; la UCRP contó con 52 diputados; el Partido Liberal de Corrientes obtuvo dos bancas, y las demás agrupaciones políticas no pudieron acceder a ella.

Esta relación de fuerzas permitió una ágil promulgación de las leyes que instrumentarían las propuestas del Ejecutivo, e hizo que Frondizi extendiera su

> reconocimiento [...] hacia los bloques de senadores y diputados que apoyaron las iniciativas del Ejecutivo que constituían la ejecución práctica de la línea política que llevábamos a los hechos. Los doctores Alfredo García y Héctor Gómez Machado presidieron respectivamente, esos bloques.[3]

Primeras medidas de gobierno

Esa suma de esfuerzos y el ritmo acelerado que impuso Frondizi desde el comienzo de su gestión a su gabinete, permitió aplicar, entre mayo y diciembre, las principales medidas que se había propuesto el gobierno. Se sancionaron las leyes de Amnistía, de Asociaciones Profesionales, de Enseñanza Libre; se subastaron las empresas DINIE; se cancelaron conflictos con el capital extranjero; estaba en su apogeo con resultados ampliamente satisfactorios la política petrolera y sobre el fin de 1958, se lanzó el Plan de Estabilización y Desarrollo.

> Trabajábamos tanto de día como de noche –diría Frigerio– sin respetar sábados, domingos y feriados [...] Los primeros seis meses fueron los del gran impulso, donde se sentaron las bases de lo que vendría después. En casi cuatro años demostramos muchas cosas, pero que no habrían podido concretarse si en ese corto lapso de tiempo no hubiésemos puesto en marcha las medidas de fondo.[4]

Los gobernadores que acompañaron a Frondizi

Si brillante fue el gabinete ministerial de Frondizi, no desmereció en jerarquía y capacidad el bloque integrado por los gobernadores que acompañaron la gestión del Presidente, todos pertenecientes al partido oficial.

El doctor Oscar Alende dio a Buenos Aires un bienestar económico acorde con su privilegio de primer Estado provincial. Los gobernadores del Litoral, doctores Raúl Uranga (Entre Ríos), Carlos Sylvestre Begnis (Santa Fe), Luis Gutnisky y a su fallecimiento Eliseo Guanes (Formosa) y Anselmo Zoilo Duca (Chaco), formaron un sólido bloque para revitalizar la economía de la región.

El doctor Arturo Zanichelli fue gobernador de Córdoba; el doctor Celestino Gelsi lo fue de Tucumán, donde emprendió importantes obras de ingeniería, como El Cadillal. Los doctores Hernán Torres Brizuela (La Rioja), Juan Manuel Salas (Catamarca), Bernardino Biella (Salta) y Horacio Guzmán (Jujuy) formaron la liga del Noroeste, y el doctor Eduardo Miguel fue mandatario de Santiago del Estero.

En la región cuyana los doctores Américo García (San Juan), Ernesto Ueltschi (Mendoza) y Alberto Domenicone (San Luis), renovaron con entusiasmo los planes económicos interprovinciales.

La región patagónica, con los gobernadores Ismael Amil (La Pampa), Edgardo Castello (Río Negro), Alfredo Asmar (Neuquén), Jorge José Galina (Chubut) y Mario Paradelo (Santa Cruz), tuvo un momento de gran crecimiento por la revolución industrial y petrolera incrementada por el gobierno de la Nación. El capitán de Fragata Ernesto M. Campos actuó al frente del único territorio nacional existente, que comprendía Tierra del Fuego, islas Malvinas, Antártida Argentina e islas del Atlántico Sur, zona litigiosa a la que se prestó todo el apoyo para asegurar la soberanía. El doctor Frondizi fue el primer presidente argentino que visitó las bases militares en la Antártida.

Federalismo

Los gobernadores mantuvieron un continuo e intenso contacto con la Presidencia. Frondizi entendía el federalismo como una herramienta que debía atenuar un crónico desequilibrio y propiciar la integración y revitalización del interior marginado, donde existían una enorme riqueza económica inexplotada y una disponibilidad de recursos naturales utilizados en mínima proporción:

> fuera de los 330 kilómetros que rodean el puerto de Buenos Aires se extiende el 95 por ciento del territorio continental, poblado con el 50 por ciento de los habitantes que integran un mercado deprimido que consume sólo el 20 por ciento de la energía generada en el país.

La potencia económica acumulada en Buenos Aires debía irradiar hacia el ámbito nacional, con una intensiva política de desarrollo destinada a crear en todo el territorio formas de vida compatibles con la moderna civilización industrial, fortaleciendo las individualidades provinciales. Esto requería la creación de un sistema de transporte y comunicaciones capaz de vincular las regiones entre sí, una amplia política energética, el aprovechamiento integral de los recursos naturales y su procesamiento industrial en las zonas de producción; una política descentralizadora de radicaciones industriales –que crecían en la zona del Gran Buenos Aires–, en especial de las industrias pesadas y el estímulo a la industrialización local de la producción agropecuaria.

Las bases para superar la distorsión geoeconómica del país fueron comprendidas por la totalidad de los gobernadores. El doctor Oscar Alende destacó que el Presidente nunca se inmiscuyó en el gobierno de la provincia de Buenos Aires. Efectuaban reuniones con Frondizi, "rápidas y efectivas, con soluciones".

En una de ellas –dice Alende– yo coloqué la piedra fundamental de lo que luego sería el Consejo Federal de Inversiones.

El doctor Ernesto Arturo Ueltschi señaló que la política de estabilidad y desarrollo de la Nación generó un ámbito de credibilidad general, de facilitación del trabajo y las inversiones, de aliento a la producción de todo el territorio nacional.

Mucho más aún –dice Ueltschi– cuando la ejecución de la política era descentralizada también y las provincias fijaron planes locales de crecimiento y desarrollo acordes con la política general. [...] Los gobernadores pudimos hacer gobiernos exitosos porque existía esa política nacional diseñada e impulsada desde el gobierno nacional por Frondizi.

Otros nombramientos

Tras la designación de su gabinete, Frondizi se dedicó a la tarea de crear nuevas secretarías para agilitar los formulismos burocráticos y cumplir en forma armónica la ejecución de la política gubernamental.

La Secretaría de Relaciones Económicas y Sociales fue encomendada a Rogelio Frigerio. Fue una especie de superministerio que le permitió a su titular actuar, con su grupo de colaboradores directos, en forma coordinada con el Presidente, en la elaboración de proyectos político-económicos. Arturo Frondizi se refirió a las críticas que recibió por lo que se consideraba una influencia absorbente sobre el Poder Ejecutivo y que dio en ser llamado "gobierno paralelo".

No ha existido ningún "gobierno paralelo". En mi gobierno colaboran, desde la función pública y fuera de ella, como consejeros personales, ciudadanos que están identificados con los objetivos de mi gestión gubernativa. Los ataques a este supuesto "gobierno paralelo" provienen, precisamente, de la gran identificación y firmeza con que se sostienen los objetivos básicos. Nunca se criticó que los presidentes y ministros de este país tuvieran consejeros... cuando éstos representaban intereses contrarios a los intereses de la Nación. Además, esto no sucede sólo en la Argentina. En Estados Unidos, Roosevelt tuvo que soportar fuertes críticas por sus consejeros y lo mismo sucede actualmente con Kennedy.[5]

La Secretaría de Coordinación y Enlace fue desempeñada por el coronel Juan Enrique Guglialmelli; la Ejecutiva, por Samuel Schmukler, y la Técnica, por Nicolás Babini.

La Dirección de Prensa estuvo en manos de Dardo Cúneo, de origen socialista y reconocidos méritos intelectuales. El ingeniero José Babini, cuyo nombre ocupaba un lugar destacado en el campo de las ciencias y en el ámbito universitario, fue director de Cultura.

En la Asesoría presidencial se desempeñaron los doctores Silvio Bonardi, quien fuera secretario de Hipólito Yrigoyen; Mariano Wainfeld, secretario del Comité Nacional de la UCRI; Emilio Colombo y Bernardo Larroudé, luego subsecretario de Defensa a solicitud del doctor Gabriel del Mazo.

A mediados de junio se reformó la Ley de Ministerios, ampliando su número. Se crearon al mismo tiempo nuevas Secretarías de Estado.

Los ministros militares nombrados el 1° de mayo pasaron a desempeñarse como secretarios de Estado, dependientes de un ministro de Defensa Nacional, cargo para el cual fue designado Gabriel del Mazo, figura señera dentro del país por su actuación en la Reforma Universitaria, en la docencia y en la política, rama en la que fue fundador del Movimiento de Intransigencia y Renovación de la Unión Cívica Radical.

El Ministerio de Hacienda se convirtió en Ministerio de Economía, siguiendo a su frente el doctor Del Carril. Para el Ministerio de Trabajo y Seguridad Social fue nombrado Alfredo Allende. y en el Ministerio de Obras y Servicios Públicos se designó al doctor Justo P. Villar.

En las secretarías de Estado figuraron: Ricardo Lumi (Hacienda); Antonio López (Finanzas); Bernardino Horne (Agricultura y Ganadería); José Carlos Orfila (Comercio); Alberto Virgilio Tedín (Industria y Minería); Gregorio Meira (Energía y Combustible); Alberto Costantini (Obras Públicas); Adolfo Cosentino (Comunicaciones), y Alberto López Abrún (Transportes).

Frondizi efectuó varios cambios de gabinete, como consecuencia de las crisis militares que tuvo que enfrentar durante el cumplimiento de su gestión presidencial, teniendo siempre en cuenta la capacitación técnica para el cumplimiento de su gestión y la idoneidad y ética prescriptas por la Constitución Nacional.

NOTAS

1. Frondizi, Arturo: *Qué es el...*, ob. cit., págs. 71 y ss.
2. Idem.
3. Ibídem.
4. Pisarello Virasoro, Roberto y Menotti, Emilia: *Historia y Problemática...*, ob. cit., Tomo V, pág. 386.
5. Frondizi, Arturo: *Qué es el...*, ob. cit., pág. 45.

El país que recibió Arturo Frondizi

Cuando Arturo Frondizi llegó al poder la Argentina afrontaba un serio estancamiento y estaba inmersa en una crisis que comprometía a todos los sectores. Había finalizado la época de la riqueza distributiva y se agudizaba la quiebra de las estructuras agroimportadoras y pastoriles sobre las que se había asentado el desenvolvimiento económico del país.

El crecimiento demográfico obligaba a la urgente creación de nuevas fuentes de riqueza activando las fuerzas productivas inmovilizadas en toda la extensión del territorio. La realidad informaba sobre las reservas agotadas, el auge de la inflación, el deterioro del crédito internacional, las redes viales insuficientes, un parque industrial envejecido y los servicios públicos en evidente estado de precariedad.

Todo ello en un cuadro marcado por el estancamiento y hasta el retroceso. Entre 1948 y 1958 la producción nacional por habitante había descendido en un 6%, y el activo fijo de capital por hombre ocupado, disminuido considerablemente; la superficie cultivada se mantenía sin grandes variantes desde la década del treinta, en 21 millones de hectáreas [...]; la red vial no crecía desde 1938; el consumo de acero por habitante, a pesar de la industrialización, era inferior al de principios de siglo; el balance energético exhibía déficits muy graves y una sobredimensionada participación del petróleo –80% del total– como combustible que, sin embargo, debíamos importar en las dos terceras partes de su consumo. Las reservas, que luego de la guerra llegaron a sumar 1.700 millones de dólares, alcanzaban solamente a 250 millones frente a un endeudamiento externo de 1.100 millones, bastante considerable para la economía de la época. En transporte y en provisión energética, el déficit era francamente pavoroso, los apagones y la dieta eléctrica eran comidilla diaria en la ciudad de Buenos Aires; viajar representaba una verdadera odisea; las regiones seguían separadas entre ellas, pues la nacionalización de los ferrocarriles no había modificado el abanico con eje en Buenos Aires y el medio automotor era parcial y pobremente utilizado, tanto por las carencias de la red caminera como por la imposibilidad de la balanza comercial para soportar las importaciones de vehículos que el país requería. Baste, en este último sentido, recordar que el promedio de habitantes por automotor no era mayor al de 1928.[1]

Esta situación de la Argentina que Frondizi debía gobernar lo convirtió en irreductible adversario de un sistema agotado. Se propuso iniciar una revolución independiente de cualquier ideología, emprendida dentro de los estrictos límites de la legalidad, respetando los derechos y garantías que fijaba la Constitución nacional y con pleno funcionamiento de las instituciones que garantizaba el estado de derecho.

Primero debía unir a los argentinos, aglutinando a su alrededor fuerzas dispares, y luego movilizarlas pacíficamente en torno de un proyecto que incluyese a todas las clases y sectores. Proyecto que privilegiaba puntos clave para la transformación: petróleo, siderurgia, petroquímica, gas, redes viales, pilares de un ambicioso plan de desarrollo.

La política de desarrollo

Frondizi tuvo una concepción humanizada del desarrollo; su programa no lo consideraba como un fin exclusivamente económico, sino abarcativo, pues englobaba esa actividad con la concerniente a la educación, las expresiones espirituales, toda la vida social. Era un proceso que se imponía como consecuencia de un cuadro mundial en el que la coexistencia pacífica y la división de la tierra en dos áreas, una de ellas –la tercera parte–, con el desarrollo pleno de sus fuerzas productivas, la otra –las dos terceras partes restantes–, inmersa en el subdesarrollo con una miseria cada vez más marcada y avasallante, exigían una transformación estructural.

El programa nacional que Arturo Frondizi ejecutó en el gobierno –dice Isidro Odena– gira en torno de tres tesis fundamentales, emergentes de las contradicciones apuntadas: 1- El desarrollo económico del tercer mundo es un proceso necesario e inevitable, tanto para los países rezagados como para los países industriales, en la era de la superproducción y abundancia. 2- El equilibrio de fuerzas y la dinámica de la competencia entre el sector capitalista y el sector socialista, al abolir la guerra, libera en ambos sectores, recursos que no tienen aplicación sino en el desarrollo de las zonas marginales del propio mundo desarrollado y de las regiones atrasadas del resto de la tierra. 3- La liberación del atraso y la conquista de los grandes objetivos de legalidad, paz social y desarrollo económico constituyen una tarea solidaria y unitaria de todos los sectores de la vida nacional, y coinciden con los intereses parciales de cada uno de ellos.[2]

A partir de estas proposiciones y ante el deterioro de los términos del intercambio como consecuencia de que los países industrializados, antes consumidores de nuestras materias primas, desplegaron su propia producción de alimentos, Frondizi lanzó su política de desarrollo basada en un análisis totalizador de la realidad argentina. Desde la revolución de 1930, y aun antes, el agotamiento de la estructura tradicional convirtió a la Argentina en una comunidad subdesarrollada, agudizado este esquema porque una clase dirigente tradicional se esforzaba en sostener esa armazón.

Se abrían de tal manera ante la Argentina dos caminos: o profundizar la industrialización o volver hacia atrás, retornando al campo y abandonando el crecimiento manufacturero, lo que equivalía a renunciar a su destino nacional. La ruptura del círculo vicioso consistía en la integración de la economía mediante la construcción de la industria pesada y la unificación del mercado interno, apoyado en un eficiente y completo sistema de comunicaciones que relacionara las diversas regiones, rompiendo el esquema de la convergencia radial sobre el puerto de Buenos Aires, propio de la condición de apéndice agroimportador de las economías industrializadas.[3]

La formulación de un programa prioritario (energía, siderurgia, química pesada, celulosa, papel y caminos) hizo que se acusara al gobierno de dirigismo. Sin embargo, aunque la política desarrollista fijaba normas y metas para orientar las inversiones públicas y privadas, lejos estaba de inmiscuirse en la producción. Por el contrario, tendía a estimular la iniciativa privada reservando para el sector público sólo lo que no se podía o no se quería realizar.

Desmontando prejuicios, el desarrollismo priorizó la incorporación de capitales extranjeros, pero no de manera indiscriminada sino respetando cuidadosamente las leyes que rigen los propósitos de desarrollo. Fue tarea de los elencos oficiales juzgar cada inversión, para saber si se ajustaba "a una política de prioridades destinada a cambiar la estructura subdesarrollada", en amplia coincidencia con Juan XXIII, quien entendió que era imprescindible comenzar a promover "inversiones industriales destinadas principalmente a favorecer el desarrollo de otras actividades".[4]

Las líneas trascendentes de la política desarrollista

Desde el primer día de su gobierno, Frondizi comenzó a cavar hondo en la compleja situación de una nación en crisis, en la que las falencias de la economía estaban al desnudo "pues se habían agotado los excedentes del intercambio internacional que disimularan los problemas en los años inmediatamente posteriores a la Segunda Guerra Mundial".

Bien sabía que un país que no produce es un país que no crece y, sobre esta base, puso de relieve un cuadro que presentaba signos inequívocos de estancamiento y hasta de retroceso:

> Cuando llegamos al gobierno teníamos realizado un relevamiento de la situación económico-social de la República y habíamos elaborado un programa que expusimos detalladamente en la campaña electoral. Dijimos que la crisis argentina no era un episodio sino una expresión profunda y orgánica. Simplemente, un país de 21 millones de habitantes, con altos niveles de consumo y una industria liviana que proveía casi totalmente a ese consumo popular, ya no podía financiar su crecimiento con el producto de sus exportaciones. A un promedio de mil millones de dólares anuales de valor de las exportaciones, estas divisas apenas alcanzaban para pagar el combustible, las materias primas y algunos bienes de capital que importábamos, en cantidades que sólo cubrían las necesidades de una industria estancada por falta de energía, de equipos modernos y de materias primas. El país consumía, en esa época, unos 5.000 millones de dólares anuales en bienes de producción y de consumo. La insuficiencia de la tasa de formación de capital interno, la escasa productividad del agro y la industria por falta de insumos tecnológicos, y la creciente demanda interna motivada por el crecimiento vegetativo de la población y por las migraciones a los centros productores, creaban una presión permanente y en aumento sobre la balanza de pagos y los precios del mercado. La perspectiva era de paralización del crecimiento y del ingreso nacional, sobre todo en relación con el crecimiento demográfico y la mayor demanda.[5]

Sobre esta situación de la Argentina, Frondizi elaboró su plan de desarrollo. El programa planteado podía reducirse a seis puntos centrales que, aunque parecían fáciles en el papel, eran extremadamente complicados puesto que su aplicación práctica, según Frondizi, equivalía a librar una guerra sin cuartel contra los factores opuestos al cambio.

1° Fomentar y orientar el ahorro interno.

2° Estimular el ingreso de capital internacional, público y privado.

3° Establecer un régimen de prioridades de estas inversiones, para canalizarlas a los rubros básicos de la industria pesada y a los servicios de infraestructura.

4° Sustituir importaciones explotando al máximo los recursos locales y diversificar y fomentar las exportaciones.

5° Condicionar la política final y monetaria a las necesidades de la expansión y programación del desarrollo.

6° Practicar una política internacional que se traduzca en la apertura de nuevos mercados y en vencer las discriminaciones que nos impone la política proteccionista de nuestros mercados tradicionales.

La audacia del plan consistió en resolver esas coyunturas dentro de una concepción integral del proceso económico del desarrollo. Para lograrlo desechó las antinomias agro-industria; capital nacional-capital extranjero; estatismo-libre empresa; y combinó la función conjunta del Estado y los productores con el más franco estímulo a la actividad privada.

Pero esta tarea requería, a su vez, preparar la conciencia de los industriales, trabajadores, técnicos, políticos, militares, para que acompañaran en la tarea de remoción de los estratos arraigados profundamente en la sociedad, es decir, para abrir una vía rápida y establecer acuerdos de relevancia para la integración geoeconómica.

Si bien la Argentina, si nos atenemos a los caracteres funcionales que definen al subdesarrollo, era un país que condecía con ese esquema, su evolución de Nación productora de materias primas o productora de artículos de consumo y bienes intermedios abastecedores del mercado interno, fue definida por la CEPAL como nación "en desarrollo". Esta concepción justificó el proceso dinámico y progresivo que impulsó Frondizi y que, de no haberse interrumpido después de su derrocamiento, habría colocado a la Argentina en el camino de un rápido y sustancial crecimiento.

NOTAS

1. Frondizi, Arturo: *Qué es el...*, ob. cit., pág. 66.
2. Odena, Isidro: *Entrevista con el mundo en transición*, Crisol, Buenos Aires, 1977, 2ª edición, pág. 139.
3. Frondizi, Arturo: *Qué es el...*, ob. cit., pág. 45.
4. Juan XXIII: *Mater et Magistra*, Biblioteca de Autores Cristianos, pág. 150.
5. Frondizi, Arturo: Discurso pronunciado en la comida mensual del Instituto de Inversiones Económico-Financieras de la CGE, 23 de marzo de 1965.

"LA SIDERURGIA, MADRE DE LA INDUSTRIA, FÁBRICA DE FÁBRICAS"

Arturo Frondizi consideraba a las industrias básicas, al autoabastecimiento energético y a la industria de transportes, como los principales factores que hacían al bienestar material y espiritual de los argentinos. Dentro de ese proceso, la siderurgia surgía como una de las metas preferenciales en su plan gubernativo, ya que la participación del acero en la vida económica era tan decisiva que engendraba una marcada correlación entre el nivel de vida, la importancia del país y el consumo de acero per cápita y por año.

Cuando el general Savio, desde un lejano pueblito de Jujuy, anunció que "un chorro brillante de hierro iluminaba el camino ancho de la Argentina", selló el destino de la siderurgia, a la que Frondizi denominó "madre de la industria" y "fábrica de fábricas".

La "batalla del acero"

A los efectos de promover la siderurgia, Frondizi y su secretario de Relaciones Económico-Sociales, Rogelio Frigerio, se entrevistaron con el presidente de SOMISA, general Pedro Castiñeiras, para acelerar la construcción de la planta Savio. En esa oportunidad, Frondizi manifestó a los periodistas presentes:

> Deseamos que el país haga un gigantesco esfuerzo para terminar a ritmo acelerado la gran planta que está en construcción en San Nicolás [...] Nuestros objetivos de gobierno tienen una prioridad: el acero y la planta de San Nicolás.

Esta tarea comenzó a delinearse conjuntamente con la explotación del petróleo, porque según Arturo Sábato, requería de un prolongado período de preparación para alcanzar resultados concretos. En los días en que se discutían los contratos petroleros, precisamente el 18 de junio de 1958, un grupo de industriales anunció al Presidente la intención de construir otra gran planta privada de acero, que en 36 meses podía comenzar a producir no menos de 500.000 toneladas, para llegar a una producción anual de un millón de toneladas de acero.

–Las dificultades que se presenten –les dijo Frondizi– las solucionaremos en el más elevado nivel, en el del propio Presidente de la República.

Esta planta se instalaría en la zona de Puerto Madryn, en las cercanías de Sierra Grande, donde se encuentran los mayores yacimientos ferríferos. Pero para que se verificara esta obra, debían darse otras condiciones básicas: la realización del complejo hidroeléctrico El Chocón-Cerros Colorados, y la explotación del mineral de Sierra Grande. Vista la urgencia de aquella realización, se propuso construir la planta en la zona más asequible comprendida entre Ramallo y San Nicolás.

El 20 de junio de 1958, a la par del homenaje a la bandera, Frondizi reiteró el apoyo irrestricto a la empresa del acero:

> Debemos ganar la batalla del acero. Nuestra seguridad y nuestro progreso exigen que podamos autoabastecernos de acero.

Pero la burocracia, que indefectiblemente hacía sentir su peso sobre los organismos, en este caso Fabricaciones Militares, abortó el despliegue de un magnífico intento que quedó condicionado a los costos internacionales de producción.

Con plena confianza en Frondizi, el Directorio de SOMISA, en Asamblea Extraordinaria llevada a cabo el 17 de setiembre de 1958, propuso duplicar el capital de la empresa. El Poder Ejecutivo acompañó la propuesta y por decreto 7450 del 14 de octubre, lo elevó a 6.000 millones de pesos.

Anteriormente, se había solucionado el estado conflictivo que el país tenía con el grupo DINIE y, como resultado de ello, Alemania Occidental había apoyado el otorgamiento de créditos al país. También se perfeccionaron los contratos suscriptos con las empresas Ferrostal A. G. Didier, Werke A. G. y Didier Internacional Bumbtt, de Alemania, y Loftas Engineerin Company, de los Estados Unidos, vinculadas con el suministro de equipos y materiales, servicios de ingeniería y dirección de la construcción de la acería Siemens-Martins.

Además, superando la situación financiera, Frondizi volcó en SOMISA, durante su gobierno, 11.791 millones de pesos, o sea 13,4 veces más que en los diez años precedentes.

La concreción de realizaciones vinculadas con la producción de acero tuvo un ritmo deslumbrante y fue un ejemplo del mecanismo que Frondizi anticipó en su discurso inaugural de 1958.

– El 20 de abril de 1960 se produjo el primer deshornado de coke, apto para fines metalúrgicos;

– El 22 de junio de 1960 se patentizó la primera colada de arrabio en el alto horno N° 1. Este horno, el de mayor capacidad instalada hasta entonces en América latina, fue diseñado para una producción diaria estimada en 1.500 toneladas.

María Liliana, el primer alto horno del país

El 25 de julio de 1960 se inauguró oficialmente la planta general Savio. Los actos, que contaron con la presencia del doctor Frondizi, fueron magníficos, según lo expresó el matutino *La Prensa*, en su edición del 26 de julio de 1960.

Una numerosa comitiva acompañaba a Frondizi, quien fue recibido en el puerto "Ingeniero Buitrago" de SOMISA, por los gobernadores de Santa Fe, doctor Carlos Sylvestre Begnis, y de Buenos Aires, doctor Oscar Alende, funcionarios, legisladores nacionales, el presidente de SOMISA, general Castiñeiras, y miembros de su Directorio.

Frondizi pasó revista a las tropas que le rindieron honores y recorrió la planta general Savio, saludado con entusiasmo por operarios que lucían cascos de diferentes colores, identificatorios de las secciones en las que prestaban servicio.

Durante el acto que se realizó junto al alto horno, Frondizi hizo entrega de una medalla recordatoria al empleado más antiguo de SOMISA, Juan Tarragona, como homenaje y reconocimiento a quienes, con su tenacidad, habían contribuido a poner en marcha esas concretas realizaciones.

Tras el discurso del general Castiñeiras, el Presidente de la Nación, con brillantez digna de un estadista, destacó que la prioridad número uno en la planificación previa correspondía a la siderurgia, pero, por requerir un más prolongado período de preparación para alcanzar resultados concretos, había cedido paso al petróleo que podía ayudar a enjugar rápidamente el déficit de la balanza comercial y proveer los medios necesarios para abastecer al país de acero. No obstante, se había alcanzado aquel propósito inicial:

> Este día señala un jalón de gran trascendencia para la vida del país. Hoy comienza en la economía argentina una nueva etapa en el proceso de transformación estructural que ha de llevar al pueblo argentino a conquistar el alto nivel de vida que demanda [...] Sin hierro, acero y energía, los pueblos carecen de porvenir y están condenados a la miseria, la dependencia y el atraso.

Al declarar inaugurada la planta siderúrgica, la nieta del general Savio, la niña de doce años María Liliana Manrique, sobrina a su vez del capitán de navío Francisco Manrique, descubrió una placa con sus nombres de pila, que pasaron a identificar al primer alto horno del país. Se respetaba una tradición siderúrgica que bautizaba con nombres de mujer a las instalaciones y se rendía digno homenaje al general Manuel Savio, quien con visión y patriotismo había llevado adelante el Plan Siderúrgico.

Frondizi oprimió a continuación un botón accionando una sirena indicativa del inicio de la colada de arrabio. Efectuada la perforación del tapón de arcilla y hierro solidificado que obturaba la boca de colada, brotó el chorro de arrabio líquido que, deslumbrantemente anaranjado al comienzo, se tornó brillante y blanquecino, para caer en el vagón tanque que lo conduciría a la sección de lingoteado.

Frondizi no pudo ocultar su emoción ante la consolidación de uno de los proyectos más ambicionados, y un medallón recordatorio que guardó con unción hasta sus últimos días fue el testimonio de esa jornada.

En San Nicolás, población a la que se dirigió inmediatamente después de inaugurada la planta, fue recibido con júbilo. Allí, en la histórica Casa del Acuerdo, Frondizi improvisó unas palabras y, tras firmar el libro de honor, hizo entrega a la viuda del general Savio, señora Alicia Dorrego, de una medalla alusiva.

El 5 de enero de 1961, Frondizi presidió otro importante jalón en la empresa siderúrgica: la primera colada de acero obtenida en uno de los cuatro hornos Siemens Martins. En los meses siguientes, se avanzó en la tarea de laminación y, para activar esta producción, se dictaron leyes que favorecieron el proceso productivo. A fines de 1958 fue promulgada la ley 14.781 de "industrialización del país y creación del Consejo Nacional de Promoción Industrial", a la que siguieron los decretos 5038/61 de "promoción siderúrgica"; 5039/61, de "promoción de la petroquímica", y 8141/61, para "fomento de la industria de la celulosa".

Contactos internacionales

Dentro del cuadro de gestiones y realizaciones vinculadas con la siderurgia, en febrero de 1960 el doctor Frondizi recibió la visita del presidente de los Estados Unidos, general Dwight Eisenhower, con quien se reunió en la ciudad de Bariloche. En uno de los encuentros informales le solicitó la colaboración para continuar con las obras emprendidas. A su regreso, Eisenhower envió tres especialistas en el tema, quienes manifestaron que, a su criterio, la Argentina no debía fabricar acero, ya que, al tener los Estados Unidos buenas plantas y abundante producción, resultaba más conveniente para nuestra nación obtenerlo en el país del Norte. Hipótesis equivocada porque no existe, por supuesto, un solo precedente histórico de país alguno que haya logrado industrializarse sin imponer estrictas medidas de protección aduanera contra la competencia de la industria extranjera, que siempre es, inicialmente, mejor y más barata. Es cierto que hay que pagar un tributo para alcanzar el desarrollo. En un principio es siempre más oneroso producir que importar lo que se fabrica en el exterior a favor de las ventajas características de la producción monopólica en el mundo industrializado [...] Será necesario, además, enfrentar la competencia de precios de monopolio, disminuidos con la intención de hacer abortar el intento sustitutivo. Pero ese tributo lo tuvieron que oblar en su momento, y sin excepción, todas las naciones hoy industrializadas, que dejaron atrás el estadio agrícola, bajo la protección de barreras aduaneras para su industria incipiente.[1]

También en 1960, Frondizi trató con gobernantes y empresarios europeos sobre la posibilidad de participación de Italia, Francia, Alemania y Bélgica, y en 1961 con industriales de Japón y otros países asiáticos, siempre en busca de abrir perspectivas para el crecimiento de la capacidad de producción en el campo de la siderurgia.

Otras realizaciones

Otro de los grandes desafíos fue la explotación de Sierra Grande, y, al efecto, se conformó MISIPA (Minería y Siderurgia Patagónica). En el acto inaugural de las importantes obras, Frondizi afirmó:

En el futuro, el hierro de Sierra Grande estará en las torres y perforadoras que penetrarán en la entraña de nuevos yacimientos, en las obras de riego del alto valle, extendidas en todo el ámbito regional, haciendo que sus saltos de agua poderosos se transformen en represas que harán de los actuales pedregales inhabitables, vastas praderas pobladas.

La constitución de la empresa, la contratación y arribo de técnicos alemanes, estadounidenses y suecos, de Sweco A. B. y la celeridad de los trabajos, permitieron que MISIPA avanzara rápidamente.

Las fuerzas que se oponían al desarrollo argentino levantaron acusaciones de "negociados" ante esos contratos positivos, y el diputado Isaías Juan Nougués propuso, el 14 de abril de 1961, la constitución de una comisión especial investigadora, que formó parte de una guerra sicológica para coartar la marcha progresiva del proyecto. Sin embargo, ese año fue promisorio para el desarrollo de la siderurgia, puesto que comenzaron los trabajos en Umchine –Campo Santo–, departamento General Güemes, en Salta, y de Acindar en Villa Constitución. La empresa CORIALSA inició gestiones ante el gobierno de Entre Ríos para la instalación de una planta en la zona de Diamante y el gobierno de Misiones intentó obtener la financiación del primer alto horno en la zona del Deseado, sobre la base de la explotación del mineral recientemente descubierto.

Entre otros emprendimientos siderúrgicos cabe destacar el de instalación de una planta de acero en el barrio Santa Isabel, en Córdoba, y el de SIDERCA para levantar en Campana una electrosiderurgia semiintegrada con una capacidad de 150.000 toneladas anuales.

Al mismo tiempo se impulsó la modernización de Altos Hornos Zapla para convertirlos en una planta siderúrgica integrada.

En una publicación de la Secretaría General de la Presidencia de la República del año 1969, a siete años de derrocado Frondizi, leemos:

> Bajo el régimen del decreto 5038/61, reemplazado posteriormente, se trazó una serie de planes de producción, de empresas existentes y empresas nuevas, se concretaron importantes inversiones en las nuevas plantas, tanto integradas como semiintegradas, así como para la ampliación de varias ya existentes, cuyo aporte a la producción de acero significará la atenuación del déficit siderúrgico que acusa el país.

La producción del acero, siguiendo con el ritmo que se preveía y alentada por las modificaciones del régimen legal de la industria siderúrgica, se había triplicado, de acuerdo con el cronograma fijado. Estos resultados, evocados cuarenta años más tarde, muestran en los hechos la importancia de un método y de un programa cuya vigencia desafía el paso del tiempo.

NOTA

1. Frondizi, Arturo: *El Movimiento Nacional. Fundamentos de su estrategia,* Losada, Buenos Aires, 1975, pág. 106.

> La doctrina de YPF tiene sus textos sagrados, sus dogmas, sus santos, su templo, su liturgia, sus adeptos, su catecismo y sus sacramentos. Descubrir petróleo es un sacramento, extraer petróleo es otro sacramento, el más sagrado de todos los sacramentos. Por eso, para la doctrina, la verdad revelada es así: lo importante no es cuánto petróleo se saca, sino quién lo saca, porque solamente YPF lo debe sacar. Y por creer devotamente en este despropósito, el desarrollo del país estuvo atrasado más de medio siglo.[1]

Antecedentes

Para la generación a la que pertenecía Arturo Frondizi, imbuida de dogmas izquierdizantes, el pivote de la soberanía de la Nación, como fundamento de su concepción económico-filosófica, residía en la explotación excluyente por el Estado, de sus riquezas mineras. El petróleo fue la pieza clave en ese largo debate en torno de la manera de extraerlo e industrializarlo.

El radicalismo, como exponente de una política que caracterizaba a todos los movimientos con ideas revolucionarias que se gestaron coincidentemente en América, desde las de México de 1910, el APRA en Perú, Guatemala con Juan José Arévalo, Venezuela con Rómulo Betancourt, emprendió la defensa de una "política de capitalización no al servicio de intereses privados sino al servicio de los intereses nacionales".

La línea trazada por Yrigoyen desde su primer gobierno y realizada por Mosconi desde YPF, fue defendida por el bloque de diputados radicales en el histórico debate de 1927 y sostenida permanentemente desde la oposición después de 1930.

La Declaración de Avellaneda dispuso que la nacionalización absoluta del petróleo, su explotación, industrialización, importación y comercialización estarían exclusivamente a cargo de YPF, y Frondizi, en el debate de 1949 en la Cámara de Diputados de la Nación, se hizo cargo de esa programática partidaria al plantear la necesidad de que no se levantaran las reservas fiscales;

no se aumentara el precio de la nafta y demás subproductos petrolíferos y que todos los aumentos –en caso de establecerlos– fueran para una capitalización de YPF.

En aquel momento, los recursos del país permitían respaldar a una institución modelo como YPF, para recuperar, preservar y desarrollar al máximo las inmensas posibilidades del petróleo argentino.

Petróleo y Política

En 1954, Frondizi publicó *Petróleo y Política*, importante trabajo de economía y política que se convirtió en un libro clásico y emblemático sobre la riqueza petrolera del país, y la misión que cabía a YPF en la tarea de extracción del mineral para beneficio de la Nación. En él, sigue paso a paso el proceso de explotación petrolífera y lo enfoca desde todos los ángulos imaginables, tanto técnico-económicos como sociales, no sólo desde la estricta óptica nacional, sino en sus amplias proyecciones universales. Con rigor histórico muestra el tramado de intereses y defecciones que motivaron convenios, leyes, decretos administrativos, discursos parlamentarios, jurisprudencia.

Petróleo y Política aporta una aguda descripción del panorama del mundo para iluminar su objetivo: relacionar el problema polarizante del petróleo con el complejo de factores en el que está inmerso; probar cómo se van eslabonando los períodos gubernamentales argentinos con la materialización o la defraudación de los anhelos populares, destacando el proyecto nacionalizador de una de las ramas progresistas del radicalismo frente a la vocación de dependencia tanto del conservadorismo como del antipersonalismo alvearista.

Decía Frondizi:

> Los países que soportan la acción de los monopolios imperialistas sobre determinadas riquezas naturales (como el petróleo), deben nacionalizar esas riquezas convirtiéndolas en propiedad del pueblo [...] Las transformaciones que resulten de la realización de estos tres hechos fundamentales –reforma agraria, industrialización, democratización económica– que integran en esta etapa histórica el contenido económico-social del proceso revolucionario, deberán sustentarse en una política internacional de amistad con todos los pueblos, pero fundamentalmente de amplia fraternidad con América latina... Se darán así las condiciones materiales y políticas para corregir las deformaciones económicas creadas por un desarrollo subordinado a los intereses materialistas, para terminar con las injusticias sociales [...] para terminar con la ausencia de cultura [...] y para acabar, de una vez, con la carencia de derechos y libertades.

Su enfoque mostraba las inquietudes de una generación que aspiraba a transformar a su partido en una avanzada de ideas y reivindicaciones sociales, para desmentir la afirmación de José Vasconcelos de que el radicalismo, después de Yrigoyen, se convertiría en un partido burgués o plutócrata.

Petróleo y Política fue erigido como estandarte para nacionalistas e izquierdistas que vieron reflejados en él los esquemas que conformaban su ideario sobre la no injerencia de inversiones extranjeras en la explotación del petróleo, puesto que su presencia tenía como meta llevar a la Nación a un colonialismo anquilosado, ya que petróleo e imperialismo eran, para ellos, términos equivalentes.

Como bien lo señaló Frondizi, este libro, "escrito no por un historiador sino por un político, en función política", fue una contribución al estudio de la política argentina, de su historia económica, de las relaciones entre el imperialismo y la vida nacional, pensado para que su lectura ayudase a comprender aspectos del pasado y del presente "de la patria y de otros pueblos que tienen problemas similares a los nuestros".

Las ediciones de *Petróleo y Política* se agotaron, pero sus originales, escritos prolijamente por su esposa Elena, con las correcciones al margen de Frondizi, figuraban entre el valioso material de la biblioteca del Centro de Estudios Nacionales.

La política petrolera del gobierno desarrollista

Cuando Frondizi asumió la presidencia de la Nación, los cambios tecnológicos a nivel mundial brindaban un fascinante campo de posibilidades al hombre, pero, a su vez, le presentaban al flamante mandatario un cúmulo de interrogantes y preocupaciones sobre el curso que podían tomar las programaciones previas a su asunción al gobierno.

Se había concebido como prioridad absoluta la siderurgia, por su implicación decisiva en la ansiada integración e industrialización del país, pero el dramático cuadro que presentaba el país obligó a las autoridades a abrir otro frente para lograr en menor tiempo resultados positivos. El petróleo sería el factor determinante para alcanzar la estabilidad económica; había que extraerlo y, para ello, se debía sumar al esfuerzo de YPF el del capital privado, nacional y extranjero.

Pero en este terreno dos tendencias puramente políticas habían dividido a la opinión pública. Una línea, la clásica librecambista, consideraba que importarlo era más barato y, por lo tanto, más económico; la otra, nacionalista, sostenía la necesidad de extraerlo con YPF o dejarlo en el subsuelo como posibilidad latente.

209

Helio Jaguaribe, el expositor brasileño, en su doble experiencia de economista e industrial, hizo un profundo estudio sobre los nacionalismos de fines y de medios, cuya notable influencia se hacía sentir en nuestro país.

El nacionalismo –dice– sólo se realiza en la medida que reconoce su fin, que es el desarrollo, y para eso debe valerse de todos los medios apropiados, sea cual fuere el origen de los agentes desde que, en las condiciones concretas, se revelan los más eficaces.

Y Dardo Cúneo, partiendo de esa premisa, advierte:

en el caso argentino, esos agentes eficaces de un nacionalismo de fines, fueron los contratos suscriptos por el gobierno de Frondizi, a mediados del 58, con varias empresas estadounidenses.

Frente al estancamiento, Frondizi oponía la urgencia por iniciar un proceso de cambio profundo, integral y global. Ante la imposibilidad de YPF para cumplir con las necesidades de la Nación, que se encontraba al borde de la cesación de pagos y con fuerte déficit de la balanza comercial, decidió recurrir a la colaboración privada, a fin de alcanzar el ansiado autoabastecimiento en el menor tiempo y, con el respaldo de las divisas recuperadas por la limitación de los gastos de importación, completar el reequipamiento industrial del país y contribuir a su estabilidad económica.

La "batalla del petróleo"

La "batalla del petróleo" fue lanzada por Frondizi el 24 de julio de 1958 desde la Casa de Gobierno:

Será una batalla frontal y, por lo tanto, difícil y de enorme desgaste. Emplearemos, en consecuencia, todos los recursos disponibles. Si el país contara con medios financieros, no titubearíamos en aplicarlos a nuestro petróleo. Lo propusimos cuando el Banco Central tenía reservas. Si el 1° de mayo de 1958 hubiera habido oro suficiente en sus arcas, habríamos ido personalmente a retirarlo para entregarlo a YPF.

Esta batalla sería librada en todos los frentes y, por lo tanto, sabía que "se nos combatirá en nombre de supuestas ideas avanzadas". Pero nada lo detendría porque "el país trabaja para pagar petróleo importado, petróleo que tenemos bajo nuestros pies".

La revolucionaria decisión de recurrir al capital privado desató la reacción de quienes, atados a ideologías o a intereses económicos, acusaron a Frondizi de traicionar sus principios con concesiones onerosas y avasallantes para el país. Frondizi nunca atacó y nunca se defendió, porque su honestidad política le permitía efectuar cambios y explicar actitudes que adoptaba en busca de la paz y el progreso para su patria.

El *Frondizi de* Petróleo y Política *y el Frondizi presidente*

La conducta del diputado Frondizi ante la cuestión petrolera y su intelectual posición de defensa de YPF en *Petróleo y Política*, cotejadas con la política impulsada por el presidente Arturo Frondizi en 1958, nos conducen a un interrogante de permanente vigencia, el de las antinomias entre los preceptos y sus realizaciones en la política imperante.

Arturo Uslar Pietri expresó:

Los tres cuartos de siglo corridos desde el estallido de la Primera Guerra Mundial hasta hoy están llenos de infinitos ejemplos de ese conflicto casi insoluble entre la libertad de conciencia y las lealtades aceptadas con ideologías o partidos.

Y agregó que aquellas contradicciones

quedaban abiertas entre la convicción moral e intelectual, de una parte, y de la otra, la responsabilidad y las obligaciones que impone la solidaridad nacional.[2]

La convicción del diputado Frondizi y la responsabilidad de Arturo Frondizi presidente de la República fueron asumidas con honradez por el Primer Magistrado en su discurso del 12 de febrero de 1962. En la alternativa, sacrificó el orgullo partidario y personal, desechó el enclaustramiento en un orbe ideológico cerrado y en esquemas inmutables, y adoptó el camino que consideraba más conveniente para la Nación.

Se dijo que la política petrolera del Presidente era todo lo contrario de lo que había sostenido el ciudadano Frondizi en su libro *Petróleo y Política*. [...] No vacilo en reconocer que la doctrina de dicho libro no corresponde enteramente a la política practicada por mi gobierno. En el libro sostuve la necesidad de alcanzar el autoabastecimiento de petróleo a través del monopolio estatal. Era una tesis ideal y sincera. Cuando llegué al gobierno me enfrenté a una realidad que no correspondía a esa postura teórica, por dos razones: primera, porque el Estado no tenía los recursos necesarios para explotar por sí solo nuestro petróleo; y segunda, porque la inmediata y urgente necesidad de sustituir nuestras importaciones de combustible no dejaba margen de tiempo para esperar que el gobierno reuniera los recursos financieros y técnicos que demandaba una explotación masiva que produjera el autoabastecimiento en dos años. La opción para el ciudadano que ocupaba la Presidencia era muy simple: o se aferraba a su postulación teórica de años anteriores y el petróleo seguía durmiendo bajo tierra, o se extraía el petróleo con el auxilio del capital externo para aliviar nuestra balanza de pagos y alimentar adecuadamente a nuestra industria. En una palabra, o se salvaba el prestigio intelectual del autor de *Petróleo y Política* o se salvaba el país. No vacilé en poner al país por encima del amor propio del escritor. [...] Mantuve el objetivo fundamental que era el autoabastecimiento, pero rectifiqué los medios para llegar a él. No me arrepiento [...] Al contrario, me siento plenamente satisfecho de haber tenido el valor de hacerlo y de firmar convenios que han significado el autoabastecimiento de petróleo en menos de tres años.[3]

Basta recorrer las páginas de los diarios para advertir las dificultades del gobierno ante el notorio impacto que hacían sentir sobre la ciudadanía las huelgas y campañas organizadas por la oposición desde la izquierda a la derecha. A lo que cabe sumar que no pocos segmentos de su propio partido enfrentaron su política petrolera. Hasta el vicepresidente Alejandro Gómez se solidarizó con quienes izaban las banderas del programa de Avellaneda, profundamente arraigadas en un considerable sector de la ciudadanía, sin comprender que los tiempos históricos marcaban nuevas normas. Calificó a Frondizi de desertor por haber traicionado las ideas sustentadas en su libro *Petróleo y Política*, apoyando conductas tan cerradas y hostiles como la de Silenzi de Stagni, entre otros.

En este marco, Frondizi debió obrar enérgicamente para evitar que los conflictos, disturbios y ofensivas polémicas dificultaran la extracción del petróleo.

La decisión

Dijo Rogelio Frigerio:

La misma elección del petróleo como prioridad, antes incluso que el acero, fue un acto consciente y coherente en el esquema general (carne + petróleo = acero, decía la fórmula que habíamos acuñado). Elegimos esa materia prima por dos razones fundamentales: 1) Las dificultades del sector externo que se incrementarían cuando el plan funcionara a pleno y fuesen mayores los requerimientos de insumos para la industria; y 2) la rapidez de maduración de las inversiones petroleras, lo cual daba coherencia a la inclusión de este rubro en un plan de concepción global y apoyado en una definida idea del ritmo, del factor tiempo.

Esa coherencia se mantuvo pese a las presiones golpistas y a las dificultades de todo tipo que tuvimos que enfrentar. Hicimos concesiones formales pero nunca cedimos en la política de fondo. Por eso tuvimos en esos cuatro años, cinco ministros de Economía pero una sola política económica.

Para evitar todo tipo de temores sobre nuestra soberanía en materia minera, Frondizi envió al Congreso un proyecto de ley de nacionalización de hidrocarburos, que suplía la falencia dejada por la anulación del artículo 40 de la Constitución de 1949, por la reforma constitucional de 1957. Por su parte, las empresas sopesaron la rápida concreción de arreglos satisfactorios con los inversionistas que tenían problemas pendientes –devolución de DINIE, acuerdos con la casa Bemberg, CADE, ANSEC– para reavivar la confianza puesta en Argentina como Nación cumplidora de sus compromisos y garante de las inversiones. Esta apertura económica, en su justa valoración, permitió la afluencia al país de capitales que debieron ajustarse a la planificación efectuada por el gobierno.

Arturo Sábato fue el encargado de aplicar en YPF una política acorde con las decisiones del Primer Magistrado y del secretario de Relaciones Económico-Sociales de la Presidencia, Rogelio Frigerio. Este había delineado con Frondizi la gama de negociaciones a emprender para que todas las compañías petroleras pudieran participar en la explotación en la Argentina, siempre bajo el control nacional.

Dentro de este plan se incluyó como una de las primeras condiciones, otorgar a YPF su exacta ubicación para que la entidad, que contaba con el consenso pleno de la población y en especial de los sectores sindicales, desarrollara todo su potencial como ejecutora de la política petrolera de la Nación. En este proceso de reconversión, se modificó su estructura para convertirla en una asociación de empresas autónomas, ligadas a la cúspide, con lo que se controlaba eficientemente su presupuesto, eliminando los gastos superfluos.

> Este nuevo YPF debía tener a su cargo la conducción de toda la política petrolera, estando presente en cada uno de los sectores que integran su complejo empresario, desde la exploración geológica, hasta la venta de los productos elaborados. De esta manera, YPF está siempre en condiciones de suplir la actividad de cualquier empresa en el momento en que por cualquier circunstancia defeccionara [...] y eso no por razones sentimentales, sino porque es la condición absolutamente necesaria para asegurar la independencia del país en la materia.[4]

Fue en estas condiciones que Arturo Sábato fue el encargado de firmar contratos con firmas líderes –tanto pequeñas como grandes– en el mercado petrolero.

> En menos de seis meses –informó Sábato– se negociaron y firmaron los contratos. Puede que tengan imperfecciones, pero la perfección, en el mecanismo tradicional de la burocracia, equivale siempre a posponer soluciones. Y la Nación no tenía tiempo que perder.

Oposición y dudas

Estos pasos dieron lugar a todo tipo de conjeturas y críticas que, en determinado momento, hicieron peligrar las negociaciones porque los inversores llegaron a desconfiar de la seriedad de la Argentina para contratos de tanta envergadura.

El mayor disenso se basaba en el hecho de que las contrataciones directas, no siempre límpidas en nuestra historia, suplantaron a la clásica oferta de las licitaciones. Pero esta metodología se adoptó con todos los recaudos legales, puesto que los contratos debían contar con el aval del Banco Industrial, cuyo Directorio exigió las máximas garantías antes de acordar su conformidad.

Arturo Sábato recuerda una dramática e intensa reunión que comenzó en la Secretaría de Relaciones Económico-Sociales de la Presidencia y culminó en el despacho presidencial:

Concurrimos con técnicos de YPF, entre los que estaba el ingeniero Richtmann y funcionarios de la Presidencia; entre ellos recuerdo al entonces Secretario de Coordinación y Enlace, coronel Juan Enrique Guglialmelli. Todos se mostraban profundamente inquietos y preocupados por el rumbo que tomaban las negociaciones. Sostenían, entre otras cosas, que la batalla no se libraba en los términos en que se habría propuesto al país por parte del propio Presidente [...]; se sostuvo que la negociación ya prácticamente concluida con la Panamericana y la Banca Loeb, las que en pocos meses más estarían extrayendo el petróleo, no tenían razón de ser puesto que se contaba con la negociación con "el grupo estadounidense", proveedor presunto de 700 millones de dólares que posibilitarían todas las soluciones a través de YPF. Tras un severo debate, Frigerio resumió los términos teóricos y prácticos de su gestión [...] Finalmente propuso que el debate se llevara ante el propio Presidente y tras consultar telefónicamente con Frondizi, nos encaminamos todos hacia su despacho. Allí, Frigerio informó al Presidente de la inquietud, que calificó de legítima por la sinceridad de las convicciones que los animaba, de los técnicos y funcionarios de YPF, a quienes sostenía en sus convicciones el propio coronel Guglialmelli [...] El presidente Frondizi fue muy breve y terminante en sus apreciaciones. Sostuvo que la conducción de la política petrolera había sido confiada por él a Frigerio y que la meta propuesta era alcanzar rápidamente el autoabastecimiento, debiendo sujetarse a este objeto todas las demás condiciones hasta el límite en que estuviera comprometida la soberanía del país, caso que no se presentaba en las tratativas. Con este voto de confianza concluyó la reunión, de la que unos salimos convencidos de que estábamos en el camino justo y otros mantuvieron su arsenal de dudas.[5]

Los contratos petroleros

Mientras se negociaba con un grupo de compañías petroleras americanas a las que genéricamente se denominó "grupo estadounidense", con las que llegó a firmarse una carta de interés, se pusieron en marcha contratos más pequeños, los que, ante la extrañeza de los inversores, se firmaron a veces en lugares y horas insólitas para evitar que la propaganda adversa pudiera hacerlos fracasar.

Con esos primeros acuerdos comenzó la actividad. YPF inició la perforación de cuarenta pozos en Tierra del Fuego el 25 de marzo de 1959; la Tennessee principió sus trabajos un mes después de firmar el contrato de explotación en la isla del Sur, y a los tres años había acumulado una producción de 1.300.000 metros cúbicos de petróleo.

La producción de Pan American, en el flanco norte de Comodoro Rivadavia y del Banco Loeb en Mendoza

> Constituyen la mejor confirmación de nuestra postura de que el incentivo de la utilidad sería la garantía de que el petróleo sería extraído por los contratistas y es la mejor contestación a todos aquellos críticos que sostuvieron que las compañías privadas no tenían ningún interés en sacar a la superficie el petróleo.[6]

La Pan American Oil Company, en cinco años, invirtió 101 millones de dólares. No transfirió fondos al extranjero para reembolso del capital invertido ni pago de beneficios. La producción de petróleo se triplicó en cuatro años. El costo del petróleo producido por la compañía fue inferior al importado y al del extraído por administración. Las técnicas operativas se realizaron en Comodoro Rivadavia, que se transformó entonces en un verdadero emporio del sur argentino.

En esa carrera competitiva las compañías, además de invertir, debieron hacer uso de importantes sumas traídas del exterior, para realizar su tarea, desmintiendo así una de las críticas que centraba su tono en el precio supuestamente elevado que se convino como retribución. Con cifras elocuentes se demostró que el petróleo de los contratos fue mucho más barato que el similar importado y que el producido por administración.

Por otra parte, la cláusula que hacía recaer en las empresas el riesgo de toda operación petrolífera se vio reflejada en el hecho de que la Unión Oil, la Shell y la Esso habían invertido más de 35 millones de dólares sin resultado y sin derecho a indemnización alguna.

La firma de los contratos representó para el país la incorporación de capitales, técnicas y aptitud empresaria. Se importaron menos combustibles y se adquirieron más maquinarias.

Con más máquinas en funcionamiento y menos combustible de importación, se orienta el país hacia el pleno desarrollo nacional y se conquista independencia y soberanía.

Los contratos habían sido suscriptos de acuerdo con este criterio acerca de la función del capital extranjero [...]: promover industrias básicas, innovaciones tecnológicas y sustituir importaciones tradicionales. Se convirtió así "en un aliado del interés nacional".[7]

El gobierno dio el mismo tratamiento al capital extranjero y al capital nacional.

A pesar de que se podían demostrar resultados concretos, los contratos fueron impugnados con argumentos que profetizaban nuestro deterioro como país soberano.

El doctor Manuel Raúl Conesa (h) publicó en octubre de 1973 un trabajo en el que analizó los contratos petroleros y arribó a las siguientes conclusiones:

a) los contratos produjeron un gran ahorro de divisas. Lo que se abonó a las compañías representaba un promedio de un tercio de lo que hubiese costado importar el petróleo;

b) la comercialización de la producción de las empresas dejaba a YPF un saldo de ganancia;

c) los contratos no eran concesiones de derecho minero ni de servicios públicos, ni violaban la ley 14.773.

Si apelamos a la frialdad de las cifras que, en resumen, son las más aclaratorias, podemos observar que en 1958 se importaron 10.350.000 metros cúbicos de petróleo, y en 1959, 8.600.000, es decir, se dejaron de importar 1.750.000 metros cúbicos. En 1961 se llegó al autoabastecimiento, evitando el riesgo de mantener "áreas congeladas", es decir, grandes extensiones con posibilidades petroleras sin explotar.

YPF, por su parte, se capitalizó: en 1955 había logrado la suma de 4.400 millones de pesos, y en 1959, 15.700 millones. Además, el gasto de divisas no era mayor a seis dólares por metro cúbico contra veinte que insumía el petróleo importado. En 1961 perforó por administración 684 pozos mientras que en 1957 había perforado sólo 307 pozos.

El autoabastecimiento

El 13 de diciembre de 1960, en el Día del Petróleo, Frondizi pronunció desde la Casa de Gobierno un trascendental mensaje, en un tono que no lograba disimular el orgullo por haber concretado el desafío lanzado el 24 de julio de 1958:

Esta conmemoración tiene hoy un significado especial para nosotros, que hace veintinueve meses –el 24 de julio de 1958– asumimos la responsabilidad de culminar con la victoria nacional una lucha comenzada hace ya más de medio siglo. [...]
La victoria nacional se expresa en la escueta noticia que me transmite YPF –la gran institución argentina– de que diariamente producimos ya casi la misma cantidad que consumimos de petróleo y de gas y que en los primeros meses de 1961 tendremos excedentes de nafta y fuel oil. Es decir que es ya virtualmente una realidad el autoabastecimiento de petróleo, uno de los puntales más sólidos e inconmovibles para apoyar nuestra autodeterminación. Considero un deber declarar expresamente que el autoabastecimiento fue ofrecido de buena fe por todos los gobiernos desde hace cincuenta años y no se pudo alcanzar por los intereses que se interponían para lograrlo. Dios ha querido que nuestra generación cumpliera ese gran objetivo nacional.

Tras una recapitulación del significado de la batalla emprendida y la victoria que coronó tantos esfuerzos, Frondizi cimentó ese triunfo en la conducta y en el comportamiento de toda la ciudadanía, a la que convocó a seguir adelante.

Ahora marcharemos todos juntos a la búsqueda de nuevas metas. Se llaman ellas siderurgia, petroquímica, electricidad, comunicaciones, transportes, promoción industrial, reactivación del agro. Es un vasto programa, digno de la voluntad de un pueblo al que no arredra la perspectiva del trabajo fecundo y liberador.

No obstante ello, y pese a que una institución señera como YPF duplicó su producción como consecuencia del ritmo impuesto por el gobierno, dentro y fuera de ella, su sigla fue tomada como estandarte para batallar contra Frondizi, Frigerio, Sábato y todos los que, de una y otra forma, habían formalizado la nueva aventura petrolífera.

Anulación de los contratos petroleros

Frondizi había exaltado los riesgos de lo que aparentaba ser una azarosa aventura:

Habíamos apostado nuestra suerte política en una operación que parecía suicida mirada con la lógica de la política tradicional. Sólo los resultados dirían si estábamos equivocados.[8]

Esos resultados fueron incontrovertibles. Pero el 29 de marzo de 1962 fue derrocado el gobierno desarrollista y, tras el interregno del doctor José María Guido, el 7 de julio de 1963 llegó a la presidencia el Radicalismo del Pueblo con el binomio Arturo Illia-Carlos Perette, con el apoyo de sólo el 22 por ciento de los votos.

Todas las fuerzas que minimizaron la obra de Frondizi y su batalla para lograr el autoabastecimiento, a las que se unieron sectores que habían integrado el frente triunfante el 23 de febrero –peronistas, comunistas y nacionalistas–, solicitaron la "inmediata anulación de los contratos petroleros de tan funesta consecuencia para el país".

Con esta espinosa actitud, lograrían, unos, volver al liderazgo mítico de YPF, y otros, abrir una brecha entre nuestro país y los Estados Unidos.

Por Ley Federal de Asistencia al Extranjero, en vigencia desde el 1° de enero de 1962, el Presidente de los Estados Unidos suspendería la ayuda al gobierno de cualquier país que nacionalizase, expropiase o se apoderase de la propiedad o del control de bienes de ciudadanos de los Estados Unidos o de cualquier sociedad anónima o asociación poseída por ciudadanos de los Estados Unidos en un porcentaje no inferior al 50 por ciento.

La indemnización por la anulación de los contratos podía alcanzar la fabulosa suma de 600 millones de dólares, pagaderos en el plazo de seis meses. Esta cifra, que horroriza por su elevado monto, era inalcanzable para la Argentina.

Para lograr la aplicación de normas que prescribieran la vigencia de los contratos, Illia designó a Juan Sábato, enemigo irreconciliable de la política sostenida por su hermano Arturo, como secretario de la Secretaría de Estado de Energía y Combustibles, rama del Poder Ejecutivo. Tanto él como el titular de la Secretaría, doctor Pozzio, respondían a las directivas del doctor Silenzi de Stagni, de fuerte formación nacionalista. Este grupo, conjuntamente con los militantes de la UCRP, presionó al entorno presidencial para que se anulasen los contratos de petróleo.

Estos fueron declarados "nulos de nulidad absoluta por vicios de ilegitimidad y ser dañosos a los derechos e intereses de la Nación", por los decretos 744/63 y 745/63, del 15 de noviembre de 1963, firmados por el presidente Illia. Se aclaraba explícitamente que "todos los contratos con compañías extranjeras firmados entre el primero de mayo de 1958 y el 12 de octubre de 1963 dejaban de existir".

Acusaciones

El 16 y 17 de enero de 1964 la Cámara de Diputados de la Nación encomendó a una Comisión Especial Investigadora la elaboración de un dictamen sobre sus aspectos económicos, administrativos y comerciales de los contratos petroleros. El proyecto de resolución inserto en el informe debía ser tra-

218

tado en la Cámara de Diputados y, de ser aprobado, las actuaciones debían remitirse a la Justicia del Crimen en caso de existir hechos que pudiesen configurar delitos. Se imprimirían 50.000 ejemplares para distribuirlos en instituciones interesadas en el tema; también podrían obtenerlos particulares dedicados a la materia.

El Informe de la Comisión de la mayoría reflejó en su totalidad las consignas de la oposición para justificar la anulación. Insistió en los criterios del nacionalismo de medios y en la "inmoralidad" que presidió las gestiones contractuales. Reiteraba las críticas ya conocidas:

> Los contratos de petróleo concertados durante la presidencia del doctor Arturo Frondizi, especialmente los de mayor importancia, han sido tramitados y celebrados en forma irregular, ilegal y clandestina, con grave perjuicio moral, económico y financiero, para el país.

Frondizi, Frigerio y Sábato fueron acusados de

> Abuso de autoridad y violación de los deberes de funcionario público, usurpación de autoridad y negociaciones incompatibles con el ejercicio de funciones públicas en que los autores estarían incursos en forma reiterada, además de otros delitos que pudiesen surgir de los antecedentes acumulados...

Según opinión del doctor Enrique de Gandía,

> las declaraciones de los testigos exhiben una superficialidad, una inseguridad y una antipatía personal hacia el ex presidente que causan lástima e indignación.[9]

De acusados a acusadores

En la misma fecha, 20 de octubre de 1964, se presentó el dictamen de la minoría, que ofrecía un informe ampliamente documentado sobre las tramitaciones emprendidas. El documento dejaba al descubierto las maniobras de neto tinte político, más que económico, utilizadas por la mayoría. Comenzaba considerando que la política petrolera de Frondizi y, en particular, las contrataciones, se habían ejecutado "de conformidad a las normas de la Constitución nacional y de las leyes vigentes y que, al respecto, ninguna transgresión legal ni moral ni irregularidad de ninguna índole se ha comprobado". Y contraatacaba:

> [...] la nueva política implantada por el Poder Ejecutivo nacional arranca de un acto contrario al derecho, como es la anulación por decreto y con efectos definitivos de los contratos y resulta perjudicial para los intereses del país al violar

la Constitución nacional, romper la continuidad jurídica, desprestigiar a la República en el exterior, desconceptuarla en los centros financieros internacionales, trabar y disminuir la producción petrolífera y constituir la fuente de la que se derivará un daño directo al obligar a la Nación a la devolución de cuantiosas sumas invertidas por algunas compañías.

Frondizi destacó aspectos discutibles del procedimiento:

[...] la mayoría oficialista intentó montar un verdadero tinglado para la farsa. Las sesiones de la Comisión, hecho insólito, eran públicas y se realizaban con la presencia de periodistas y hasta de algún curioso que lograba asomarse. Frente a ellos, desfilaron los más extraños personajes, cuya presencia sólo era explicable por su vocación por la calumnia y su capacidad de resentimiento. Naturalmente, la expectativa mayor se centraba en los testimonios de Frigerio, de Sábato y en el mío propio. Yo me rehusé a contestar, haciendo respetar mi condición de ex primer mandatario; asumí toda la responsabilidad por los contratos y en un breve documento ratifiqué plenamente todo lo actuado.

Frigerio respondió con firmeza a la solicitud de pruebas justificativas y búsqueda de responsables, y asumió totalmente su compromiso. En una entrevista que le hizo Juan Carlos de Pablo, recordó Frigerio su testimonio en la Comisión Investigadora:

Para mí personalmente tiene una carga mayor de dramatismo puesto que en ese momento yo estaba semiparalizado por un grave accidente. No obstante, fui y enfrenté a los acusadores y les demostré que iban a cometer un crimen. Que se podía fusilar a Frondizi, a Frigerio y a Sábato, si habían incurrido en irregularidades; pero lo que no se podía era colocar al país en un callejón sin salida. Y lo dijimos con todas las letras: si hay algo incorrecto en los contratos no busquen a los centenares de testigos que han citado. Acá hay tres responsables y sólo tres: Frondizi, Frigerio y Sábato. Todos los contratos están hechos de arriba a abajo, hasta el último detalle, por estas tres personas. [...]
Después recorrí el país desde Ushuaia hasta Jujuy, y desde Mendoza hasta el litoral, planteando y explicando y requiriendo la polémica sobre estos problemas.[10]

Emilio Perina, durante tres días consecutivos declaró ante la Comisión Investigadora. En una conversación personal con Alejandro Gómez y con Cornejo Linares –quienes pese a haber declarado que "lo iban a destrozar, dialéctica, conceptual e inclusive moralmente", no se presentaron cuando debía llevarse a cabo su intervención–, nos comentó:

Ninguno de los supuestos fiscales que actuaban en la Comisión, refutó una sola de mis afirmaciones [...] nunca pude obtener el testimonio completo porque se manipuló con las Actas de la Comisión y con la exaltación que yo hice del estadista Arturo Frondizi, pero [...] pude terminar con estas palabras: "Pasará el tiempo, y de esta comisión investigadora quedará muy poco positivo. Algunos acusadores pasarán el resto de sus días sin encontrar una sola justificación a este escándalo, pero en cambio, en todos los pueblos de la República se reconocerá la grandeza y estoicismo de Arturo Frondizi para llevar adelante su política petrolera y, sobre todo, para liberarnos mentalmente de prejuicios, de slogan, de falsos dogmas".

La investigación no aportó ninguna evidencia condenatoria; el contenido ambiguo del documentado elevado a la Justicia no dio motivo a impugnación alguna. Pero aquellos criterios anacrónicos lesionaron en lo más profundo un verdadero despegue económico del país. Los contratos que Illia anuló fueron renegociados por el general Juan Carlos Onganía durante la Revolución Argentina, pero en condiciones menos ventajosas que las logradas por Frondizi. Y el 23 de marzo de 1985, el presidente de la Nación, doctor Raúl Alfonsín, desde Houston –Estados Unidos– se apartó de los viejos postulados sobre petróleo de la Unión Cívica Radical, en la que militaba, para asumir que era objetivo fundamental de su gobierno atraer inversiones de capitales extranjeros para nuestras industrias extractivas, estableciendo un nuevo régimen sobre exploración y explotación de hidrocarburos.

¿Qué se logró, entonces, con la política impulsada por Illia? Que la Nación debiera reconocer la falta de fundamentos sólidos de las acusaciones formuladas a las empresas y las indemnizara, lo que significó un costo aproximado de unos 200 millones de dólares de aquella época. Pero las consecuencias fueron mucho más lejos. El doctor Enrique de Gandía, miembro decano de la Academia Nacional de la Historia, las resume así:

La anulación de los contratos petroleros causó estupor primero e indignación después. Gran parte del pueblo repudió esa medida que significaba un inexplicable retroceso en la economía y el bienestar del país [...] La anulación era un error más que evidente. Lo comprendió el país y lo declararon autoridades mundiales. La Argentina retrocedió, sufrió, perdió autoridad internacional y, sobre todo, los beneficios que había empezado a disfrutar.

El doctor Armando Ramos Ruiz, economista de reconocida solvencia en el tema del petróleo, nos brindó el siguiente testimonio:

En el momento en que llega Frondizi a la presidencia de la Nación, tan importante como el enunciado de la nueva política petrolera era definir cómo la misma habría de llevarse a cabo. [...]
El resultado fue que a los tres años de iniciado lo que se llamara la "batalla del petróleo", el país llegaba a su autoabastecimiento, por el que se había bregado durante treinta años, pero también se echaban las bases de un empresariado na-

cional privado que fue desarrollándose al servicio de la empresa estatal. Frondizi sirvió al país, pero no a su permanencia como gobernante, porque el tema del petróleo y sus contratos figuró en la agenda de motivaciones que determinaron su destitución.

Véase, finalmente, la opinión del prestigioso economista Roberto T. Alemann:

La obra de gobierno de Arturo Frondizi quedó inconclusa. Se detuvo la atracción de capitales privados para la extracción del petróleo que nunca más alcanzó aquel ritmo de crecimiento de 1958 a 1962. Cuántos problemas habría solucionado la sociedad argentina, si aquella política petrolera no hubiera sido detenida por la envidia y el odio de quienes detentaron el poder. Cuántos millones de argentinos disfrutarían ahora de un bienestar que apenas pueden soñar, si el impulso de inversiones de aquellos años no hubiese sido aletargado por quienes temían los cambios y no sabían cómo enfrentarlos.

NOTAS

1. Cuadrado, Andrés: *Petróleo, contratos e YPF,* 1963.
2. Uslar Pietri, Arturo: "Los intelectuales y la política", *La Prensa,* 21 de octubre de 1983, 2ª sección, pág. 1.
3. Frondizi, Arturo: *Mensajes Presidenciales,* Tomo V, Centro de Estudios Nacionales, pág. 118.
4. Sábato, Arturo: "Un nuevo YPF", prólogo en Arturo Frondizi: *Petróleo y Nación,* Transición, Buenos Aires, 1963, pág. 21.
5. Idem, pág. 26.
6. Ibídem, pág. 36.
7. Cúneo, Dardo: "Cono Sur, guión sobre Petróleo", *La República,* Caracas, 2 de diciembre de 1964, pág. 7.
8. Frondizi, Arturo: *Qué es el...,* ob. cit., pág. 87.
9. El Informe y declaraciones pueden leerse en las sesiones de prórroga de la Cámara de Diputados de la Nación, Orden del día 394 del 3 de noviembre de 1964, págs. 2019 a 2110.
10. De Pablo, Juan Carlos: *La economía que yo hice,* El Cronista Comercial, Buenos Aires, 1981, pág. 64.

Las reformas realizadas por Arturo Frondizi en el campo educacional alcanzaron una trascendencia social y nacional. Era plenamente consciente de la distinción entre gasto e inversión en educación y, por ende, de que la inversión en la elevación de la calidad de la educación traería como consecuencia la extensión de los beneficios de la ciencia y la cultura y el aprovechamiento de todo el potencial humano del país.

El 1° de mayo de 1958 se había comprometido a "reparar" los "antiguos errores en el orden educacional". Para lograr una educación acorde con los requerimientos de su tiempo y trasmitir una cultura en forma dinámica y creativa, Frondizi acometió la solución de las falencias existentes tanto a nivel de la infraestructura y de los recursos disponibles como en el campo de la capacitación de los educadores.

El doctor Ernesto Maeder, miembro correspondiente de la Academia Nacional de la Historia y ex rector de la Universidad del Nordeste, afirma:

> [...] el estudio de esa labor se ha realizado de modo incompleto. Quienes se han referido a ello, en su gran mayoría, sólo han prestado atención al tema universitario, la lucha entre laicos y libres como popularmente se la denominó. Y los que han seguido la historia política de ese mismo período, han mirado la cuestión educativa como parte de los compromisos que Arturo Frondizi había contraído con la Iglesia para ganar su favor en vísperas electorales, pero sin analizar los resultados de esa gestión.[1]

Secundó a Frondizi en esta tarea el doctor Luis Mac Kay, quien renunció a su banca de diputado para acompañar a su amigo y compañero de estudios en el Ministerio de Educación. Subsecretario fue un joven profesor de literatura mendocino que se había desempeñado en la Legislatura de su provincia, Antonio Salonia, quien completó con Mac Kay los cuatro años de gobierno.

En el Consejo Nacional de Educación se desempeñó como titular Rosa Clotilde Sabattini de Barón Biza, distinguida docente hija del gobernador, y el líder del radicalismo Amadeo Sabattini, de labor tesonera y definitoria en la sanción del Estatuto del Docente.

El Estatuto del Docente

En un país en el que determinadas pautas habían alcanzado la categoría de mitos, como la ley 1.420 o la Reforma Universitaria, la administración Frondizi se lanzó a cambios estructurales en un clima áspero y controvertido. Pese a ello, no vaciló en asignar a la educación y la cultura los recursos que permitía la precaria situación económica que encontrara al comenzar la gestión gubernativa. Uno de los primeros temas que abordó el Ministerio de Educación fue el cuidadoso análisis del Estatuto del Docente, promulgado durante la Revolución Libertadora, el 11 de setiembre de 1956, cuya aplicación era reclamada insistentemente por los educadores del país, ora a través de los canales del diálogo ora por medio de la protesta airada.

Modificado en parte y ajustado a las exigencias de la realidad, este texto fue remitido al Congreso para su tratamiento.

Si bien todos los bloques coincidían en la necesidad de votar una ley que cubriera las aspiraciones del gremio docente, el Poder Ejecutivo tuvo que enfrentar discrepancias que atrasaron la aprobación de la misma. Salvo detalles aditativos que no hacían al fondo de la cuestión, el tópico que suscitó los debates en el recinto fue el dedicado a las "Disposiciones para la enseñanza adscripta".

En la propuesta elevada al Senado se aludía a las retribuciones de los docentes privados, equiparándolos con los estatales; en cambio, el texto de la Comisión de Educación de Diputados se refería explícitamente a otras situaciones:

El personal [...] gozará de estabilidad en el cargo y el respeto a la categoría, jerarquía y ubicación, que sólo podrá modificarse en virtud de resolución adoptada de acuerdo con las disposiciones de este Estatuto.

El 3 de setiembre de 1958 se comenzó a debatir en la Cámara de Diputados este verdadero código del magisterio y al profesor Francisco Hipólito Uzal, como presidente de la Comisión de Educación, le correspondió informar el despacho del Estatuto. Recordó que

las viejas naciones europeas podían pasarse quizás un siglo sin maestros sin que el espíritu nacional se resintiera por ello, pues siglos de arte, de literatura, de vicisitudes históricas comunes lo ponían a buen recaudo,

pero, agregó,

nosotros, los pueblos cosmopolitas como éste, con un inmenso aluvión inmigratorio, debemos cuidar fervorosamente de nuestros maestros que han de ser el pilar de la conformación espiritual de la Nación.[2]

Los problemas en el tratamiento del Estatuto radicaban, sobre todo, en el hecho de que existía también un proyecto de ley que se ocupaba de una norma similar para la enseñanza privada, con lo que habría superposiciones legales. Pero, finalmente, el Estatuto del Docente se aprobó y se convirtió en ley 14.473, el 12 de setiembre de 1958, reguladora de la misión y derechos de los docentes.

Al año siguiente se dictó su reglamentación, y los decretos 8.188, del 30 de junio de 1959, y 10.404, del 25 de agosto de 1959, incluyeron un anexo con la competencia de títulos docentes, habilitantes y supletorios para ejercer la docencia.

El Estatuto llevaba tranquilidad a los docentes, puesto que se jerarquizaba su función con una justa remuneración fijada para un país en marcado crecimiento. Pero, cuando la situación económico-financiera encontró escollos, se puso de manifiesto la dificultad para aplicar los índices establecidos en el Congreso.

Así lo manifestó Frondizi en el Mensaje del 9 de mayo de 1960:

La política general de gobierno en materia de remuneraciones consiste en condicionar cualquier aumento a un incremento de la producción o reducción de gastos. [...] Si el H. Congreso estima necesario resolver excepcionalmente la situación debe arbitrar los medios financieros para ello.

El 13 de mayo, el Senado recibió a los ministros de Educación y de Economía, de quienes recabó las posibilidades de sus respectivas esferas para solucionar el grave problema que tendrían que enfrentar ante la disconformidad docente por el evidente deterioro de su salario.

El doctor Mac Kay recordó que se habían concretado tres objetivos fundamentales: jerarquización docente en tres aspectos, normativo (promoción, estabilidad y conducción de la docencia por docentes), sistema jubilatorio y régimen de remuneraciones; liberación de la educación asegurando la libertad de enseñanza, y actualización de la educación argentina. Destacó Mac Kay que pese a que se habían realizado todos los esfuerzos para dar satisfacción a los reclamos docentes, la real ubicación de los salarios sólo se lograría con un aumento de emergencia en base a economías de su Ministerio. En la medida en que se concretara la transformación del país, los desafíos que presentaba el problema educativo podrían resolverse positivamente.

Cuando accedió al Ministerio de Economía, el ingeniero Alvaro Alsogaray recalcó, consecuente con su doctrina económica, que todo aumento generaría inflación y que el Ministerio de Educación sólo contaba con 9.000 de los 20.000 millones que se requerían para cumplir con lo previsto en el Estatuto. Recomendaba revisar las cláusulas salariales del mismo; otorgar aumentos sólo a quienes tuvieran dedicación exclusiva y descentralizar la administración escolar para producir ahorros. En síntesis, con su frialdad de economista y lejos de la sensibilidad que motivara la propuesta del ministro de Educación, Alsogaray puso distancia para el real cumplimiento de las cláusulas referentes a las remuneraciones que sostenían los legisladores, y recién el 2 de setiembre de 1960 se aprobó un crédito para afrontar los aumentos de emergencia.

Estas discordancias continuaron y quedó planteada, pese a la gran conquista del Estatuto, una situación conflictiva que se ha prolongado *sine die,* porque en el país se detuvo el gran despegue económico y los recursos para la educación siempre corrieron a la zaga de lo que merecidamente solicitaban y siguen reclamando los educadores del país.

Hacia una nueva universidad

En nuestras altas casas de estudio, las minorías tradicionalmente retenían el monopolio del poder, y así, desde esa ínsula, defendieron viejas estructuras no siempre coincidentes con las prioridades nacionales.

La Reforma de 1918, producto del influjo inmigratorio, logró trastocar clásicas concepciones con la irrupción en los claustros de una nueva clase social, hecho concomitante con la ascensión al poder del radicalismo. Pero, pese a esta apertura, la Universidad no comprendió ni compartió la esencia de los movimientos populares –yrigoyenismo, peronismo– y continuó siendo baluarte de los sectores minoritarios y conservadores.

Tanto es así que, en un país agrícola-ganadero, entre 1900 y 1960 sólo egresaron de las universidades nacionales 3.301 ingenieros agrónomos, lo que demuestra

la decisión de estructurar una economía agraria primitiva, fundada en la bondad de los factores naturales y en una mano de obra inculta y, por consiguiente, barata [...] En ese mismo período tenemos más de 5.000 parteras, 12.000 dentistas, 12.000 farmacéuticos, casi 33.000 médicos, más de 21.000 abogados y 8.500 escribanos. A estos datos corresponde agregar 3.500 arquitectos y más de 9.600 contadores. La cifra de ingenieros alcanza sólo a 16.000, pero de ese total 11.000 egresaron después de 1946, cuando se inicia el proceso de industrialización y se afirma en el poder el movimiento nacional gestado poco tiempo atrás [...] En ingeniería de minas, por ejemplo, los egresados no alcanzan a 10.[3]

Estas cifras nos indican que la Universidad de la Reforma, con haber sido renovadora, no se adecuaba a los requerimientos que el país formulaba para superar su dependencia y atraso.

Frondizi, hijo del influjo inmigratorio, aspiró a que la universidad asumiera una real función en un país que buscaba una rápida y efectiva ubicación en un mundo de avanzado crecimiento. Y otorgó el más amplio apoyo a la Universidad estatal, porque

> necesitábamos en 1958 una nueva universidad, acorde con los objetivos perseguidos y que jugara como ariete en el esfuerzo revolucionario por hacer de la Argentina una Nación integrada y desarrollada.

Al mismo tiempo, propició la creación de universidades privadas que coadyuvarían en esa urgente tarea renovadora. Esto suscitó un duro enfrentamiento con los sectores que defendían el monopolio estatal de la enseñanza universitaria, que reseñaremos más adelante.

La enseñanza técnica

En la concepción de Frondizi, la educación no sólo debía ser informativa sino formativa; debía llegar a la totalidad del ser espiritual, a sus raíces psicofísicas y a todos sus ámbitos culturales para cumplir con los esenciales cambios políticos y económicos.

El perfeccionamiento docente, el planeamiento pedagógico y los seminarios de investigación fueron las herramientas brindadas a los docentes para que tuvieran oportunidad de canalizar sus propuestas y plantear la necesidad de resolver estructuralmente las deficiencias que paralizaban educativamente al país. Paralelamente, el combate al exceso de burocracia y a las estructuras organizativas anquilosadas expresaba el deseo de Frondizi de avanzar en un aspecto de fondo, la industrialización: para lograrla, debía propender a la elevación del nivel formativo de la población en la rama técnica.

El 25 de junio de 1957, en un reportaje concedido a la revista *Qué!*, Frondizi se había referido a esta idea obsesiva:

> La enseñanza técnica profesional debe comenzar por el más alto nivel, el científico y el técnico (hemos propuesto ya la creación de un Consejo de investigaciones técnico científicas), y de ahí ir descendiendo a los distintos grados hasta llegar a la preparación de los obreros en el campo técnico. Creemos que nuestro país padece un atraso extraordinario en ese campo.

Dos fueron las iniciativas al respecto: la reorganización de la Universidad Tecnológica, fundada por Perón como Universidad Obrera, y la creación del Consejo Nacional de Enseñanza Técnica (CONET).

La Universidad Tecnológica se reorganizó sobre la necesidad de brindar una formación superior a los egresados de las escuelas técnicas; estaba dirigida a formar ingenieros con aptitudes prácticas, condiciones ejecutoras y habilidad manual. El 8 de julio de 1960 se realizó la primera colación de grados con la presencia del ministro Mac Kay.

Como consecuencia de una reunión mantenida en Olivos con el presidente de la Nación, por el ministro de Educación, el secretario de Industria y Minería, doctor Alberto Tedín y los profesores Luis Vaccaro por la Comisión Nacional de Aprendizaje y Orientación Profesional y Ernesto Babino por la Dirección de Enseñanza Técnica, se impulsó la creación del Consejo Nacional de Enseñanza Técnica (CONET).

Al contemplar el conjunto de razones que generaron su creación, el Congreso de la Nación sancionó la ley 15.240 el 15 de noviembre de 1959. La dirección de la enseñanza técnica quedaba en manos de los representantes de la industria, de los docentes y de los gremios, y su autarquía le permitía cumplir una amplia gama de funciones que aseguraban la adecuada atención de su cometido con libertad de acción y sentido práctico.

En las páginas de nuestra historia se identifican determinadas figuras presidenciales con el afianzamiento de establecimientos valorativos de un proceso en tiempo y espacio, en la marcha de la Nación. Así, el nombre de Bartolomé Mitre aparece ligado con los Colegios Nacionales, en una etapa de unidad y finalización de las luchas civiles; el de Carlos Pellegrini, con las Escuelas de Comercio, en un momento de incrementación de esta relación económica; Roca y la Escuela Industrial aparecen confundidos en una etapa de progreso. A ellos debería sumarse el nombre de Arturo Frondizi complementando la nominación de Escuelas Técnicas, a través de su órgano directriz, el CONET, dentro de un plan de industrialización comprometido con el futuro de la Nación.

En 1960 se dio otro paso importante en los planes reformistas educativos, al crearse el Servicio Nacional de Enseñanza Privada (SNEP), "con el alcance de un sistema unificado técnico docente que reunirá todos los servicios nacionales en la materia".

Otras medidas educativas

Se descentralizó la instrucción primaria y el Consejo Nacional de Educación, con la presidencia de Rosa Clotilde Sabattini de Barón Biza, tuvo oportunidad de realizar una actividad ininterrumpida en todo el territorio. Se crearon muchísimas escuelas y se reincorporaron miles de docentes que habían sido excluidos por razones políticas, en ciclos primarios, medios y universitarios.

Como afirmación del federalismo, se traspasaron las Escuelas Láinez a las provincias, lo que representó un acto de confianza en el desenvolvimiento del interior del país.

La Biblioteca Nacional y EUDEBA

La vertiente cultural que Frondizi inauguró con su gobierno tuvo una apertura total hacia todas las realizaciones del talento creador, artístico, científico o filosófico.

La necesidad de afianzar el crecimiento y posibilidades de la Biblioteca Nacional, después de un siglo y medio de existencia, fue una de sus preocupaciones. Durante su mandato, en el año 1960 se destinaron 55.000 metros cuadrados, o sea tres hectáreas, para la construcción del nuevo edificio de la institución, sobre la Avenida del Libertador General San Martín, entre las calles Austria y Agüero. En ese predio se había levantado la residencia de Perón y Evita, derribada por la Revolución Libertadora. De allí que, al escoger ese sitio, ante la sorpresa de su ministro de Educación, Luis Mac Kay, dijera Frondizi:

> Este nuevo edificio será el símbolo de la integración. Cuando los "gorilas" quieran investigar, tendrán que hacerlo donde vivieron Perón y Evita, y en el caso de los peronistas que pregonaban "Alpargatas sí, libros no", no encontrarán la casa de su líder sino la Biblioteca Nacional.

En 1961 se llamó a concurso de anteproyectos y fue elegido el que presentaron los arquitectos Alicia Cazzaniga, Clorindo Testa y Francisco Bullrich. La institución tendría un edificio en consonancia con sus necesidades y la jerarquía de sus funciones.

En ese período, la Editorial Universitaria de Buenos Aires, EUDEBA, en una época de singular esplendor académico de la Universidad de Buenos Aires, fue considerada una de las editoriales más prestigiosas de Latinoamérica. Su catálogo tuvo una amplitud y pluralidad pocas veces alcanzada, y lo accesible de sus ediciones constituyó un remarcable vehículo de divulgación cultural.

$$* \quad * \quad *$$

En el Mensaje del 1° de mayo de 1961, en la memoria de la labor cumplida por el gobierno, Frondizi dio cuenta de los resultados de la gestión para asentar las bases definitivas de la transformación del país. Fue claro y expresivo en su descripción de los avances logrados así como de las falencias que subsistían:

> La juventud argentina estudia y se prepara en los institutos públicos y privados, para llenar las necesidades de un país en desarrollo. Nuevas casas de estudio,

entre ellas el Instituto Tecnológico de Buenos Aires, creado por la Armada Nacional, preparan los técnicos que el país necesita. Las universidades nacionales y los institutos de enseñanza media se orientan hacia el creciente estímulo de la investigación científica y la formación técnica de los educandos y desarrollan una provechosa labor en medio de la modestia de recursos. Sin embargo, es también necesario señalar que la falta de recursos nos ha impedido prestar a la enseñanza todo el apoyo que ella requiere. Esa es una deuda que nos proponemos saldar en esta nueva etapa de nuestra gestión gubernativa.

Lamentablemente, esos propósitos quedaron interrumpidos el 29 de marzo de 1962, cuando se tronchó la "batalla por la conquista del porvenir".

NOTAS

1. Maeder, Ernesto J. A.: "Política educacional del presidente Kennedy", en *Arturo Frondizi. Historia...*, ob. cit., Tomo V, pág. 186.
2. Uzal, Francisco H.: *Frondizi y la oligarquía*, Compañía Argentina de Escritores, Buenos Aires, 1963, pág. 152.
3. Salonia, Antonio: *Política educacional e Introducción a los problemas nacionales*, CEN, Buenos Aires, 1964, pág. 192.

En el citado reportaje de 1957 en la revista *Qué!*, Frondizi había expuesto sus lineamientos en cuanto a la política educativa, en torno de una declaración del Episcopado sobre la materia:

> No soy partidario del monopolio oficial en materia de enseñanza. Esta actitud mía obedece en primer lugar a una convicción de carácter personal, y luego, a la definición partidaria en cuanto al intervencionismo del Estado en esta materia. Así, en nuestra profesión de fe partidaria puede leerse: "El radicalismo... no puede invertir los fines del Estado, cuyo intervencionismo sólo puede referirse a la administración de las cosas y a los derechos patrimoniales y no a los derechos del espíritu, morada de la libertad humana". De este claro concepto se infiere el derecho de los padres a elegir la escuela para sus hijos, y el de los ciudadanos a instituir los centros de enseñanza que sus convicciones a las exigencias técnicas les dicten.

El estudio de la cuestión universitaria nos muestra las diferencias que abrieron la controversia entre el monopolio universitario por parte del Estado y el anhelo de la libertad de enseñanza sostenido por un sector importante de la sociedad

> que apuntaba a diversificar la oferta educacional creando la posibilidad de abrir nuevos centros de enseñanza con el concurso de la iniciativa privada y de revertir la orientación tradicional, con la multiplicación de las ofertas dirigidas a la formación de técnicos. Una perspectiva que no sólo le interesaría a la Iglesia, sino que podía atraer el concurso de empresarios urgidos por la necesidad de capacitar mano de obra y personal de dirección altamente calificado ante los requerimientos originados en el desarrollo.[1]

Contra estas convicciones, se generó un planteo político cuya intención, no disimulada, era desunir a las fuerzas que habían obtenido el triunfo el 23 de febrero y lograr así la debilidad del gobierno, apresurando su caída.

Antecedentes

Durante la Revolución Libertadora, cuando aún no estaban tan agudizados los contrastes entre las tendencias que existían sobre un tema tan complejo como el de la reforma en el ámbito universitario, se dictó el decreto 6.403/55, por el que se derogaban artículos de la ley 1.597 que establecían la intervención del Poder Ejecutivo en la designación y distribución de profesores, y se dictaron disposiciones vinculadas con el gobierno universitario: concursos, periodicidad de cátedra, representación de estudiantes y graduados en los Consejos, creación del fondo universitario. Dentro de estas modificaciones, se incluía el artículo 28, cuyo texto establecía:

> La iniciativa privada puede crear universidades libres que estarán capacitadas para expedir diplomas y títulos habilitantes, siempre que se sometan a las condiciones expuestas por una reglamentación que se dictará oportunamente.

Comenzó a agitarse la opinión pública ante esta normativa, y las pasiones en pugna trajeron como consecuencia la renuncia del ministro Atilio Dell' Oro Maine; sus sucesores, Carlos Adrogué y Acdeel Salas no abordaron iniciativas al respecto.

Los debates promovidos en la Junta Consultiva y en el seno de los partidos políticos demostraron que no eran ajenos al problema que entrañaba la libertad de enseñanza, pero el clima político que giró en torno de la Asamblea Constituyente y de las elecciones nacionales situó el tema en un segundo plano.

En la Convención Constituyente, el Radicalismo del Pueblo, como lo había sostenido en la Junta Consultiva, consideró oportuno y conveniente el reconocimiento de los establecimientos privados en la Argentina.

Los diputados Aldo Tessio y Adolfo R. Rouzaut presentaron un proyecto al tratar las modificaciones al artículo 14 y correlativo artículo 17, en el que proponían

> se garantiza la libertad de enseñanza. El Estado tendrá el contralor sobre los establecimientos privados [...] Las Universidades oficiales son las únicas autorizadas para extender títulos profesionales.

El Bloque por unanimidad aprobó dicho proyecto por considerar que estaba basado "en los principios establecidos por la Convención Nacional de la Unión Cívica Radical del Pueblo...". Pese a esta posición, el proyecto no prosperó en la Comisión designada para la presentación del nuevo proyecto de reforma constitucional. La repentina suspensión de las sesiones impidió su tratamiento.

Es ilustrativo releer los diarios de sesiones, porque el debate refleja la actitud favorable al establecimiento de las universidades privadas por parte de figuras señeras de la enseñanza superior que, por razones de neto corte político, abjuraron de esa posición cuando fue Frondizi el que presentó un proyecto que tendía a lograr esos mismos fines.

Durante la campaña electoral, todos los candidatos aludieron al tema de la libertad de enseñanza, contrapuesta al monopolio estatal.

El doctor Alfredo L. Palacios, en una mesa redonda auspiciada por *La Nación*, dijo:

> Soy partidario de la libertad de enseñanza, derecho consagrado en la Constitución. De lo que no soy partidario es de que los Institutos Privados otorguen títulos profesionales. Eso corresponde exclusivamente al Estado.

El doctor Juan B. Peña, del Partido Cívico Independiente, afirmó:

> El Partido Cívico Independiente propicia la libertad de enseñanza en su más amplia acepción, lo que involucra el derecho de personas y entidades, congregaciones religiosas, colectividades, asociaciones civiles, etcétera, a impartir toda clase de enseñanza [...].

El doctor Vicente Solano Lima, candidato presidencial por el Partido Conservador Popular, sostuvo:

> Soy contrario al monopolio estatal de la enseñanza y creo que debe fomentarse la enseñanza privada [...]

El doctor Lucas Ayarragaray, del Partido Demócrata Cristiano, en la citada mesa redonda, postuló:

> [...] nosotros tenemos que tender a promover un régimen de competencia educativo, para que por vía de competencia se superen los planes y mejoren los métodos. Por eso somos tan partidarios de un régimen de libertad, que va a permitir la competencia.

El Radicalismo del Pueblo expuso su pensamiento a través del doctor Ricardo Balbín:

> La educación privada ha sido –y es– un valioso factor coadyuvante para el desarrollo de la cultura del país y ha merecido siempre el respeto de los hombres públicos del radicalismo. En consecuencia, en esta actualidad argentina, no existe razón alguna para modificar ese tradicional concepto.

En el documento oficial, del 18 de setiembre de 1958, en cuya redacción participaron Miguel Angel Zavala Ortiz y Carlos Perette, se decía al respecto que

> [...] el derecho de fundar Instituciones Privadas para la enseñanza emana directamente de la Constitución nacional y está asegurado a todos los habitantes del país; [...] el derecho de otorgar títulos habilitantes para el ejercicio de las profesiones es privativo y exclusivo del Estado [...]

En esta declaración, iban más allá, porque facultaban a grupos particulares para crear institutos de enseñanza militar con títulos habilitantes para el ejercicio de la profesión, siempre que no pretendieran sustituir al Estado. Pero las contradicciones sobre la habilitación de títulos resaltan en la posición del Radicalismo del Pueblo, puesto que el 18 de setiembre daba esa posibilidad a las instituciones privadas y dos días más tarde otorgaba el exclusivo derecho a las Universidades Nacionales, actitud que sostendría la bancada minoritaria de la Cámara de Diputados.

Luciano Molinas, del Partido Demócrata Progresista, consideraba que

> [...] en este momento de la vida de nuestro país no podemos dejar que se den títulos que permitan el ejercicio de profesiones si el Estado no ha intervenido en los institutos que acuerdan estos títulos, ha controlado la enseñanza y da la garantía a los que necesitarán los servicios de que se les ha dado una instrucción suficiente.

Sólo el candidato del Partido Comunista, el doctor Rodolfo Ghioldi, proclamó su oposición a la educación privada:

> Nosotros preferimos la educación en manos del Estado, y en el nivel superior, naturalmente en manos del Estado sin ninguna concesión posible.

Arturo Frondizi, por su parte, sostuvo la necesidad de crear claras opciones para las inquietudes de la juventud y no dilapidar ese importante caudal humano, al proponer la enseñanza libre universitaria. En oportunidad de efectuarse la mesa redonda de *La Nación* manifestó:

> Creo que debe mantenerse el principio de libertad de enseñanza, es decir, que además de la actividad del Estado en todo lo que se vincula con el proceso educativo, los distintos sectores de la vida nacional pueden también ejercer el principio de libertad de enseñanza.

Discrepancias en la UCRI

Cuando, ya desde el gobierno, Frondizi llevó a la práctica sus convicciones sobre la libertad de enseñanza, no todos comprendieron la profunda convergencia de esas postulaciones con el ideario que les asegurara el triunfo electoral.

En casa del matrimonio Liceaga se efectuó una reunión partidaria con la mayoritaria presencia de jóvenes y de nostálgicos reformistas, que elaboró un manifiesto oponiéndose a las universidades libres por considerarlas divergentes con los basamentos doctrinarios. Este temperamento incidió en un núcleo de dirigentes y afiliados.

"Ya hay demasiada conmoción en las calles, éste no es el momento ideal para plantear un tema tan polémico", se quejaban ante el Presidente funcionarios, legisladores y dirigentes partidarios. La respuesta era invariable:

> Al contrario, éste es el momento ideal porque muchos de los que vocean en contra de los contratos [petroleros], están clamando por la enseñanza libre. Cuando la tengan, tendrán que apoyarnos. Los obligaremos a definirse en el doble debate petróleo-universidad y romperemos esta operación de pinzas otorgada para ahogarnos.[2]

La Iglesia aportó su cuota de entusiasta apoyo con la participación de los obispos Antonio Plaza y Antonio Alumni y del hermano Septimio. Esta activa participación de figuras eclesiásticas que respondían a su inveterada prédica a favor de una capacitación humanística abierta y no a una posición confesional, permitió que los opositores a la sanción de la ley mirasen esa actitud como una imposición de la Iglesia a las autoridades gubernamentales para lograr una dogmatización de la educación.

El enfrentamiento Arturo Frondizi-Risieri Frondizi

El 21 de agosto, los rectores de las seis universidades nacionales entrevistaron al doctor Frondizi, entregándole una nota en la que fijaban su posición ante la reglamentación del artículo 28. Entre otros conceptos, manifestaban:

> Parece inoportuno, por otra parte, la reglamentación de un artículo después de haber transcurrido casi tres años desde su sanción y cuyo efecto fue rechazado por la propia comisión encargada de reglamentarlo por considerarlo inconveniente por las ideas fundamentales que lo inspiraron.

El Poder Ejecutivo, el 1° de setiembre contestó la nota. Señaló que el gobierno tenía el deber irrenunciable de asegurar la posibilidad de acceso a la enseñanza a todos los sectores del país, pero, además, debe procurar la completa capacitación para las necesidades técnicas-científicas que impone el progreso al completo desarrollo de la República. En uno y otro sentido la libertad de enseñar, bajo la supervisión del Estado, constituye un medio eficaz.

Y ratificó su "conocida posición decididamente favorable a la libertad de enseñanza".

El hermano de Arturo Frondizi, Risieri, Rector de la Universidad de Buenos Aires, asumió una actitud combativa y combatiente en un acto organizado por el claustro de estudiantes y la Federación de Graduados, el 9 de setiembre de 1958. El país asistió así al duelo intelectual de los hermanos Frondizi, que se reflejaba en las caricaturas del momento; en una de ellas se manifestaba que no importaba quién obtuviera ventajas en el conflicto universitario, porque siempre sería un Frondizi el ganador.

Con una prédica agresiva más acorde con las barricadas que con la tribuna de una institución de cultura superior, instó Risieri Frondizi a realizar "cualquier sacrificio si las circunstancias lo exigen". Asimismo, encabezó una manifestación compacta, en la que figuraban políticos opositores, ucristas disconformes, liberales, comunistas, dirigentes sindicales y universitarios, que transformó lo que hasta entonces era una discusión en un verdadero conflicto, que culminó cuando fue quemada una silueta que representaba al Presidente con traje de obispo.

Pese a la desmedida conducta de sus autoridades y alumnado, Frondizi mantuvo su respeto a la institución universitaria.

Nosotros, a pesar de la oposición que surgía de sus claustros, nos negamos a intervenirla porque creímos que correspondía respetar su autonomía (que no debe ser pretexto para el aislamiento) como una condición para la constante superación de sus niveles académicos. Soportamos y resistimos presiones en tal sentido; incluso un semanario opositor llegó a elaborar una pintoresca teoría: yo mantenía a mi hermano Risieri (con quien compartimos siempre un profundo afecto que no menguaba nuestras diferencias de opinión en el tema de la enseñanza libre, entre otros) como rector al frente de la UBA (función para la que había sido elegido por la propia Universidad y no designado por el gobierno), para que encabezara la resistencia a la enseñanza libre a fin de contar con una razón para no cumplir mi promesa de la campaña electoral.[3]

Ante ese clima, la Comisión de Educación de la Cámara de Diputados se reunió con los rectores de las universidades nacionales para escuchar sus propuestas y reclamos por la reglamentación del artículo 28. Presidida por el diputado de UCRI, profesor Francisco Hipólito Uzal, formaban parte de ella

236

Anselmo Marini, presidente del bloque de la UCRP y legisladores tanto de la mayoría como de la minoría.

Los rectores ratificaron, por intermedio del doctor Risieri Frondizi, que

> todos los universitarios argentinos eran partidarios de la libertad de enseñanza, sosteniendo que en su opinión está íntimamente ligada a la "libertad de cátedra", que significa que todas las doctrinas tengan cabida en la Universidad, y poder enseñar en ella, y aun en cada cátedra, doctrinas y teorías contradictorias y opuestas.

Señaló más adelante que "Libre no se opone a Estatal" sino que "Estatal se opone a la Privada". Refiriéndose a los organismos privados, recién podrían otorgar títulos habilitantes cuando demostraran suficiente jerarquía científica y, en una comparación que llamó "irreverente", afirmó que "esos organismos le hacían una impresión de niños de pecho que pidieran licencia matrimonial".

Sus palabras, como así también las de otros invitados, dieron margen al necesario intercambio de ideas, diametralmente opuesto al clima de belicismo declarado en las calles de la ciudad.

En las calles

"Laica sí, libre no"; "Afuera los curas"; "YPF patrimonio nacional", "Defendamos al gremio bancario", eran las consignas de miles de volantes del más variado tono y origen que tapizaban las calles de Buenos Aires.

Para contrarrestar esos signos manifiestos de oposición, los estudiantes partidarios de la enseñanza libre prestaron, con su presencia, el necesario apoyo a Frondizi. Sus duelos verbales con los estatistas a veces terminaban en verdaderas batallas campales. Mientras uno de los sectores coreaba el estribillo "Arturo, coraje; a Risieri dale el raje", los otros expresaban: "Arturo, coraje; a los curas dale el raje".

La rotura de las vidrieras de los comercios, que se apresuraban a cerrar sus puertas y bajar sus persianas; la quema de las cubiertas de los trolebuses, modernos vehículos que reemplazaron a los históricos tranvías, obligaban a la intervención de la policía, que apelaba al empleo de los camiones hidrantes y bombas vomitivas por el pedido expreso del Presidente de no hacer uso de las armas. Como consecuencia de estos choques no hubo heridos, pero sí contusos por la dureza de los enfrentamientos.

Las facultades de Medicina y Química fueron las más exaltadas. A los estudiantes universitarios se unieron los secundarios de los colegios Mariano Moreno, tan caro a ambos Frondizi, Belgrano, Sarmiento y Mitre, que tomaron como propio un problema que no entendían en su verdadero significado, ya que lo identificaban con la dualidad: enseñanza laica o enseñanza religiosa, principio equivocado ya que no estaba en juego el análisis de la ley 1.420.

El debate en el Congreso

El despacho en mayoría de la Comisión de Educación, suscripto por los diputados Rubén Blanco, Mario Bernasconi, Horacio Luelmo, Nélida Baigorria, Emilio Maluf y Victorino Gutiérrez, proponía derogar lisa y llanamente el artículo 28.

El otro despacho, en minoría, de Francisco H. Uzal y José Rodríguez del Rebollar, aceptaba la iniciativa privada para la creación de universidades, las que sólo podrían expedir títulos y/o diplomas académicos. La habilitación para el ejercicio profesional sería otorgada por el Estado. Los exámenes que habilitaran para el ejercicio de las profesiones serían públicos y estarían a cargo de los organismos que designara el Estado Nacional. Se insistía en que las universidades privadas no podían recibir recursos estatales, y sus estatutos, programas y planes de estudio debían someterse a la aprobación previa de la autoridad administrativa, encargada de reglamentar las demás condiciones para su funcionamiento.

La pasión presidió los debates, que alcanzaron gran dramatismo. La minoría de la Cámara no analizó en detalle el proyecto presentado, sino que centró sus críticas alrededor de la derogación del artículo. Veían como elemento amordazante de los derechos de la universidad estatal el otorgamiento de títulos habilitantes y la percepción de dinero por parte del Estado, cláusulas excluidas en forma explícita y concluyente en el proyecto de Uzal y Rodríguez del Rebollar.

Algunos diputados, como Agustín Rodríguez Araya, pasaron del tema universitario al plano meramente político, para criticar al gobierno por la crisis moral que afectaba a la República.

Horacio Domingorena, autor del proyecto que pasó a denominarse "Ley Domingorena", resume las consecuencias que pueden desprenderse de todos los discursos pronunciados en el recinto:

1° Todos ellos se desarrollaron en torno del artículo 28 del decreto-ley N° 6.403/55, por cuya derogación se manifestaron;

2° Ninguno consideró ni siquiera tangencialmente el proyecto que estaba a consideración de la Cámara, que sustituía al artículo de referencia por uno totalmente distinto;

3° Casi todo el bloque de la minoría se manifestó partidario de las universidades privadas, haciendo hincapié solamente en la exigencia de que no debían otorgar títulos habilitantes;

238

4° En gran mayoría, consideraron la inoportunidad de tratar el problema hasta tanto se discutiera la Ley Universitaria.

Se coincidía en los planteos generales y la dilación en el tratamiento sólo buscaba el aplauso de la barra estudiantil, subordinando un tema tan importante como es el de la cultura de la Nación a intereses transitorios de parcialidades políticas.

Las votaciones comenzaron el día viernes 26 en la Cámara de Diputados y, luego de 28 horas de sesión en la que participaron 43 oradores, por 109 contra 52 se votó por la derogación del artículo 28. El Senado, en una votación por unanimidad aprobó esa resolución, reemplazando su texto por el que finalmente sería sancionado. El martes 30 la Cámara de Diputados insistió en su dictamen por 92 votos contra 48.

Vuelto al Senado el proyecto de ley, esta Cámara ratificó su posición anterior y como en Diputados no se alcanzaron los dos tercios necesarios que exige la Constitución Nacional, el 30 de setiembre, cuando sólo faltaban cinco minutos para el término de las sesiones ordinarias, quedó sancionada la ley que al promulgarse llevaría el N° 14.557.

El texto definitivo es el siguiente:

Artículo 1°.– Derógase el artículo 28 del Decreto-Ley 6403/55 y apruébase en su reemplazo el siguiente:

La habilitación para el ejercicio profesional, será otorgada por el Estado Nacional. Los exámenes que habiliten para el ejercicio de las profesiones serán públicos y estarán a cargo de los organismos que designe el Estado Nacional.

Dichas Universidades no podrán recibir recursos estatales y deberán someter sus estatutos, programas y planes de estudio a la aprobación previa de la autoridad administrativa, la que reglamentará las demás condiciones para su funcionamiento.

El Poder Ejecutivo no otorgará autorización o la retirará si la hubiese concedido, a las Universidades Privadas cuya orientación en planes de estudio no aseguren una capacitación técnica, científica y cultural de los graduados, por lo menos equivalente a la que impartan las Universidades Estatales y/o que no propicien la formación democrática de los estudiantes dentro de los principios que informan la Constitución nacional.

*   *   *

Con el tiempo los ánimos se fueron serenando y quedó demostrado el balance positivo de esta ley para la República. Las universidades privadas cumplieron acabadamente con los objetivos que buscaba el gobierno de Frondizi. Nuevos ámbitos creadores de arte, ciencia y cultura se extendieron en todo el país y dieron a millones de jóvenes la posibilidad de insertarse en el mundo del futuro.

La igualdad de oportunidades que consagra la Constitución Nacional, está ínsita en el espíritu de la ley que derrotó pronósticos agoreros que hablaban de disolución del espíritu nacional. Y quedó abierta la necesaria competitividad interuniversidades como centros de investigación.

José Luis de Imaz puntualiza:

El mérito máximo de la universidad privada es haber mantenido incólumes sus criterios estrictamente docentes y de calidad intelectual en los momentos en que una extrema politización del país arrasaba con todo lo que había sido la esencia de las universidades oficiales. En ese lapso, las universidades privadas, al margen la mayoría de ellas de las cambiantes situaciones oficiales, se convirtieron en el ámbito de trabajo de los auténticos docentes (muchos de los cuales se habían opuesto en 1958 a la sanción de esta ley por creerla identificada con un hecho confesional).

NOTAS

1. Frondizi, Arturo: *Qué es el...*, ob. cit., pág. 98.
2. Casas, Nelly: *Frondizi. Una historia de política y soledad,* La Bastilla, Buenos Aires, 1973, pág. 50.
3. Frondizi, Arturo: *Qué es el...*, ob. cit., pág. 100.

Al reclamar la colaboración popular para la ejecución de su plan de desarrollo y estabilidad, Arturo Frondizi sabía que su objetivo no podía cumplirse sin el restablecimiento de la paz y la concordia entre los argentinos. Era imperativo erradicar una antigua ley del odio inserta como factor permanente en el proceso histórico nacional. En pos de ese objetivo, su gobierno adoptó una serie de iniciativas, la primera de ellas, la Ley de Amnistía.

La Ley de Amnistía

El profundo compromiso de Frondizi con los derechos de sus compatriotas se manifestó en su temprana militancia. En 1937, escribía en *País Libre* un artículo sobre la "Necesidad de sancionar una ley de amnistía amplia". En él sostenía:

> El carácter de la persecución injusta que debe enmendarse con una amnistía amplia, permite decir, para disipar equívocos, que la misma se exige, no al impulso de sentimientos humanitarios, sino como mandato imperativo de la justicia que debe presidir la vida de este país.[1]

En plena campaña electoral, en una disertación del 16 de setiembre de 1956, había enunciado los principios que regirían su gobierno: "Paz y libertad para todos los argentinos. Por un futuro sin odio y sin miedo". Y se había comprometido a respetar y luchar por los fueros **humanos** y personales de todos los argentinos:

> No se detendrá a nadie por defender sus derechos, ni se dejará a nadie sin trabajo por pensar u obrar de acuerdo con sus convicciones.

Ya Presidente de la República, en su mensaje inaugural, reiteró sus propuestas como candidato al expresar:

Hoy, 1º de mayo de 1958, el gobierno de la Nación, en nombre del pueblo baja el telón sobre cuanto ha ocurrido hasta este preciso instante. Cerramos una etapa para poder dar, entre todos, un gran paso hacia adelante.
En cumplimiento de ese imperativo histórico y de acuerdo con el compromiso contraído con el pueblo durante nuestra campaña electoral, el primer proyecto que elevaremos a la consideración de Vuestra Honorabilidad será la sanción de una amplia y generosa amnistía.

El proyecto de Ley de Amnistía, que se trató en la Cámara de Diputados el 21 de mayo de 1958, fue uno de los más liberales y magnánimos que hubo en el país. Concedía amnistía amplia y general para todos los delitos políticos, comunes conexos y militares también conexos.

Los beneficios de la amnistía comprenden los actos y hechos realizados con propósitos políticos o gremiales o cuando se determine que bajo la forma de un proceso por delito común se encubrió una intención persecutoria de índole política o gremial.

Esta ley del olvido fue un esfuerzo conciliador que anhelaba eliminar las consecuencias del sectarismo y la incomprensión, signos disgregadores que amenazan la integridad del sistema republicano. El ministro del Interior, Alfredo Roque Vítolo, expuso en el Senado la única limitación de la norma legal, al afirmar que "los delitos comunes, aquellos que han perseguido un enriquecimiento ilícito, naturalmente no pueden ser encuadrados dentro de la ley".
Sin embargo, el espíritu de la ley fue criticado y discutido, a la vez que se dudaba de su honesta convocatoria a la unión nacional. Muchos peronistas creyeron, en interpretación equívoca, que permitía el regreso inmediato de Perón, posibilidad que también pesó en el ánimo de los opositores. Todos cometieron el mismo error de apreciación. Ni el retorno de Perón ni la restauración de su doctrina estaban contemplados en la ley, que tenía disposiciones muy claras y terminantes, que se referían exclusivamente a "la derogación de toda legislación represiva de las ideas y la supresión de los organismos creados con ese fin".
En el debate en el Parlamento, la minoría radical del pueblo tuvo reacciones airadas. El diputado Tessio dijo que, con ese proyecto, el Congreso "pretende poner un telón de olvido sobre lo que no se puede olvidar". Su compañero de bancada, el diputado Verdaguer, fue más lejos:

A esos individuos que cometieron delitos, en vez de amnistiarlos deberíamos colocarlos en una jaula del zoológico, para ejemplo de los niños.

Con el correr del tiempo, estas duras expresiones, producto de un odio tan arraigado en los protagonistas de un cambio histórico en el país, resultan incomprensibles porque, en lugar de imponer la esperada reconciliación, sólo buscaban perpetuar la opción entre peronistas y antiperonistas. Frente a ellas, resaltan en todo su valor humano las líneas determinantes del pensamiento de Frondizi quien, el 21 de octubre de 1965, apelaría nuevamente a la unión de los argentinos:

> La opción entre peronismo y antiperonismo, el encono entre ambos, sirve para distraer las energías de todo el pueblo y para hacerle olvidar que sufre las consecuencias de una política deliberada y sistemática de mediatización y empobrecimiento de toda la sociedad argentina. [...] Detrás del humo de los disturbios se desplaza inexorablemente la política que quiere dividirnos para que no podamos luchar contra ella. Peronistas y antiperonistas contribuyen por igual a fortalecer esa política, a justificar los planes liberticidas y reaccionarios, cuando muerden el anzuelo de la provocación.
>
> Unos y otros tienen que admitir que la historia no retrocede ni puede ser retaceada. Tanto el peronismo como la Revolución Libertadora constituyen hechos que no pueden ser ignorados, existen y tienen la vigencia propia de su respectiva dinámica. No pueden excluirse recíprocamente, sino al precio de mutilar la Nación. Le deben comprensión y tolerancia, para encontrar en la convivencia, el camino común a todos los argentinos.[2]

Ascensos de Aramburu y Rojas

Simultáneamente con la Ley de Amnistía, el Poder Ejecutivo envió al Congreso un proyecto por el que se rendía un homenaje al pueblo argentino y a sus Fuerzas Armadas, por el proceso de encauzamiento institucional de la República,

> porque las Fuerzas Armadas revelaron profunda conciencia del momento histórico que les tocó vivir y asumieron con patriotismo la plenitud de su deber y responsabilidad.

Asimismo, por otro proyecto, se ascendía al grado inmediato superior a Pedro Eugenio Aramburu y a Isaac Francisco Rojas, como reconocimiento a su actuación al cumplir la promesa hecha por las Fuerzas Armadas, de hacer posible el cambio político en el país. Por ley 14.441 del 23 de junio se votaron los ascensos y al día siguiente, el Presidente hizo entrega de sus despachos de teniente general y de almirante, respectivamente, a ambos jefes.

Derogación de la Ley de Residencia

Ya nos hemos referido a la línea de conducta de Frondizi respecto de la Ley de Residencia, que se expresó en sus intervenciones como diputado nacional, en 1946, 1948 y 1951, en la discusión promovida en torno de las denominadas leyes represivas. La vigencia de la ley N° 4.144, llamada Ley de Residencia, que concedía al Poder Ejecutivo facultades discrecionales sobre los extranjeros residentes en la República, resultaba inconciliable con los principios de la organización republicana, y Frondizi había exigido su derogación en defensa de los derechos que ampara la Constitución Nacional.

La Ley de Residencia fue sancionada en 1902, cuando la entrada masiva de inmigrantes hizo temer a las autoridades por el arribo al país de agitadores y extremistas. De allí surgió este instrumento legal, que autorizaba la deportación de extranjeros. La ley funcionó como un temible aparato intimidatorio que se usó para reprimir huelgas y perseguir y encarcelar obreros.

Muchas voces se alzaron para fundar su oposición a esta norma legal. Sin embargo, la ley subsistió hasta que, después de cincuenta y seis años de vigencia, el 1° de julio de 1958, se promulgó la ley 14.445 que la derogaba. Su articulado establecía:

> Déjanse sin efecto los decretos de expulsión dictados hasta el presente, en virtud de la aplicación de la ley 4144 por motivos políticos o gremiales. [...] El Poder Ejecutivo arbitrará las medidas necesarias para posibilitar el regreso al país de los extranjeros a quienes alcance el artículo anterior.

Desaparecía así de la legislación argentina, por iniciativa de Frondizi, una medida draconiana que mutiló derechos y principios garantizados por la ley suprema.

La Ley de Asociaciones Profesionales

El movimiento obrero fue el basamento fiel y monolítico del peronismo. Este poderoso conglomerado social, tras el derrocamiento del líder mantuvo, aun en la adversidad, la cohesión necesaria para ser, tácita o explícitamente, una fuerza poderosa. Frondizi advirtió siempre esa irradiación de la clase trabajadora en el destino de la Nación y las nefastas consecuencias de una segregación que podía precipitarla a buscar apoyo en sectores extremistas, para los que constituía un preciado botín. Tuvo, como pocos, conciencia de la problemática histórica de una agrupación en la que ya se advertían fisuras entre las tendencias y las posiciones que comenzaban a surgir en su seno.

Uno de los objetivos prioritarios de Frondizi fue mantener la paz social como un fin nacional y un medio para el desenvolvimiento de la capacidad productiva de los trabajadores. La quiebra de esa paz o la opción por un curso revolucionario no constituían, en un estado de derecho, tesis viables para que prosperasen las reivindicaciones.

En cumplimiento de sus promesas electorales, Frondizi envió al Congreso el proyecto de la Ley de Asociaciones Profesionales, que garantizaba la unidad sindical y la normalización de la central obrera, y aseguraba a los obreros su derecho a poseer un instrumento apto para la defensa de sus intereses. En el orden partidario existía un antecedente; el proyecto de Código del Trabajo que Yrigoyen envió al Congreso en 1921.

Las detenciones, intervenciones y confinamientos durante el gobierno de 1955 habían llevado al gremialismo a un estado de anarquía. En 1958 tres grupos disputaban la conducción gremial: las 32 Organizaciones Democráticas, gestadas después de la caída de Perón por sectores afines a la Revolución Libertadora; las 62 Organizaciones, fundadas por gremios peronistas, y un desprendimiento de esta fracción liderado por los comunistas.

Sus fricciones y enfrentamientos fortalecieron el pensamiento de Frondizi, quien había expresado que

aspiraba a la afirmación de una sola central obrera y a la existencia de un solo sindicato por rama de la producción. Defendiendo el movimiento obrero de toda tentativa de atomización, se defienden sus intereses.

Y, en respuesta a una inquietud de la jerarquía de la Iglesia Católica, que formuló reservas a la nueva ley, temiendo que coartase la libre asociación, había agregado:

La afirmación de la unidad sindical no implica negar la libertad. Obreros y empleados deben tener ampliamente asegurada la libertad para defender sus posiciones. Por eso, sin perjuicio de la existencia del órgano representativo de los intereses gremiales, los trabajadores deben tener el derecho de asociarse libremente.

Con ese propósito, la norma legal establecía el principio de la libre agremiación, pero sólo la organización más representativa por rama de producción podía participar en la negociación y firma de las convenciones colectivas de trabajo. Esta cláusula, primordial según la óptica del Ejecutivo, desató verdaderas tempestades.

Recordaba Frondizi que, simultáneamente con la entrada del proyecto de ley al Congreso, lo visitaron en su despacho los tres secretarios militares para informarle que, si no reconsideraba esa iniciativa, no se hacían responsables de la reacción de sus armas. Las conductas de sus pares podían exceder la voluntad de los tres jefes de subordinarse al poder civil.

La ley fue aprobada en el Congreso el 8 de julio de 1958, tras un áspero y enconado debate en el que la bancada radical del pueblo la calificó duramente, con términos como ley totalitaria, represiva o reedición de la Carta del Lavoro de Mussolini. Una de las objeciones que se formuló desde distintos ámbitos, incluyendo integrantes del partido oficial, fue la que parangonaba a la ley argentina con la llamada ley Rocco, sancionada en la Italia fascista de 1926.

El ministro de Trabajo, Allende, desestimó ese argumento al afirmar que una de las cláusulas más criticadas, la que se refería a la entidad más representativa de cada gremio, figuró en el Tratado de Versalles y estaba en la Constitución de la Organización Internacional del Trabajo (OIT).

En cuanto a su supuesto origen fascista, no era tal, pues mientras la ley Rocco transformaba al movimiento sindical en un órgano del Estado, la ley nacional aseguraba la no injerencia estatal o política en la constitución y estructura de los sindicatos, cuyas autoridades debían surgir de la libre determinación de sus afiliados.

Expresó el diputado Uzal en el Parlamento:

El leve matiz que presento a la honestidad de los señores diputados es que, mientras en Italia el fascismo era el que organizaba la vida sindical, aquí somos los hombres que hemos luchado toda la vida por la democracia y la libertad, los que estamos dando esta ley que no tiene nada de totalitaria pero tampoco de entreguista de las clases obreras al privilegio capitalista.[3]

Con el nuevo precepto jurídico se levantaron las intervenciones sindicales, se devolvió la CGT a sus genuinos titulares, se respetó el régimen de convenciones colectivas de trabajo, se logró el ascenso del salario y se mantuvo la plena ocupación.

Poco antes de su derrocamiento, Frondizi confesó:

La Ley de Asociaciones Profesionales es una de las realizaciones de mi gobierno de la que estoy orgulloso. Es un gran instrumento para los sectores obreros y un factor de paz social. Podrá perfeccionarse en detalles, pero a mi juicio debe mantenerse su estructura general, su orientación. Yo estoy dispuesto a ceder en muchas cosas, cuando la estabilidad del país lo exija, pero en el mantenimiento de este instrumento legal no cederé.[4]

Primera proscripción nuclear

En la Conferencia de Washington de 1959, en la que participaron los países que habían intervenido en las actividades del Año Geofísico Internacional, la República Argentina, por intermedio de su representante, el embajador Adolfo Scilingo, defendió los principios de soberanía en la Antártida y propició, en el Tratado del 1° de diciembre de 1959, el uso de la región con fines pacíficos y la prohibición de toda explosión nuclear.

Desde la isla Decepción, el 8 de marzo de 1961 Frondizi dijo:

> Constituye este tratado el primer intento, llevado a feliz término, de prohibición de las explosiones nucleares. Proscriptas en la Antártida las detonaciones atómicas, la Argentina alienta el ferviente anhelo solidario de que una prohibición semejante se extienda al mundo entero.

Notas

1. *País Libre*, N° 6 del 28 de mayo-6 de junio de 1937.
2. Frondizi, Arturo: *Los objetivos del pueblo argentino,* 21 de octubre de 1965.
3. Uzal, Francisco H.: *Frondizi y la oligarquía,* ob. cit., pág. 90.
4. Luna, Félix: *Diálogos con Frondizi,* ob. cit., pág. 128.

Un estamento que tradicionalmente se había mantenido al margen de situaciones irritativas, el del ámbito judicial, también eligió el camino del disenso y la fricción cuando el gobierno encaró la reorganización de la Justicia.

El Presidente confirmó a la mayoría de los magistrados que provenían del régimen anterior, mientras el Poder Ejecutivo y posteriormente el Senado, estudiaban nuevas propuestas.

La demora en producir los nombramientos fue aprovechada por elementos con influencia en la actividad forense, que encontraron inmediato eco en los enconados adversarios del gobierno, quienes consideraron que no debían ser relevados los magistrados que había designado la Revolución Libertadora, a pesar de su condición de jueces "de facto", que carecían de la garantía de inamovilidad. Muchos de ellos actuaban en reemplazo de los que se había destituido en 1955, por provenir del gobierno peronista.

Ante la posibilidad de relevos y designaciones, se suscitó un verdadero escándalo en el que participaron sectores movidos por la intención de obtener réditos políticos inmediatos en la todavía vigente antinomia peronismo-antiperonismo. Los austeros recintos de la Justicia se conmovieron con disturbios y algaradas, en la que confluían jueces, fiscales y ordenanzas, que provocaron un verdadero caos.

El Colegio de Abogados hizo oír su protesta y se produjeron renuncias de fiscales, jueces y camaristas.

El 8 de julio presentó su renuncia el Presidente de la Corte Suprema, doctor Arturo Orgaz, quien admitió que lo hacía por "cansancio moral". La frase trascendió hasta convertirse en una muletilla con la que se pretendió descalificar a Frondizi.

La agudización de las tensiones obligó al gobierno, acosado por otros conflictos, a buscar soluciones de compromiso.

El Presidente, quien según Julio Oyhanarte "había tenido la valentía de rectificarse", en un auspicioso gesto de distensión, resolvió confirmar a la casi totalidad de los jueces en actividad y solicitó al doctor Orgaz el retiro de su dimisión, petición que fue aceptada hasta su renuncia definitiva en 1960.

248

Desde la trinchera antiperonista se consideraron estos hechos como una verdadera victoria.

Estos desencuentros, producto de la pasión política, no mermaron la voluntad del gobierno para organizar el Poder Judicial.[1]

En 1960, el número de miembros de la Corte Suprema de Justicia fue aumentado de cinco a siete, por pedido del alto tribunal, en una votación unánime de la Cámara de Diputados que contó con la expresa adhesión del bloque de la minoría.

NOTA

1. "RENUNCIA DEL PRESIDENTE DE LA CORTE SUPREMA. La renuncia del Presidente de la Corte Suprema de Justicia ha impresionado vivamente a la opinión pública. El Presidente del Alto Tribunal mantiene su criterio institucional (aunque reconociéndolo controvertible), pero encuentra que, por encima de las discrepancias, hay razones más generales e importantes para juzgar con severidad los procedimientos determinantes del entredicho judicial. Por entenderlo así, unió su dimisión a la de los jueces dimitentes. No nos encontramos ante una incidencia corriente. Se trata de un problema que afecta a toda la sociedad. Es por ello que debe ser recibida con satisfacción la noticia de que el presidente de la República ha resuelto estudiar directamente los antecedentes de la situación originada por las remociones y designaciones judiciales, aceptando para ello la colaboración ofrecida por el Colegio de Abogados. De este modo el asunto queda situado en su verdadero terreno." *La Prensa*, viernes 11 de julio de 1958.

¿HUELGAS GREMIALES O HUELGAS POLÍTICAS?

Los grandes cambios estructurales que propuso desde el inicio el presidente Frondizi se vieron afectados permanentemente por un clima de violencia social.

El gobierno, como estímulo a la producción, había otorgado un incremento masivo del 60% sobre los sueldos del 1° de enero de 1956, que beneficiaba a los trabajadores de menos recursos. Pero, pese a esta decisión, que se presentaba como un momentáneo paliativo económico hasta tanto el Estado fijase nuevas erogaciones, no se pudieron evitar las manifestaciones adversas de la población.

Sobre ese aumento opinó el almirante Rojas, en un testimonio a la revista *La Semana* del 10 de febrero de 1983:

> El incremento compulsivo de los salarios en un 60 por ciento con retroactividad, medida tan innecesaria como demagógica, producto del pacto Perón-Frondizi, provocó una ola inflacionaria.

Estas expresiones no tenían en cuenta que, en el transcurso de los últimos meses de su gobierno, la Revolución Libertadora había autorizado un significativo aumento en los sueldos del personal militar. En el lapso transcurrido entre noviembre de 1957 y el 30 de abril de 1958, un día antes de la asunción de Frondizi, los sueldos de las Fuerzas Armadas se duplicaron y hasta cuadruplicaron.

Sectores gremiales declararon huelgas que, si bien no generaron una amenaza cierta a la existencia misma del estado de derecho con el empleo de la protesta airada, pudieron considerarse como una modalidad incorporada para minar el pivote de la estabilidad y el rumbo impuesto a la Nación.

El conflicto docente

No obstante la sanción del Estatuto del Docente, los educadores cuestionaron severamente la no aplicación de los índices móviles a los salarios. La televisión, las radios, fueron las tribunas desde las que se explayaron los dirigentes de las distintas asociaciones docentes, apoyados por los socialistas, radicales del pueblo, comunistas y liberales, en franca oposición al gobierno: la Confederación Argentina de Maestros y Diplomados (CAMPYD), la Federación de Agrupaciones Gremiales de Educadores (FAGE), la Comisión Coordinadora Intersindical Docente, la Unión Nacional de Educadores, la Unión de Maestros Primarios, el Movimiento Sindical Docente y la Agrupación Gremial de Educadores Sarmiento.

El Estatuto del Docente se aplicaba en sus casi doscientos artículos, con las Juntas de Disciplina y Calificación, los concursos, el cogobierno, pero se utilizó el incumplimiento del artículo 38 para promover críticas al gobierno al que se acusaba de "borrar con el codo lo que habían escrito con la mano" y de "violar la ley 14.473".

La huelga fue declarada, con el beneplácito de los estudiantes, que hacían corrillos en las calles, coreando estribillos favorables a sus docentes. Pese a la semiparalización de las clases, no se sancionó a ningún ausente de las aulas ni se los coaccionó para que no acataran lo dispuesto por sus agrupaciones; el Ministerio sólo apeló a la conciencia y al espíritu sarmientino de los maestros y profesores.

Los legisladores sugirieron, como solución ética

que los docentes no firmaran el libro de asistencia en señal de protesta. Estaban, pues, reglamentariamente ausentes del establecimiento, pero que fueran al aula para dictar su clase, para cumplir su deber trascendente por encima de los gobiernos, de los gremios y de las pasiones del momento. No fuimos oídos –dice uno de los diputados–: los politiqueros de marras estaban en otra cosa.[1]

Primer paro ferroviario

Correlativamente con los docentes, se produjeron otros paros de actividades que paralizaron importantes sectores de la sociedad, como el de los ferroviarios que, en noviembre de 1958, realizaron un cese de tareas como protesta por el retraso de la empresa EFEA en abonar las retroactividades salariales y por su decisión de pagarlas en cuotas. Dejaron incomunicadas a importantes regiones del país sin tener en cuenta que sus protestas superaban la real proyección del problema.

El gobierno dispuso la movilización del gremio que había iniciado la huelga en noviembre de 1958, medida que se prolongó hasta el 3 de diciembre. Al arribar a una solución, la Unión Ferroviaria levantó el paro. Pero nuevas medidas de fuerza, esta vez mucho más graves, se producirían en 1961.

La huelga de los médicos

Otro gremio que escogió el camino del abandono de su hábitat de trabajo fue el de los médicos. El origen del conflicto fue tan nimio que no justificaba en absoluto la reacción que se produjo en los meses de junio y julio de 1958.

La polémica estalló cuando el sindicato de la Unión de Transporte Automotor –UTA– dejó en disponibilidad a un médico, el jefe de los servicios sociales, doctor Juan de Dios, para reincorporar a su antiguo titular, declarado cesante por su afiliación peronista. Esta decisión provocó la solidaridad de sus colegas que, en lugar de circunscribir el conflicto al área correspondiente, el sindicato involucrado, paralizaron sus tareas con una huelga general en toda la República, hasta tanto se aclarara el diferendo.

En lugar de apaciguar los ánimos, la oposición promovió un inesperado debate en la Cámara de Diputados el 24 de julio de 1958, responsabilizando a las autoridades con argumentos favorables a los móviles de los médicos: el repudio a la política del Ministerio de reivindicación de los colegas peronistas.

Sus expresiones fueron rebatidas por la mayoría parlamentaria:

> Aquí no hay conflicto para este problema. Por eso todos, ustedes y nosotros, sabemos que se trata de una huelga política. No nos vamos a engañar ni ustedes ni nosotros. Esta huelga se hace porque se quiere hacer. No sé si se hará porque no han tenido resonancia los golpes en las puertas de los cuarteles. Repito que esto es una huelga política.[2]

El fin político de este movimiento, que privaba a la población de la necesaria atención sin medir las consecuencias, era evidente, como lo era también su conexión con los grupos que buscaban el derrocamiento de Frondizi. Finalmente, el 11 de setiembre de 1958 se arribó a una solución del diferendo.

La huelga de los petroleros de Mendoza

El día 30 de ese mismo mes de setiembre, el Movimiento de Defensa del Petróleo Argentino realizó un gran acto en la plaza Miserere, oponiéndose a la política petrolera de Frondizi.

Esta movilización tenía una innegable vinculación con la huelga que proclamó en el mes de noviembre el sindicato de petroleros de Mendoza, en apoyo de YPF y contra la firma de todo tipo de contrataciones.

La huelga cobró un fuerte tinte insurreccional que pretendió ejercer presiones sobre las autoridades. Se incendiaron pozos de petróleo en la provincia cu-

252

yana y todos los intentos conciliadores fracasaron. Impelido por las circunstancias, el Poder Ejecutivo afrontó la elevada cuota de impopularidad que acarrearía la medida y suscribió el decreto implantando el estado de sitio en todo el territorio de la República desde la hora cero del 11 de noviembre.

Este movimiento tuvo sus agravantes cuando los dirigentes peronistas Gomis –petrolero– y Framini –textil– trataron de evitar la participación de obreros de esa tendencia, apelando a las directivas de Perón –"Hay que aceptar los contratos"–, pero no lograron impedir que muchos peronistas unieran sus quejas a los sectores izquierdistas que agitaban la bandera de la huelga como consigna reivindicatoria de los derechos soberanos.

La mancomunión de acciones denegatorias de la política nacional ya se había puesto en evidencia el 10 de octubre, al declararse una huelga general so pretexto

> de que no se daba respuesta a los reclamos obreros a pesar del aumento salarial del 60% [...], la devolución de sindicatos a sus legítimas direcciones y la sanción de la ley de asociaciones profesionales. Si las bases vacunadas contra el extremismo, el sectarismo y el infantilismo pseudorrevolucionario no hubieran correspondido al llamado de esas dirigencias, la huelga podría haber pasado totalmente inadvertida.[3]

El conflicto del frigorífico "Lisandro de la Torre"

En enero de 1959, cuando Frondizi se aprestaba a viajar a los Estados Unidos –en la primera visita oficial de un presidente argentino al país del Norte– para lograr la necesaria ayuda para llevar adelante su política desarrollista, otro conflicto trató de detener esa gestión. Un sector del gremio de la carne, representativo de los trabajadores del Frigorífico Municipal de Mataderos y del Mercado Nacional de Hacienda, comenzó a agitar a los miembros de la agrupación porque el gobierno había dispuesto devolver la planta a manos privadas.

El Poder Ejecutivo envió al Congreso un proyecto de ley por el que se autorizaba a arrendar las instalaciones del Frigorífico "Lisandro de la Torre", preferentemente a la Corporación Argentina de Productores (CAP). El déficit anual del establecimiento obligaba al gobierno a tomar esta medida puesto que había mermado notablemente la faena diaria de novillos –de 10.000 en 1943 a sólo 4.000 en 1958– y se había triplicado el número de obreros y empleados: de 3.000 en 1948 a 9.000 en 1958.

Como con el petróleo, los obreros portaban cartelones durante las manifestaciones vinculando su problema intrínseco con principios de soberanía política: "La carne es argentina".

El 16 de enero los obreros ocuparon la planta. Las tratativas llevadas a cabo por Rogelio Frigerio tuvieron como consecuencia la aceptación de nueve de las diez propuestas. Pero, como índice elocuente de los móviles políticos que agitaban a los peticionantes, cuando los delegados llevaron los resultados de su gestión a sus compañeros, Augusto Vandor, hombre que respondía a las directivas de John W. Cooke, delegado de Perón, se opuso enfáticamente a la aceptación de esas propuestas: "Sobre los diez puntos que pedimos tienen que darnos los diez. Y entonces pediremos once".

Las fuerzas del Ejército y la Gendarmería, para retomar el frigorífico, derribaron uno de los portones con un tanque. Este hecho tuvo una repercusión desmedida: se hablaba de heridos y de veinte muertos, y la gente de la zona se oponía con cuanto elemento contundente encontraba al alcance de sus manos al avance de los soldados. Quien escribe estas líneas fue testigo presencial de las desviaciones de los choques y de las versiones antojadizas sobre la ocupación, porque muchos de los vecinos de su casa de Villa Luro eran familiares de los obreros y transmitían su preocupación por la suerte de sus padres y hermanos, que estaban dentro de la planta.

En una de las Asambleas de las 62 Organizaciones se presentó John William Cooke; denunció esas muertes y, con un gesto impregnado de un dramatismo teatral, mostró como prueba irrebatible un pañuelo manchado de sangre que, después se supo, era de bovino.

El 17 de enero se declaró la huelga general, a la que siguió una ola de actos de fuerte tinte subversivo con el estallido de bombas en la casa de Rogelio Frigerio, en un comité de la UCRI, en las vías de los ferrocarriles Belgrano, Mitre, Sarmiento, en la plaza San Martín, en el servicio de informaciones de la Embajada de los Estados Unidos y en diversos puntos del país.

Utilización política

Frondizi recordaría:

En las Fuerzas Armadas los sectores más duros incitaban a la represión indiscriminada y presionaban sobre el gobierno para que abandonase su línea integracionista, mientras en la UCRI los grupos más reacios a la idea frentista reclamaban un cambio de estrategia.

El 21, entre esa sucesión de atentados, Frondizi viajó a los Estados Unidos.

Alfredo Allende, ex dirigente gremial cuya gestión al frente del Ministerio de Trabajo había sido fructífera, tuvo que renunciar como consecuencia del conflicto de los obreros de la carne, y fue reemplazado por el doctor David Blejer, hasta entonces subsecretario del Ministerio del Interior y amigo personal de Frondizi.

Para resguardar el área económica, el Poder Ejecutivo tuvo que declarar las intervenciones de los sindicatos de la carne, metalúrgicos, textiles, de la construcción, madereros y químicos, todos comprometidos en el plan insurreccional que, si bien fracasó en sus fines, triunfó en un aspecto tan importante como fue el de fisurar el Movimiento Nacional y retrasar la organización de la Central Obrera.

No cesaron los opositores en atribuir todos los males al gobierno; cuando se levantó el paro del "Lisandro de la Torre", la Unión Cívica Radical del Pueblo, en lugar de apreciar el significado de esa tranquilidad que recobraba una vasta zona capitalina, dio a conocer un comunicado que exacerbaba las pasiones y volcaba su resentimiento hacia Frondizi:

> El Presidente de la República conocía perfectamente la índole de los materiales humanos e ideológicos manejados y encumbrados por él. El país entero los denunció, pero él los sostuvo, les dio una ley de asociaciones profesionales, una intervención a la CGT en las federaciones y asociaciones, y cuando los trabajadores se alzan repudiando la entrega del petróleo y la electricidad, el plan extranjero de estabilización; cuando se alzan protestando contra la carestía de la vida, entonces son perturbadores, peronistas y comunistas, obreros democráticos enrolados en las minorías desplazadas...

A la creciente ofensiva opositora, se unió la denuncia del supuesto pacto Perón-Frondizi, que provocó la reacción de todos los sectores "gorilas" y de las Fuerzas Armadas, coincidentes con la suma de conflictos desatados durante el segundo semestre de 1959: en junio hubo 60; en agosto, 65, y en setiembre, 56, además del paro general de los días 23 y 24.

La oposición había adoptado como norma la crítica despiadada de cuanta iniciativa partiese del gobierno. El sector antiperonista, custodio de las acciones de la Revolución Libertadora, veía en cada hecho la influencia nefasta de Perón, y la posibilidad de una restauración de su credo.

El sector antagónico, el peronismo, disentía en los fines pero no en los medios. Todavía presencia operante en vastos sectores de la vida nacional, su oposición tenía mucho de insurreccional y, por distintos andariveles, confluía con el "gorilismo" en una operación de pinzas que cada vez cercaba más al Ejecutivo.

La huelga bancaria

El gremio bancario, aprovechando la crisis del mes de febrero de 1959, reclamó mejoras basándose en el éxito obtenido en la huelga declarada durante el gobierno de la Revolución Libertadora, cuando se dispuso el aumento automático de acuerdo con el costo de vida.

En el archivo del doctor Frondizi encontramos un documento del 31 de julio de 1984, cuyo texto explica ese conflicto y refleja las dificultades que debió enfrentar el gobierno para mantener el orden constitucional y dar solución a los problemas existentes.

En el año 1959, al hacerse cargo de sus funciones el ministro de Trabajo doctor David Blejer, fue instruido por el señor Presidente de la Nación para que ajustara su política salarial a los planes del gobierno sobre estabilidad y desarrollo económico [...] y que, en consecuencia, los aumentos de salarios que eventualmente convinieran en el futuro, debían estar referidos y vinculados simultáneamente a un aumento de la productividad y/o de la producción. [...]
El ministro observó ininterrumpidamente esta política, negando la homologación de convenios de aumento de salarios que prescindían de los recaudos enunciados. El gremio bancario tenía por ley un sistema muy particular y privilegiado de ajustes de salarios que debían hacerse automáticamente, cada trimestre, por medio de una comisión tripartita [...].
Cuando el gremio bancario solicitó la reunión de la comisión aludida, el ministro citó a los dirigentes gremiales, les explicó los fundamentos del plan de desarrollo y de una necesaria etapa previa de estabilidad monetaria que impedían, circunstancialmente, el funcionamiento automático de los ajustes de que gozaban los bancarios, ya que ello implicaba sentar precedentes violatorios de normas de equidad que debían ser válidas para todos los asalariados argentinos. Les explicó asimismo la alta prioridad que el gobierno asignaba a su plan económico y que en consecuencia ninguna medida de fuerza gremial sería capaz de modificar los propósitos gubernamentales. [...]
El diálogo entre el ministro y los dirigentes insumió largas madrugadas y no fructificó, a juicio del ministro, por las siguientes razones:
a) el gremio estaba fuertemente influido por la dirigencia comunista que hacía de la huelga un juego político y no una reivindicación específicamente gremial;
b) los dirigentes gremiales estaban "agrandados" pues venían de vencer al gobierno militar en un conflicto durante el cual fueron movilizados y acuartelados.
El gremio, en consecuencia, y en virtud de los derechos formales que lo asistían, decretó la huelga general que debía cumplirse por tiempo indeterminado en todo el país y en los bancos oficiales y privados nacionales y extranjeros. [...]
La huelga fue acatada pero no tuvo popularidad ni en la opinión pública ni en el propio sector de los trabajadores bancarios ya que muchos de ellos continuaron cumpliendo con sus tareas, en cantidades que aumentaban diariamente, hasta que a los 59 días de declarada la huelga, el mismo gremio resolvió levantarla, cuando ya la asistencia del personal era prácticamente del 100 por ciento.
En el ínterin, el gobierno resolvió modificar el Decreto de Estabilidad del Empleado Bancario elevando el plazo de seis meses existente en el Reglamento de 1946, al plazo de cinco años. Cada banco aplicó esta medida según su propio criterio y así sumaron varios centenares los empleados que fueron cesanteados por razones de ineficiencia.

256

La huelga fue la de mayor violencia recordada en el sector y hubo muertos y mutilados como consecuencia del material explosivo usado por algunos grupos de dirigentes y/o de provocadores.

El Sindicato fue intervenido y cuando dos años después fue normalizado, se presentaron a comicios seis distintas listas de conducción gremial interna. La que propiciaban los dirigentes de la huelga, ocupó el último lugar en el escrutinio, lo que puede entenderse como el juicio propio de la masa de los trabajadores respecto de sus dirigentes y de la responsabilidad con que juzgaron al gremio en una huelga que el gobierno y el país calificaron de insensata.

Cabe agregar que, como demostración de la independencia del Poder Judicial, la Corte Suprema declaró, pese al carácter tumultuoso de la huelga, que el Poder Ejecutivo carecía legalmente de la atribución de intervenir sindicatos y fue invalidado el decreto que Frondizi había dictado con ese fin.

NOTAS

1. Uzal, Francisco H.: *Frondizi y la...*, ob. cit., pág. 123.1. Uzal, Francisco H.: *Frondizi y la...*, ob. cit., pág. 123.
2. Idem, pág. 118.
3. Frondizi, Arturo: *Qué es el...*, ob. cit., pág. 112.

LAS FUERZAS ARMADAS DELIBERAN

El período revolucionario ha terminado.
De aquí en adelante las Fuerzas Armadas
no deciden. Ahora deciden los ciudadanos
que componen a aquéllas... No deliberan más.

ARTURO FRONDIZI
Mensaje del 1° de mayo de 1958

La cúpula de las instituciones armadas entendía que su misión esencial era constituirse en garantía de la imposibilidad de un retorno de Perón o de grupos adscriptos a su ideología. A esta posición se unía la irreductible oposición al comunismo en lo que evaluaban un intento por apoderarse de América latina, en el marco del conflicto Este-Oeste. Estos sentimientos sensibilizaron a nutridos sectores de las Fuerzas Armadas, que consideraron al gobierno tanto un agente de Perón –a través del "Pacto"– como de Moscú, como consecuencia de una política internacional que defendía la no intervención y la autodeterminación de los pueblos.

Organismos de extrema derecha, que encontraban decidido y entusiasta apoyo en algunos medios de prensa, acusaban a Frondizi de sublimar su maquiavelismo excitando las contradicciones para promover una revolución socialista bajo el signo de Marx y de Lenín.

Con esa permanente acción psicológica, impulsaban a miembros de las Fuerzas Armadas a ejecutar acciones extremas e incursionar en contiendas políticas que sólo podían generar antinomias entre civiles y militares.

Las desinteligencias y recelos existentes en las instituciones militares tuvieron caracteres críticos en la revolución de 1955. Muchos profesionales debieron pasar a retiro por sus tendencias peronistas, mientras eran reincorporados oficiales y jefes sancionados durante el gobierno de Perón. Algunos de estos oficiales se reintegraban tras varios años de vida civil que les había proporcionado un fluido contacto con ambientes partidarios de tendencia marcadamente antiperonista.

Las preocupaciones políticas no favorecían el sentido de subordinación al poder civil y, menos aún, a la subordinación militar. Acotó Frondizi que quizás lo más grave fue el criterio que predominó de aceptar que, por encima de los méritos profesionales, estaban los méritos de carácter revolucionario. Esto implicaba minar, en la práctica, los fundamentos mismos de las instituciones armadas.[1]

Los planteos militares

Tras la victoria electoral, para el gobierno que acababa de asumir, "había terminado una batalla, pero la guerra continuaba bajo otras formas". Apenas se había instalado el Presidente en la Casa Rosada cuando ya ganaban la calle los rumores sobre conspiraciones y proyectos insurreccionales, que fueron recurrentes en todo su ciclo gubernativo.

A medida que se aceleraban los plazos para concretar los rubros más significativos de la experiencia desarrollista, crecían los incidentes y conflictos. La actitud deliberativa de las Fuerzas Armadas se acrecentaba paulatinamente, con el beneplácito de políticos que reclamaban el alejamiento de Frondizi y encontraron en su vicepresidente la excusa que podía facilitarles la salida legal.

Las continuas discrepancias de Alejandro Gómez y su estilo antagónico frente al rumbo político y económico encarado por Frondizi, atrajeron la atención de la oposición, que comenzó a elaborar una sutil tarea de cercamiento para instar a Gómez a protagonizar una salida institucional si lograban desplazar a Frondizi de la primera magistratura.

Planes para derrocar a Frondizi

Las deliberaciones para provocar el derrocamiento del Presidente comenzaron pocos días después de la asunción del mando.

El 18 de mayo se realizó en el Centro Naval una reunión a la que asistieron los generales Bonnecarrère, Quaranta y Labayrú, el contraalmirante Rial y el brigadier Rojas Silveyra. El tema de la convocatoria fue la elaboración de un plan para provocar la destitución de Frondizi. Los conciliábulos prosiguieron en sucesivos encuentros, en los que también participaron civiles: Zavala Ortiz, Perette, Yadarola, González Iramain, entre otros.

Mariano Montemayor reseñó las bases de ese accionar cívico-militar en una nota que publicó la revista *Qué!* del 26 de agosto de 1958:

En una reunión celebrada el 21 de mayo en una quinta de Del Viso habría quedado aprobado el plan de acción:
1° Bajo ningún concepto era posible que el gobierno se consolidara y diera comienzo al cumplimiento de su programa.

2º Era necesario crear, a través de todos los medios de difusión posibles, la impresión de que el presidente estaba dominado por una camarilla peronaciocomunista.

3º Al mismo tiempo crear el convencimiento en la masa peronista de que Arturo Frondizi los había traicionado.

4º Convenía crear a través de un contacto con las 32 que tomó Ghioldi vía Pérez Leirós, focos de perturbación gremial.

5º Ayudaba provocar conflictos –médicos, maestros, justicia, universitarios– que agitaran a la clase media. Los objetivos se dividieron en máximo, en medio y mínimo.

Máximo: caída total del gobierno.

Medio: renuncia de Arturo Frondizi y asunción del poder por un Alejandro Gómez "controlado".

Mínimo: desgaste del gobierno al impedirle –por presiones o sabotajes internos– cumplir su programa.[2]

Rebeldías

Dentro de esta línea se inserta la posición del director del Liceo Naval Militar "Almirante Brown", capitán de navío Francisco Manrique. En un ciclo de conferencias titulado "La República y sus instituciones", dijo:

Al entregar el poder, la Revolución Libertadora nos dejó una fórmula de cinco consejos que conviene recordar: 1º, Estabilidad de gobierno y majestad de las instituciones; 2º, Ejercicio efectivo de la libertad de expresión; 3º, No intervención de las Fuerzas Armadas; 4º, Intensa acción política; y 5º, Intensa acción ciudadana.

Ahora nos preguntamos ¿Está el gobierno cumpliendo su parte? ¿Están todos los ciudadanos cumpliendo la suya? ¿Están todos los partidos políticos actuando como factores de dinámica democracia? ¿Están las Fuerzas Armadas cumpliendo con su deber? Si estas preguntas fueran objeto de un plebiscito, el país contestará a una sola de ellas afirmativamente por unanimidad y en forma terminante; las Fuerzas Armadas están cumpliendo con su deber.[3]

Con posterioridad, el capitán Manrique debió alejarse de sus funciones castrenses y se dedicó al periodismo. Desde las páginas de su diario *Correo de la Tarde,* siguió con su aguda crítica al gobierno.

El almirante Rial, que presidía el Centro Naval, fue claro reflejo de una presión generalizada. El marino debía pronunciar un discurso el 7 de julio, en la habitual comida de camaradería de las Fuerzas Armadas. Frondizi, que concurriría en su carácter de comandante en jefe, dos días antes de la reunión conoció el texto de la alocución y, al advertir su marcado tono opositor y subversivo, resolvió cancelar el banquete e imponer a Rial diez días de arresto, tras consultar al almirante Estévez, secretario del arma. Y el 8 de julio dirigió un mensaje a las Fuerzas Armadas en el que remarcó los valores de la democracia y de la subordinación de los militares al poder civil.

> La democracia implica, en primer lugar, acatamiento a la ley. Es el espíritu permanente de la nacionalidad, que ha hecho del respeto a la ley y a las instituciones un principio sagrado. [...] el pueblo no quiere ni viejos ni nuevos dictadores [...] El Ejército, la Marina y la Aeronáutica, deben mantener por su parte, sus rígidos principios de disciplina y jerarquía. Confiamos para ello plenamente en el señor Ministro de Defensa Nacional y en los señores Secretarios de las tres armas.
> Además, toda vez que sea necesario, ejerceré con la máxima decisión las atribuciones que la Constitución me otorga.[4]

En setiembre de 1958, se produjo otro acto de indisciplina militar, esta vez en la Aeronáutica. El secretario del arma, comodoro Huerta, decidió reincorporar al servicio activo al comodoro Krause, quien estaba en situación de retiro por su disconformidad con disposiciones del Estatuto de los Partidos Políticos. Cuando se presentó para hacerse cargo de su puesto, un grupo de oficiales se insubordinó y cerró las puertas del edificio para impedir su acceso.

El Presidente sostuvo la autoridad del comodoro Huerta hasta que la situación se hizo crítica al generar síntomas de malestar en las otras dos armas. El propio secretario Huerta pidió su relevo designándose en su reemplazo al brigadier Ramón Abrahim, jefe que contaba con el apoyo de los oficiales.

> Los promotores del affaire Huerta –certificó Solanas Pacheco– fueron sancionados y pasados a retiro. Siempre pensé que allí también habían actuado los eternos "golpeadores de cuarteles".

La solidaridad con la actitud de la Fuerza Aérea tuvo su expresión directa en una reunión que se realizó en el Colegio Militar para debatir el tema que suscitó el conflicto y en la que comparecieron elementos netamente conspirativos. El Presidente debió sancionar al director del Colegio, general Bernardino Labayrú, quien solicitó su relevo, y ya no abandonaría su reconocida posición golpista.

Pugnas por el gabinete militar

La designación del gabinete militar fue un frente de controversias. Cuando el Presidente efectuaba un nombramiento, surgía la impugnación de quienes no estaban dispuestos a ceder posiciones.

Cuando debió elegirse al subsecretario de Ejército, el general Solanas Pacheco propuso al coronel Manuel Reimundes, pero sectores del Ejército opusieron una cerrada resistencia, en la que pesó la opinión de Aramburu. Finalmente, la designación recayó en el coronel D'Andrea Mohr, propuesto por Frondizi.

Los hechos demostrarían que la elección fue desafortunada. Un grupo de camaradas ofreció una comida de desagravio al almirante Rial cuando cumplió la sanción disciplinaria que le fuera aplicada. D'Andrea Mohr concurrió a la misma, en contradicción con su carácter de miembro del Ejecutivo, y ocupó un lugar en la cabecera, junto al agasajado. El general Solanas lo relevó de inmediato y ofreció el cargo a Reimundes.

En la Marina, la gestión del secretario Estévez fue difícil por la hostilidad con que el arma enfrentaba al gobierno. Los almirantes Rojas, Palma y Sánchez Sañudo exigían sin pausa cambios decisivos en la estructura política del país, y doce almirantes plantearon el relevo de Estévez, a quien Frondizi consideraba defensor del orden constitucional y sostén de la política de desarrollo.

Frente a la insubordinación general de los altos mandos, Estévez presentó su renuncia, que debió ser varias veces reiterada para que finalmente Frondizi la aceptara, designando en su reemplazo al almirante Gastón Clement, quien continuó en el cargo hasta marzo de 1962.

"La situación se complicaba aún más por las contradicciones entre las armas", recordó Frondizi.

> Si por un lado los militares reaccionaban en bloque ante determinados estímulos, por el otro se enfrentaban entre sí por problemas de preeminencia, sobre todo en materia de equipamiento.[5]

Los políticos conspiran

En el terreno político las manifestaciones realimentaban la efervescencia sectorial. Dirigentes de sólido prestigio por su actividad partidaria, legislativa o docente no vacilaban en emitir declaraciones que hacían peligrar el basamento legal del país.

Ernesto Sammartino y Silvano Santander, desde el Comité Nacional de la UCR del Pueblo, el 1° de julio, admitían la posibilidad de apoyar un movimiento militar. El primero opinó:

> Hay en el Ejército fuerzas democráticas que están a la expectativa. Son fuerzas conscientes que desean el retorno verdadero a la democracia. Esta puede ser la gran cruzada que salve al país. Repito que no es una aventura militar sino un verdadero sentir patriótico.

A su vez, dijo Santander:

[...] estamos asistiendo a la entrega total de nuestra economía. Si un grupo democrático del Ejército quiere destruir ese peligro tenemos la obligación de apoyarlo. Si se hace, en seis meses habría limpiado toda la resaca y tendría a su lado a todo el país.

El 8 de agosto, el dirigente demócrata cristiano Horacio Sueldo denunciaba un complot para derrocar al gobierno, en el que confluían militares, radicales, socialistas, nacionalistas y conservadores. Una reedición de la Unión Democrática con el brazo fuerte de las Fuerzas Armadas.

El 1° de octubre de 1958, en acto público, el veterano dirigente socialista Alfredo Palacios, cuya palabra tenía prestigio y peso político, reclamaba la renuncia de Frondizi, como ya lo había hecho con Hipólito Yrigoyen y Perón.

Sería tarea muy ardua historiar cada uno de los intentos desestabilizadores, ya que el gobierno debió afrontar más de treinta planteos militares. Más adelante volveremos sobre los más graves.

NOTAS

1. Luna, Félix: *Diálogos...,* ob. cit., pág. 82.
2. Montemayor, Mariano: *Claves para entender a un gobierno,* Concordia, Buenos Aires, 1963, pág. 184.
3. *La Nación,* 5 de mayo de 1958.
4. Frondizi, Arturo: *Mensajes presidenciales,* ob. cit., Tomo I, págs. 111 y ss.
5. Frondizi, Arturo: *Qué es el...,* ob. cit., pág. 148.

La renuncia de Alejandro Gómez

Entre los desplantes de civiles y militares comenzó a crecer el conflicto que provocaría la culminación anticipada del mandato de Alejandro Gómez.

El Vicepresidente, en forma inadvertida o explícita, se involucraba con los elementos golpistas, en particular con aquellos que mostraban una definida tendencia antiperonista. Aferrado a su unilateral visión partidaria, Gómez no apoyó ni compartió medidas de fondo que se encaraban en forma acelerada para afrontar falencias de antigua data y demorada resolución.

Si bien las disposiciones sobre la Ley de Amnistía o la de radicación de capitales extranjeros merecieron su aprobación, en otros puntos esenciales para el plan oficial expuso sus discrepancias.

La política petrolera fue un obsesivo frente de controversia que llevó a Gómez a sumar su voz al orfeón opositor: elevó a la categoría de dogma las prescripciones del programa de Avellaneda en materia de hidrocarburos y entabló una lucha abierta para exigir su aplicación sin condicionamientos en un abierto desafío a la "batalla del petróleo". A pesar de esa rígida posición, Gómez tuvo una opinión favorable a los contratos cuando se anunció su tramitación, como relató irónicamente Ramón Prieto:

> En un mensaje dirigido al país Frondizi anunciaba, el 24 [de julio] las fases iniciales de la Batalla del Petróleo, y el Vicepresidente, emérito camaleón de Berabevú, expresaba, entre estupefacto y "avivado": "Yo, que no conocía pormenores, al enterarme de los detalles estoy entusiasmado". Poco después iba a demostrar más entusiasmo aún, pero en contra de ellos.[1]

La resistencia del Vicepresidente alcanzó a otras decisiones, como la sanción de la Ley de Asociaciones Profesionales o la que establecía la enseñanza libre.

Encono antiperonista

La sucesión ininterrumpida de huelgas y la acción que desplegaban en el campo sindical peronistas y comunistas, preocuparon a Gómez, quien temía que esos desbordes terminaran por arrasar al gobierno. El 9 de setiembre presentó a Frondizi un memorándum en el que resumía su inquietud. En el escrito, advertía:

> Es conveniente aclarar que las agrupaciones u órganos de oposición que formulen elogios directos o indirectos al ex tirano y/o a su sistema, no tendrán el goce de esa garantía por cuanto la República no puede regresar a un pasado ominoso. El comunismo, en cuanto actúe con vinculaciones internacionales o evidencie sus tácticas perturbadoras, dejará también de tener las garantías que la ley establece para el ejercicio de la democracia y no para los que luchan por divisionismos clasistas o dictaduras de la misma o de cualquier índole.

Finalmente incluía esta propuesta: "La administración y la función docente deben librarse de los que expresen simpatías por cualesquiera de esos dos regímenes".[2]

La enunciación de Gómez, con su fuerte tono discriminatorio, tomaba considerable distancia de la línea de conciliación nacional proclamada por Frondizi.[3]

La renuncia de Frigerio

En el mes de noviembre se entrelazaron cuestiones que caracterizarían negativamente este proceso de la vida institucional argentina.

El día 10, acosado por amenazas e imputaciones que lo identificaban como un émulo de Rasputín o como presidente paralelo, Rogelio Frigerio presentaba su renuncia al cargo de secretario de Relaciones Económico-Sociales. En carta dirigida a Frondizi reconocía: "En las circunstancias actuales, mi retiro beneficia más a la causa que servimos que mi permanencia en el cargo".

Para Frondizi, esta renuncia sólo cumplía con un requisito formal, porque no estaba dispuesto a prescindir de su estrecho colaborador, quien siguió desempeñándose como asesor en una misión en gran medida –puntualizaba Frigerio– "llevada a cabo en una suerte de clandestinidad que recordaba los días del nacimiento de la patria".

La crisis

Las frecuentes reuniones de Gómez con representantes destacados de la oposición trascendieron. El humorista Landrú, en la revista *Tía Vicenta,* popularizó una caricatura del Vicepresidente en la que éste preguntaba sorprendido "Y a mí, ¿por qué me miran?", aparentando desconocer la trama que lo promovía como candidato para una sucesión constitucional.

Frondizi quiso distanciar a su compañero de fórmula de los grupos que lo presionaban, y le propuso una gira por Europa. Gómez rechazó el ofrecimiento aconsejado, según testigos, por el veterano Alfredo Palacios, quien le habría sugerido la conveniencia de permanecer en el país y aguardar el curso de los acontecimientos.

El 12 de noviembre de 1958 hizo crisis la tensa situación que se había planteado en la cúspide del Ejecutivo. Inusitadamente, Alejandro Gómez solicitó la presencia en su despacho, en el Senado Nacional, del ministro del Interior e interino de Defensa Alfredo Roque Vítolo, para comunicarle que había recibido información sobre un complot en marcha, para derribar al primer magistrado. Un importante jefe militar le había manifestado que

se estaría por producir dentro del plazo de breves horas, un movimiento revolucionario de tal fuerza, que los señores secretarios militares no estarían en condiciones de controlar. [...] salvo algunos efectivos del Ejército, los mandos naturales no controlarían las fuerzas a sus órdenes.[4]

El Vicepresidente consideraba que el gobierno debía tomar medidas urgentes y emprender consultas con los jefes de los partidos opositores y con personalidades relevantes del quehacer nacional, sin omitir la posibilidad de constituir un gobierno de coalición. Como en esos días Frondizi permanecía recluido en Olivos, afectado por un fuerte estado febril que no le permitía emprender las conversaciones, él mismo –Gómez– se haría cargo de esas gestiones, para lo que solicitaba el concurso de Alfredo Vítolo y de Emilio Donato del Carril.

Vítolo actuó con rapidez y determinación, frustrando la maniobra que pretendía implicarlo. Comunicó a David Blejer, subsecretario del Interior, la denuncia que le habían formulado y ambos coincidieron en la necesidad de transmitir con urgencia la novedad al jefe de Estado. Sin dilación, Blejer, acompañado por el subsecretario de Defensa, Bernardo Larroudé, se dirigió a Olivos para informar a Frondizi, quien debió abandonar su lecho de enfermo.

Luego llegó Gómez y le ratificó en parecidos términos la información suministrada por el doctor Vítolo, a raíz de lo cual Frondizi le expresó que de ninguna manera entraría en conversaciones de la naturaleza propuesta bajo amenaza o coacción y que, mientras hubiera un solo hombre dispuesto a defender el orden constitucional, habría de permanecer en su cargo en el pleno ejercicio de sus atribuciones.[5]

Luego se trasladó a su despacho en la Casa de Gobierno, donde se desarrolló una tensa y dramática reunión en presencia del ministro del Interior, doctor Vítolo, y de todos los secretarios y subsecretarios del área militar, del comandante en jefe de las Fuerzas Armadas, del jefe del Servicio de Información del Estado y del jefe de la Casa Militar.

También fue citado Alejandro Gómez, quien ratificó los dichos de Vítolo y la conversación que mantuviera en Olivos con Frondizi. El general Solanas Pacheco declaró que en el espíritu de las Fuerzas Armadas estaba servir con toda energía a la defensa de la Constitución, de las leyes y de la estabilidad de las instituciones.

Al requerírsele a Gómez el nombre de su informante, se excusó de hacerlo amparándose en un compromiso de honor. Su negativa disgustó a los secretarios de las tres armas. Al concluir la reunión, Frondizi obtuvo la unánime adhesión de todos sus colaboradores, legisladores, autoridades de la UCRI, funcionarios nacionales y provinciales, y el rechazo de la torpe confabulación.

Años más tarde, el general Solanas Pacheco reconoció que "lamentablemente, ese episodio le costó la carrera a un buen jefe como era el teniente coronel Quijano Semino, amigo de Gómez", quien habría suministrado la información. Para Quijano Semino, todo se redujo a una conversación informal en la que trasmitió uno de los tantos rumores que circulaban. No supuso que Gómez lo utilizaría como detonante de un peligroso riesgo institucional.

La renuncia del Vicepresidente

En el partido oficialista, la reacción no se hizo esperar: la Mesa Directiva del Comité Nacional de la UCRI solicitó la renuncia del Vicepresidente y la cancelación de su ficha de afiliado.

El presidente de la Cámara de Diputados, Federico Fernández de Monjardín, envió un mensaje confidencial a Frondizi:

Arturo: Ayer me dijeron algo que, en este momento –pocos minutos después de nuestra conversación telefónica–, me reiteran.
Quien me habla está cerca de Gómez y es amigo nuestro. Me dice que Gómez cambiará su actitud áspera por una conciliatoria si mediara alguna expresión o mensaje personal de Ud. pues se considera agraviado injustamente.[6]

La preocupación de Monjardín encontró eco en el Presidente, quien no deseaba la prolongación indefinida del incidente.

Los gobernadores de Corrientes y Córdoba, doctores Fernando Piragine Niveyro y Arturo Zanichelli; el senador por Santa Fe, doctor Augusto Bayol y el embajador Raúl Damonte Taborda, actuaron como mediadores en entrevistas realizadas en un total hermetismo. Como resultado de esas consultas, Alejandro Gómez, el 15 de noviembre, fue recibido por Frondizi en Olivos donde, de común acuerdo, adoptaron una determinación.

Frondizi y Gómez deliberaron a puertas cerradas, y al concluir el diálogo, Gómez entregó el texto manuscrito de su dimisión.

También se concretó un intercambio epistolar, convenido previamente entre Gómez y los mediadores, que Frondizi aceptó como una "concesión estratégica" destinada a poner punto final al diferendo. Decía Gómez en su nota:

> Para mí, el interrogante que interesa al pueblo argentino del cual depende mi vida en estos momentos es uno y fundamental: Alejandro Gómez ¿ha pretendido suplantar al Presidente de la República o fue su honrado colaborador? Alejandro Gómez, ¿es un traidor o es un hombre de bien? [...]

La respuesta de Frondizi no se apartó del cortés esquema prefijado:

> Las discrepancias entre los dos integrantes de una fórmula presidencial no ayudan al desarrollo de una política coherente en momentos tan graves como los que vive la República. Por ello considero que la situación planteada impone una inmediata definición en bien de los altos intereses de la Patria.

Y agregó la frase que rubricaba las pretensiones del Vicepresidente:

> Alejandro Gómez no es un traidor, es un hombre de bien y un honrado colaborador.

El 19 de noviembre de 1958, en el Congreso, ante ambas Cámaras reunidas en Asamblea Legislativa, Gómez presentó su renuncia indeclinable al cargo de vicepresidente de la Nación que ejercía desde el 1º de mayo.

En su archivo personal, Frondizi conservó un memorándum de Fernández de Monjardín en el que se refería a una entrevista anterior de Gómez con el diputado opositor Agustín Rodríguez Araya, a quien le solicitó que actuara como defensor al tratarse el asunto en la Cámara. El diputado de la UCR del Pueblo aconsejó a Gómez que no renunciase y que debía afrontar el juicio político. Ante la dimisión de Gómez, tuvo conceptos lapidarios en el recinto:

¿Entrar a la historia? A la de los cuentos de Calleja... No tuvo coraje civil de pegarse un tiro y se quiso suicidar con una pistola de papel: la carta negociada.

Después de protagonizar el "extravagante episodio", según la definición de Isidro Odena, Gómez buscó asilo en la UCR del Pueblo pero, carente de peso político y sin el valor táctico que en forma coyuntural le adjudicó la oposición, perdió gravitación a pesar de esporádicas declaraciones en las que remarcaba el deslinde categórico entre su pensamiento y el del gobierno que había integrado.

Años más tarde, al rememorar este episodio, Frondizi reconoció:

> La firme actitud de los equipos militares que dirigían en esa época las fuerzas armadas contuvo la acción de los sectores golpistas. En ese episodio, como en muchos otros, lo que más me conmovió fue el apoyo y la solidaridad de mi partido, que se expresó en la postura adoptada en la emergencia por los legisladores nacionales. Al cabo de estos años, yo he terminado por tener la ilusión –o quizás podría llamarse jactancia– de que aun en el error, mis amigos políticos me seguirían queriendo.

NOTAS

1. Prieto, Ramón: *El Pacto, 8 años de política argentina,* En Marcha, Buenos Aires, 1963, pág. 148.
2. Frondizi, Arturo: Archivo personal.
3. "Continuando su itinerario, Alejandro Gómez será, el 17 de diciembre de 1961, candidato de la extrema izquierda y de los comunistas en las elecciones de la provincia de Santa Fe. Obtendrá 46.000 votos contra 300.000 del candidato gubernamental, o sea menos del 5% de los sufragios; a continuación de este nuevo fracaso el vicepresidente se retirará de la vida política". En Rouquié, Alain: *Radicales y Desarrollistas,* Schapire Editor, Buenos Aires, 1975, pág. 134.
4. Declaración de Alfredo Vítolo. Acto del 12 de noviembre de 1958. Archivo personal de Arturo Frondizi.
5. Memorándum de Alejandro Gómez. Archivo personal de Arturo Frondizi.
6. Carta de Federico Fernández de Monjardín. Archivo personal de la autora.

El Plan de Estabilización y Desarrollo
Las privatizaciones

El 29 de diciembre de 1958, el gobierno dio a conocer su Plan de Estabilización y Desarrollo y la reorganización de la Administración Pública Nacional.

En esa fecha quedó abolido el control de cambios al que había estado sujeta la economía argentina, y fue sustituido por un mercado monetario de convertibilidad irrestricta, en el que las monedas extranjeras serían cotizadas conforme a la ley de la oferta y la demanda. La Argentina pasaba a incorporarse al sistema de la libre convertibilidad monetaria y, por lógica consecuencia, al régimen comercial multilateral y no discriminatorio.

La Nación no podía seguir con una economía aprisionada por controles y trabada por valores artificiales, máxime cuando en Europa, debido al espaldarazo del Plan Marshall, se había afirmado la política de inversiones internacionales y la enorme industrialización de los países favorecidos con esa ayuda requería nuevos mercados fluidamente identificados con su política de acercamiento económico.

Frondizi debía intensificar las reformas para edificar una economía robusta; desarrollar los recursos naturales y proyectar sus beneficios a todas las regiones del territorio nacional. Para cumplir con esos propósitos, no escatimó esfuerzos y superó las objeciones de sectores del liberalismo tradicional y del extremismo nacionalista, y creó las condiciones necesarias para afirmar el saneamiento financiero.

Se negoció con el FMI porque consideraban que los organismos de crédito internacional debían ser utilizados en todo lo que sirviera al interés nacional.

El Plan de Estabilización y Desarrollo

En el plan del 29 de diciembre de 1958, se logró imponer un programa propio, que consistió en un sinceramiento cabal de la economía.

Ese programa –dirá Frigerio–, no era una imposición de los burócratas internacionales, sino una imposición de los hechos y las leyes económicas a las cuales debíamos respetar para sacar al país de la crisis.

Lamentablemente, a fines de 1959 y en 1960, con la presencia del ingeniero Alvaro Alsogaray en el Ministerio de Economía y nuevas presiones cívico-militares, se cayó en una recesión económica con el consecuente aumento de precios y la correlativa depresión de sueldos y salarios de los trabajadores. Pese a esos problemas, no se pudo erosionar el soporte programático del gobierno.

En mayo de 1958 se había iniciado una severa política antiinflacionaria que atacó de raíz la crisis estructural de la producción, pero en 1959 se produjo un cambio negativo con una brusca alza de precios. El salto significó un 114 por ciento de aumento en el costo del nivel de vida pero, al ponerse en marcha la producción prefijada en el plan de gobierno, bajó su nivel a 27 por ciento en 1960. Cuando en 1961 el producto por habitante aumentó en 3,9, el costo de vida redujo su aumento al 13,5 por ciento, ya sin controles, subsidios ni precios políticos. Alsogaray había sido reemplazado por el doctor Roberto T. Alemann el 24 de abril de 1961.

Se criticó al gobierno por la deuda contraída, que tuvo como finalidad acelerar el desarrollo nacional, y

aun los créditos de estabilización cumplieron el papel de fijar el valor exterior del peso argentino y proporcionar una base favorable al inversor nacional y extranjero, con la conocida incidencia en la gran capitalización de ese período. Entre el endeudamiento para el subdesarrollo y el que se contrae para facilitar la expansión del país, no puede haber ninguna duda.[1]

Asimismo, por el decreto 2351/61 se fijaron las normas de confección de un presupuesto científico, que permitiera discriminar a primera vista los gastos productivos de los improductivos.

En 1961, cuando Roberto Alemann fue ministro de Economía, por primera vez en la historia administrativa de la República, dentro del Plan de Estabilización, se redujo en 8 meses en 100.000 el número de empleados públicos, congelándose las vacantes. El personal que así lo deseaba fue absorbido por las empresas privadas.

Las privatizaciones

Igualmente, de cuarenta y cuatro empresas que pertenecían al holding estatal DINIE (Dirección Nacional de Industrias del Estado), cuarenta fueron privatizadas porque su permanencia en poder del Estado no se justificaba y trababa las relaciones con el capital extranjero.

El 4 de febrero de 1960, por el decreto 4461/60, se ratificó la transferencia de unidades de microómnibus –colectivos–, a particulares, de acuerdo con las resoluciones ministeriales del 9 de agosto de 1955 del general Perón. Volvían a la actividad privada los 778 colectivos pertenecientes al Estado, que fueron adjudicados por sorteo a los trabajadores de cada línea. Con ello se mejoró notablemente el servicio, para beneficio de los usuarios, a lo que se sumó la apertura del monopolio de los taxis y la incorporación de nuevos servicios con automóviles de fabricación nacional.

El 18 de mayo de 1961, el Presidente de la Nación, en un mensaje dado a conocer después de la reunión de gabinete, se refirió a la situación económica en los siguientes términos:

> El mayor volumen del déficit fiscal se origina en las empresas estatales de servicios públicos y dentro de ellas son transportes los que representan su casi totalidad [...]

No quedaba otro camino que el desplazamiento del servicio de transportes de pasajeros a la actividad privada. Asimismo se determinó la sustitución de tranvías por automotores, lo que implicaba adaptar la infraestructura al nuevo medio técnico y liberar al Estado de su administración.

Acuerdo con la UTA

Con rapidez se movilizaron los organismos pertinentes, para lograr el objetivo del gobierno, puesto que la UTA (Unión Tranviarios Automotor) amenazó con una huelga. Dice Juan Ovidio Zavala, a cargo de la Secretaría Técnica:

> Cuando esos dirigentes de la UTA nos amenazaban con una huelga estaban amenazándonos no sólo con la no prestación del servicio de transporte automotor, sino además con el paro simultáneo de los ferrocarriles.

Se mantuvieron entrevistas con los dirigentes sindicales para arribar a una solución salomónica.

> Sin muchos circunloquios, les propusimos, aquella tarde, que se convirtieran en propietarios de las líneas de transporte y de los talleres, con la única condición de que no constituyeran cooperativas; debían ser sociedades anónimas, a efectos de funcionar con total fluidez comercial.[2]

Al analizar las propuestas y considerar que el gremio iba a sufrir un fuerte achicamiento, surgieron divergencias entre los dirigentes gremiales y las bases obreras. Pero el ofrecimiento de "les retendremos los despidos y en cuanto al saldo, ya veremos más adelante", llevó a los voceros obreros privatistas a aceptar los planteos, aunque con una condición: "ustedes deberán poner las líneas y los talleres en niveles de rentabilidad; luego nosotros los tomaremos". Y así ocurrió.

Para los nostálgicos, la supresión de los tranvías en 1961 fue una pérdida irreparable. Pero lo cierto es que, viejos y desvencijados, resultaban un medio de transporte obsoleto.

El economista inglés y ex asesor personal de Margareth Thatcher, Sir Alan Walters, mencionó que la primera vez que estuvo en Buenos Aires, había venido a interiorizarse de los detalles de la operación que hizo posible la privatización del transporte urbano. Es que, según Adalbert Krieger Vasena,

el caso de la privatización de la empresa Transportes de Buenos Aires realizado en el año 1962 [...] reviste particular interés, dado que fue una experiencia pionera en este campo y que se llevó a cabo en nuestro medio.

Otras medidas económicas

El gobierno de 1958 mantuvo la cotización del dólar, sin controles cambiarios, al nivel de 83 pesos nacionales por dólar. Si bien la no devaluación, por razones políticas, restringió la expansión monetaria, recuerda Alemann que Frondizi, interesado en que a ciertas industrias básicas les dieran estímulos, nunca criticó su política ministerial. A lo sumo,

alguna vez me hizo una observación estilo "Cómo duele esa política", pero nada más que eso, no hizo realmente ninguna otra manifestación. [...] Es que el presidente Frondizi era un hombre que daba absoluta confianza a sus ministros; los escuchaba, aceptaba las sugerencias o no, porque ése era su privilegio, pero no era un presidente que interfiriese en la gestión de un Ministerio para nada.[3]

En otros rubros básicos, la política del gobierno se expresó en fuertes inversiones locales y extranjeras. Así pudo eliminarse el déficit energético del Gran Buenos Aires; se incrementó la producción de caucho sintético, de automotores y tractores y se construyó una parte de los 15.000 kilómetros de nuevos caminos proyectados, lo que permitió la promoción de regiones atrasadas del país, transformando rápidamente su fisonomía social y cultural. Como claro ejemplo de esa política, la Patagonia se integró al resto del territorio, y Comodoro Rivadavia, Río Gallegos y las poblaciones cordilleranas alcanzaron un florecimiento que, lamentablemente, terminó con el derrocamiento de Frondizi y la paralización de su plan de desarrollo.

NOTAS

1. Makler, Samuel: "Política financiera", en *Introducción a los problemas...,* ob. cit., pág. 164.
2. Zavala, Juan Ovidio: *Racionalización para el desarrollo,* prólogo de Arturo Frondizi, Depalma, Buenos Aires, 1991, pág. 73.
3. Alemann, Roberto: en Juan Carlos De Pablo: *La economía que yo hice,* El Cronista Comercial, 1981, pág. 78.

El Plan de Racionalización Ferroviaria
El Plan Conintes

En mayo de 1961, ante los requerimientos de la realidad económica, a pocos días de un paro de 24 horas por reclamos salariales, el gobierno procedió a implementar el plan de racionalización en el ámbito de los ferrocarriles, que eran fuertemente deficitarios, pero que lamentablemente no pudo efectivizarse en la medida en que lo deseaban las autoridades.

Al referirse a las drásticas decisiones que debían encarar, dijo Rogelio Frigerio:

> Tenemos una red ferroviaria que está emplazada en abanico en la geografía del país con centro en el puerto de Buenos Aires. Esto se acomodaba perfectamente a las características casi coloniales de la economía de principios de siglo; pero ahora opera como un freno al desarrollo y, mucho más, cuando el traslado de las cargas es totalmente antieconómico en distancias menores de 400 kilómetros. Por eso nosotros hicimos un plan, contratamos los mejores técnicos que se conocían en ese momento, y empezamos el levantamiento de las vías. Fue así como pudimos enviar a la actividad privada 75.000 ferroviarios que se transformaron en obreros de otras industrias con excelentes pagos por indemnización, o se transformaron en pequeños empresarios. ¡Nada menos que 75.000 ferroviarios![1]

Resistencia sindical

Los dos nucleamientos sindicales de los trabajadores del sector, la Unión Ferroviaria y La Fraternidad, comenzaron su resistencia a la aplicación del nuevo ordenamiento. El enfrentamiento recrudeció alrededor del 23 de mayo, con motivo del conflicto del personal de la confitería del Ferrocarril San Martín.

Iniciadas las negociaciones, se constituyó una Comisión Mixta para estudiar la privatización de las confiterías pero, vencido el 12 de junio el plazo para expedirse, no se habían asegurado condiciones que hicieran vislumbrar un acuerdo.

En este cuadro, y a pesar de que el Senado solicitó al Poder Ejecutivo que no innovara en materia ferroviaria, Frondizi había ratificado el 5 de junio su decisión de llevar adelante el plan de reestructuración ferroviaria. Tanto el ingeniero Arturo Acevedo, ministro de Obras y Servicios Públicos, como el doctor Roberto Alemann, ministro de Economía, habían dispuesto el cierre de vías y negociado con el Banco Mundial un crédito de 50 millones de dólares, para renovar los rieles ya deficientes y anticuados.

Los actos de fuerza fueron la respuesta al mensaje de Frondizi y a las decisiones de sus ministros: estallaron bombas en Rosario y Lanús, se atacaron con piedras e incendiaron trenes; hubo explosiones, todo lo cual generó un clima de verdadera rebelión.

Antonio Scipione, dirigente de la Unión Ferroviaria, y Herminio Alonso, presidente de La Fraternidad, mantuvieron entrevistas con el secretario técnico de la Presidencia, doctor Juan Ovidio Zavala, para buscar una solución. Pero, el primero de ellos, activo militante de la Unión Cívica Radical del Pueblo, mostró en todo momento su determinación de enfrentar al gobierno.

Huelga y Plan Conintes

Pese a que en agosto ambas centrales anunciaron haber arribado a un acuerdo satisfactorio, el 26 de octubre iniciaron una huelga que finalizó el 11 de diciembre de 1961. Los ferroviarios aglutinaron a su alrededor fuerzas dispares: contaron con el apoyo de las 62 Organizaciones, del sindicato de izquierda Mucs y de la Federación Agraria Argentina, contraria a cualquier intento de desnacionalizar o desestatizar los ferrocarriles.

El Poder Ejecutivo procedió a crear un Comando de Coordinación y Seguridad en Transporte. A su frente actuó el capitán de navío Recaredo Vázquez, cuyos antecedentes lo privilegiaban para una tarea en la que su respeto por los derechos individuales y gremiales debía imponerse en tan difíciles circunstancias.

Ante el recrudecimiento de la violencia, el gobierno decretó la movilización de los trabajadores ferroviarios y puso en ejecución el Plan Conintes (Conmoción del Orden Interno del Estado). Ya en 1960, al afrontar acciones terroristas de los guerrilleros de Uturunco en el Noroeste, Frondizi se opuso a la propuesta del Comandante en Jefe, Toranzo Montero, de imponer la pena de muerte, y aplicó el Plan Conintes, que había sido empleado por Perón, por el que se juzgaba a los terroristas en jurisdicción militar.

La aplicación del Plan Conintes se hizo en forma moderada; se procedió a detener a los principales complicados en los duros enfrentamientos y se los confinó en distintos presidios del país.

Una de las consecuencia fue la intervención de la provincia de Córdoba, cuyo gobernador, el doctor Arturo Zanichelli, fue acusado de lenidad con los insurrectos. Zanichelli aceptó con entereza esa resolución, con la que evitaba a su gran amigo y correligionario Arturo Frondizi una nueva confrontación con las Fuerzas Armadas.

Negociaciones

Durante cada una de las cuarenta y dos noches de la huelga, el secretario técnico Juan Ovidio Zavala, Antonio Scipione y Herminio Alonso, se reunieron para arribar a una coincidencia entre la propuesta oficial y los reclamos sindicales. A ellos se unió el 1° de diciembre el cardenal primado monseñor Antonio Caggiano en calidad de mediador en el conflicto. La abadía de San Benito, en Palermo, fue una de las sedes de los negociadores. Su gestión no carecía de dificultades, pues

> había dos líneas bien tendidas en la retaguardia de ambas partes: del lado del gobierno, un sector duro integrado, entre otros, por los secretarios de Marina, el almirante Clement; de Aeronáutica, brigadier Rojas Silveyra, y por el ministro del Interior, Vítolo, quien más tarde rectificó su criterio; del lado obrero, la línea intransigente estaba dirigida por Scipione, cuya posición en su gremio no era muy firme, mientras que Alonso, de La Fraternidad, al par que defendía los intereses estrictamente laborales de los trabajadores, comprendía el propósito oficial de modernizar los ferrocarriles.[2]

El informe presentado por monseñor Caggiano no cubrió las expectativas puestas en él por el Poder Ejecutivo y el doctor José María Guido, presidente provisorio del Senado en ejercicio de la Presidencia, por haber iniciado Frondizi una gira por países del Asia, Europa y los Estados Unidos, no lo aceptó y dio por finalizadas sus funciones, lo que motivó una enérgica protesta de monseñor Plaza, obispo de La Plata.

El 4 de diciembre, en el local de la CGT, se llevó a cabo un acto de solidaridad con los ferroviarios declarados en huelga, en el que dirigentes políticos alentaron la ruptura del orden constitucional, alegando la incompetencia del oficialismo ante las duras medidas económicas y cesantías, que agudizaban la crítica situación de los trabajadores. Hicieron uso de la palabra los dirigentes más representativos de cada partido: Ricardo Balbín, radical del pueblo; Alberto Iturbe, peronista; el socialista Argentino Tieffemberg, y el comunista Ernesto Giúdice.

Acuerdo

Sin embargo, las centrales obreras aceptaron una nueva mediación del cardenal Caggiano, quien logró lo que le pareció la salida más justa, el 10 de diciembre. Por decreto del Poder Ejecutivo, los obreros obtendrían un mejor nivel salarial y la representación de las dos asociaciones gremiales en el seno de EFEA. A su vez, los gremios aceptaban, por primera vez en su larga lucha por sus reivindicaciones:

1° Revisión de los reglamentos de trabajo;
2° Eliminación del personal excedente;
3° Privatización de servicios auxiliares;
4° Clausura de ramales;
5° Reducción de personal en los servicios en que las innovaciones técnicas lo hicieran necesario, entre otros, el caso de las locomotoras diesel.
6° Poder de decisión en manos del Directorio de EFEA, donde las entidades gremiales tenían 2 representantes, y el Poder Ejecutivo, 6.

Las dificultades para llegar al acuerdo conseguido por la intervención de la alta jerarquía eclesiástica, y la tenaz resistencia por parte de los delegados del riel, fueron causal del desánimo del doctor Acevedo quien, el 16 de enero de 1962, presentó su renuncia. Igual decisión asumió el doctor Alemann porque, como él mismo expresó,

preferí irme junto con él, porque era de la opinión que yéndose dos al mismo tiempo, se causaba menor daño al gobierno al que no quería perjudicar, que tener que irme un poco después.

Independencia de la Justicia

Durante los conflictos que obligaron al Poder Ejecutivo a tomar medidas de excepción, como la movilización de los ferroviarios y la aplicación del Plan Coninites, el Poder Judicial asumió decisiones que demuestran su total independencia con respecto a los otros poderes del gobierno. Con referencia a esos actos punitivos,

la Corte tuvo conciencia de la gravedad de la circunstancia provocada por la insurrección subversiva –fundamentalmente gremial– de aquellos años [...] Pero no perdió la cabeza ni la visión de los límites que si están en juego la libertad y aun la vida de las personas nunca, nunca, deben ser sobrepasados. Y aun a riesgo de caer en autocontradicción, declaró que las condenas dejaban de serlo en el momento en que el país volviese a la normalidad.[3]

NOTAS

1. Frigerio, Rogelio: en *La economía que yo hice,* ob. cit., pág. 48.
2. Odena, Isidro: *Libertadores y desarrollistas, 1955-1962,* Memorial de la Patria, La Bastilla, Buenos Aires, 1977, pág. 261.
3. Oyhanarte, Julio: Prólogo de *Arturo Frondizi. Historia y...,* ob. cit., Tomo IV, pág. XXIII.

Los duros embates para detener la política económica, y el clima general enrarecido que se vivía, provocaron cambios en el plantel oficial que el gobierno no deseaba pero las circunstancias precipitaron.

La conspiración se ensañó con Frigerio. Sobrevinieron denuncias de negociados, como los de la compra de casas para los mineros de Río Turbio, el trigo candeal y el campo Pájaro Blanco, que si bien llegaron al Parlamento nunca tuvieron pruebas concluyentes. En noviembre de 1958 había renunciado a la Secretaría de Relaciones Económico-Sociales de la Presidencia, sin abandonar su colaboración con Frondizi, que prosiguió en forma de una asesoría oficiosa. Una poderosa bomba que estalló el 21 de enero en su casa de Avenida de los Incas lo obligó a concretar su alejamiento definitivo el 13 de mayo de 1959.

Otras renuncias privarían a Frondizi de colaboradores valiosos y capaces: Carlos Florit, ministro de Relaciones Exteriores; Dardo Cúneo, secretario de Prensa de la Presidencia; Samuel Schmukler, secretario ejecutivo, y Emilio Donato del Carril, ministro de Economía. La renuncia de Del Carril, según Isidro Odena, "fue un sacrificio en aras de su invariable fidelidad a Frondizi, para facilitar la entrada del ingeniero Alvaro Alsogaray".

Llega Alsogaray

La llegada de Alsogaray al Ministerio de Economía marcó un punto de inflexión en el proceso de transformación estructural de la economía argentina. Fue una designación polémica que suscitó muchos interrogantes y desorientación dentro de las filas ucristas que advertían ese acto como una concesión del presidente hacia quienes formulaban ideas económicas que disentían de la teoría desarrollista. Una y otra vez Frondizi debió explicar a sus correligionarios las razones de su actitud para mantener cohesionado un frente interno.

El nombramiento de Alsogaray no sólo despertó recelos en la UCRI; el general Aramburu manifestó disgusto por esa medida, y así se lo expresaba a Frondizi en sus frecuentes conversaciones en las que le aconsejaba desprenderse de su ministro.

Curiosamente, Frigerio influyó para concretar la incorporación de Alsogaray al gabinete, con la intención de frenar la presión militar y evitar un golpe de Estado. Alsogaray había sido funcionario del peronismo y de la Revolución Libertadora. Su predicamento en las Fuerzas Armadas y en sectores de la clase media era indiscutible, y podía ser un elemento de distensión en aquel crítico año.

A pesar de la inicial resistencia de Frondizi, Alvaro Alsogaray finalmente asumió la cartera de Economía e interina de Trabajo, el 25 de junio de 1959. En este último cargo, sucedía a David Blejer, indisolublemente vinculado con Frondizi a través de la amistad y la militancia.

Alsogaray conocía la programación desarrollista, ya que había sido un asiduo visitante de la casa de Frigerio, en Avenida de los Incas. En esas entrevistas le manifestaba su acuerdo con el plan en marcha, sin dejar traslucir discrepancia alguna.

En vísperas de su nombramiento, Frondizi le expuso con claridad los lineamientos que debían prevalecer en su conducta ministerial y las prioridades inamovibles a que debía ajustarse. Alsogaray utilizó un símil deportivo y confirmó implícitamente su fidelidad a la política económica cuando afirmó ante los periodistas extranjeros:

> Esta es una carrera de postas en la que Frigerio me ha pasado la bandera para que la lleve yo en la próxima etapa.

Poco tiempo después, el 15 de julio de 1959, declararía a *La Prensa*:

> Frigerio fue el gestor más decidido de una política muy semejante a la por nosotros iniciada. Trabajó mucho y bien en petróleo, carbón, radicación de capitales, etcétera.

Reconocía que asumió con un país en marcha, en condiciones que se presentaban propicias para un brillante ejercicio de la función.

Doctrinas económicas disímiles

Alsogaray era un ferviente seguidor de la economía social de mercado (inspirada en la doctrina económica del ministro alemán Ludwig Erhard), que no conciliaba con el planeamiento desarrollista, ya que consideraba que la intervención estatal era perjudicial para el desenvolvimiento del juego espontáneo de las fuerzas del mercado. Su ideario económico tampoco aceptaba, por utópico, el incremento del desarrollo de los sectores básicos que desvelaba al gobierno. Para Frondizi no podía haber desarrollo sin promoción de la industria pesada; en contraposición, la tesis liberal pretendía estabilizar la economía prescindiendo del desarrollo.

Retrocesos

El déficit que el nuevo ministro debía paliar provenía del esquema vigente en las empresas estatales. Era imprescindible ahondar el plan de racionalización administrativa que, entre otras medidas, debía transferir a la actividad productiva a 500.000 agentes del Estado, reestructurar el sistema de transporte y reformar el régimen previsional.

El gobierno mantenía la iniciativa y la decisión política de continuar con las pautas emprendidas: nuevas industrias, mayor afluencia de bienes al mercado, menores importaciones de productos que se podían manufacturar, extraer y producir en el país, para no agobiar al pueblo con los costos de la transición.

Muy pronto se produciría el deslinde categórico entre la filosofía del ingeniero Alsogaray y la doctrina del gobierno. Su renuente actitud ante las iniciativas oficialistas lo apartó progresivamente de un programa con el cual no comulgaba. El mismo confesaría, cuando se alejó de su función, que su objetivo era "frenar las aventuras desarrollistas de Frondizi".

En conescuencia, muchas propuestas fueron postergadas o detenidas.

Peso estable, economía recesiva

El mayor interés de Alsogaray radicaba en sostener el valor del peso en el mercado de cambio, lo que llevaba fatalmente a la contracción económica. Se acrecentaba así la contradicción con un gobierno que no quería una moneda sana en una economía estancada. El clima imperante se refleja en la crónica del *Indicador Bursátil:*

> Las grandes empresas disponen del crédito que se retacea a las empresas menores, de la mano de obra calificada que va quedando libre por los cierres de los pequeños talleres y de un mercado más amplio por la desaparición gradual de la competencia de las firmas sin bases sólidas.

El ministro –que más tarde, bajo el gobierno de Guido, sería identificado por su frase "Hay que pasar el invierno"– ilustraba su tarea con extensas clases magistrales televisadas en las que, puntero en mano explicaba didácticamente sus medidas, buscando despertar las simpatías del auditorio y acrecentar su popularidad.

Renuncia y balance

La disconformidad presidencial y la colisión entre dos posiciones antitéticas desembocaron en el pedido de renuncia, tras veintidós meses de ejercicio. El 24 de abril de 1961 se produjo la salida de Alvaro Alsogaray con lo que se dio por finalizada la etapa de las concepciones monetaristas de quien fue calificado por Frondizi como un liberal manchesteriano "cuyas ideas económicas han evolucionado poco más allá de la doctrina de los grandes teóricos de la primera mitad del siglo pasado".

En un reportaje de *La Semana,* de enero de 1983, el ingeniero Alsogaray se refirió a su gestión ministerial:

> Durante veintidós meses manejé efectivamente la economía argentina aunque en medio de las lógicas dificultades debido a que mi intervención nunca fue legalmente admitida, sino que se la consideró una necesidad que, tan pronto como dejara de serlo, sería cancelada. Así ocurrió en abril de 1961, cuando el entonces presidente creyó que todo estaba ya hecho y podía seguir solo, por lo que me pidió la renuncia.

En un artículo publicado en *Clarín* el 13 de diciembre de 1964, Frigerio trazó una severa síntesis de la gestión de Alsogaray:

> ¿Cuál fue el saldo de la gestión de ese ministro? No dio un solo paso para racionalizar la administración pública y reducir el déficit fiscal, que había aumentado cuando tuvo que irse. No hizo absolutamente nada para reducir el déficit de los ferrocarriles. No empezó siquiera la reforma y modernización del régimen de previsión. Anunció un grandilocuente plan de viviendas, empasteló el Banco Hipotecario de solicitudes de crédito que jamás se atendieron. Se opuso al proyecto de Sierra Grande, no movió un dedo para conseguir financiación internacional para El Chocón y para la red de caminos y aeropuertos que el equipo desarrollista puso en marcha.

Seguramente, dentro de las muchas concesiones a que se vio obligado Frondizi, la tarea común con Alsogaray fue un capítulo ingrato e irritativo. Cuando se lo interrogaba sobre el tema, respondía:

> Alsogaray todavía está preguntando por qué lo saqué, por qué le pedí la renuncia. Es muy fácil explicar por qué lo saqué. Lo que me resulta difícil es explicar por qué lo nombré.

El 26 de abril de 1961 asumió como ministro de Economía el doctor Roberto Teodoro Alemann, con quien el programa de desarrollo recuperaría su vigor inicial.

Al producirse el relevo del coronel D'Andrea Mohr, fue reemplazado en el cargo de subsecretario de Ejército por el coronel Manuel Reimúndez, a quien se vinculaba con una supuesta logia del "Dragón Verde", de la que nunca se probó que efectivamente haya existido. La guarnición de Córdoba, centro neurálgico de una cerrada resistencia al gobierno y a los mandos del Ejército, se opuso a ese nombramiento y exigió la renuncia del subsecretario. El general Rosendo Fraga, titular de la guarnición, cursó un radiograma al secretario de Guerra, solicitando esa remoción.

Ante el creciente clima de agitación castrense, el coronel Reimúndez presentó su renuncia. El general Solanas Pacheco se la aceptó y designó en el cargo al general Fraga, cabeza evidente del conflicto, el 18 de junio de 1959.

Pero la crisis ya se había instalado. Trascendió que una conjunción cívico-militar, con la activa participación del radical Zavala Ortiz, incitó a la indisciplina militar en cumplimiento de un plan que buscaba la ruptura del orden constitucional. En la ocasión, los secretarios militares expresaron su respeto a la investidura presidencial y ratificaron su concepto de disciplina y subordinación al Comandante en Jefe de las Fuerzas Armadas. Pero las conspiraciones endémicas y las campañas contra jefes militares lograron finalmente que el general Solanas Pacheco presentase la renuncia.

Frondizi designó como nuevo titular de la Secretaría del Ejército al general Elbio C. Anaya. Este, respetuoso de la jerarquía y defensor del orden constitucional, se convirtió en un verdadero baluarte para el sostén de un gobierno asediado desde su iniciación por la cúpula de las Fuerzas Armadas.

Toranzo Montero entra en escena

Por conocer el currículum del general Carlos Toranzo Montero, años atrás su leal subordinado como capitán de caballería y en ese momento el oficial más antiguo y delegado argentino ante la Junta Interamericana de Defensa, en Washington, el general Anaya lo propuso como Comandante en Jefe del

Ejército. Pese a la reticencia de Frondizi, conocedor de la idiosincrasia de Toranzo Montero por haber sido su abogado defensor durante el encarcelamiento del jefe militar en la época peronista, se lo designó para esa función el 24 de julio de 1959.

No se equivocaba Frondizi al discrepar con Anaya, puesto que Toranzo siguió siendo el mismo radical antiperonista que había presionado al presidente Aramburu para que anulara las elecciones del 23 de febrero e impidiese asumir al mandatario electo.

De reducida estatura y menguado físico, la severa autoridad paterna había influido sobre Toranzo Montero, caracterizado por una personalidad insegura. Según Juan Ovidio Zavala, su compañero de prisión en 1951, decía recibir mensajes de centros astrológicos y nigromantes. Soñaba con unir al radicalismo y extirpar de cuajo al comunismo.

Frondizi, al poner en su cargo a Anaya, lo había facultado para proceder a los nombramientos dentro del arma sin "interferencias políticas de ninguna naturaleza para defender a un hombre u otro". Esto influyó para que aceptara la nominación de Toranzo Montero pero con la condición expresa de que no haría cambios de personal en los puestos clave.

Pero este requisito no condecía con las intenciones del nuevo comandante en jefe, quien no ocultaba su acercamiento a los grupos golpistas y su deseo de promover modificaciones en las fuerzas bajo su mando y en el ámbito político y obrero, como lo manifestó a los hermanos Juan Ovidio y Gilberto Zavala durante un almuerzo.

La sublevación

El persistente malestar en las filas del Ejército generó inquietud en el gobierno. El lunes 24 de agosto el doctor José Rafael Cáceres Monié, subsecretario del Ministerio de Defensa, comunicó a Frondizi la intranquilidad reinante en los mandos militares.

El punto focal de la cuestión fue la actitud de Toranzo Montero quien, violando el compromiso de respetar los cuadros existentes, procedió a separar del Comando del Cuerpo de Caballería al general Héctor Lombardi, desplazamiento que se hizo extensivo a los generales Villarruel, inspector de Instrucción del Ejército, Ernesto Taquini, Eduardo Conesa y Bruno Grotz.

El general Anaya, ante ese desafío a su autoridad y a la estabilidad del arma, no respaldó esos cambios, y el 2 de setiembre relevó al comandante en jefe, designando al general Pedro Castiñeiras en su reemplazo.

Toranzo Montero procedió a atrincherarse en la Escuela de Mecánica de la Armada. Contaba con el apoyo de las guarniciones de Córdoba y del interior del país.

Catorce generales que no aceptaron "el relevo injustificado del comandante en jefe" fueron detenidos y alojados en establecimientos militares por orden del general Anaya.

No todas las jefaturas coincidieron con la actitud rebelde; ese mismo día el jefe del Regimiento de Granaderos a Caballo, teniente coronel Rafael Cáceres Monié, dirigió al comandante del Cuerpo de Caballería un radiograma que decía:

> [...] considero que se han vulnerado los eslabonamientos jerárquicos que corresponden, por lo que el mismo [un radiograma de los rebeldes] resulta improcedente y afecta el espíritu de disciplina y jerarquía militar.

Dicho Regimiento fue el centro que aglutinó la presencia espontánea de jefes y oficiales superiores leales a las legítimas autoridades. Representaban a Campo de Mayo y al Grupo de Artillería de Ciudadela.

Para adoptar los recaudos necesarios y neutralizar las consecuencias de la actitud de Toranzo Montero, el doctor Cáceres Monié requirió al Presidente de la Nación una mayor dureza y recomendó "una incomunicación rigurosa y un tribunal militar que juzgue por insubordinación, disponiendo el traslado o confinamiento y si fuera necesario, la baja del Ejército".

Semejante propuesta recibió la inmediata respuesta de Frondizi:

–¿Quiere más severidad que la que he tenido, incluso con gran cantidad de generales presos?

Tratativas

En una ceremonia que se realizó el 3 de setiembre de 1959 en Campo de Mayo, el general Anaya puso en posesión de su cargo al general Castiñeiras, para devolver al arma la necesaria tranquilidad. Pero ésta no era tal porque, para los integrantes de la esfera militar, ese día podía figurar como el de los dos comandantes en jefe. Así lo comprendía el general Anaya quien, en un aparte durante el acto dijo al subsecretario de Defensa:

> Si bien me lamento de lo que ocurre, es la gran oportunidad para poner al ejército en caja. Hasta ahora la institución ha sido como una gran estancia con capataces que no han respondido con lealtad a un patrón que ha estado ausente. El trance será doloroso, pero yo le haría ver al general Toranzo Montero y a todos los generales que ahora hacen la guerra por telegrama, que las viejas virtudes de nuestro ejército no han desaparecido, y que hay reservas suficientes para demostrar que se puede restaurar mucho de lo que se ha perdido.

En tanto, Toranzo Montero desde el comando rebelde establecido en la Escuela de Mecánica de la Armada, transmitía partes en los que se atribuía una autoridad decisoria en la vida interna de la República. Los comunicados eran retransmitidos por Radio Rivadavia, consustanciada con el movimiento sedicioso.

En esa base militar lo entrevistó el ministro Alsogaray para tratar de lograr un acuerdo. Gestión similar había cumplido el teniente coronel Federico de Alzaga, ligado por una vieja amistad con Toranzo Montero. Sus argumentaciones no lograron convencerlo.

Era previsible un choque armado. Frondizi recabó la opinión de las tres armas y, si bien todos los comandantes en jefe respaldaron el estado de derecho, hubo argumentaciones al menos ambiguas, como la del almirante Vago, comandante de operaciones navales, quien consideraba que la Marina no debía intervenir por tratarse de un problema interno del Ejército.

El general Anaya, con el consenso de sus pares, demandó la necesidad de actuar con celeridad, reprimiendo a los rebeldes en la Escuela de Mecánica de la Armada con los tanques que avanzaban desde Campo de Mayo.

Pero Frondizi detuvo la marcha de las tropas para evitar enfrentamientos. Este gesto no fue comprendido en su real significación humana y política por Anaya, quien manifestó a un pequeño grupo en su despacho:

–Lo inconcebible. Frondizi contra Frondizi.

En esos momentos regresaba el ingeniero Alsogaray de su fracasada misión ante Toranzo Montero. Tras una gestión del general Larcher y contando con las garantías ofrecidas por el Presidente de la Nación, finalmente el mesiánico general se presentó en la Casa de Gobierno.

La entrevista con el doctor Frondizi duró cuarenta y cinco minutos. La lógica nerviosidad acentuaba la dificultad de Toranzo para expresarse, pero seguía sin aceptar razones y llegó a ofrecer su nombre para la Secretaría de Guerra como única y factible solución del conflicto. Entre las exigencias de Toranzo Montero no figuró en ningún momento el alejamiento de Frondizi. Los cambios sugeridos giraban en torno de la conducción de las Fuerzas Armadas y la renuncia del secretario de Estado de Guerra.

Victoria parcial de Toranzo Montero

A las cinco de la mañana del 4 de setiembre se sumaron otros miembros del gobierno nacional a la reunión. La fatiga se reflejaba en el rostro de todos los presentes. A las diez, Frondizi con tono firme manifestó:

–El proceso ha terminado.

El doctor Justo P. Villar, ministro de Defensa Nacional desde el 25 de junio de 1959, interpretando el sentimiento general, animóse a preguntarle:

–¿Qué decisión ha tomado usted, Arturo? ¿Piensa acaso renunciar? –para completar su inquietud con otra interrogación:– ¿Cree usted que será posible seguir gobernando con los hechos que se han producido?

Frondizi no eludió la respuesta:

–Seguiré tratando de unir al país, teniendo como objetivo su desarrollo. No veo otro camino.

Cerca del mediodía, el doctor Villar, vocero de Frondizi, comunicó al subsecretario de Defensa la resolución presidencial:

> Debo cumplir con una ingrata misión: pedirle la renuncia al general Anaya; será un sacrificio más que hago, pero no debo dejar solo a don Arturo; me deprime espiritualmente lo que voy a hacer, pero el país necesita que yo cumpla esta tarea.

El viejo general aceptó estoicamente alejarse de su función, porque comprendía que la decisión de Frondizi, pese a sus notorios desacuerdos con ella, era necesaria para aplacar los ánimos y conciliar los intereses encontrados.

El general Adolfo A. Larcher fue el nuevo secretario de Estado de Guerra, el 4 de setiembre de 1959, y Toranzo Montero se reintegró a su cargo de comandante en jefe del Ejército.

Si Frondizi toleró la injerencia de sectores militares en desmedro de su propia autoridad personal, lo que permitiría replanteos posteriores, nunca abandonó las líneas que la política exigía y que los políticos censuraban. Su inteligencia le hacía discernir, en medio de la tempestad, que ya estaba latente el conflicto entre "azules" y "colorados", que estallaría con toda violencia durante el gobierno de Guido y que tenía sus antecedentes en la pugna de 1958 entre "legalistas" y "quedantistas". Al referirse años más tarde a estos sucesos, Frondizi explicó:

> Había que ceder en todo lo que no era esencial para preservar la línea de fondo y ganar tiempo a fin de que las medidas económicas fueran cumpliendo su efecto de transformar la estructura productiva.

Otra vez Toranzo

Envalentonado por su permanencia en la Comandancia, Toranzo Montero asumió actitudes ostensiblemente ofensivas para la autoridad del general Larcher. Con un marcado apoyo del arma, aspiraba a ganar en todos los frentes porque, enemigo declarado de los gobiernos populares, del renacimiento gremial del peronismo, de los contratos petroleros, de las privatizaciones y del comunismo, se presentaba como el mayor defensor de una política consecuente con la Revolución Libertadora.

Para tener una idea sobre las actitudes de Toranzo Montero, recurriremos a la descripción del propio Frondizi:

El mesianismo de Toranzo Montero alcanzaba la cumbre. También se agudizaban sus temores y sus obsesiones de persecución. [...] una tarde obligó al personal de la Presidencia que interrumpiera mi siesta [...] para avisarme que Larcher quería matarlo. Tuve que llamar al secretario y pedirle que no siguiera asustando al aprensivo comandante en jefe.

[...] avanzando sobre el área política, [Toranzo Montero] exigió la intervención a la Universidad; más tarde presentó un documento en el que cuestionaba la línea económica y exigía su rectificación. [...]

El colmo de la incoherencia se alcanzó cuando al mismo tiempo se exigía la reimplantación de la línea Mayo-Caseros. Se trataba de retornar a la Revolución Libertadora y a una caprichosa combinación de ideas económicas bajo la mascarada de una legalidad constitucional en la cual mi función se limitaría a la de una simple fachada.[1]

El proceso de avance de su megalomanía llevó a Toranzo Montero a presentar a Frondizi un ultimátum en el que exigía la salida del gabinete de los ministros Mugica, Alsogaray y Vítolo. El general Larcher, quien había discrepado con la forma y el contenido del documento, quería presentar su renuncia.

Ante la gravedad de la situación, Frondizi procuró la intervención del general Aramburu, pero el ex presidente decidió mantenerse al margen del conflicto "para no comprometer a corto plazo su proyecto político de alcanzar la Presidencia constitucional en 1964".[2]

Contraataque

Para cortar de cuajo el proceso, Frondizi convocó el 12 de octubre a una reunión de los jefes superiores de las tres armas. En ella delineó los objetivos que habían guiado al autor del ultimátum.

El general, ensoberbecido por sus triunfos anteriores, creyó que no encontraría resistencia. Se equivocó totalmente. Cuando comenzó a hablar lo interrumpí y [...] le hice saber que si él quería podría tomar el gobierno, porque estaba en condición de fuerza, pero que no tenía ningún medio para obligarme a renunciar. O me pegaba un tiro o me metía preso. "Tome una decisión –concluí– ateniéndose a la realidad".[3]

De inmediato, después que Toranzo abandonó su despacho, Frondizi difundió por radio y televisión un discurso grabado previamente, en el que denunciaba la actitud antinacional de sectores que promovían un golpe de Estado.

Supongo que habrá sentido alguna sorpresa cuando en su automóvil, de regreso a su sede, escuchó la voz del locutor oficial que anunciaba un discurso al país del Presidente de la República. Apelaba en él a todos los soldados de aire, mar y tierra para frenar "esta nueva conspiración contra todos los argentinos, contra su paz, su bienestar y su futuro". Afirmé también que mantendría las pautas directrices de la acción de gobierno, sintetizadas en paz, legalidad para todos y desarrollo económico. Terminaba el mensaje refirmando que en ningún caso renunciaría ni me iría del país. "Me quedaré en mi puesto para afrontar todas las circunstancias para servir a la causa de la Nación".[4]

Toranzo quedaba descolocado frente a la Marina, la Aeronáutica y parte de los jefes del Ejército, como asimismo ante la opinión pública, que no estaba globalmente en una oposición cerril. Lo cual no fue óbice para que Ricardo Balbín se mostrase solidario con la actitud del general rebelde y calificase de positivos para el país los propósitos enunciados en la nota de aquél al Presidente de la Nación.

El comandante en jefe reaccionó con rapidez y al día siguiente, 13 de octubre, logró que diecisiete generales y muchos coroneles solicitaran el desplazamiento del general Larcher y elevaran sus solicitudes de retiro. En respuesta, Frondizi citó a todos los generales con mando de tropas para que fijaran su posición, pero adelantó que

las exposiciones serían grabadas y se darían a conocer a través de los medios de comunicación. La conspiración y la reacción son congénitamente contrahechas y no pueden mostrar su desnudez a la luz del día.

Rosendo Fraga fue el vocero de los militares renunciantes, pero, hábil para los manejos políticos, al terminar la entrevista a solas con Frondizi, salió de Olivos como miembro del gabinete, en reemplazo de Larcher, cuya renuncia se anunció oficialmente.

La derrota de Toranzo

Después de su fallido ultimátum, Toranzo no vaciló en tratar de enfrentar al nuevo secretario de Guerra, general Rosendo Fraga y en procurar directamente la renuncia de Frondizi. Una nota de octubre de 1960 que encontramos en el archivo personal de Frondizi, en un sobre con la inscripción CONFIDENCIAL, clarifica las intenciones de Toranzo.

El sábado 22 del corriente en horas de la tarde el general Toranzo Montero llamó por teléfono desde Tucumán a una casa situada en las afueras de Buenos Aires, que pertenece a la Embajada Inglesa.

La conversación se entabló en inglés, y al parecer el general se refería a su propósito de instalar un gobierno en el Norte del país. Lamentablemente los que controlaban este tipo de comunicaciones no tenían mayor dominio del inglés y procedieron con poca habilidad ya que interrumpieron la conversación alegando que el estado Conintes impedía realizar conversaciones en otro idioma que no fuera el español. Ante esta intimación los protagonistas dieron por terminada la conversación.

Frondizi conocía perfectamente qué era lo que estaba detrás de las maquinaciones de Toranzo Montero.

Claro está que detrás de todas estas formulaciones [...] se movían intereses bien coherentes. Publicaciones norteamericanas revelaron años después la satisfacción de Toranzo Montero al recibir luz verde de la CIA para derrocar a mi gobierno. Por uno de los jefes militares sudamericanos que asistieron a la reunión de comandantes en jefe que se realizó en esa época supe que Toranzo Montero le había informado que derrocaría al gobierno y asumiría el poder. Se había traspasado el límite tolerable, la conspiración se desprendía de sus velos y mostraba al desnudo su anatomía. No se trataba de comunismo o anticomunismo; peronismo o antiperonismo; el objetivo real era parar el desarrollo del país, impedir la consolidación de las bases materiales de la Argentina, conservar las condiciones que determinaban la sujeción de la nación al factor externo.[5]

El 22 de marzo de 1961 el general Fraga procedió a remover a Toranzo Montero de su cargo de comandante en jefe del Ejército.

Habíamos ganado una importante posición –dice Frondizi–, pero de ninguna manera acabado con las asechanzas que acosaban aquella frágil legalidad.

Nuevas asonadas aisladas

Las actitudes de Toranzo Montero tuvieron conexión con intentos revolucionarios que estallaron en el interior de la República que, por sus características, se acercaban más a chirinadas que a verdaderas rebeliones cívico-militares.

El 12 de junio de 1960, en San Luis, el general Fortunato Giovanoni y el coronel León Santamaría proclamaron su rebeldía, deteniendo al gobernador doctor Alberto Domenicone. Acompañados por jefes civiles como Sánchez Zinny y Manuel Gómez Carrillo, dieron a conocer los propósitos que habían generado su acción, difundiendo una proclama "contra el juego bastardo del gobierno [...] ante la amenaza comunista y el plan marxista de Frondizi".

Este movimiento no tuvo repercusión alguna puesto que las guarniciones se declararon fieles a la autoridad nacional. Los jefes huyeron y, aunque algunos fueron sometidos a Consejo de Guerra, la detención de sólo una veintena de rebeldes nos habla con claridad de su soledad.

También fue más pintoresco que serio el intento, del 12 de agosto de 1961, de copar las instalaciones de LRA Radio Nacional y la central telefónica de Cuyo para emitir una proclama contra la corrupción y la entrega económica e iniciar una rebelión con una convocatoria multitudinaria en plaza Italia.

En noviembre de 1960, el general Miguel Iñíguez, con un grupo de cincuenta personas, la mayoría oficiales y suboficiales retirados, todos de militancia peronista, realizaron un asalto al Regimiento XI de Infantería de Rosario, en coordinación con civiles de Buenos Aires y Salta. Tenían planeado efectuar actos de sabotaje como cortar calles e interrumpir las comunicaciones del gobierno, volar centrales y tomar el Arsenal San Lorenzo para repartir su armamento entre los obreros del frigorífico Swift, que se habían declarado en huelga propiciando un plan insurreccional. El fracaso del movimiento fue absoluto, pero costó la vida de dos conscriptos y un soboficial.

En cambio, sí fue serio el intento de los guerrilleros de Uturunco en el Norte. Inspirados en la experiencia de Fidel Castro, trataron de establecer un enclave similar al de Sierra Maestra. Este brote fue diezmado por la gendarmería y la policía provincial.

Represión del terrorismo

La campaña disociadora desarrollada sistemáticamente por distintos sectores para hostigar al gobierno llevó al Parlamento a dictar la Ley Federal de Represión al Terrorismo, el 20 de junio de 1960.

La participación del comunismo en la acción insurreccional de 1959 y 1960 había obligado a las autoridades a prohibir sus actividades en todo el territorio nacional. Fueron clausurados más de doscientos locales del Partido Comunista, así como sus editoriales y periódicos, y se instruyó a los procuradores fiscales para que gestionaran en todo el país la disolución de esa organización y la cancelación de su personería electoral.

Frondizi, en su discurso del 23 de noviembre de 1960, trató de ubicar en sus verdaderos términos la actitud asumida:

Tuvimos plena conciencia de la gravedad que entraña toda política de emergencia que suspende las garantías constitucionales, pero ponderamos el deber del Estado de defender al conjunto de la Nación cuando se incita a ocupar fábricas, a quemar pozos de petróleo, a paralizar los servicios públicos y a promover la subversión del orden constitucional.

NOTAS

1. Frondizi, Arturo: *Qué es el MID,* ob. cit, pág. 152.
2. Fraga, Rosendo: *El ejército y Frondizi,* Emecé, Buenos Aires, 1992, pág. 151.
3. Frondizi, Arturo: *Qué es el...,* ob. cit., pág. 154.
4. Idem.
5. Ibídem, pág. 153.

EL CASO EICHMANN

Dentro de la compleja gama de situaciones comprometidas que obligaban al Ejecutivo a fragmentar esfuerzos en múltiples litigios, se produjo el 24 de mayo de 1961 el secuestro del jerarca nazi Adolf Eichmann por co- ... dos israelíes, hecho que tuvo una extensa repercusión mundial.

Eichmann había sido uno de los ejecutores más importantes del holocausto hitleriano que había logrado escapar a los tribunales de Nuremberg. Los servicios secretos de Israel lo habían localizado en la Argentina después de una paciente investigación. Sus miembros penetraron en territorio nacional confundidos con la delegación que asistió a los festejos del sesquicentenario de la Revolución de Mayo; atraparon a Eichmann; lo sacaron en forma oculta del país, y lo llevaron a Israel, donde fue juzgado y ejecutado.

El hecho representó una clara violación de las normas internacionales y así se lo expresó a Israel el gobierno argentino. Al comentar la nota argentina dijo el diario *La Nación*:

La nota enviada por nuestra Cancillería a la de la República de Israel no prescinde de la observación de los motivos de índole emocional que han conducido al gobierno israelí a la comisión de un acto a todas luces ilícito dentro de las relaciones de dos países amigos. Pero, por sobre las circunstancias transitorias del episodio, la citada nota argentina desarrolla una argumentación no sólo ceñida a la lógica jurídica en materia internacional, sino convincente de un modo especial para una nación constituida como réplica histórica a los procedimientos de violencia contemporánea.[1]

Como era de práctica en el orden interno, llegaron las voces admonitorias y las presiones de quienes consideraban que debían cancelarse las reclamaciones porque implicaban proteger a un criminal de guerra, "y las presiones de quienes querían transformar el problema en un tema de persecución contra los judíos".

El embajador Hugo Gobbi comentó ese delicado asunto:

El gobierno de Frondizi tuvo que enfrentar dos desafíos fundamentales: Cuba y Eichmann. Este último caso planteó al gobierno de Frondizi un problema axiológico.

Por un lado, la captura, secuestro y transporte de Eichmann fuera de la Argentina por medios oficiales constituía una clara violación de la jurisdicción nacional. El Consejo de Seguridad de las Naciones Unidas reafirmó el principio de la integridad territorial y decidió que Israel debía hacer las reparaciones apropiadas, de acuerdo con el derecho de gentes. Esta decisión tenía respaldo internacional y latinoamericano, que era tan sensible al principio de no intervención.

Por otro lado, las sórdidas características negativas del personaje hicieron que la opinión pública, salvo los sectores ultranacionalistas, tomaran el entuerto internacional con relativo espíritu crítico.

En gran medida, Frondizi estimó el choque valorativo que significaba el encuentro entre el valor integridad doméstica y el de justicia.[2]

El ex canciller Carlos A. Florit, en su libro *Política exterior nacional*, comenta que el caso Eichmann incidió desfavorablemente en relación con nuestros concretos intereses nacionales:

Nadie ignora que la opinión judía internacional, aun a sabiendas de la corrección formal de nuestra protesta, ha mirado con simpatía la captura del asesino de miles de seres humanos y, a instancias de una prensa intencionada –incluso argentina–, no puede resultar favorable a un país al que injustamente se lo ha querido hacer aparecer como ocultando criminales de lesa humanidad.

NOTAS

1. *La Nación*, 10 de junio de 1960, "La nota argentina al gobierno de Israel".
2. Gobbi, Hugo: testimonio personal, archivo de la autora.

En un mundo que afrontaba la división de países subdesarrollados y naciones desarrolladas, Frondizi ejecutó una política exterior acorde con los esfuerzos que demandaba la transformación de la estructura productiva del país y las necesidades del plan de desarrollo que se estaba aplicando. Se propuso acrecentar el peso de la Argentina más allá de sus fronteras, para lograr la mayor suma de cooperación, la conquista de nuevos mercados y la apertura de las grandes corrientes del capital privado. Simultáneamente, se mantuvo fiel a las tradicionales normas vigentes en relaciones exteriores: respeto a la autodeterminación de los pueblos y no intervención en los asuntos internos de otras naciones.

Una economía de expansión debía expresarse a través de cambios significativos que incluían la ruptura del viejo esquema de la división internacional del trabajo –proveedor obligado de materias primas y consumidor de manufacturas y combustibles importados–, y una modificación en las relaciones político-económicas que desde el pasado vinculaban a nuestro país con Inglaterra, en alto nivel de dependencia, y con el área europea. De allí que Frondizi propiciara una activa colaboración con todas las naciones de la tierra, sin exclusiones basadas en consideraciones ideológicas, ni sujeciones permanentes y unilaterales a los intereses estratégicos, políticos y económicos de las grandes potencias que entonces disputaban la supremacía del poder mundial.

Las condiciones internacionales prevalecientes al iniciar su mandato se presentaban propicias. La guerra fría comenzaba a ceder, y las tensiones entre los poderosos bloques iban derivando del terreno estratégico-militar al económico-social. A partir del equilibrio de los arsenales termonucleares, rusos y norteamericanos compartían el nuevo interés común de evitar un choque recíprocamente aniquilante. La bipolaridad nuclear transformó el clima de confrontación en coexistencia pacífica.

Al alejarse el fantasma de la guerra, se resintió la estructura de los grandes bloques, y las naciones vieron revitalizado su margen para ejercer su capacidad de autodeterminación. El surgimiento de las nuevas nacionalidades, producto de la superación de las formas coloniales y el increíble ímpetu de los emergentes nacionalismos africano y asiático, ampliaban el campo de la competencia pacífica y de la cooperación. Las superpotencias, por su parte, debían trasladar el eje de su enfrentamiento al espacio económico y al extenso y empobrecido mundo del subdesarrollo. Frondizi aseguró que se estaba en presencia de una disyuntiva crítica:

O el mundo desarrollado sumaba su aporte hacia el desenvolvimiento de las economías atrasadas, reforzando por esa vía su capacidad de pagos externos, o tropezaría con vallas insalvables para colocar su producción.

Cuando llegó al poder, tuvo la absoluta convicción de que la Argentina debía replantear profundamente su ubicación en América latina y en el mundo. Era necesario superar una larga era de aislamiento y fortalecer los lazos con los Estados Unidos a partir de una conducta renuente a todo tipo de satelismo. El país del Norte, como principal socio de los grandes organismos financieros internacionales, aparecía como importante fuente que podía efectuar aportes de capital y tecnología orientados al desarrollo de base.

Un replanteo de la política hemisférica

Con motivo del viaje que como presidente electo realizó al Brasil el 9 de abril de 1958, Arturo Frondizi señaló, en la Cancillería del país hermano, la política que debía regir entre ambas naciones.

En la comunidad de las naciones, la comunidad latinoamericana tiene un sentido histórico y cultural. Sus pueblos y sus dirigentes [...] tienen conciencia plena de que, como naciones libres e independientes, están colocadas en un mismo pie de igualdad, en cuanto a sus derechos y responsabilidades, que las más grandes potencias del mundo. [...] Resguardemos celosamente nuestras soberanías y nuestra seguridad interna. Pero sepamos que detrás de nuestras fronteras no hay un enemigo que nos va a atacar sino un hermano que nos cuida las espaldas.

En diciembre de 1959 el presidente Juscelino Kubitschek envió una carta a Frondizi, en uno de cuyos párrafos reiteraba sus ya conocidos deseos de emprender conjuntamente una "lucha sin tregua" para arribar al vigoroso despliegue de ambas repúblicas:

Nada de lo que atañe a la nación argentina es indiferente al Brasil. Cada vez más se afirma en nosotros la certeza de que la unidad americana dejó de ser una simple expresión lírica para transformarse en una convicción arraigada de nuestros objetivos comunes.[1]

En su contestación, Frondizi expresó:

Debemos reconocer, señor presidente, que nuestros países no han llegado aún a imprimir a sus tareas de cooperación regional el ritmo que les exige la gravedad de sus problemas. Y es nuestro deber de gobernantes compensar ese retraso mediante un vigoroso esfuerzo que, interpretando ese noble ideal de colaboración, procure darle un cauce compatible con la peculiaridad del ser nacional de cada uno de nuestros países.

En las elecciones de marzo de 1961, Janio Quadros sucedió en la primera magistratura a Juscelino Kubitschek. Triunfaba el movimiento nacional y popular, con su gran voluntad integracionista. Se hacía viable fijar un ordenamiento común entre la Argentina y Brasil. Y Frondizi proyectó el replanteo de la política continental, con la creación de un eje Buenos Aires-Río de Janeiro. Si se marcaban los rumbos económicos correctos, Brasil y la Argentina serían receptores de una corriente inversionista extranjera que se retroalimentaría en el esfuerzo nacional.

Con esta unidad de acción, se daba un impulso renovador a la cooperación interamericana, ubicando en su verdadera dimensión al problema del Caribe que, por influencia de intereses estratégicos norteamericanos, se había convertido en un permanente factor de controversia, agravado con la vieja aspiración de los Estados Unidos de multilaterizar la doctrina Monroe.

La Conferencia de Uruguayana

El doctor Carlos Muñiz, embajador argentino ante el gobierno del Brasil, había realizado un cuidadoso trabajo sobre la necesidad de llegar a un acuerdo entre ambos países, que sirvió de base para el temario de la Conferencia a realizarse en Uruguayana. Se trataba de constituir en el cono sur del hemisferio un área regional de poder. No por cierto para quebrar la unidad del continente, sino para darle un nuevo estímulo sobre las bases realistas.

Durante los días 20 y 21 de abril de 1961 se reunieron en la ciudad fronteriza los presidentes Frondizi y Quadros. La conversación, sin testigos, duró cuarenta y cinco minutos, sumándose más tarde los cancilleres de la Argentina, Diógenes Taboada, y de Brasil, Alphonso Arinhos.

Varios fueron los temas que figuraron en la agenda de Frondizi, entre ellos:

1° La común pertenencia a Occidente y la ratificación por el Brasil de su condición occidental y católica.
2° Disipar los resquemores y rivalidades tradicionales entre los dos países.

3° Acordar un instrumento ágil que potenciase la capacidad de negociación; ésta incluía un aspecto instrumental consistente en un régimen de consultas a nivel presidencial estable y periódico para desterrar las discriminaciones comerciales y lograr la apertura de todos los mercados.

Frondizi aspiraba a contar con la colaboración de Quadros para llegar a una política de cooperación continental y limitar los entendimientos bilaterales con los Estados Unidos sostenidos por sectores del comercio y la industria brasileños. Con estos presupuestos, el Presidente argentino buscaba afirmar el esfuerzo de cada nación para una rápida y efectiva ejecución de la Alianza para el Progreso, lanzada por el presidente John F. Kennedy, quien conocía con todo detalle las conversaciones de Uruguayana.

Simultáneamente, Frondizi se mostró interesado en ofrecer los buenos oficios de la Argentina para disminuir la tensión de los Estados Unidos con la Cuba de Fidel Castro, con la evidente intención de modificar un tanto la imagen negativa del líder cubano si se conseguía su rechazo del ofrecimiento de ayuda militar hecho por la Unión Soviética. En este aspecto, los intereses de Argentina y Brasil no fueron coincidentes, puesto que Quadros había efectuado un sondeo con respecto a la posibilidad de repudiar la frustrada invasión a Bahía de los Cochinos por parte de los Estados Unidos. Frondizi señaló que la posición argentina había sido fijada antes de salir de Buenos Aires y que se ajustaría totalmente a ella.

Entre las cuestiones enfocadas, figuró la del conflicto Perú-Ecuador, en el que tanto Brasil como Argentina eran garantes del Protocolo de Río de Janeiro. En este punto no hubo disenso. Se acordó rechazar las injerencias extracontinentales en cuestiones hemisféricas y sostener que la solución de todo tipo de problemas no debía tramitarse al margen de los esquemas latinoamericanos ni en instancias ajenas al continente.

El 22 de abril, los presidentes Quadros y Frondizi dieron a conocer la declaración conjunta, que no consistía en elaborar un bloque o una alianza, sino en coordinar las políticas exteriores y establecer un compromiso de consulta previa. Quedaba claro, a través de sus ocho cláusulas, que el desarrollo de las naciones requeriría de la colaboración exterior que debería apoyarse principalmente en el esfuerzo nacional. La independencia en materia de política exterior desterraba tanto el satelismo como el aislamiento con respecto de los Estados Unidos.

Durante la entrevista, entre las propuestas analizadas, resalta la que Quadros formuló a Frondizi sobre el aprovechamiento conjunto del Salto de Sete Quedas, que años más tarde se transformaría en la represa de Itaipú. Lamentablemente, el derrocamiento tanto de Quadros como de Frondizi paralizaría este emprendimiento bilateral.

Además de la declaración conjunta y un documento sobre temas económicos, los cancilleres firmaron un convenio cultural. Uruguayana constituyó un revés para los que no confiaban en lograr una armonización de relaciones económico-culturales mutuamente útiles para acelerar, asegurar y solidificar el desarrollo de cada país y de todo el continente. Dijo Frondizi:

El acuerdo que selló nuestras conversaciones prometía la inauguración de una nueva etapa en las relaciones entre las dos naciones mayores de América latina, con proyección a todo el continente, aun cuando enfatizamos especialmente sobre la condición de países sudamericanos para hacer comprender a los gobernantes norteamericanos que no podían enfocar nuestros problemas bajo la óptica caribeña.

Pero agregó más adelante:

La senda de Uruguayana no estuvo exenta de piedras. Poco antes de salir de Buenos Aires, algunos de los jefes de las Fuerzas Armadas me hicieron saber que de realizarse la entrevista no podían garantizar que la legalidad se mantuviera.

Frondizi y Quadros, pese a que las Fuerzas Armadas activaron poderosos dispositivos para impedir el acuerdo, trazaron caminos de superación y crearon espacios de convergencia. Con los acuerdos de Uruguayana Frondizi se adelantó en más de cuarenta años al advenimiento del Mercosur.

El CIES o Punta del Este I

El 13 de marzo de 1961, el presidente John F. Kennedy asumió la responsabilidad de poner en marcha su programa Alianza para el Progreso, que centró su atención en las necesidades de las naciones más empobrecidas del continente. En función de esa iniciativa, se convocó a los ministros de Economía a la Conferencia del Consejo Interamericano Económico-Social (CIES), que inauguró sus sesiones el 5 de agosto, en Punta del Este.

Entre las expectativas que giraban en torno del encuentro, sobresalía la de lanzar un operativo de financiación especial para Latinoamérica, que alcanzaría la suma de 30.000 millones de dólares. Pero esta iniciativa se diluía entre un maremágnum de documentos y ponencias que prolongaban interminablemente las reuniones.

La delegación argentina reflejaba, por la calidad de sus integrantes, la importancia que atribuía el gobierno a las deliberaciones. La presidía el ministro de Economía, Roberto Alemann, y estaba constituida por Oscar Camilión, subsecretario de Relaciones Exteriores; Horacio Rodríguez Larreta, como vicepresidente; el presidente del Comité para la Alianza para el Progreso, Carlos Sanz de Santamaría; el embajador Leopoldo Tettamanti, de Asuntos Económicos de la Cancillería; el senador Rodolfo A. Weidmann; el doctor Aramovich, del Ministerio de Economía y asesor de Alemann; Gastón Prat Gait; Arnaldo Musich, y otros funcionarios necesarios para la más rápida movilización de la representación, entre ellos, José M. López Muñiz.

Encabezaba la delegación norteamericana Douglas Dillon y formaban parte de ella, según el testimonio de López Muñiz,

el embajador Morrison, viejo conservador de Louisiana, quien era embajador ante la OEA, su asesor John Gavin –más tarde actor y embajador en México durante el gobierno de Reagan– y Richard Goodwin, entre otros. Estaban lógicamente en contra de cualquier acercamiento con Cuba; representaban a Louisiana, a Nueva Orleans, a toda la influencia del sur americano; sin embargo, Richard Goodwin, hombre nuevo, quería hacer cosas diferentes y sin comprometerse demasiado, lanzó la idea de un acercamiento con la delegación cubana; escondió la mano y entonces comenzó a mencionarse a la Argentina para lograr ese objetivo.

PRESENCIA DEL "CHE" GUEVARA

La delegación cubana fue centro de la prensa que esperaba con ansiedad la actuación de los representantes de una revolución que en 1959 había sacudido los cimientos de la organización americana. La presidía el ministro de Industrias, doctor Ernesto "Che" Guevara, el revolucionario argentino que cumpliera un rol decisivo en la campaña del Movimiento 26 de Julio.

El doctor López Muñiz recuerda que "la delegación cubana era el astro; donde intervenía Guevara atraía; corrían la radio y la televisión del mundo".

El ministro era acosado por los periodistas que requerían sus opiniones no sólo sobre el eje de la convocatoria, el lanzamiento de la ayuda norteamericana por medio de la Alianza para el Progreso, sino sobre Fidel Castro quien, después del frustrado desembarco en Bahía de los Cochinos, había proclamado ante una enfervorizada multitud, por primera vez y en forma explícita: "la lucha de este país es por el socialismo".

Cuando se incorporó a las sesiones de Punta del Este, Guevara actuó más como un técnico que como un combatiente de Sierra Maestra y ya tenía definidas las estructuras de sus decisiones económicas para sobrepasar al subdesarrollo: 1°) La relación de los países subdesarrollados con las naciones técnicamente más avanzadas; y 2°) su concepción sobre el "Hombre Nuevo", cuyo proceso formativo debía marchar paralelamente con la transformación económica de las naciones.

LA POLÉMICA GUEVARA-DILLON

Guevara basaba muchos de sus considerandos en la presencia de Kennedy en la presidencia de los Estados Unidos:

> El nuevo presidente –dijo Guevara– al tomar posesión, hizo ciertas amenazas y usó el mismo lenguaje que ya conocemos, pero también habló de cosas nuevas, de cierta forma de convivencia pacífica y de cierta forma de lucha pacífica entre los dos grandes bloques en que el mundo se halla dividido [...] Por lo menos aceptó el hecho de que hay una parte del mundo que no desea tener nada que ver con el modo de vida norteamericano [...][2]

Douglas Dillon fue el encargado de presentar el programa Alianza para el Progreso, que contaría para su aplicación con un apoyo financiero de 20.000 millones de dólares, producto de aportes públicos e inversiones privadas. La distribución se realizaría tomando como base el informe de los técnicos del Consejo Interamericano Económico y Social, cuyos resultados se discutirían en la Asamblea General y en comisiones especiales.

Dillon hizo hincapié en la necesidad de atenuar los efectos sociales del subdesarrollo, pobreza, hambre, enfermedad, analfabetismo. Era prioritaria, por lo tanto, la construcción de alcantarillas, escuelas, sanidad, vivienda y reparto de tierras.

Guevara, en su discurso, fijó con dureza las discrepancias planteadas acerca de la propia razón de ser de la Alianza para el Progreso y las motivaciones políticas de Kennedy al lanzar dicho plan de ayuda. La delegación cubana acusaba a los Estados Unidos de mantener el statu quo en América latina e impedir las necesarias modificaciones para lograr una efectiva inversión productiva. No logró convencer a los integrantes de su misión la suma destinada al financiamiento de la operación, a la que calificó de "armazón de suposiciones y falsedades", puesto que una tercera parte correspondía a préstamos para casas, para acueductos, alcantarillas; las posibles opciones de industrialización quedaban, por lo tanto, rezagadas.

> ¿Por qué no se dan dólares para equipos, dólares para maquinarias, dólares para que nuestros países subdesarrollados, todos, puedan convertirse en países industrializados, agrícolas, de una vez? [...] porque es de hacer notar que el tema de la industrialización no figura en el análisis de los señores técnicos; para ellos, planificar es planificar la letrina. Lo demás, ¡quién sabe cuándo se hará![3]

López Muñiz, agregado a la delegación argentina, relató:

El discurso de Guevara irritó profundamente a Douglas Dillon porque dijo cosas muy fuertes, pero también dijo otras históricamente muy ciertas. En un determinado momento, calificó a la Conferencia como una reunión en la que no se trataban en profundidad los grandes problemas que hacían a América latina, sino que pretendían arreglarlos con la instalación de letrinas. Estas manifestaciones desencadenaron un gran escándalo; mucha gente vociferaba de pie; otros optaban por retirarse.

Guevara, sin amilanarse agregó: "Esto no es Alianza ni es Progreso; esto es una reunión de letrinólogos". Eran verdades muy duras que sólo se atrevían a decir esos locos vestidos con uniforme verde oliva y con la "45" en la cintura; todo era muy latinoamericano, cubanesco, carnavalesco si se quiere, desde mi perspectiva.

No obstante sus consideraciones extremas o marcadas disyuntivas con la política de los Estados Unidos, Guevara aclaró en el debate desatado en el recinto, que deseaba el éxito de la Alianza para el Progreso porque "estamos interesados en que no fracase en la medida que signifique para América una real mejoría en el nivel de vida de todos sus doscientos millones de habitantes".

Si bien era el vocero de una doctrina revolucionaria como único medio para movilizar a los pueblos con voluntad transformadora, el "Che" rescató el valor positivo de la Alianza para el Progreso:

> Si el camino de los pueblos se quiere llevar por este desarrollo lógico y armónico por préstamos con intereses bajos a cincuenta años de plazo, como anunció el señor Dillon, también nosotros estamos de acuerdo.[4]

LA INDUSTRIALIZACIÓN COMO EJE

Guevara ya admitía que la clave de la economía no estaba solamente en el enfoque agrario sino que requería, imperativamente, el aporte industrial. Tácitamente quedaba demostrado que el tratado comercial firmado con la Unión Soviética a comienzos de 1960 respondía a una concepción unilateral que convertía a esta potencia en el principal socio comercial de Cuba pero no satisfacía las necesidades que el país reclamaba. Y Guevara reconoció que Cuba necesitaba el aporte exterior para sacar a su economía del estancamiento e impulsar una efectiva industrialización.

En ese aspecto, concordaba con la ímproba acción de Frondizi para combatir la pobreza y garantizar la estabilidad social con la creación de fuentes de trabajo de ingresos estables y efectivos.

Frondizi no estaba de acuerdo con las expresiones políticas del Departamento de Estado que se inclinaban a adoptar lo que se llamaba "una actitud firme ante el problema cubano", ni con la expresada en el memorándum de Alberto Lleras Camargo, que pretendía enfocar el problema cubano a la luz de la situación continental y de la mecánica de la OEA, considerando la necesidad de reformular el concepto de agresión contenido en el Tratado de Río de Janeiro. Por el contrario, Frondizi fue en todo momento el vocero de la recuperación económica por medio de un vasto programa de reparación que implementara la superación de las economías de las zonas subdesarrolladas del continente.

Esta tesitura fue sostenida por la representación argentina en Punta del Este, en la reunión del CIES, ya que no ignoraba que las medidas de efecto preventivo no eran suficientes; que debían concretarse los propósitos de inversión, la dotación de maquinaria y equipos de producción, es decir, concretar los requerimientos de tipo estructural señalados por Frondizi. Por eso, no obstante las críticas y cuestionamientos, fue ampliamente reconocido como

> uno de los promotores más fervientes de la coexistencia pacífica y la desideologización de las relaciones internacionales, lo cual constituye una de las claves de la viabilidad de los procesos de desarrollo independiente en nuestros países.[5]

Frondizi y Kennedy aspiraban a crear una estructura de seguridad económico-financiera que brindara un cauce eficaz para la cooperación entre los Estados Unidos y las naciones subdesarrolladas de Latinoamérica. A esta preocupación se sumó el mensaje de la Iglesia, cuando Juan XXIII, en la encíclica *Mater et magistra,* preconizó:

> Mucho más importante que estar dispuesto a ayudar a cualquier necesidad que de pronto sobrevenga, es buscar solucionar las causas de las necesidades constantes, [puesto que] las ayudas de emergencia, aunque respondan a un deber de humanidad y de justicia, no bastan para eliminar y ni siquiera para aminorar las causas que en un considerable número de comunidades políticas determinan un estado permanente de indigencia, de miseria, o de hambre. Las causas se encuentran, principalmente, en lo primitivo o atrasado de sus sistemas económicos. Por lo cual no se puede eliminar o reducir sino a través de una colaboración multiforme, encaminada a que sus ciudadanos adquieran aptitud, formación profesional, competencia científica y técnica; y a poner a su disposición los capitales indispensables para iniciar y acelerar el desarrollo económico con criterios y métodos modernos.

Sobre la base de aportes que respondían a diversas orientaciones y del diálogo entre esas diferentes articulaciones, se creó un clima especial entre los delegados a la Conferencia que concluyó sus sesiones con la firma de la Carta de Punta del Este por todos los representantes, salvo los de Cuba.

Así se puso en marcha la Alianza para el Progreso, la nueva frontera kennedyana para los pueblos demorados.

Reunión de Guevara con Richard Goodwin

No todo eran planteos o entendimientos formales en Punta del Este. Más allá de lo estrictamente reglamentario, una suerte de graciosa distensión diplomática se llevaba a cabo en las reuniones sociales que se programaban para agasajar a los huéspedes. Pero la delegación cubana mantenía con firmeza su decisión de no participar en actividades ajenas a los fines de la convocatoria.

Se deseaba limar las asperezas de ese verdadero hervidero de pasiones, propiciando un encuentro de Guevara con alguno de los delegados norteamericanos y tantear la posibilidad de acercar a Cuba al resto de la comunidad. Para ello, se contaba con los buenos oficios de Stevenson y Schlesinger, los cuales, alineados en el pensamiento de Kennedy, se mostraban proclives a abrir una nueva etapa para resolver el problema cubano. El encuentro más factible podía ser el de Guevara con Richard Goodwin.

Douglas Killner, en su libro *Ernesto "Che" Guevara. Los grandes líderes del siglo XX,* afirma que existen informes de que el representante del presidente Kennedy ante la conferencia tenía órdenes de evitar hablar con Guevara, pero, no obstante, delegados de Argentina y Brasil arreglaron ese encuentro.

En una conferencia de prensa informal, el ministro de Industrias cubano había manifestado que su país no tendría inconveniente en participar de la Alianza si se le reconocía su derecho a ser país socialista y a comerciar con el Este. Deslizó Guevara, con sutileza, que la Unión Soviética hacía préstamos al 2,5% anual que comenzaban a pagarse a cinco años de haberse terminado el bien, y que China prestaba su dinero sin cobrar intereses. El corresponsal de *El Mundo* calificó a esta charla como "desembarco ideológico".

La conducta del ministro de Industrias, sin las estridencias que todos esperaban de un comandante de Sierra Maestra, generó entre los asistentes a Punta del Este, tanto delegados como representantes de la prensa, simpatías y contemporización.

Un comentario de *El Mundo* del 10 de agosto de 1961 fija con claridad esas pautas:

> Observadores más sutiles sugieren [que] la revolución cubana tiene aún vitalidad propia y si bien es socialista no es parte integrante de alguna de las centrales marxistas. Esto, por una parte. Al mismo tiempo sería evidente que Cuba no desea el rechazo americano que, precisamente, sellaría su ubicación dentro de alguna de las tendencias del marxismo internacional.
> Si esta posición es verosímil, el "Che" Guevara ha demostrado habilidad en no

atacar frontalmente al plan –si bien lo criticó con rigor ideológico–. Su política de puerta abierta y de renegociación con los Estados Unidos está abierta.

Con respecto a la entrevista Guevara-Goodwin y a las gestiones realizadas para concretarla, acudimos al testimonio del doctor Horacio Rodríguez Larreta, quien sumó sus decididos esfuerzos para que esa reunión fuese una realidad.

Desde el principio percibimos que había un interés especial por parte de Guevara de tener alguna conversación, por lo menos –no digamos negociación–, con [...] el señor Richard Goodwin.

Si bien "hubo distintos amagos de organización de la reunión", ninguno de ellos pudo concretarse en Punta del Este. Terminada la Conferencia y ya en Montevideo, Rodríguez Larreta comió con el asistente de Kennedy.

En esos momentos llegaron algunos periodistas brasileños y nos invitaron a ambos a ir a una fiesta en la casa del embajador de Brasil ante la ALALC [Jerson Da Silva]. Nos pareció divertido, y fuimos. Uno de los periodistas me dice:
–Vamos a invitar a Guevara también.
Entonces, le respondí:
–No le digan nada a Goodwin, porque a lo mejor no quiere ir.

Ya en casa de Jerson Da Silva, "entran dos periodistas, que eran muy amigos míos y de Camilión, acompañados de Guevara, ante la sorpresa –no mía, que ya sabía– sino de Goodwin".

Al rato, Guevara le manda a Goodwin una caja de cigarros por intermedio del dueño de casa. Era una caja de cigarros cubanos; Goodwin era gran fumador de cigarros, y agradece con un movimiento de cabeza.
En un momento determinado, el embajador Barbosa, jefe del Departamento Económico de Itamaratí (se veía que estaba todo preparado), dice:
–¿No quieren pasar a conversar más en privado? –dirigiéndose a Guevara y a Goodwin–. Hemos preparado un cuarto, última habitación de la casa.
Guevara dice que sí, pero Goodwin me advierte:
–Horacio, yo no voy a estar en esa reunión con Guevara a solas; quiero un testigo y ese testigo tenés que ser vos, porque sé de la gran relación de los presidentes Frondizi y Kennedy, y sos la persona indicada.
A lo que contesté:
–Mi querido Goodwin, en la Argentina las Fuerzas Armadas están en la posición más iracunda con todos estos temas. Comprendé que si voy me van a incinerar.
–Bueno –me respondió–, pero esto es histórico; a lo mejor de aquí surge alguna solución para el problema de los Estados Unidos-Cuba.

–Está bien –le dije–, pero que también esté el embajador Barbosa Da Silva, jefe del Departamento Económico de Itamaratí.

Le consultamos, acepta y vamos a un cuarto al fondo de la casa, donde ya había una botella de champagne y algo para comer; serían las 11 de la noche, más o menos, y empieza una conversación que dura casi hasta las 7 de la mañana.

Relata Rodríguez Larreta que fue Guevara quien usó de la palabra casi todo el tiempo, salvo algunas preguntas. El "Che" manifestó que "vería con agrado restablecer alguna suerte de relación, ya que en ese momento habían embargado, bloqueado económicamente a Cuba".

–Nosotros necesitamos repuestos para todas las industrias que hay en Cuba –dijo–, que son de origen norteamericano. Tenemos un problema de desindustrialización muy agudo; no queremos convertirnos en proveedores de azúcar y de monocultivo, como lo fuimos para la Unión Soviética; no queremos seguir haciendo esto, porque la revolución socialista (porque yo soy socialista) tiene que ser una revolución para la industrialización.

Luego presentó qué ofrecía Cuba en contrapartida: entre otras cosas,

el cese de la extensión de la revolución cubana a América latina; parar el financiamiento de todos los movimientos guerrilleros castristas, o cubanos, en la región; poner fin al secuestro de aviones; reconocer, aunque fuera en cifras nominales, alguna indemnización por las industrias que se habían expropiado, de origen americano. [...]
Goodwin intentaba hacer algunas preguntas; el papel del embajador Barbosa Da Silva y mío era, simplemente, el de aclarar algunos términos de la negociación; no participábamos de la discusión en sí, que era entre Cuba y los Estados Unidos.

La entrevista concluyó a las siete de la mañana. Rodríguez Larreta y Barbosa Da Silva confeccionaron un memorándum de lo conversado.

Ese memorándum contiene la esencia de la negociación, y lo más importante para la figura de Frondizi es que resume una parte del acuerdo, que era que nuestro país iba a ser el mediador permanente entre el presidente Kennedy y el gobierno cubano. La Argentina era de confiar como país sensato y el presidente Frondizi tenía estatura como para mediar en un problema tan delicado. Fue por eso –creo yo– que Guevara viaja al día siguiente; mejor dicho, ese mismo día, porque la reunión terminó a las 7 y a las 8 estaba viajando hacia Buenos Aires.

Entrevista Frondizi-Dillon

Dentro del mecanismo de consultas montado para factibilizar la reunión
de Punta del Este, figuró la entrevista que mantuvo el mandatario argentino
con el secretario del Tesoro de los Estados Unidos y presidente de la delegación norteamericana, Douglas Dillon. Roberto Alemann fue el encargado de
formular la invitación a Dillon para el encuentro con Frondizi y a José María López Muñiz se le encomendó la misión de acompañarlo en el avión presidencial.

La reunión de trabajo, tal el carácter de la conferencia privada, se llevó a
cabo en la quinta de Olivos y en ella Frondizi se refirió a los proyectos de
desarrollo que estaban impulsando en el país, especialmente los referentes a
El Chocón y el plan de estabilización, el primero que se concretaba formalmente en el país.

Frondizi, según una modalidad inveterada, enfatizó la necesidad de contar con el apoyo y la financiación especial por parte de los Estados Unidos
para los emprendimientos en materia energética y siderúrgica, a la vez que
hizo referencia a la posición argentina en Punta del Este y a los puntos de
vista del gobierno argentino sobre la política continental y bilateral.

La reunión fue breve, durante las horas de la mañana, puesto que Dillon
regresó a Montevideo sin llegar a almorzar en Olivos y sin dar a conocer lo
tratado con el presidente Frondizi.

NOTAS

1. *La Prensa*, 3 de diciembre de 1959.
2. *La Prensa*, "Nueva condición de Cuba para negociar con EE. UU.", 24 de enero de 1961.
3. Andrada, Ovidio: "Kennedy. La Alianza para el Progreso", en *Historia de América del si-
go XX*, Nº 33, Centro Editor de América Latina, 1972.
4. Gicés, Rodrigo: "Che Guevara. El hombre nuevo", en *Historia de América...*, ob. cit., Nº
40, 1972.
5. Díaz Fanor: *Conversaciones con Rogelio Frigerio. Sobre la crisis política argentina*, Colihue-Hachette, Buenos Aires, 1977, pág. 71.

El encuentro entre Frondizi y Guevara tendría graves consecuencias en la Argentina. Recurrimos nuevamente al testimonio de Rodríguez Larreta para dar una primera ubicación del problema.

> La reunión de Punta del Este se limitó a la negociación de Cuba con los Estados Unidos, facilitada en parte porque la Argentina cumplía un papel muy respetado, especialmente por los Estados Unidos.
>
> Se cometieron errores; uno, el mío, de haberle hecho llegar una copia del memorándum a Mugica [...] El otro error fue el del canciller Mugica de decírselo a la prensa. Si todo esto se hubiera seguido manteniendo en los niveles confidenciales de la diplomacia, a lo mejor se hubiera podido avanzar en el camino de la negociación.
>
> Pero, ¿qué pasó? En Estados Unidos, pese a que Kennedy era el presidente, tenía una gran oposición de la extrema derecha, que posiblemente haya culminado con su muerte. En Brasil no había problema. En la Argentina existía un conflicto militar en ese momento.
>
> El resultado fue que Kennedy le tuvo que pedir la renuncia a Goodwin; incluso lo interpelaron en el Senado, y Castro no impide que Guevara marche a Bolivia, lo manda a morir.

La llegada del "Che" a Don Torcuato

Frondizi no negó en ningún momento que la posición del gobierno argentino era la de facilitar las negociaciones entre Cuba y los Estados Unidos. Con ese objetivo aceptó la propuesta que le formularan desde Punta del Este sobre una entrevista con Ernesto Guevara.

Con los recaudos necesarios para resguardar la vida del ministro de Industrias, ya que su presencia podía generar atentados en un clima de intolerancia política reacia a aceptar contactos con quien encarnaba la intromisión de la izquierda en el continente, Frondizi dispuso todo lo concerniente al arribo de tan importante huésped.

Los tenientes de Fragata Fernando García, jefe de la guardia de la Casa Militar, y Emilio Fittipaldi, fueron los encargados de recibir al "Che" en el aeródromo civil de Don Torcuato. Recuerda el ya vicealmirante García que, a las dos de la madrugada del 18 de agosto de 1961, recibió una llamada telefónica del Presidente. Con el tono marcadamente tajante que empleaba ante decisiones trascendentes y que no daba posibilidad alguna a ningún tipo de diálogo, Frondizi le indicó que "se trasladaran al aeropuerto para recibir a una persona que ellos reconocerían, a quien debían llevar a Olivos sin que hablara con nadie durante el trayecto", inquiriendo si estaban en condiciones de garantizar la seguridad del viajero. Ante la respuesta afirmativa, enfatizó que el traslado debía realizarse en el mayor secreto desde Don Torcuato hasta la residencia oficial.

En un Cadillac y un Ford negros pertenecientes a la cochera presidencial, los tenientes de Fragata García y Fittipaldi, con los infantes de Marina asignados para el traslado, se dirigieron al lugar indicado.[1]

Pasadas las 10 de esa fría mañana, procedente de Adami, cerca de Melilla –Uruguay–, arribó el taxi aéreo Bonanza, matrícula 439 identificado con las iniciales CX-AKP, del que descendieron Ernesto Guevara; su colaborador Ramón Aja Castro, director del Departamento de Asuntos Latinoamericanos del Ministerio de Relaciones Exteriores de Cuba, y el ex diputado de la UCRI, Jorge Carrettoni, asesor del Consejo Federal de Inversiones a quien Frondizi había encomendado la misión de acompañar al ministro de Industrias desde el Uruguay. El piloto del avión era Tomás Cantori.

Superada la sorpresa por la presencia de Guevara, al que identificaron de inmediato por su típico atuendo militar y su tan publicitada barba, emprendieron la marcha hacia la residencia presidencial.

Todo debía ajustarse a las condiciones fijadas por Frondizi como requisito ineludible para la concreción de la visita: el traslado se haría bajo la responsabilidad del gobierno argentino; no se anunciaría de manera alguna la visita, y Guevara no hablaría con nadie más que con Frondizi.

La reunión en Olivos

Como otras entrevistas políticas celebradas a puertas cerradas, ésta también dio pie a disímiles opiniones y a todo tipo de interpretaciones. Es por ello que recurrimos a las versiones más atendibles: las que brindaron sus protagonistas y personas muy allegadas a ellos, tanto en declaraciones oficiales como en explicaciones posteriores al hecho.

En primer término apelamos al testimonio de Frondizi al recordar años más tarde este encuentro; en la reunión celebrada con los representantes de las Fuerzas Armadas y en el discurso que pronunció el 21 de agosto, para explicar a la opinión pública las razones de la audiencia concedida a Guevara. Nos basamos, asimismo, en las declaraciones de Guevara en Cuba y en la opinión de Rogelio Frigerio. Transcribimos también fragmentos del periodista Rodolfo Pandolfi, a quien Frondizi "relató detalladamente la reunión, realizada sin testigos", y hemos escuchado el testimonio evocativo de Jorge Carrettoni, encargado de acompañar a Guevara desde Punta del Este a Buenos Aires y figura de actuación destacada en toda esta gestión.

Refiere Frondizi:

> Llevado a mi presencia, tuvimos una charla absolutamente a solas, que duró aproximadamente unos setenta minutos. Cuando abordamos el tema de la posibilidad de elaborar algún tipo de status de convivencia con Estados Unidos, me hizo notar que lo consideraba improbable por la resistencia de los grupos más duros del país del Norte; pero que, de todas maneras, si yo lo consideraba conveniente, explorara la posibilidad, pues él estaba de acuerdo en buscar, en la medida de lo posible, alguna salida al aislamiento. Si el statu quo entre los Estados Unidos se acordaba a través de la gestión de América latina, Cuba permanecería en el sistema interamericano. De lo contrario deberían los Estados Unidos negociarlo con la Unión Soviética, y Cuba integraría entonces el sistema del Pacto de Varsovia, como efectivamente sucedió. Mi interlocutor opinaba no obstante que el camino de América pasaría en algún momento por un enfrentamiento total con Estados Unidos. Creía que en pocos años América latina se transformaría en un gigantesco Vietnam. Nosotros expusimos nuestra tesis sobre la integración y el desarrollo. Guevara aparecía algo desencantado con respecto al curso de la revolución cubana, sobre todo porque descreía ya de las posibilidades de una industrialización acelerada por falta de medios de financiamiento. Cuando salió de la entrevista, en un comentario marginal que hizo en el reducido grupo de los que habían participado del trámite, confesó risueñamente que habían tenido que "encañonar" a los rusos para que les financiaran una acería con capacidad para 700.000 toneladas.
>
> Nunca más lo volví a ver. Pocos meses después yo sería derrocado; él encontraría la muerte, años más tarde, en la selva boliviana, empeñado en el estéril intento de "fabricar" una revolución en un medio que desconocía y ante un pueblo sufrido que, como todos los del mundo, aspira a su redención pero para hacerla por sí mismo, con sus formas propias de participación y movilización.[2]

En un reportaje realizado el 22 de agosto por la televisión cubana, Guevara dio algunas precisiones sobre la entrevista. Juzgó que esa experiencia tuvo su lado positivo con la actitud de Frondizi en su discurso del 21 de agosto, de considerar prioritaria la defensa de la autodeterminación de los pueblos.

> Para nosotros –explicó Guevara– es tan vital porque no pretendemos que defiendan nuestro sistema, sino que defiendan todos los pueblos de América nues-

tro deseo de tener el sistema social que nos parezca, que es lo que el presidente Frondizi ha hecho.[3]

Vayamos al testimonio de Rogelio Frigerio.

Más allá de los entretelones anecdóticos, se convino la posibilidad de una gestión de buenos oficios argentinos, en procura de la negociación de un "status". Para nosotros, pese a las discrepancias con el visitante, era una obligación explotar todas las posibilidades dentro de nuestros esfuerzos por evitar que la cuestión cubana se escapara de la órbita regional.
El "Che" estaba preocupado por la situación económica de la isla y tenía conciencia de que Rusia no ofrecía alternativas suficientes para el financiamiento del desarrollo. Estimaba conveniente una negociación con los Estados Unidos, pero tenía pocas esperanzas en que ella pudiera concretarse.
Frente al camino del desarrollo por vía pacífica, emprendido por nuestro país, reconoció la importancia y trascendencia del esfuerzo, pero opinaba que los sectores de poder del país del Norte no permitirían el desarrollo de las naciones de la región. No quedaba, en consecuencia, otro camino que el revolucionario. Había que convertir a América latina en un gigantesco Vietnam. No teníamos, por cierto, ninguna coincidencia en estas cuestiones.[4]

Rodolfo Pandolfi, basándose en declaraciones testimoniales de Frondizi, en su libro *Frondizi, por él mismo,* dice:

El ministro cubano comenzó afirmando que en América latina no había otra solución, para alcanzar el desarrollo y la independencia, que la lucha armada centrada en la acción de las guerrillas. Sin embargo –agregó– comprendía la necesidad de una negociación con Estados Unidos y valoraba los esfuerzos de mediación, ya que pensaba que sería muy importante un acuerdo para Cuba. [...]
Luego de hablar sobre la situación mundial, Guevara se refirió a los problemas latinoamericanos, reiteró su posición en favor de las guerrillas para tomar el poder y señaló que comprendía los esfuerzos del frondicismo por lograr un desarrollo independiente, pero que vaticinaba la imposibilidad de concretar esos objetivos por un camino pacífico.
En ese momento, Frondizi le señaló las diferencias de situaciones en lo político, en lo económico y en lo social, entre Cuba y la Argentina, y agregó una pregunta:
–Dígame, Guevara, ¿usted ha estudiado marxismo?
–No, no conozco bien los problemas del marxismo. Hice algunas lecturas esporádicas y poco sistemáticas. Pero yo soy un marxista y voy a estar en la lucha por la toma del poder en toda Latinoamérica –contestó el argentino-cubano.
El juego de ajedrez político, a esta altura, era casi obvio: Frondizi, sin duda, tenía mayores conocimientos sobre la ideología marxista y quería abrumar a Guevara haciéndole ver sus heterodoxias doctrinarias; Guevara aceptaba su menor erudición, pero replicaba que el marxismo se mostraba en la praxis. [...]

Toda la argumentación de Frondizi se centraba en que, más allá de las cuestiones de principios, el guerrillerismo a escala continental era impracticable. Luego le preguntó a Guevara sobre su experiencia como director de la economía cubana.

–Hay problemas muy graves –respondió Guevara– pero el drama principal que se plantea está referido a la eficacia de los hombres. Durante la lucha, el jefe de cada zona era el más valiente, el más corajudo y el que tiraba mejor, no el que sabía más cosas o era más inteligente. Terminada la lucha, esos señores quedaron como jefes de sección y quisieron ser jefes no solamente en el campo político sino también en el económico. Es evidente que la revolución no podía, políticamente, postergarlos y llamar a los antiguos especialistas. Pero una cosa es un señor que sabe tirar tiros y otra un señor que sabe dirigir la economía. Esa es la causa de una cantidad de desastres que hemos tenido en la economía.[5]

Al concluir la reunión se acercó la esposa de Frondizi, doña Elena Faggionato, quien ofreció un café al visitante. Guevara agradeció la gentileza y pidió saborear un bife, pues no había almorzado. También solicitó autorización para visitar a una tía gravemente enferma, la señora María Luisa Guevara de Márquez Castro, residente en la calle Pavón, en Olivos. El presidente Frondizi, tras consentir que Guevara cumpliera esa gestión familiar, se retiró de Olivos hacia la Casa de Gobierno donde tendría que enfrentar una estentórea reacción militar.

Guevara regresó inmediatamente al Uruguay en el mismo avión que lo condujo a Don Torcuato, acompañado solamente por Aja Castro y el piloto Tomás Cantori.

NOTAS

1. Barceló, Jorge Pedro: "El día en que la Marina custodió al Che", en *Ambito Financiero*, 16 de junio de 1993, pág. 16.
2. Frondizi, Arturo: *Qué es el...*, ob. cit., pág. 134.
3. Babini, Pablo: "Cuba en la caída de Frondizi. La entrevista Frondizi-Guevara", en *Todo es Historia*, N° 297, marzo de 1992, pág. 26.
4. Frigerio, Rogelio: "Una experiencia política y de gobierno que marca un camino, en *Arturo Frondizi. Historia y problemática...*, ob. cit., Tomo VII, pág. 332.
5. Pandolfi, Rodolfo: *Frondizi por él mismo*, Galerna, Buenos Aires, 1968, págs. 99 y ss.

La visita del "Che" fue breve pero desató una tempestad política de enormes consecuencias.

La oposición, que en 1959 había visto en Castro a un nuevo Martí, tomó la entrevista como punto de lanza para acentuar sus críticas al gobierno, exigiendo el alejamiento del Presidente, por violar la seguridad nacional. No tuvo en cuenta que, en el terreno de los entendimientos institucionales, el presidente de la Nación tenía amplias facultades, otorgadas por la Constitución, para recibir a funcionarios de otros Estados. El "Che" Guevara, en su carácter de ministro de Industrias, había presidido la delegación cubana a Punta del Este, y en esta reunión internacional nadie objetó su representatividad. No escapaba a la lógica que pudiera entrevistarse, revistiendo ese cargo, con el presidente de una nación que mantenía –como otros Estados americanos– relaciones diplomáticas con la isla.

Pero el hecho es que el encuentro tuvo consecuencias inmediatas: la renuncia del canciller Adolfo Mugica –reemplazado por el doctor Miguel Angel Cárcano–, y el planteo de las Fuerzas Armadas, que provocó una crisis institucional. La inquietud se reflejó en los titulares y editoriales de los diarios que exageraron la situación, en especial *Correo de la Tarde*. Las Fuerzas Armadas adoptaron innecesarias medidas de seguridad, entre las que se destacaron el acuartelamiento en la Escuela de Mecánica de la Armada y las consultas entre los tres secretarios militares.

La Secretaría de Prensa de la Nación dio a conocer una breve información sobre la visita de Ernesto Guevara, cuando el Presidente ya se encontraba en la Casa de Gobierno:

A las 11, el presidente de la Nación recibió en la residencia de Olivos al ministro de Industrias de Cuba y presidente de la delegación de ese país a la Conferencia Económica Interamericana de Punta del Este, doctor Ernesto Guevara, con quien conversó hasta poco después del mediodía sobre temas de política continental.

Papel importante en la agitación que se produjo les cupo a los cubanos anticastristas. El coordinador del Frente Revolucionario Democrático, doctor Tomás Gamba, que se encontraba en el país en cumplimiento de una gira latinoamericana, presidió una reunión con la colonia cubana en el local de la Asociación Argentina por la Libertad de la Cultura. Estuvieron presentes los delegados del FRD en la Argentina, Chile y Uruguay, y Manuel Braña.

En la declaración pública ofrecida a la prensa, afirmaron que Guevara, sigilosamente

> ha entrado en la patria de San Martín, nacionalidad a la que ha renunciado por su propia voluntad, para eludir las demostraciones que en su contra realizaría el noble pueblo argentino.

Frondizi, a su vez, invitó al ministro de Defensa, doctor Justo P. Villar, y a los titulares de la Secretaría de Guerra, general Rosendo M. Fraga; de Marina, contraalmirante Gastón C. Clement, y de Aeronáutica, brigadier Jorge Rojas Silveyra, a una reunión que se celebró en la Casa de Gobierno a las 17.30 horas, con la presencia del jefe de la Casa Militar, brigadier Baldomero Jorge Llerena. El servicio de prensa de la Presidencia, poco después de las 20, emitió un comunicado en el que, tras reseñar lo pasos previos, se informaba sobre lo tratado en esa reunión:

> En la entrevista mantenida con el primer mandatario, que se prolongó desde poco después de las 11 horas hasta pasado el mediodía, el visitante expuso algunos puntos de vista de su gobierno.
>
> El doctor Frondizi expresó al ministro cubano su pensamiento con referencia al programa "Alianza para el Progreso" y reafirmó la posición occidental y cristiana argentina ante los problemas generales de la política internacional, así como la decisión de reprimir la acción de los factores extremistas tanto internos como externos, perturbadores de la legitimidad y de las libertades democráticas de nuestro país.
>
> Por último, el doctor Guevara manifestó que había mantenido conversaciones con el presidente del Consejo de Gobierno del Uruguay, señor Eduardo Víctor Haedo y que en el día de hoy partía para Brasilia respondiendo a la invitación del presidente de los Estados Unidos del Brasil, doctor Janio Quadros.

Pese a los informes dados por el Presidente y ratificados por el canciller Adolfo Mugica a los periodistas, el ambiente castrense siguió alterado, razón que indujo al doctor Frondizi a invitar al ministro de Defensa, secretarios y subsecretarios de las Fuerzas Armadas, comandantes en jefe y jefes de Estado Mayor de las tres armas, a concurrir a la residencia de Olivos para escuchar sus opiniones e informar sobre las alternativas suscitadas durante la visita del ministro cubano.

La reunión de Olivos del 19 de agosto de 1961

Los detalles precisos sobre la reunión efectuada en Olivos, que gentilmente nos suministró el doctor José Rafael Cáceres Monié, son de tal importancia que los transcribimos a continuación como ilustrativo aporte para el estudio de ese momento de nuestro proceso político.

La reunión se realizó en la residencia presidencial, en Olivos, el sábado 19 de agosto de 1961, a las 20 y 30 horas. La misma fue presidida por el señor Presidente de la Nación y asistieron a su invitación el ministro de Defensa Nacional doctor Justo P. Villar, el subsecretario de Defensa Nacional doctor José R. Cáceres Monié y las altas autoridades militares que se señalan:
– Secretario de Estado de Guerra, general Rosendo M. Fraga;
– Subsecretario de Guerra, general Carlos Peralta;
– Comandante en Jefe del Ejército, teniente general Raúl Poggi;
– Jefe del Estado Mayor General del Ejército, general Juan P. Spirito;
– Secretario de Estado de Marina, contraalmirante Gastón C. Clement;
– Subsecretario de Marina, contraalmirante Eladio Vázquez;
– Comandante de Operaciones Navales, almirante Alberto Vago;
– Jefe del Estado Mayor General Naval, contraalmirante Palma;
– Secretario de Estado de Aeronáutica, brigadier Jorge Rojas Silveyra;
– Comandante en Jefe de la Fuerza Aérea, brigadier general Cayo A. Alsina;
– Jefe del Estado Mayor de la Fuerza Aérea, brigadier Esteban Facio.
– Brigadier mayor Jorge A. Craig.
Estuvo presente el señor jefe de la Casa Militar, brigadier mayor Baldomero Llerena.
No concurrió el subsecretario de Aeronáutica por haber fallecido el brigadier Horacio Mario Rodríguez.
El doctor Frondizi invitó a los secretarios militares a pasar a su despacho privado, donde ya se hallaba el señor ministro de Defensa Nacional. Eran las 20 y 50 cuando comenzó la reunión, la que se realizó en el comedor de la residencia.
El presidente manifestó inicialmente que estimaba conveniente escuchar a los ministros comandantes en jefe sobre el estado de las fuerzas, en relación con el problema que originara la visita del delegado de la República de Cuba, doctor Ernesto Guevara.

El general Fraga fue el primero en hablar. Dijo que ya había informado a Frondizi sobre "el estado de los cuadros" y pidió que el general Poggi se extendiera al respecto. Este último señaló que la visita de Guevara había tenido una "repercusión desfavorable" "en el espíritu de todos los oficiales". Luego dijo que la institución ha perdido la confianza en el señor Presidente [...] pues no entiende cómo es posible que el señor Presidente reciba a un representante de un país comunista, que es también un traidor a la patria pues ha renegado de su condición de ciudadano argentino. [...] el Ejército se encuentra en sus cuarteles; responde a sus mandos naturales, pero es notoria la gran inquietud en todos los cuadros donde hay desconcierto e indignación.

A continuación tomó la palabra el contraalmirante Clement, quien ratificó lo expresado por Fraga: el problema también había impactado en los cuadros de la Armada. A su vez, el almirante Vago dijo:

Hay indignación, señor Presidente, por este hecho pues el mismo ha causado no sólo sorpresa sino desconcierto. Se entiende que la visita al señor Presidente de un hombre que no sólo es comunista sino un renegado argentino y un criminal, causa profundo daño al país y tuerce la línea internacional que requiere definiciones categóricas en la lucha contra el comunismo [...] En la Marina, señor Presidente, no acostumbramos a dar explicaciones a los subordinados. [...] Pero lo ocurrido ha descolocado a los mandos naturales que han ignorado no sólo la visita sino que apareciendo la misma rodeada de extrañas circunstancias, se presume que ella ha sido estructurada a espaldas del sentimiento auténtico que priva en la Marina.

El brigadier Rojas coincidió con quienes le habían precedido: "la visita de Guevara ha sorprendido y dolorido a los cuadros". El brigadier Alsina redundó:

La impresión que ha causado la visita del señor Guevara ha sido negativa. Seguramente que si hubiera venido al país el señor Kruschev, la impresión no hubiera sido tan desfavorable. No obstante debo señalar que los cuadros están en sus bases, que existe tranquilidad y que todos los componentes de la institución responden a sus mandos naturales.

Tomó la palabra el general Spirito:

[...] no se puede entender cómo ha sido posible que un individuo como Guevara que es un infractor y un desertor del servicio militar argentino, que es también un renegado argentino, que es un asesino y comunista y que es, en fin, la expresión más vil del régimen cubano, haya podido tener una entrevista con el señor Presidente. El impacto en consecuencia en el cuadro de oficiales ha sido negativo y hay indignación y desorientación. [...] Creo que hemos dado un gran paso atrás y que será muy difícil restaurar la confianza que de pronto se ha derrumbado.

El contraalmirante Palma intervino en la misma línea, y agregó:

esta situación [...] encierra como una duda sobre definiciones categóricas en materia internacional y abre interrogantes sobre cambios o incursiones en posiciones de tercera posición. Entiendo que el país debe tener una línea definida sin caer en vacilaciones que pueden traer como consecuencia problemas internos.

El brigadier Facio preguntó si el hecho significaba un cambio en la política internacional. Luego hablaron el general Peralta, el contraalmirante Vázquez, el brigadier Craig y el teniente general Picca, quienes señalaron que coincidían con lo ya expuesto. Peralta agregó que se habían producido "errores de forma que muchas veces inciden de manera peor que los errores de fondo". Vázquez ratificó que los mandos habían quedado "descolocados". El brigadier Craig añadió que "la forma como fue recibido Guevara, sin conocimiento previo de las Fuerzas Armadas, en silencio [...] ha hecho suponer otros designios que los fundamentales que pudo tener el señor Presidente". Y Picca

destacó la hora en que se tuvo conocimiento de la presencia de Guevara: 15 y 30 "cuando el señor éste ya se había retirado tiempo atrás. Además, quiero referirme a la incidencia desfavorable que el hecho ha causado en los jefes de Estado Mayor de los países vecinos como el del Perú y Uruguay".

El ministro de Defensa Nacional, doctor Villar, expresó que nada tenía que decir.

Tomo la palabra Frondizi. Primero aclaró que se había informado de inmediato sobre la entrevista (no a las 15 y 30 sino a las 13 y 15) a los secretarios militares. Luego se refirió a las expresiones de Picca respecto del supuesto disgusto de los jefes de Estado Mayor de Perú y Uruguay. Dijo que no se lo explicaba,

pues he recibido la visita del ministro Beltrán de esa Nación amiga [...] que me felicitó por el hecho de haber recibido a Guevara, añadiéndome que ojalá todos los gobiernos americanos procedieran de la misma manera. Y en cuanto al señor jefe del Estado Mayor del Uruguay, no me explico que pueda sorprenderse cuando el ministro de Industrias de Cuba ha hablado con el señor Presidente del Consejo de Ministros del Uruguay, no sólo una vez, sino veinte veces e incluso ha tomado mate con el señor Haedo como es de pública notoriedad.

A continuación, Frondizi entró "al fondo del asunto":

La República Argentina en materia internacional ha tomado posiciones dentro de la línea occidental, cristiana y democrática. Pero ello no significa una relación de subordinación a ningún país. La Argentina no es país satélite de nadie. Ejerce una política independiente, subordinada a una línea de conducta trazada y adecuando su acción no sólo a la realidad mundial sino también a los hechos que en forma permanente se vienen sucediendo. En este sentido no ha de variar su acción. [...] ¿Hay o no hay acuerdo con respecto a las grandes líneas que tiene trazadas el Poder Ejecutivo en materia internacional? Y si hay acuerdo, lógico es en consecuencia que el presidente de la Nación tenga las manos libres para poder ir afianzando en todo momento estas grandes líneas. [...]

Seguidamente reivindicó su política internacional, contraponiéndola a la seguida por Brasil que, por un lado, "condecora a Guevara con la máxima distinción que acuerda su Nación" y, por otro, invita a Gagarin para publicitar "una presunta independencia de Estados Unidos", "y a la vez quiere ejercer el chantaje para obtener los dólares necesarios a su campaña de desarrollo".

La República Argentina en cambio no sólo no ha invitado al señor Guevara, sino que prácticamente lo ha mantenido detenido durante las breves horas que permaneció en Buenos Aires [...]

Siguió Frondizi su alocución relatando que el "Che" "había comprendido que el liderazgo de América latina lo ejercía la Argentina"; que le había expresado que Cuba quería permanecer en la OEA y negociar con Estados Unidos; que para ello "solicitaban la intervención de la República Argentina", y que si lo anterior se lograba Cuba prometía "no hacer pactos militares con la Unión Soviética ni con ningún país de la cortina [de hierro]". Luego asumió "totalmente la responsabilidad de lo ocurrido" y pasó a referirse a la exigencia de que renunciara el Canciller:

El señor Canciller es un digno ciudadano, patriota, honesto, inteligente [...] No es hombre de mi partido, es un hombre de derecha, que ha sido mi adversario y que seguramente lo será en el futuro. [...] El no está, como no lo está ningún ministro y secretario de Estado, incluidos naturalmente los señores secretarios de Estado de las Fuerzas Armadas, tomado del cargo y bastará solicitárselo para que de inmediato renuncie. [...] No estoy dispuesto a solicitarle la renuncia, pues no sólo no quiero lesionar a un digno ciudadano, sino que tampoco estoy dispuesto a que después de ello se acuse al presidente de la Nación de dualidad en sus actitudes. Pues ya llegarán los políticos, los malos políticos, a golpear las puertas de los cuarteles, de las bases y aeródromos para acusar al presidente de la Nación de que sacrificaba hombres en una política dual y no se responsabiliza de los actos de gobierno. [...].
¿Se quiere la renuncia del señor Canciller? Pues bien, la renuncia puede ser obtenida, pero entonces diré al pueblo del país que han sido las Fuerzas Armadas quienes me la han solicitado. [...] Estoy dispuesto a hacer saber a la Nación, en forma pública, toda la verdad sobre lo acontecido con la visita del señor Guevara pero deslindando responsabilidades.

Más adelante, Frondizi insistió en que la Argentina había "recuperado el liderazgo en América latina" gracias a "una política seria, independiente y respetada". Relató que había anunciado a Estados Unidos que la invasión a Cuba sería un fracaso, que el propio Stevenson había reconocido los errores cometidos y que le había dicho:

> Queremos que en América del Sur haya una gran nación rectora que conjuntamente con la rectoría de los Estados Unidos en América del Norte puedan llegar a obtener la felicidad del continente. Nosotros entendemos que esa Nación no puede ser sino la Argentina.

Luego Frondizi remarcó que "el triunfo argentino en Punta del Este con el CIES ha sido terminante", "su palabra es escuchada y su consejo orientador es reconocido". Para volver, en sus conclusiones, al tema conflictivo:

> ¿Puede en consecuencia el presidente de la Nación verse impedido de tomar medidas accesorias como la visita del señor Guevara, que responden a una acción de conjunto? Admito que [...] se pueda haber errado en las formas, pero que el resultado de la visita será positivo a la causa americana, es indudable.
> Estoy dispuesto a hacer conocer al pueblo de la Nación todo lo vinculado con este problema, en un discurso que pronunciaré el próximo lunes en horas a determinar. [...] Admito la existencia de la inquietud que creo, de esta manera, quedará disipada. [...].

Cuando Frondizi concluyó, intervino el general Fraga para desmentir que ningún político estuviera golpeando a las puertas de los cuarteles, atribuir el malestar militar a la falta de información y señalar que nunca se habían cuestionado las facultades constitucionales del Presidente ni se había pretendido someter sus decisiones a consulta previa. Luego dijo:

> Yo me siento honrado de tener como presidente de la Nación al hombre que actualmente está a cargo de esa función. Yo me siento orgulloso, como argentino, de tener un hombre que prestigia la función, con su conducta.

Pero insistió en que "no hubiera querido ver al presidente recibiendo a este asesino, renegado, comunista del 'Che' Guevara", aclarando, sin embargo: "Admito las razones fundamentales que lo han llevado a recibirlo. Creo que es justificado hacer algunos sacrificios en estas emergencias".

Luego la reunión se encaminó hacia cuál era la mejor forma de encarar la situación creada. Fraga y el secretario de Marina opinaron que había que dar una explicación detallada, para que la opinión pública supiera que no se había producido un cambio en la política internacional. El almirante Vago acordó en ello, remarcando que sólo así se evitaría que "aparezca la República ante la consideración exterior y en el frente interno, en posición deslucida".

En el mismo sentido se pronunció el contraalmirante Vázquez, pero insistiendo en que

los mandos han quedado desautorizados por la falta total de conocimiento de lo que iba a ocurrir. No pasó lo mismo, por ejemplo, en el asunto de comerciar con la China comunista, donde fuimos enterados de todos los problemas y se requirió la opinión de los servicios.

El contraalmirante Palma planteó que se debía aclarar que no se estaba volviendo a la "tercera posición", ya que eso sería inadmisible con respecto a Cuba.

En cambio, el ministro de Defensa manifestó que creía innecesario y "desproporcionado" que el Presidente hablara al pueblo sobre la cuestión. Planteó que bastaría con que la información sobre los motivos de Frondizi para recibir al "Che" fuera transmitida a los cuadros por los ministros militares o los comandantes en jefe de las armas. Si era necesario informar al Congreso, podrían hacerse cargo de la tarea el Canciller o el Ministro de Defensa.

El brigadier Rojas insistió en que "sería muy importante que el señor Presidente se dirija al pueblo de la Nación haciendo el esclarecimiento de todo lo ocurrido".

Frondizi, aunque resaltó que el discurso sería "muy difícil", se manifestó dispuesto a pronunciarlo.

El subsecretario de Guerra volvió sobre el tema de la responsabilidad del Canciller, y Frondizi reiteró que él la asumía total y personalmente y que no estaba dispuesto a convertir a aquél en "chivo emisario", porque "no es decoroso y tampoco es de caballeros".

Cerró la serie de opinantes el general Fraga quien expresó que creía conveniente que el señor Presidente hablara al país, y recogiendo la opinión del brigadier Facio se insista en el aspecto de que lo ocurrido no cambia la posición internacional ni la política del gobierno.
Eran las 23 y 15 horas del sábado 19 de agosto de 1961. A las 48 horas hablaría al país el presidente de la Nación Arturo Frondizi.

"La Argentina ante los problemas mundiales"

El 21 de agosto de 1961, el doctor Arturo Frondizi, desde el Salón Blanco de la Casa de Gobierno, pronunció por radio y televisión el discurso "La Argentina ante los problemas mundiales. Definición de una política exterior al servicio de la Nación". Comenzó anunciando su propósito de "reafirmar principios cardinales de una política" internacional, de asumir "la plena e indelegable responsabilidad de las funciones que la Constitución asigna al Poder Ejecutivo" y de "disipar el equívoco" generado por su entrevista con el "Che", "incomprensión" que estaba siendo "utilizada por los elementos que permanentemente conspiran contra la estabilidad institucional".

Luego expresó que pretendía "difundir lo esencial de lo que dije el sábado por la noche a los señores jefes de las Fuerzas Armadas", y comenzó por recordar las bases esenciales de su programa de gobierno.

1) Legalidad y vigencia plena del orden jurídico-democrático.

2) Paz social, participación activa de productores y obreros en la consolidación y progreso de la economía nacional.

3) Estabilización y desarrollo económico.

4) Política internacional al servicio del desarrollo interno y ajustada al cumplimiento estricto de las obligaciones que impone la comunidad de las naciones libres, para el afianzamiento de la paz mundial.

Más adelante, Frondizi se refirió a la necesidad de reafirmar la unidad nacional frente a las dificultades externas, para resguardar la independencia económica y la soberanía, alrededor de opciones excluyentes. "[No] hay opción entre la paz social y el odio de clases." "No hay opción entre la estabilidad financiera y la inflación incontrolada." "No hay opción entre el desarrollo y el subdesarrollo." "No hay opción entre la convivencia y cooperación internacional y el aislamiento."

Entrando "de lleno al tema principal", el Presidente continuó:

Los argentinos [...] estamos irrevocablemente comprometidos a dar término a la tarea de sacar a nuestro país de la quiebra financiera y del atraso económico. Para ello nos impusimos sacrificios y adoptamos medidas drásticas [...]. El gobierno acepta íntegramente la responsabilidad de haber ejecutado una política impopular en su expresión inmediata pero indispensable para asegurar a breve plazo el creciente bienestar del pueblo. No vacila en el ejercicio de su autoridad para contener y encausar la justa impaciencia de quienes se sienten más afectados, que son los trabajadores y sus familias.

Pero la autoridad es indivisible. No se puede exigir del gobierno energía y responsabilidad para vitalizar el frente interno si al mismo tiempo se pretendiera inmovilizarlo y menoscabarlo en la conducción de la política internacional. La política internacional de un país no es una abstracción fundada en puros conceptos, sino un instrumento de realización nacional [...] es la proyección externa de su personalidad interna, el medio de obtener los fines nacionales con el auxilio de la cooperación internacional y de las corrientes mundiales del intercambio.

El objetivo básico de toda política internacional es lograr el respeto ajeno de la soberanía propia.

Acto seguido, Frondizi pasó a definir la "irrenunciable raíz histórica" de la Argentina, como categoría nítidamente diferenciada del comunismo: "régimen político democrático"; "ideales cristianos profesados por la inmensa mayoría católica de su población"; repudio de "la concepción totalitaria de la vida, el avasallamiento de la dignidad del hombre por los poderes arbitrarios del Estado, la filosofía atea y el materialismo de todos los extremismos".

> Estamos dispuestos a defender por todos los medios nuestro acervo espiritual contra la penetración de ideologías repugnantes a nuestra conciencia de pueblo democrático y católico, y este gobierno ha dado pruebas concluyentes de su firmeza en la represión de las acciones disolventes del comunismo.

Después de reafirmar que la "Argentina es una parte del mundo occidental", el Presidente señaló que era necesario detenerse en ese concepto, puesto que "demasiado frecuentemente" se lo estaba empleando en "forma confusa y tergiversada". Lo hizo tomando como puntos de referencia la actitud de Kennedy al anunciar su programa de Alianza para el Progreso y la Encíclica *Mater et Magistra* de Juan XXIII.

> Considero que el concepto occidental tiene un significado fundamentalmente espiritual y en tal sentido lo vinculo a la definición de la posición internacional argentina. Somos occidentales en tanto católicos y democráticos [...]
> Por su fundamento cristiano, el concepto occidental no tiene un carácter excluyente ni restrictivo sino universal. No puede ser utilizado para justificar el predominio o la superioridad de un grupo de naciones sobre otras sino que, por el contrario, conduce a establecer los fundamentos para una auténtica comunidad internacional [...]
> Por ello la idea de occidentalismo no puede ser utilizada para mantener indebidamente el sojuzgamiento colonial por algunas naciones so pretexto de que éstas sean depositarias de tradiciones occidentales.
> Hay naciones que han pretendido mantener privilegios injustos en el orden internacional a título de ser defensoras del mundo occidental. Esos privilegios consisten generalmente en ventajas comerciales no equitativas o en la explotación de los recursos de otros pueblos, económicamente más débiles [...]
> Por contraposición queremos señalar, como ejemplo de una posición occidental, la adoptada por el presidente Kennedy al anunciar su programa de "Alianza para el Progreso", que acaba de ser sancionada por la reciente Conferencia de Punta del Este, y para cuyo exitoso cumplimiento está requiriendo amplios recursos de su propio pueblo. El presidente Kennedy nos ofrece así el testimonio de una nación poderosa que no quiere volcar su fuerza para explotar o sojuzgar a otros pueblos sino que comprende que la mejor contribución a su propio bienestar y sus ideales consiste en cooperar para el progreso económico y el bienestar social de los países subdesarrollados.

Pero por encima de todas estas apreciaciones, deseo remitirme a la esclarecedora Encíclica *Mater et Magistra* de Su Santidad Juan XXIII, en cuyas páginas están claramente definidas las condiciones y normas de la vida internacional por cuya vigencia debemos trabajar los pueblos que nos consideramos depositarios de esos ideales.

Luego Frondizi se refirió a la autodeterminación de los pueblos, que entendía así:

La defensa de la soberanía propia [...] presupone el respeto de las soberanías extrañas. No podemos reprimir a quienes intentan alterar nuestro modo de vida si a nuestra vez intentamos alterar el modo de vida de otros pueblos. [...] Si violáramos ese principio para imponer nuestras ideas a nuestros vecinos, no podríamos protestar mañana cuando otra nación quisiera imponer los suyos a los argentinos. Cuando respetamos la autodeterminación de otros pueblos estamos exigiendo a la vez el respeto a nuestra propia autodeterminación, estamos defendiendo nuestra propia soberanía.

Y reforzó el concepto con la afirmación:

La humanidad ha aspirado siempre a suprimir las guerras ideológicas entre naciones porque su experiencia milenaria demuestra que ningún pueblo logra vencer a sangre y fuego el alma de otro pueblo. [...]
Vivimos en este mundo diverso y debemos acatar las leyes de la convivencia de esas diversidades. Así lo entienden las naciones más adelantadas de la tierra [...] cuando mantienen relaciones y comercian con otras naciones que son el polo opuesto de sus ideales nacionales. En esta aceptación [...] se funda precisamente todo el derecho internacional y la carta de las Naciones Unidas. La Argentina, que es miembro de esa comunidad, tiene la obligación de respetar sus cánones y los respetará sin excepciones.

Más adelante, Frondizi se detuvo en el papel de la Argentina en América latina y el mundo:

Pero la Argentina es más que miembro pasivo de esa comunidad universal. Después de años de aislamiento la República ha adquirido una gravitación excepcional en los asuntos internacionales y, desde luego, hemisféricos, propios de una verdadera y efectiva potencia americana. [...]
Esta gravitación [...] de la Argentina, determina su intervención constante en los más graves problemas que afronta la actual situación del mundo, mediante consultas directas al presidente de la Nación. Cuestiones como la del desarme, las repercusiones del fracaso de la Conferencia Cumbre de París celebrada el año próximo pasado, la evolución de la guerra fría, la actual situación de Berlín, han provocado contactos directos con nuestro gobierno por parte de los jefes de Estado de las más grandes naciones del mundo. [...] ello acredita que la Argenti-

na no está ubicada entre los satélites, que obedecen sumisos los dictados de las grandes potencias, sino que toma parte activa y resuelta en la consideración de los problemas que más afligen a la humanidad.

Frondizi señaló a continuación que en Punta del Este comenzaba una nueva era en la historia de América:

> En lo que concierne a las relaciones intercontinentales, la reciente conferencia de Punta del Este ha traducido la expresión de un profundo cambio, al que la Argentina ha contribuido de manera preponderante. América latina discutió de igual a igual con los Estados Unidos e impuso sus puntos de vista sobre la urgencia de proveer los recursos, en magnitud y oportunidad adecuadas, para el desarrollo de base del hemisferio. [...]
> Puede decirse que en Punta del Este comienza una nueva era en la historia de América y que la Argentina ha sido uno de los principales arquitectos de esta victoria.
> Tampoco esta circunstancia ha sido casual. En Punta del Este culminó una política americana que iniciamos antes de asumir el gobierno y cuyo fruto más reciente es el acuerdo de Uruguayana. [...] En mis recientes conversaciones con los señores Stevenson, Dillon y otros hombres de Estado, escuché la firme opinión de que en todo el hemisferio se consideraba a la Argentina como factor decisivo del desarrollo económico, la estabilización democrática y, consiguientemente, del triunfo de los ideales occidentales en América. [...]

Seguidamente Frondizi pasó a referirse al problema de Cuba, calificándolo como "el más candente" en la política hemisférica, y, en ese marco, a su entrevista con el "Che":

> El Gobierno de esta Nación hermana [Cuba] emplea procedimientos que los argentinos rechazamos categóricamente. Nosotros queremos el desarrollo económico, pero estamos dispuestos a conseguirlo afirmando la libertad, respetando las tradiciones espirituales y asegurando la paz social. Somos y seremos siempre miembros de la comunidad occidental y de la familia americana. Repudiamos la injerencia de potencias extrañas en los asuntos americanos. Esta posición del Gobierno argentino es perfectamente conocida por los dirigentes cubanos. Y así se lo ratifiqué al doctor Guevara. Pero este representante oficial de una nación americana solicitó una entrevista al presidente de la República Argentina para exponer la opinión de su gobierno en materia de sus relaciones con el resto del hemisferio. Hubiera sido impropio de la responsabilidad que la propia familia americana le asigna a la Argentina, negarse a recibir al representante de un gobierno americano por más opuestos que sean los criterios sustentados por uno y otro Estado.

En uno de los pasajes culminantes de su discurso, Frondizi dijo:

Una nación seria y responsable no debe practicar la política del avestruz, que consiste en eludir los problemas o en pretender ignorarlos. Existe un problema cubano y es obligación de todos los Estados americanos considerarlo y buscar una solución que convenga a la comunidad americana y a sus ideales democráticos. [...]

Si el representante cubano deseaba discurrir con el presidente argentino ese problema, habríamos faltado a nuestros deberes de gobernantes y de americanos si hubiésemos rehuido el diálogo. *Solamente los débiles eluden la confrontación con hombres que no piensan como ellos. Ninguno de los estadistas de las grandes naciones occidentales rehúsan hablar con los dirigentes de los países comunistas. Nosotros no querríamos ser jamás gobernantes de un pueblo que tiene miedo de confrontar sus ideas con otras ideas.* [...] [Lo destacado es nuestro.]

En la parte final de su alocución, el presidente Frondizi fijó la expresión real de los intereses y aspiraciones de su gobierno.

Es la hora en que la rivalidad estéril de la guerra fría [...] ceda su sitio a una política dinámica como la que se expresa en el "Programa de la Alianza para el Progreso". [...]

Los argentinos estamos realizando con el esfuerzo del pueblo la integración de nuestras fuerzas internas y la integración de nuestro país en la comunidad americana con proyecciones desconocidas en el pasado. Los grandes países industriales de Norteamérica y de Europa están volcando importantes recursos técnicos y financieros al desarrollo de América latina, única zona subdesarrollada de Occidente.

Tenemos al alcance de nuestras manos la victoria decisiva en esta batalla por la elevación espiritual y material de nuestros pueblos. Traicionamos los altos intereses de la comunidad occidental cuando nos distraemos en la inútil discusión de querellas políticas, cuando magnificamos cualquier episodio que nos divide en lugar de luchar por los grandes objetivos que nos unen y que han de preservarnos eficazmente de la contaminación totalitaria.

La soberanía nacional se defiende fortaleciendo el frente interno para actuar con una sola voz en el concierto internacional. La defensa de los ideales democráticos del pueblo argentino no es patrimonio exclusivo de sector alguno.

Todos los argentinos estamos obligados a preservar la dignidad nacional. El presidente de la Nación es solamente el intérprete de esa conciencia nacional cuando trata con los extranjeros. Y el país y el mundo tienen derecho a exigir que el Presidente hable en nombre de todos los argentinos.

Y concluyó su mensaje en estos términos:

Estoy convencido de que hablo en hombre de todos los argentinos cuando digo que el gobierno no retrocederá en el cumplimiento del programa de afirmación democrática y desarrollo económico y social [...] Y cuando afirmo que la política internacional argentina, que ha devuelto a nuestro país su prestigio de Nación soberana e independiente, es la política que sirve a los intereses e ideales del mundo espiritual al que pertenecemos indisolublemente y a los más altos ideales de la paz mundial.

En nombre del orgullo argentino, del nuevo nombre de la Nación Argentina, formulo este nuevo llamado a la unidad nacional y afirmo solemnemente que cumpliré con mi deber sin vacilaciones, porque así entiendo servir a la preservación de la soberanía nacional, que es indivisible e indeclinable y emana del pueblo.

El discurso alcanzó gran repercusión en la sociedad y en la prensa.

En cuanto a las Fuerzas Armadas, aunque era evidente que habían sido el principal destinatario de la pieza oratoria, resultó significativo que sólo el Secretario de Marina formulase un juicio elogioso, en tanto que los titulares de Ejército y Aeronáutica se abstuvieron de comentarlo. Sin embargo, contra el pronóstico de muchos que consideraban inevitable una nueva reunión de los mandos, ésta no se produjo.

Quizás sea correcta la interpretación que hizo el corresponsal del diario uruguayo *El Plata* Oscar Leonell, en la edición del 24 de agosto: hasta el más recalcitrante nacionalista tuvo que haberse sentido tocado por la vehemencia con que el Presidente colocó a la Argentina en el concierto internacional, subrayando su autodeterminación y su total distanciamiento de toda vocación de satélite.

Repercusiones

A medida que creció la duda con respecto a la entrevista del 18 de agosto, sus implicaciones pesaron sobre todos los protagonistas de ese momento.

Janio Quadros, quien había condecorado con la Gran Cruz de Cruceiro do Sul al ministro de Industrias cubano, no pudo afrontar los ataques de sus opositores y tuvo que renunciar el 26 de agosto; como el Acuerdo de Uruguayana no se separaba de su persona, quedó paralizada su aplicación.

Richard Goodwin, por el solo hecho de haber conferenciado con Guevara, se vio envuelto en una investigación parlamentaria que perjudicó su carrera política y diplomática.

El canciller Adolfo Mugica, al confirmar la entrevista secreta entre Guevara y Goodwin, dio cabida a insistentes versiones sobre la mediación argentina. Nada era preciso, pero se desató tal reacción que se vio obligado a presentar su renuncia.

Ramón Jiménez, de AP, en un informe confidencial del 24 de agosto, comentaba:

Altas fuentes diplomáticas dijeron que la "indiscreta y prematura" revelación de los contactos entre Cuba y los Estados Unidos, pueden congelar por seis meses un movimiento latinoamericano tendiente a traer nuevamente al régimen de La Habana dentro de la organización democrática interamericana.

Observa que los informantes confirmaron ampliamente que el consejero de Kennedy había tenido una "larga conversación" con Guevara y que tanto los diplomáticos argentinos como los brasileños en Punta del Este habían tratado vanamente de reunir a los representantes de Cuba y Estados Unidos para una conversación privada. Aclararon dichos informantes que ninguna mediación en el conflicto entre las dos naciones fue ofrecida por Argentina o Brasil en ningún momento.

Por otra parte, indica que fuentes argentinas aclararon que tanto el doctor Frondizi como otros altos funcionarios se mostraron "desanimados" por las declaraciones de Mugica con respecto a la entrevista entre Guevara y Goodwin. Esto habría dejado al canciller argentino en la posición de revelar un movimiento secreto diplomático que podría antagonizar la opinión pública de los Estados Unidos.

Además, siempre según Jiménez, el incidente estaba también relacionado con la inquietud de los militares argentinos sobre el hecho de que Frondizi había recibido a Guevara, y la situación de inquietud persistía, no obstante la explicación dada por el Presidente a los líderes militares el sábado 19 de agosto y su "forzado" discurso a toda la Nación, donde nuevamente comprometió a la Argentina en los ideales "pro occidentales y cristianos".[1]

NOTA

1. Secretaría de Informaciones de Estado, Departamento Exterior, División Prensa de la Presidencia de la Nación: *Boletín diario de información de la prensa extranjera*, 24 de agosto de 1961.

El panfleto anónimo

No tardó la oposición en hacerse eco de las críticas observaciones de los exiliados cubanos. Los pedidos de informes que presentaron los diputados en la sesión del 23 y 24 de agosto no sólo ponían en duda los procedimientos del Presidente de la Nación, sino que buscaban socavar la política internacional del gobierno.

Arturo Mathov, diputado por la UCRP, el 6 de setiembre puso sobre el tapete un proyecto de nueve puntos, solicitando al Poder Ejecutivo, por intermedio de sus ministros de Relaciones Exteriores y Defensa Nacional, la aclaración de lo que consideraba una prueba más de la "ficción de constitucionalidad que se vivía".

Este pedido de informes coincidía llamativamente con un panfleto anónimo, titulado "Entrevista Frondizi-Guevara", que circulaba entre las Fuerzas Armadas, y su objetivo era crear un clima de descontrol en el país en perjuicio del esquema de poder existente. Fue precisamente *Correo de la Tarde*, en su edición del 7 de setiembre, el que señaló esa coincidencia en el artículo "Paralelismo confusionista".

El periódico de Manrique comenzaba aclarando: "En nuestras columnas hemos criticado en toda la forma la visita del 'Che' Guevara [pero] hoy reaccionamos contra algo que nos parece incorrecto". Luego manifestaba estar "de acuerdo que los legisladores deben ser celosos vigilantes del Poder Ejecutivo" pero, acotaba, "creemos que es menester seriedad". Y pasaba a llamar la atención sobre el "paralelismo" entre el panfleto anónimo y el pedido de informes de Mathov.

Para *Correo de la Tarde,* cabían tres hipótesis. La primera, que las dudas de Mathov fuesen originales; en ese caso, él u otros habían echado a correr la información a través del folleto "antes de presentarla en el Congreso" "orientándola hacia el Ejército". La segunda hipótesis consistía en que las dudas no fueran originales del diputado radical del pueblo, pero ello implicaba que éste había leído el folleto y lo había aprovechado para su pedido de

329

informes. La tercera era que alguien hubiese hecho llegar simultáneamente la información "al panfletista" y a Mathov.

En cualquiera de las tres hipótesis, concluía el periódico, "el caso deja mal parado al legislador radical del Pueblo", "demuestra cierta irresponsabilidad inexplicable" y "un deseo no exactamente aclaratorio" "sino confusionista".

> Piense usted lector... Y advierta que a Frondizi es posible criticarlo... atacarlo... acosarlo... con mil razones... y por mil motivos... pero lo que el pueblo exige es seriedad...

El presidente del bloque de la UCRI, diputado Héctor Gómez Machado, por lo que se infería a través de la lectura del artículo, solicitó su inserción en el Diario de Sesiones, junto con el panfleto anónimo y el proyecto de resolución de Mathov.

Tras la renuncia de Mugica, el doctor Miguel Angel Cárcano, respetable figura conservadora, asumió el Ministerio de Relaciones Exteriores y Culto. Frondizi mostró que sabía escoger los hilos con los que tejería la continuidad de su política exterior. El doctor Cárcano siempre reconoció como válida la autoridad del Presidente de la República y ninguno de sus actos ni ninguna de sus palabras se desviaron de las líneas trazadas por el primer magistrado.

El 27 de octubre de 1961, los legisladores de la minoría solicitaron una interpelación al ministro de Relaciones Exteriores. Este asumió el desafío de aclarar la situación, y demostró que la intemperancia de los embanderamientos políticos de los adversarios del Presidente –tanto los que lo antagonizaron desde siempre como los que lo acompañaron hasta cierto punto y luego se separaron de él– respondían abierta o solapadamente a un plan destinado a resquebrajar un proceso de cambio iniciado por Frondizi.

"Las cartas cubanas"

La oportunidad propicia para desatar el escándalo de "Las cartas cubanas" fue el encuentro que debían sostener los presidentes Frondizi y Kennedy, en el que el presidente norteamericano determinaría el apoyo de Estados Unidos al proyecto desarrollista y a obras fundamentales para concretarlo, y el argentino reafirmaría su decisión de mantener el diferendo con Cuba en el marco americano, evitando sanciones al régimen castrista que, además de quebrantar la cohesión del sistema continental, podían propiciar un enclave soviético en América. La trama del fraude puso en evidencia la connivencia entre los cubanos exiliados en Miami e intereses afines norteamericanos y sus vínculos con los servicios de inteligencia de nuestro país. Su objetivo, condicionar el diálogo entre ambos mandatarios, colocando a Frondizi en una situación comprometida.

El 26 de setiembre de 1961, a las 9 de la mañana, la delegación argentina aguardaba en el Hotel Carlyle la presencia del presidente Kennedy, para la proyectada reunión de ambos presidentes. Acompañaban a Frondizi el canciller Miguel Angel Cárcano, el embajador en Washington, Emilio Donato del Carril, el subsecretario de Estado de la Unión, Dean Rusk, y otros funcionarios.

Un mensajero entregó una carpeta a Rusk, quien de inmediato se la alcanzó a Frondizi. La misma contenía copias de documentos supuestamente sustraídos de la Embajada de Cuba en Buenos Aires por un ex empleado, demostrativos de la injerencia cubana en los asuntos internos del país.

Frondizi examinó los folios y con gesto categórico los devolvió a Rusk exclamando con firmeza: "Son falsos". El secretario de Estado, en cambio, avaló la legitimidad de los papeles y anunció que se darían a conocer en forma simultánea, mediante una conferencia de prensa, en los Estados Unidos y en la Argentina.

Su declaración provocó la terminante e indignada respuesta de Frondizi:

–Señor, puesto que ésta es la decisión de su gobierno, entiendo que no tiene objeto mi entrevista con el presidente Kennedy bajo la presión de tan absurda denuncia.

Esta actitud impulsó a Rusk a variar su proceder y concretar con el Departamento de Estado en Washington la cancelación del comunicado de prensa.

Los originales de los documentos, "por razones de seguridad", estaban en poder del Frente Revolucionario Democrático, el grupo anticastrista notoriamente orquestado y financiado por la CIA. Pío Socarrás, ex presidente cubano y declarado opositor a Castro, denunciaba, casi simultáneamente, un proyecto gestado en Cuba para derrocar a Frondizi, con lo que otorgaba un tácito respaldo a la maniobra.

La noticia no tardó en difundirse en Buenos Aires. Los principales diarios del país, en la edición del 27 de setiembre, publicaron informaciones provenientes de Miami sobre la aparición de documentos sustraídos de la embajada de Cuba en Buenos Aires por el ex cónsul Vitalio de la Torre, que confirmaban la existencia de un amplio plan subversivo originado en La Habana, en combinación con la embajada soviética y la agencia informativa rusa Tass.

El corresponsal de *La Prensa* afirmó haber repasado las piezas del legajo:

La documentación está formada por mensajes cifrados, instrucciones confidenciales firmadas por el subsecretario político del Ministerio de Relaciones Exteriores de Cuba, doctor Carlos Olivares y de otras dependencias de ese Ministerio.

Todos los documentos están dirigidos a Guillermo León Antich, encargado de negocios de Cuba en la Argentina, y muchos de ellos contienen instrucciones especiales del comandante Ernesto Guevara.

El plan, que comprendía 15 puntos, promovía las siguientes acciones: se estaba organizando una escuela de guerrilleros en la Argentina; se pasaban armas por el norte, usando con ese fin a un presunto círculo de contrabandistas de narcóticos establecido en Bolivia; se había constituido un frente de izquierda y se llevaba a cabo una campaña de difamación contra altos jefes militares; se adoctrinaba en Cuba a obreros y estudiantes; se tramaba el estallido de conflictos laborales, y se articulaba una red de espionaje en nuestro país.

Un nuevo hecho tendría espectacular repercusión. El 30 de setiembre de 1961, un abogado cubano de 25 años, Frank Díaz Silveira, representante del FRD y exiliado en Montevideo, convocó a una conferencia de prensa en un hotel de Buenos Aires y exhibió 83 fotocopias de notas confidenciales dirigidas por el subsecretario político del Ministerio de Relaciones Exteriores de La Habana, Carlos Olivares Sánchez, al encargado de negocios de Cuba en Argentina, Guillermo León Antich. Confirmó que Vitalio de la Torre había entregado los reveladores documentos en Miami al coordinador general del FRD, Antonio de Varona. Pese a las numerosas incongruencias que caracterizaron a la conferencia, la prensa concedió credibilidad al denunciante ofreciéndole importantes espacios en sus páginas.

Para Díaz Silveira, el caso era la repetición de un hecho análogo que protagonizó en Perú con la activa participación de la CIA y de su jefe, Allen Dulles. En aquella oportunidad también aparecieron documentos, descalificados por Castro, que provocaron la ruptura de relaciones diplomáticas entre Cuba y Perú.

El 2 de octubre, Díaz Silveira y Alberto Espinosa Bravo –representante oficial del FRD en Buenos Aires– concurrieron a la Cancillería para hacer entrega de las fotocopias al canciller Cárcano, quien exigió la presentación inmediata de los originales para que peritos argentinos determinasen su autenticidad. El doctor Cárcano rechazó, por lesiva, la pretensión de Díaz Silveira de realizar la verificación en Washington.

El debate llegó al Parlamento; diputados de la oposición evaluaron la actitud del gobierno y exigieron precisiones sobre su conducta internacional. Las Fuerzas Armadas no permanecieron al margen del grave suceso y evidenciaron síntomas de intranquilidad. Mientras el Ejército y la Aeronáutica mantuvieron una tensa expectativa, la Marina optó por la acción directa. El secretario del arma, contralmirante Clement, llevó al Presidente un voluminoso legajo en el que se detallaban los supuestos delitos en que habían incurrido funcionarios argentinos mencionados en las notas, para quienes se anticipaba a exigir sanciones sin esperar la constatación de su veracidad.

Correo de la Tarde y *La Prensa* publicaron ácidos comentarios y rivalizaron en el tono crítico. El primero, en su edición del 2 de octubre increpó al gobierno:

> Una semana ha transcurrido desde que este escándalo se iniciara y el gobierno argentino sigue impertérrito. Penosamente impertérrito. Si pareciera que ya no tenemos sangre en las venas.

A su vez, *La Prensa*, el 3 de octubre, aceptaba como legítimos los cuestionados folios:

> Ninguna argucia podría sugerir dudas respecto de la autenticidad de esas notas, cuyo contenido no hace más que confirmar lo que todo el país sabe por verificación cotidiana de los hechos [...] Debe comprender el Poder Ejecutivo que su reacción, por lo apagada y poco espontánea, no corresponde a la del país. [...]

Nuevamente *Correo de la Tarde*, el día 5, con el reconocible estilo de Francisco Manrique, se exasperaba ante la prudente posición del Ejecutivo: "Falta sangre dijimos, olvidándonos de decir también que falta vergüenza. Sangre y vergüenza".

El escándalo derivó en abiertos ataques a la dirección impresa a las relaciones internacionales. *La Nación*, el 3 de octubre, en su columna de comentarios políticos ratificó esos móviles:

> Si los documentos fueran auténticos, nuestro Gobierno se halla ante un hecho nuevo que puede obligarlo a revisar las líneas generales de su política exterior tales como fueron definidas en Nueva York [...] Los postulados de la política integracionista en materia internacional sufrirán un rudo golpe.

La Cancillería argentina fijó su posición mediante un comunicado que difundió el 2 de octubre:

> Durante su permanencia en Nueva York, el ministro de Relaciones Exteriores y Culto tuvo conocimiento de la existencia de algunos documentos atribuidos al gobierno de Cuba [...] se iniciaron de inmediato gestiones para obtener los documentos originales. Hasta las 20 del día de la fecha, ni la Cancillería ni las representaciones argentinas en el exterior habían recibido esa documentación. El gobierno argentino fijará su posición una vez que la Cancillería haya examinado detenidamente dichos originales para establecer su autenticidad y analizar su contenido.

Fidel Castro aportó su cooperación para destruir la trama que lo implicaba, y ofreció al gobierno argentino la copia de los elementos de juicio que considerase necesarios para llegar a la verdad.

El heraldo de la organización anticastrista en la Argentina, Espinosa Bravo, que declaró ignorar todos los hechos, no quiso incriminarse con los intereses encubiertos que afloraban detrás del asunto, y asumió la decisión de renunciar a su representación. Manifestó que

> su organización estaba siendo instrumentada por sectores internos de la política argentina y que esos sectores adversos al gobierno podían aprovecharse de toda la situación para crear dificultades a las que el FRD tenía que mantenerse ajeno.[1]

En medio de la tempestad, el gobierno no abandonó la mesura y siguió requiriendo con firmeza los papeles originales. Finalmente, tres oficiales de las Fuerzas Armadas viajaron a Miami donde recibieron las notas auténticas. En la Cancillería, el jefe de los Servicios de Informaciones Navales, capitán de fragata Antonio Revuelto hizo entrega de la documentación.

El paquete contenía 33 documentos, número inferior a las fotocopias depositadas en la Cancillería, que sumaban 83. Un solo documento concordaba con dichas fotocopias; el resto consistía en notas, circulares de rutina y hasta recibos de compras carentes de significación.

Para dar confiabilidad a la investigación, el canciller Cárcano convocó a un calificado grupo de distintos organismos; Policía Federal, secretarías de Guerra, Marina y Aeronáutica, Servicio de Informaciones del Estado, Ministerio de Relaciones Exteriores y Culto, Cámara Nacional de Apelaciones en lo Penal y Colegio de Calígrafos Públicos Nacionales. El Ministerio de Defensa Nacional y la Cámara de Diputados de la Nación designaron veedores.

El único documento que coincidía con las copias fue sometido a exhaustivos análisis. Lo firmaba Ramón Aja Castro, funcionario cubano a quien se le solicitó a La Habana su firma autógrafa para el necesario cotejo.

Al finalizar su minuciosa tarea, los técnicos emitieron un fallo suscripto por unanimidad, en el que confirmaban la burda falsificación del documento demostrando así, definitivamente, un fraude que Frondizi había rechazado con seguridad y convicción en Washington.

Trascendió que la falsificación se había realizado en Buenos Aires. Si bien la Policía inició una investigación para descubrir a los responsables, el caso no llegó a esclarecerse totalmente. Las sospechas sobre los servicios de información persistieron.

NOTA

1. Scenna, Miguel Angel: "Frondizi y las cartas cubanas. Crónica de un fraude histórico", en *Todo es Historia*, N° 48, abril de 1971, pág. 23.

Primera entrevista Frondizi-Kennedy

El 26 de setiembre de 1961 Frondizi y Kennedy se reunieron por vez primera. Dejemos que sea el propio Frondizi, a través de fragmentos de un artículo inédito del 13 de agosto de 1965, titulado "El significado de Kennedy", quien nos relate las circunstancias del encuentro.

La invitación del presidente Kennedy coincidía con nuestros propósitos de participar en el debate general de la XVI sesión ordinaria de la Asamblea General de las Naciones Unidas. Decidimos, entonces, aceptar la sugerencia y aprovechar la presencia del presidente norteamericano en Nueva York para mantener una conversación que el estado de los asuntos hemisféricos hacía altamente aconsejable.

Tuvimos entonces el privilegio de conocer a John Kennedy. La profunda admiración y estima que le dispensábamos salió consolidada y fortalecida del diálogo franco y detenido que entonces mantuvimos. Cambiamos ideas sobre todos los problemas hemisféricos y el presidente norteamericano nos expuso importantes detalles de la situación mundial así como sus puntos de vista para afrontarlos. Las relaciones bilaterales fueron materia de un minucioso análisis en el que participó un equipo gubernamental altamente representativo de los dos países. Las conclusiones fueron publicadas en el extenso comunicado conjunto que se dio a publicidad terminadas las cuarenta y ocho horas que duraron las entrevistas.

La fórmula de Kennedy era nuestra propia fórmula: cooperación en el plano económico, independencia y respeto a la autodeterminación en el plano político. Nosotros pusimos énfasis especial en la situación latinoamericana, en la gravedad de sus males y en la urgencia con que debían aplicarse las necesarias soluciones. Manifestamos nuestras discrepancias con el enfoque asistencial de la Alianza para el Progreso aunque reconocimos la contribución sustancial que resultaría del programa. Concordamos en los peligros resultantes de la agitación del comunismo y de otros extremis-

mos, pero no hicimos ninguna concesión ante las tesis represivas y policiales que no tienen otro resultado que estimular las tensiones que pretenden superar. Dijimos con toda franqueza que la política seguida ante el problema cubano no llevaba a otro camino que a enfrentar a los gobiernos democráticos y populares del continente con la presión en pinzas de la izquierda y la derecha extremista.

El otro problema tenía para nosotros el valor de un símbolo en los programas de desarrollo continental. El proyecto de El Chocón era y es una primera prioridad argentina. Contra la idea, el Banco Mundial, encabezado por su presidente, el señor Eugene Black, había levantado una oposición intransigente. Las palabras con que el comunicado conjunto recogió el compromiso político del presidente de los Estados Unidos de respaldar la construcción de la obra continúan allí, donde fueron escritas, como testimonio casi olvidado de una gran frustración argentina y de la formidable capacidad de resistencia que pueden oponer ciertos intereses a los más urgentes y necesarios programas de transformación.

Con el presidente Kennedy era posible el diálogo totalmente franco. Nosotros manifestamos sin ninguna clase de disimulos cuáles eran nuestras opiniones en torno de los problemas fundamentales de la política internacional. Ese mismo lenguaje inspiró nuestra exposición ante la Asamblea General de las Naciones Unidas.

Creemos que estuvimos acertados. Los años transcurridos no han hecho sino confirmar las grandes líneas en las que basamos nuestra actuación internacional. La afirmación de la coexistencia pacífica, la consolidación de la paz mundial, el papel rector de las Naciones Unidas, la superación de los conflictos ideológicos ante el gran problema del subdesarrollo, la necesidad del desarme, la definitiva victoria del principio de las nacionalidades, la necesidad de la autodeterminación y de la no intervención, el ocaso del colonialismo, la interdependencia mundial y la cooperación para el desarrollo, la coincidencia de intereses de los países industriales y los rezagados, fueron las grandes líneas de aquella exposición. Las desarrollamos con plena conciencia de que ellas eran el gran tema en cuestión en el debate entre las fuerzas de la reacción y las fuerzas transformadoras de la democracia.

En Nueva York, en la propia antesala del presidente Kennedy aquellas fuerzas dieron un paso que demuestra, como pocos durante nuestro gobierno, su capacidad de organización y su audacia sin límites. Fue entonces, en una reunión entre los presidentes de la Argentina y de los Estados Unidos, cuando se nos pusieron de manifiesto los famosos "documentos cubanos".[...] Pese a la grosería de la falsificación, el gobierno argentino debió soportar durante casi veinte días la presión inmensa, superada en buena medida merced al contacto del canciller Cárcano, a los efectos de rom-

per relaciones con el gobierno de Cuba. Creemos que no fue una limitada contribución al decoro nacional haber resistido esas presiones que evitaron a la Argentina el bochorno de una decisión impuesta desde el exterior por un grupo de falsificadores internacionales y sus cómplices dentro del país.

La entrevista Frondizi-Stevenson

El 26 de noviembre de 1961 Frondizi emprendió una gira al Canadá y Asia, cuyo objetivo central era establecer relaciones económicas con los países del Pacífico. Durante una escala en la isla Trinidad, el Presidente Argentino mantuvo una entrevista con Adlai Stevenson, en momentos en que, según reseña el mismo Frondizi "la cuestión cubana amenazaba seguir un curso de evolución cada vez más pernicioso".

En relación con Cuba, desde antes de la primera reunión de Punta del Este, se perfilaban dos políticas divergentes: la del presidente colombiano Lleras Camargo y la de Frondizi. El primer mandatario de Colombia había presentado un memorándum al respecto. Y Frondizi, en "El significado de Kennedy", lo juzgaba de esta manera:

El memorándum Lleras Camargo pretendía enfocar el problema cubano a la luz de la situación continental y de la mecánica de la OEA. Desde el segundo punto de vista, entendía que dentro del actual sistema nada se podía hacer y que era indispensable la reformulación previa del concepto de agresión definido en el Tratado de Río, para adecuarlo a las modalidades de la penetración comunista. [...]

Nosotros no concordábamos con aquel criterio, porque no nos engañábamos respecto de sus tácitas implicancias, esto es, la movilización del mecanismo de sanciones del Tratado de Río.

Un segundo memorándum de Lleras Camargo daba el marco político en que se realizó el encuentro de Frondizi con Stevenson. Volvemos a dejar el relato en manos de nuestro protagonista.

El segundo memorándum Lleras avanza en la reformulación del nuevo concepto de agresión y acompañaba algunos proyectos concretos. Las cancillerías disponían de información suficiente como para saber adónde iba, en definitiva, el gobierno colombiano. Su propósito no era en definitiva otro que lograr una convocatoria continental para aplicar al régimen de Castro las sanciones del Tratado de Río [...]

Nosotros ratificamos nuestro juicio respecto de la situación cubana. Manifestamos que a nuestro modo de ver no se trataba de modificar el Tra-

tado de Río y, mucho menos, de aplicar sanciones a Fidel Castro. Que era menester hablar con franqueza sobre el tema. Si lo que nos proponíamos los latinoamericanos era derribar a Fidel Castro tal camino no era idóneo. [...] Castro no dependía de América latina y ya había dejado de depender comercialmente de los Estados Unidos. Si lo que se procuraba era crear condiciones para normalizar las relaciones de Castro con el resto del hemisferio, no tenía sentido pensar en la aplicación de sanciones colectivas. Por otra parte, estábamos nosotros convencidos que esas sanciones no serían acatadas por varios países latinoamericanos [...] Creíamos que lo que correspondería era fortalecer la unidad hemisférica por la vía de la cooperación económica y con la exigencia de la ratificación de los compromisos asumidos en defensa de la democracia representativa, entre otros el suscrito en Santiago de Chile, durante la Quinta Reunión de Consulta por el propio Castro.

Había, también, un pensamiento nacional que confirmaba las graves dudas que el gobierno argentino alimentaba con relación a la organización americana y, muy en especial el sistema de seguridad colectiva. La Argentina deseaba preservar su autodeterminación frente al caso cubano, precisamente porque era éste un verdadero "test" que la ponía a prueba. ¿Era compatible esa autodeterminación con los mecanismos mayoritarios del sistema? ¿Podría continuar pretendiendo los Estados Unidos imponer su voluntad en sectores considerados de importancia vital por otras naciones americanas?

Por otra parte, el gobierno argentino comenzaba entonces a estudiar lo que, a la larga, fue su tesis en Punta del Este. El problema de Cuba no era el de aplicar o no sanciones a su gobierno. Consistía, por el contrario, en si su gobierno era compatible con el sistema interamericano, entendido como mecanismo de cooperación económica, de solución pacífica de conflictos y de seguridad colectiva.

Esa tesis fue la que, una vez perfilada, explicó nuestra entrevista con el embajador Stevenson en Trinidad, en escala especial en nuestro viaje a Canadá. Hicimos conocer allí nuestra definitiva opinión. Entendíamos que el caso cubano no debía ser considerado en una reunión hemisférica, porque de allí no surgiría ninguna solución constructiva. Sin embargo, ante el hecho de que ya existía el proyecto concreto de convocar a una reunión de consulta de cancilleres para tratarlo y considerando los problemas que el fracaso de la reunión podía plantear al gobierno de Kennedy, aceptábamos la convocatoria. Sin embargo, expresábamos que el consejo de la OEA no debía fundar la convocatoria en el Tratado de Río sino en el mecanismo de la Carta de Bogotá. Aquéllos conducirían a la aplicación de las sanciones. Estos la excluían a priori y permitían la atención del verdadero problema: la consolidación positiva de la democracia representativa en todos los países de América latina.

Estas opiniones fueron transmitidas por el embajador Stevenson al pre-

sidente Kennedy. Fueron compartidas en principio por el gobierno nortea-
mericano. Durante nuestra permanencia en Canadá, Dean Rusk habló con
nuestro canciller, el doctor Miguel Angel Cárcano, agradeciéndole los re-
sultados de la Conferencia de Trinidad: posteriormente en la reunión del
Consejo de la OEA, la presión de algunos gobiernos latinoamericanos de-
terminó otro desenlace: el proyecto colombiano que establecía una convo-
catoria del Organo de Consulta sobre la base del Tratado de Río prosperó
con el voto negativo de México y la abstención de cinco países latinoame-
ricanos: Argentina, Bolivia, Brasil, Chile y Ecuador.

El canciller Cárcano hizo llegar al embajador Stevenson el profundo
disgusto de nuestro gobierno por esa determinación, que nos fue comunica-
da ya en el Oriente. La respuesta del gobierno de los Estados Unidos con-
sistió en una urgente invitación del presidente Kennedy a que hiciéramos
una segunda escala en su país para intercambiar opiniones y, en caso de
ser posible, para coordinar una acción conjunta.

En el Extremo Oriente

La delegación argentina, tras esa escala en Trinidad, continuó con la gira
programada, que tuvo como primer destino la ciudad de Toronto, en Canadá. Más tarde, ya en Nueva Delhi, en la India, llegó una carta de Stevenson
en la que el embajador americano admitía, con gran pesar,

> la falta de voluntad de otros gobiernos claves para la cooperación. En estas cir-
> cunstancias abrigamos la esperanza de que vuestro gobierno se unirá a los Es-
> tados Unidos al votar el 4 de diciembre, para la convocación de una reunión de
> cancilleres el 10 de enero, según lo propuesto por el gobierno de Colombia.

En su respuesta del 6 de diciembre de 1961, el canciller argentino no vaciló en ratificar que

> los esfuerzos argentinos, como bien manifiesta Vuestra Excelencia, estaban di-
> rigidos principalmente a lograr una base de negociación, que permitiera mante-
> ner la unidad americana en estos difíciles momentos.
> Lamentablemente ello no ha sido posible por la intransigencia de unos y la vaci-
> lación de otros [...] La abstención argentina, a pesar de su oposición a los funda-
> mentos jurídicos de la propuesta colombiana, es la máxima concesión que ha po-
> dido hacer nuestro gobierno en mérito al pedido especial de Vuestra Excelencia.

Unas horas después, Frondizi recibió una invitación de Kennedy para que,
a su regreso a la Argentina, hiciera escala en los Estados Unidos para entrevistarse nuevamente con él.

La visita de Frondizi al Japón fue la primera realizada por un presidente argentino. Buena idea de la importancia del acontecimiento la da el hecho de que, rompiendo un cerrado protocolo milenario, el emperador Hirohito concurriera a recibirlo al aeropuerto, como muestra de la simpatía y el respeto del pueblo nipón.

Finalizada la gira asiática, la delegación prosiguió con el itinerario hacia Hawai y San Francisco, para responder a la invitación de Kennedy. En esta ciudad, el 24 de diciembre de 1961, esperaba a Frondizi el avión AF 1, que lo condujo a la ciudad balnearia de La Florida. Allí, en Palm Beach, se llevó a cabo la entrevista entre ambos presidentes.

Segunda entrevista Frondizi-Kennedy

Volvamos al artículo inédito de Frondizi.

Conversamos a solas, por expresa requisitoria del presidente Kennedy que quiso mantener todo lo tratado en la más absoluta reserva. Los detalles con que John Kennedy matizó las precauciones en torno de aquella entrevista eran claro indicio de la gravedad de las presiones que lo rodeaban. Más que nunca el tono de la entrevista fue la absoluta franqueza.

Expresamos a Kennedy nuestra discrepancia con las sanciones. Le señalamos, con toda claridad, que si ellas se resolvían, la Argentina no acompañaría con su voto a los Estados Unidos. Manifestamos que a nuestro juicio, no se obtendría en Punta del Este mayoría suficiente ante las posiciones anticipadas por varios países latinoamericanos. Pero que, si ella se obtenía, sería a costa de la escisión hemisférica y de la oposición entre los Estados Unidos y los principales países latinoamericanos.

Insistimos en nuestra firme decisión de preservar la autodeterminación nacional en torno del problema cubano que, por su gravedad, no podía quedar a las resultas del mecanismo de las mayorías del sistema, sin poner en duda a la larga, la conveniencia del mismo para muchas naciones de América latina. Ratificamos nuestra ilimitada simpatía por su gestión de gobierno y nuestra opinión que en Punta del Este era menester obtener un apoyo global dentro de lo que era realmente posible y no un apoyo limitado que sería a la larga una victoria para Castro. Dejamos en claro que no deseábamos dar a Castro una plataforma continental en perjuicio del gobierno de Kennedy y de Latinoamérica, pero que no cederíamos a ninguna presión para imponernos un voto que entendíamos perjudicial a nuestros intereses como Nación.

Nuevamente hicimos conocer a Kennedy cuál era a nuestro juicio la solución correcta; fortalecer el sistema continental, pero por el camino positivo de la democracia representativa. Sobre esas bases hicimos saber que estábamos dispuestos a proponer otro camino capaz de dar bases ciertas a un acuerdo unánime.

El presidente Kennedy no puso reparos de fondo a nuestro planteo, aunque señaló la necesidad política imperiosa de hacer algo respecto de Cuba, sobre todo por razones de política interna norteamericana. Pero concordó en los aspectos básicos de nuestro esquema: la necesidad de dar soluciones positivas y de evitar divisiones de fondo en el sistema continental. Como resultado concreto, el presidente solicitó le remitiéramos desde Buenos Aires los proyectos concretos que Argentina presentaría a la confederación, para elaborar un acuerdo previo entre los dos países.

El embajador Carlos Ortiz de Rozas, quien se desempeñó como intérprete en esa ocasión, ha dejado un relato detallado del diálogo entre los dos presidentes, del que reproducimos algunos fragmentos:

KENNEDY: El embajador Stevenson me ha informado en detalle de lo que conversaron y convinieron en Trinidad. Tengo entendido que le expresó la seriedad con que mi gobierno y el Congreso de los Estados Unidos ven la penetración soviética en el continente utilizando los servicios del satélite cubano. Eso constituye un peligro cierto para la estabilidad política de muchos países pero también para el propio Sistema Interamericano.

La reunión de consulta ha sido una iniciativa exclusivamente colombiana pero Estados Unidos no podía menos que apoyarla para no aparecer indiferente en un problema que lo afecta tan de cerca. La votación en el Congreso de la OEA ha sido entonces la culminación de un proceso que comenzó hace bastante tiempo. Corresponde ahora emprender algún tipo de acción conjunta apta para hacer frente al peligro cubano.

Si la OEA no hace algo en ese sentido pronto la opinión pública norteamericana puede reaccionar negativamente e influir en forma adversa en el Congreso, que debe votar los fondos para la Alianza para el Progreso.

La cuestión ha adquirido tal magnitud en mi país que si no se logra algo contundente el futuro de la administración demócrata puede verse seriamente afectado.

Colombia estima que es preciso aplicar una sanción al régimen de Castro y que la medida más indicada es la ruptura colectiva de relaciones con La Habana. El gobierno norteamericano ve con buena predisposición esta iniciativa. Hay países que irían aún más lejos en la adopción de sanciones contra Cuba. Pero para nosotros es importante la opinión de los países más significativos de la América latina y de ahí que deseaba conocer la posición argentina a la luz de los nuevos acontecimientos registrados luego de Trinidad, o sea, la aprobación de la convocación del Organo de Consulta resuelta por el Congreso de la OEA el 4 de este mes. En especial, querría conocer también la actitud que a su juicio asumirían Brasil y Chile, países con los que la Argentina tiene excelentes relaciones.

FRONDIZI: Comparto su posición de que Cuba es un problema hemisférico y no sólo norteamericano. Estoy también totalmente de acuerdo en que es más serio para la América latina que para los propios Estados Unidos. Y precisamente por eso nos extraña y nos duele la forma en que Estados Unidos conduce la cuestión. Es un problema de todos y sin embargo un día nos encontramos ante el hecho consumado del desembarco en Playa Girón, sin que ninguno de los países americanos –salvo uno o dos directamente interesados– hubiesen sido consultados. Luego, ya en algo que nos llegó de cerca mientras nos hallábamos conferenciando en Nueva York, como usted recordará se produjo el caso de los documentos cubanos, presuntamente originados en la Embajada de Cuba en Buenos Aires y en La Habana, que resultaron ser falsos. A raíz de ello mi gobierno tuvo que soportar durante un mes toda suerte de presiones y hacer frente a una peligrosa crisis. Más adelante, hace poco de esto, nos enteramos por los diarios de la moción colombiana presentada en la OEA.

Nos inquieta que Colombia haya dado ese paso sin avisarnos pero mucho más nos preocupa que Estados Unidos, a pesar de considerar la situación cubana como un problema de todo el hemisferio le haya dado de inmediato su apoyo sin consultar para nada a las naciones más importantes del hemisferio.

Ahora, resuelta ya la convocatoria sobre la base del TIAR –lo cual a nuestro juicio es un error pues debió haberse hecho de conformidad a la Carta de Bogotá– nos encontramos ante la posibilidad de sanciones bajo la forma de una ruptura colectiva.

A este respecto, por lo pronto, hay que hacer un par de consideraciones. Primero, va a consolidar aún más el aislamiento de Cuba y, en lugar de dar resultados favorables, va a determinar la total incorporación de ese país a la esfera soviética, sin posibilidad de retorno a la comunidad americana. Segundo, los dos tercios de votos requeridos para poder aprobar la ruptura representarían una magra satisfacción para los Estados Unidos puesto que trece de los catorce países necesarios para alcanzar esa mayoría ya han roto relaciones con Cuba y no por razones ideológicas, como su gobierno, sino bilaterales. Es decir, que la Conferencia se realizaría nada más que para obtener la adhesión de otro país, el voto nº 14. Sabido es que los restantes miembros de la OEA hay que descartarlos porque son decididamente contrarios a las sanciones.

Una medida semejante, sobre la cual no existe unanimidad entre los países americanos, va a causar más perjuicio a las demás naciones que a Cuba. Por ejemplo, en la Argentina no existe hoy un problema cubano. Naturalmente, hay quienes están resueltamente en contra de Castro y algunos que están a favor. Pero no hay división seria de la familia argentina a este respecto. Es indudable, sin embargo, que llamados a pronunciarnos en uno u otro sentido, cualquiera sea la actitud que en definitiva adopte el gobierno argentino, esa división se ha de producir inevitablemente.

Ya concretada la convocatoria, sólo caben dos salidas adecuadas. En primer lugar, un intenso trabajo de consultas entre las cancillerías americanas para lograr una solución que concite el apoyo de todos los países, evitando así una escisión que únicamente ha de favorecer a Cuba y, en segundo lugar, un decidido, eficaz e inmediato impulso a la Alianza para el Progreso.

La Argentina está en constante contacto con varios países, especialmente Brasil y Chile, y puedo adelantarle que el que he expuesto es el sentir de sus respectivos gobiernos. Está además dispuesta a proseguir sus esfuerzos en la búsqueda de una fórmula común.

Sin perjuicio de ello quiero insistir en lo que le dije en nuestro anterior encuentro acerca de que si los Estados Unidos no se ponen de acuerdo con los tres o cuatro países más importantes del continente no le será posible estructurar una política eficaz y duradera, apropiada para el caso cubano pero también para atacar otros aspectos de la más alta prioridad para América.

Recordaba Frondizi con simpatía que, durante la reunión, entró en la habitación Jacqueline con su hijo John John en brazos, descalza, vestida con una malla que resaltaba su perfecta silueta; su presencia, por breves instantes, aportó la cuota de agradable familiaridad.

Kennedy, quien siguió atentamente la exposición de Frondizi, respondió a sus sugerencias con estos expresivos términos:

Su éxito será nuestro éxito y desde ahora quiero comprometer el apoyo sin reservas del gobierno norteamericano y sin límites en cuanto a la ayuda que podamos proporcionarle. Esta es, doctor Frondizi, la palabra del presidente de los Estados Unidos.

La conversación duró aproximadamente una hora cuarenta minutos.

Es un hecho que tanto Frondizi como Kennedy actuaban presionados por fuerzas que no coincidían con sus planes de desarrollo integral de los pueblos latinoamericanos y con sus esfuerzos por crear espacios de convivencia. Recordaba el doctor Cárcano que, al comentarle a John F. Kennedy las fuertes presiones que trababan la acción del gobierno argentino, el presidente norteamericano le contestó:

¿Y usted cree que yo no las tengo? Las tengo cada vez mayores y se producen aún con más intensidad y tanta violencia como en su país. Conozco muy bien las suyas y también las mías, pero es necesario dominarlas y vencerlas.

De allí que, salvo Ortiz de Rozas, no hubiera otro traductor en la reunión. Y que Kennedy les entregase un papel en el que, escrito con rápidos rasgos, figuraba el nombre de una persona de su absoluta confianza que sería el nexo entre ambas autoridades, con exclusión absoluta del Departamento de Estado, la CIA y el Pentágono.

Con pesar, Frondizi siempre decía: "Así gobernaba mi amigo Kennedy".

Finalizada la reunión –que Frondizi describe en el artículo inédito que hemos citado y en el folleto *El presidente Kennedy que yo conocí–*, el magistrado norteamericano lo acompañó hacia el aeropuerto.

Durante el trayecto *–relata Frondizi–*, algunas personas que se encontraban en ese balneario de lujo lo aplaudieron tibiamente. Kennedy, observándolos, me dijo con profunda tristeza: "Presidente, esta gente a mí no me quiere, esta gente me odia, esta gente desea verme muerto; esta gente me va a hacer matar". Fueron palabras proféticas. Lo asesinaron el 22 de noviembre de 1963.[1]

John F. Kennedy en la visión de Arturo Frondizi

Arturo Frondizi concluía su artículo "El significado de Kennedy" con estas palabras:

La perspectiva histórica permite un juicio definitivo de John Kennedy.

Su figura se ha incorporado a la conciencia de nuestra época como un símbolo de los grandes objetivos de la humanidad. Kennedy representó la coexistencia pacífica, la lucha por la paz, la ayuda a las naciones subdesarrolladas.

En su persona se encarnaron los ideales dinámicos de la democracia, la idea de la justicia, la noble aspiración por la supresión definitiva del hambre, de la ignorancia, del miedo al porvenir. Su convocatoria por una nueva frontera tuvo repercusión universal en todos los corazones de ricos y pobres, de sabios e ignorantes, de blancos y negros.

A su visión se debe la formidable recuperación económica de su país, la distensión que permite vislumbrar un acuerdo permanente, la superación del terrorismo ideológico que ensombreció las largas jornadas de la guerra fría.

Kennedy luchó contra el miedo. Fue el heredero de la tradición cristiana y de la lucha que hizo de Occidente el reino universal de una nueva libertad. Por eso lo odiaron todos los que hacen del miedo al cambio, del miedo al consumismo, del miedo a la renovación, el instrumento ideológico de su dominio y el freno mental que bajo la supuesta defensa de Occidente, perpetúa el feudalismo, la injusticia y la dictadura.

Vivió en la época en que la humanidad fue iluminada por la vida y el ejemplo de un Santo como Juan XXIII. Fue el representante de los Estados Unidos en el gran diálogo que del lado de la Unión Soviética asumió Nikita Kruschev, en quien los hombres de nuestra época reconocerán el símbolo de la transición hacia un nuevo orden en que su país recuperó los valores de un humanismo al que el pueblo ruso ha hecho imperecederas contribuciones.

344

Tuvimos el honor de conocer al mandatario norteamericano y de compartir ideales comunes. Esos ideales permanecen en pie. La muerte de Kennedy aplaudida en muchos secretos cenáculos del odio, llorada por todos los hombres de buena voluntad, ha sido el símbolo de una transición. La tarea de nuestra época es concretar aquellos ideales como Kennedy los alentó dentro de la paz, la cooperación y la verdadera democracia.

Nota

1. Frondizi, Arturo: *El presidente Kennedy que yo conocí. Testimonio histórico*, reedición de la conferencia pronunciada el 14 de junio de 1989 en el salón de actos de la Academia Argentina de la Historia, Buenos Aires, 1991.

En enero de 1962 se realizó la nueva Conferencia de la OEA en Punta del Este. Recordemos que la conclusión de la reunión de Palm Beach fue que la Argentina y los Estados Unidos tratarían de "elaborar un acuerdo previo entre los dos países". Puesto que los prolegómenos y el desarrollo de la Conferencia también aparecen vívidamente descriptos por Frondizi en "El significado de Kennedy", nos permitimos volver a citar este artículo inédito.

Tratativas preliminares

Las dos cancillerías comenzaron contactos directos. Dos funcionarios argentinos viajaron a Washington para elaborar un proyecto conjunto. Una escala en Brasil permitió alcanzar un acuerdo básico con el gobierno del señor Goulart a través de su canciller Dantas, que acababa de hacer pública una posición respecto del problema cubano que el gobierno argentino consideraba no adecuada a las condiciones específicas del sistema interamericano. Quedó en claro que esa posición brasileña [...] –que el canciller Dantas interpretaba como una neutralización sobre el modelo de Finlandia– [era] susceptible de adecuaciones a la circunstancia política real.

En Washington el secretario de Estado, Dean Rusk, formuló ante los funcionarios argentinos una defensa casi protocolar de la conveniencia de la aplicación de sanciones [...] Pero, en los hechos, dispuso la iniciación de las conversaciones sobre la base del proyecto argentino.

Este proyecto importaba la reafirmación de los principios de la democracia representativa. Reconocía la incompatibilidad de un sistema marxista leninista con la letra y los objetivos de la OEA. Finalmente planteaba el problema de la permanencia de Cuba en la Organización, visto el pronunciamiento del propio primer ministro cubano, de los primeros días de diciembre del año anterior –1961– acerca de la condición marxista leninista del régimen cubano.

Con ese acuerdo básico entre los dos países se inició la Octava Reunión de Consulta de Cancilleres.

El desarrollo de la Conferencia

Esta reunión arrastró un par de días la discusión en torno del proyecto colombiano de aplicación de sanciones. Al tercer día era claro que el proyecto contaba con la oposición expresa de los principales países latinoamericanos, que no se reunían [los] catorce votos ante la inesperada deserción de Haití y que los Estados Unidos no tenían interés en su aprobación. Las coincidencias de West Palm Beach funcionaban, hasta entonces, sin dificultades.

[...] en adelante la Conferencia derivó a su verdadero nudo: el problema de la democracia representativa en el continente y la compatibilidad del régimen de Castro con el sistema de la OEA.

Sobre este punto, nada existe en la Carta que impida la presencia de un sistema socialista dentro de la organización. [...] Pero el hecho de la realidad era que ni como mecanismo defensivo ni como sistema de cooperación económica podía la OEA funcionar normalmente con Cuba como miembro. La autoexclusión de Cuba de la Alianza para el Progreso luego del dramático discurso de Guevara en la Reunión del CIES de Punta del Este certificaba la segunda verdad. La primera estaba resuelta con la exclusión de hecho del delegado cubano de las reuniones reservadas de la Junta Interamericana de Defensa.

No había, pues, dificultad en cuanto al acuerdo sobre la incompatibilidad [...] entre la OEA y el régimen de Castro. El problema era la conclusión política a deducir del principio.

Allí se deslindaron de inmediato dos posiciones extremas. La que pretendía la exclusión de la OEA por el propio Organo de Consulta era una de ellas. La otra entendía que no podía el Organo de Consulta [...] disponer la exclusión [...] Como posición intermedia el canciller Rusk en su discurso en el debate señaló una alternativa ya contemplada por varios países latinoamericanos: adoptar una "decisión de policía" (policy decision) en el sentido de la exclusión pero subordinada a los mecanismos jurídicos de la OEA.

Esta posición era la adoptada por la Argentina. Para nuestro país resultaba indiscutible que no existía ninguna posibilidad de excluir a Cuba por vía del Organo de Consulta. Este no tenía facultades. [...] En consecuencia, nosotros concordábamos en la posibilidad de adoptar una directiva política respecto de la situación cubana, pero reclamábamos la reunión de una Conferencia Extraordinaria que modificara la Carta y diera base en derecho a la decisión ulterior.

Las dramáticas jornadas que se sucedieron, tuvieron como centro la acción de la delegación argentina para conseguir un acuerdo general unánime. Colombia, Perú y Guatemala representaban la posición extrema en el sentido de la exclusión inmediata, tal vez con el respaldo de sectores de la propia delegación de los Estados Unidos. El canciller Dantas encarnó el otro punto de vista.

El día anterior a la clausura, Argentina y Estados Unidos se pusieron de acuerdo en un texto. Nuestra delegación obtuvo el apoyo de México, Chile, Ecuador y Bolivia y la adhesión condicionada de Brasil. El secretario de Estado se ocupó de quebrar la resistencia de los países de la llamada "línea dura". No lo consiguió.

El día de la votación final, el grupo mayoritario introdujo el proyecto que excluía a Cuba de la OEA por decisión del Organo de Consulta. Los países de la minoría fundaron su posición contraria a esa decisión que importaba la primera grave violación del derecho interamericano y era, en cuanto tal, precedente de los numerosos desastres del futuro. El canciller Cárcano, cumpliendo las expresas instrucciones que le envié fundó su abstención en la necesidad de la defensa del derecho. [...]

La verdad histórica debidamente restaurada hace concluir, pues, que en la Conferencia de Punta del Este hubo un acuerdo fundamental entre la diplomacia del presidente Kennedy y la nuestra. El canciller Rusk valoró la importancia del acuerdo de los grandes países [...] Luchó hasta el fin para conseguir un acuerdo y sólo la intransigencia de un grupo latinoamericano y la acción de los grupos militares norteamericanos lo puso ante la opción de elegir una resolución que podía ser votada por la mayoría o quedarse sin ninguna. [...]

Debo señalar, no obstante, que el presidente Kennedy opinó siempre –y así nos lo hizo saber en forma reiterada y aun por nota privada– que debíamos romper relaciones con Cuba, puesto que esa República se había autoeliminado del Sistema. Esta convicción hacía tanto más significativa la solución transaccional que procuró.

Las consecuencias

Las implicancias de Punta del Este fueron inmediatas. Lo fueron en el sentido que habíamos anticipado mucho antes [...] El régimen de Castro no experimentó el más mínimo sobresalto por la expulsión. El sistema interamericano quedó quebrantado. Fue violado el derecho continental. Y los gobiernos democráticos del continente experimentaron la reacción de los enceguecidos extremismos de la derecha.

La Argentina fue la primera víctima de esa reacción. En nuestro discurso pronunciado en Paraná señalamos las presiones y explicamos a nuestro *pueblo cuál era la acción de las fuerzas de la reacción. Destacamos la lucha del presidente Kennedy contra esas fuerzas en párrafos que adquirieron un nuevo significado luego de su asesinato. [...]*

Entre tanto las relaciones bilaterales con el sentido de Kennedy continuaban incólumes. Pocos días antes de los comicios de marzo, una decisión política del presidente norteamericano acordaba al gobierno argentino un crédito especial de ciento cincuenta millones de dólares. Con ese gesto subrayaba Kennedy su inquebrantable adhesión al principio de la cooperación económica dentro del respeto a la independencia política. Pero no todos los sectores de su país lo acompañaban en ese preclaro juicio. La suerte de nuestro gobierno estaba sellada para esos sectores y los hechos electorales del 18 de marzo dieron el pretexto que hacía falta.

Ante el golpe de Estado del 29 de marzo, el presidente Kennedy no se mantuvo inactivo. En Palm Beach, cuando se conversó sobre el próximo embajador norteamericano en Buenos Aires, expresamos a Kennedy nuestro deseo de que ese embajador fuera un hombre de su absoluta confianza personal, para lo cual recordamos que el alejamiento del último embajador Mr. Roy Rubottom se originó en un planteo que le hiciéramos al presidente norteamericano por la actividad extradiplomática del mismo. No dudo que sin tal alejamiento el "golpe" de marzo se hubiera anticipado. Las actividades del embajador Robert Mac Cklintock fueron notorias en el sentido de la gravedad que los Estados Unidos asignaban a una interrupción del orden constitucional en la Argentina. La demora del Departamento de Estado en reconocer al gobierno de facto que nos sucedió y la condenación expresa que del golpe se hizo en los medios oficiales y privados de los Estados Unidos están en la memoria de todos. Lo que no quiere decir, por supuesto, que en Estados Unidos no existiesen importantes sectores que consideraron nuestro derrocamiento como cumplimiento de un objetivo tal vez trazado desde los acuerdos de Uruguayana.

Testimonio del doctor Mario Gibson Barboza

Como complemento de la descripción que realizó Frondizi de la reunión de Punta del Este de enero de 1962, aportamos el testimonio, que consta en nuestro archivo particular, de una personalidad que estuvo presente en ella: el doctor Mario Gibson Barboza, asesor del canciller de Brasil Santiago Dantas.

Una grave crisis enfrentada por Santiago fue la de la expulsión de Cuba de la Organización de los Estados Americanos. En esa ocasión, Fidel Castro ya había asumido públicamente la posición de líder comunista y estaba en pleno conflicto con los Estados Unidos, no sólo en el plano ideoló-

gico, sino también en el de la acción efectiva: la desastrosa tentativa de intervención norteamericana en la Bahía de Cochinos correspondía a la intervención cubana en varias repúblicas latinoamericanas, promoviendo e incentivando la subversión armada. El auxilio soviético avanzaba sin disfraces, creando una amenaza real a la seguridad de los Estados Unidos, en un área bajo su incontestable influencia y que incluía objetivos estratégicos de gran importancia y sensibilidad, como el canal de Panamá.

Fue en esa atmósfera de grave tensión que los Estados Unidos promovieron una Reunión de Consulta de los Ministros de Relaciones Exteriores de la Organización de los Estados Americanos en Punta del Este, con la finalidad específica de expulsar al gobierno cubano del sistema interamericano. Para ello, de conformidad con la Carta de la OEA, serían necesarios los votos de dos tercios de los miembros. Dada la composición de la Organización en aquella época, siete votos contrarios impedirían la expulsión de Cuba. La legitimidad o no de la expulsión no importaba, ya que las posiciones ya se encontraban nítidamente asumidas, con la gran mayoría favorable a la expulsión. Pero había siete miembros declaradamente contrarios, entre ellos el Brasil. En esas condiciones, la reunión de Punta del Este se tradujo en una pura aritmética electoral: bastaba la conquista de un voto para que se obtuviesen los indispensables dos tercios. En ese sentido se ejercía toda la presión de la diplomacia norteamericana, dirigida personalmente por el secretario de Estado Dean Rusk, quien permaneció en Punta del Este durante toda la larga duración de la conferencia [...]

La posición de Brasil concebida por Santiago Dantas fue aprobada por el primer ministro Tancredo Neves y por el presidente João Goulart, y contaba con el apoyo de las izquierdas. En realidad, sin embargo, éstas constituían un aliado indeseable, ya que inyectaban un explosivo factor de naturaleza ideológica en la apreciación del grave y delicado problema, contribuyendo así a turbar aún más el clima ya demasiado emotivo de las discusiones. [...] Y [João Goulart] no tenía, en verdad, ni interés por las cuestiones de política externa ni convicciones definidas [...]

En suma, el canciller se encontraba prácticamente solo para enfrentar las implacables embestidas de los diversos sectores de la opinión pública nacional, sobresaliendo entre ellos el sector militar, que en todo veía, de una manera simplista, la acción del comunismo internacional, en lo que no dejaba de ser ayudado por la conducción demagógica y populista del gobierno. Innecesario agregar que el lobby norteamericano se ejercía intensamente. [...]

Santiago Dantas defendía la actitud del Brasil con lógica intachable: 1°) La Carta de la OEA no autorizaba la expulsión de un país miembro por el hecho de que su gobierno no fuera democrático, de lo contrario pocos permanecerían en la Organización, salpicado de dictaduras como estaba el *continente; 2°) era políticamente más aconsejable mantener al gobierno cubano dentro de la OEA que fuera de ella, para buscar ejercer una forma de coacción sobre su actuación subversiva en el continente. Nuestra posición era lógica, sin dudas; pero las realidades del poder no siempre se conforman a la lógica.*

La reunión de Punta del Este fue sólo una lucha: cansadora, desagradable, estéril.

Se aproximaba el día fatal de la votación. Los siete continuaban sólidos, inamovibles. No se habían conseguido los indispensables dos tercios. Más precisamente en la víspera circuló como una bomba la noticia de que Haití, uno de los siete, cambiaría de posición y votaría por la expulsión de Cuba. Al mismo tiempo, los diarios publicaban la concesión de un préstamo al gobierno haitiano. Busqué a Santiago [Dantas] y le di la noticia.

–Llame por teléfono al canciller de Haití y dígale que deseo visitarlo ya, si es posible.

–¿Quiere buscarlo usted mismo? De nada va a servir; su visita sólo va a agravar la obstinación de él.

–¿Quién cree usted que soy? Voy a llevarle mi solidaridad en este momento de humillación que está sufriendo.

Y efectuó la visita en ese mismo día.

En la sesión en la que finalmente se realizó la votación, con el resultado que se conoce, la expulsión del gobierno cubano (la sutileza que se empleó fue que no fue expulsada Cuba, sino su gobierno), en un momento dado Santiago [Dantas] recibió el mensaje de que estaba siendo llamado por el presidente. No esperó la llamada, sospechando con razón, como supimos después, que Jango [Goulart] quería cambiar nuestra posición, cediendo a la presión final del embajador Lincoln Gordon, quien le había hecho un fuerte requerimiento en ese sentido.

La reunión de Punta del Este produjo un resultado fatal para un gobierno por lo menos: el de la Argentina.

Repercusiones en la Argentina

Al regresar de la VII Conferencia de Cancilleres, el canciller argentino, doctor Miguel Angel Cárcano, declaró con orgullo:

Yo he votado en Punta del Este de acuerdo con las órdenes recibidas del presidente de la República, pero quiero agregar que si las órdenes hubieran sido votar por las sanciones, yo me hubiera retirado de la Conferencia y habría renunciado, porque no puedo ser ministro de un país que acepte órdenes de potencias extranjeras.

Ante la noticia de que la Argentina, en Punta del Este, se había abstenido de votar por la expulsión de Cuba de la OEA y romper relaciones diplomáticas con la isla, la reacción de las Fuerzas Armadas no se hizo esperar. El secretario de Aeronáutica, brigadier Rojas Silveyra, vocero de los mandos militares, declaró:

> Las democracias no deben ser tan generosas y deben cuidar su subsistencia aun a costa del derecho, para no correr el riesgo de sucumbir a manos de quienes no lo respetan.[1]

Años más tarde, en una entrevista periodística, el general Poggi reflexionaría autocríticamente sobre la posición militar de aquel entonces:

> A la luz de lo que pasó después con el problema de Cuba, tal vez si se hubiera contemporizado con Cuba, la tendríamos todavía formando parte de nosotros. Pero, todo el mundo al caído lo quería castigar más todavía. Entonces Cuba buscó en la Unión Soviética su aliado más importante. Ahora, fríamente, considero que era una posición correcta. No suficientemente explicada. [..]
> Frondizi es un hombre muy preparado. La idea que tenía con respecto a Cuba, seguro que la tenía bien pensada. Pero no existía comunicación con nosotros. Él procedía por su cuenta, que es como debe proceder un presidente. A pesar de las dificultades que tenía con las Fuerzas Armadas.[2]

La dureza demostrada por las Fuerzas Armadas fue acompañada por algunos órganos periodísticos. *La Prensa*, por ejemplo, consideró que en Punta del Este nuestro país "cerró uno de los más lamentables capítulos de su historia democrática".

En contraste, el doctor Alfredo Palacios había declarado públicamente su simpatía por la revolución cubana. Con base en ese apoyo al castrismo realizó su campaña electoral. En marzo de 1961 Palacios triunfó en la elección de senador de la Capital Federal.

NOTAS

1. *La Semana*, N° 325, del 3 de marzo de 1983, pág. 28.
2. *Todo es Historia*, N° 59, marzo de 1972, pág. 24.

Acosado por un implacable antagonista, las Fuerzas Armadas, que llevaban a la práctica periódicos golpes de Estado en escala reducida pero no por
ello menos peligrosos, Frondizi no podía anudar estrategias estables. Por su
parte, la mancomunada oposición política cifraba sus esperanzas en esa permanente intromisión castrense en la estructura gubernativa.

Los preparativos de la Conferencia de Punta del Este incrementaron las
presiones para que la delegación argentina abandonase la posición que Frondizi ya había expuesto a Kennedy, y votase con quienes querían excluir a Cuba del sistema interamericano.

A partir de que la Argentina se abstuvo en la votación del 31 de enero de
1962, se acrecentaron las críticas. El principal cuestionamiento de los impug-
nantes se basaba en el enfoque dado al tema de la seguridad continental. Se
insistía en la amenaza que significaba una conspiración en la que convergían
el castrismo y el comunismo y se requerían explicaciones por una actitud que
afectaba la libertad de la Nación.

El discurso de Paraná

El acto realizado el sábado 3 de febrero de 1962 para celebrar el comienzo de los trabajos de construcción del túnel subfluvial Santa Fe-Paraná, destinado a "romper la geografía", con la integración de la región del litoral, fue
la tribuna utilizada por el primer magistrado para ajustar cuentas frente al
pueblo de las violentas reacciones y maliciosas interpretaciones dadas a la
estrategia adoptada en Punta del Este y para destacar los malos efectos de la
expulsión de Cuba del sistema interamericano.

Frondizi comenzó reiterando su concepto de la autodeterminación, y los
peligros de violarla por razones contingentes o de urgencia.

> El Estado que abandona la norma jurídica internacional, que renuncia aunque
> sea en forma transitoria a la vigencia absoluta del derecho, se expone para siem-
> pre a la claudicación de su propia soberanía.

El tema candente del comunismo, objetivo primordial de los planteos de las Fuerzas Armadas, no fue excluido del discurso:

Frente a la intriga y la violencia del comunismo internacional que amenaza nuestra propia existencia en América, no se puede emplear cualquier expediente, como el de violar la ley internacional que es la única coraza que nos protege.

Al referirse específicamente a la abstención en Punta del Este, declaró:

La delegación argentina [...] no improvisó su gestión ni actuó a la zaga de los acontecimientos. Fue intérprete de una doctrina argentina y americana, que ha sido elaborada a lo largo de muchos años y basada en arduas experiencias.

En cuanto al gobierno cubano, dijo:

Hemos sostenido la intangible vigencia del derecho americano en Punta del Este. Con ello no quisimos aprobar la conducta del gobierno cubano, que hemos calificado dura y categóricamente, y que representa de manera exacta la antípoda del proceso democrático y cristiano que estamos consolidando los argentinos. Pero sí quisimos defender a toda América del peligroso precedente de vulnerar, aun en un caso aislado, los principios permanentes del derecho internacional que la Argentina ha contribuido tan grandemente a elaborar. Consideramos que los principios de no intervención y de autodeterminación de los pueblos son los únicos capaces de resguardar la soberanía de los Estados, especialmente de las naciones pequeñas del hemisferio.

Remarcó luego su rechazo a la más mínima infracción a la inviolabilidad de las naciones frente a cualquier agresión franca o encubierta. Y añadió:

En la defensa total de estos principios he comprometido mi honor y mi vida. El honor y la vida de un gobernante que no presidirá jamás un gobierno títere.

Ante la extraordinaria gravedad de las acusaciones de la oposición, asumió la responsabilidad

de denunciar ante el pueblo a estos políticos que se presentan como apóstoles de la democracia en el ámbito mundial, pero que están empeñados en acabar con la democracia en su propia patria. Agitan el fantasma de la supuesta claudicación del gobierno ante el comunismo, con el único y oculto propósito de implantar una dictadura en el país. Allá ellos en sus planes liberticidas.

Con el significativo concepto de "arquitectos de la conspiración", puso al descubierto ante la opinión pública los móviles de una reacción internacional:

conspiran para minar la confianza de los norteamericanos en sus instituciones y en su gobierno, y conspiran con sus agentes directos e indirectos en los países de América latina para alentar la insurrección contra los gobiernos nacionales que luchan por la dignidad y la independencia de sus pueblos.

En este discurso de Paraná, Frondizi, quien se sentía "amparado y seguro porque el pueblo argentino no renuncia ni retrocede jamás", sintetizó el pensamiento del gobierno que hizo de la "no intervención el pilar de la unidad del hemisferio y de la libertad de sus integrantes". Por sostener esta política independiente, en Paraná se inició el derrumbe de su gobierno, que culminó el 29 de marzo de 1962.

Reacciones

El discurso de Frondizi en Paraná, "que sonó como el canto del cisne de alguien que se despedía de una pesadilla", según la expresión de Isidro Odena, produjo reacciones por la denuncia de una trama conspirativa que buscaba la interferencia en la conducción política.

En *La Nación*, del 6 de febrero de 1962, se advierte ese clima:

De inesperado calificamos en una primera impresión fugaz al discurso que pronunció el sábado en Paraná el presidente de la República. El estupor se sobreponía así a todo análisis, en una reacción a la que nos movía la insobornable sensación de inquietud que se desprendía de sus términos y que aquella misma tarde halló eco ingrato más allá de las fronteras de la República.

[...] lo que en el discurso que comentamos produjo más honda impresión fue su segunda parte. Lo que ha de ser, sin duda, menos útil a la causa nacional y al prestigio exterior de la República será esa formal denuncia "ante el pueblo", de una especie de confabulación mundial en la que estarían complicados múltiples elementos indicados de manera tan genérica que el señalamiento pierde toda eficacia y el dramatismo de las expresiones está muy lejos de alcanzar su objeto.

La prensa extranjera se hizo eco de los acontecimientos argentinos. El *Time*, el 3 de febrero, consideraba que la situación política del país era inestable pues

los ministros de las tres fuerzas armadas aparentemente exigen la renuncia del ministro de Relaciones Exteriores, lo que demuestra lo lejos que la Argentina está de la estabilidad política [...]; la exigencia para que se adopte con respecto a Cuba una actitud rígida, aparentemente encuentra unidos a todos los jefes militares. La decisión del presidente de retirar al embajador argentino en La Habana, satisface sólo una parte de lo que ellos quieren.

Ya, de Madrid, en su editorial sobre "Malestares en la Argentina", afirma que "En cierto modo, las críticas contra Cárcano vuelven contra Frondizi". El diario católico argumentaba que el ministro Cárcano, quien

> no hizo más que sostener la política de la no intervención en el asunto cubano que es la política que Frondizi expuso en su día al presidente Kennedy [...] es uno de los mejores ministros que la Argentina ha tenido en los últimos años.

Agregaba el diario madrileño que "por otro lado, los militares están preocupados por el auge del comunismo en América", pero si Frondizi accedía a las exigencias castrenses, "sería tanto como negar su propia política en los últimos tiempos".

El rompimiento con el gobierno cubano

Para evitar que los cenáculos golpistas, aliados con grupos de poder internacional, lograsen sus propósitos, Frondizi se vio obligado a revertir un arraigado principio nacional y el 9 de febrero anunció la ruptura de relaciones con el gobierno cubano. Esta ruptura, a la vez que descomprimía la presión militar, equilibraba las secuelas negativas provocadas en la cúpula de las Fuerzas Armadas por el voto abstencionista de Punta del Este.

El Poder Ejecutivo trató de evitar, dentro del marco acotado de sus posibilidades, incurrir en normas infractoras de principios consagrados de la convivencia internacional, pero finalmente satisfizo a las fuerzas militares y apaciguó, aunque por poco tiempo, su ya manifiesta intención golpista.

Frondizi abordó esa etapa de la vida política argentina en la que, de no asumir los requerimientos impuestos, la democracia podía llegar a convertirse en una ficción, en un objetivo ilusorio.

Ante la extraordinaria gravedad de los hechos concretó:

> Yo tenía la certeza, en ese momento, de que había comenzado la cuenta regresiva. La malla de los intereses nos cercaba cada vez más apretadamente, la legalidad se asfixiaba y con ella una etapa en el intento de construir una nación dueña de su destino y de sus decisiones. No todo había sido vano, sin embargo. Habíamos logrado que la Argentina fuera respetada en el mundo y que su palabra resultara escuchada en los más altos foros internacionales y en los centros más poderosos del planeta.

356

La popularidad de la UCRI

En el intervalo que va desde el discurso de Paraná hasta el 29 de marzo, fecha del derrocamiento de Frondizi, se suceden con dispar resonancia las elecciones nacionales que representaron el enfrentamiento entre el legalismo del Presidente y la dura afirmación de las Fuerzas Armadas de no aceptar al peronismo como una realidad dentro del conglomerado político de la República.

El 17 de diciembre de 1951 se realizaron elecciones en San Luis, Catamarca, Santa Fe y Santiago del Estero, y el 25 de febrero de 1962, en La Rioja. La UCRI triunfó en todas las provincias, en las que la oposición produjo alianzas tan confusas como las del Partido Comunista votando por la UCRP en Formosa, o del peronismo en confluencia con los conservadores en San Luis, con Alejandro Gómez en Santa Fe y con los democristianos y la UCRP en Formosa.

El triunfo del oficialismo fue consecuencia de los beneficios que se estaban generando por la aplicación de medidas que respondían al plan de desarrollo. La victoria en centros industriales, como Rosario, hablaba de un éxito que aseguraba la continuidad del gobierno, lo que llevó a un militar golpista de Corrientes a decir: "A Frondizi hay que voltearlo antes de las elecciones porque si se afirma, no lo tiramos más".

La "izquierda" en las antípodas

Buena muestra de que las alianzas electorales de la oposición sólo buscaban la derrota de Frondizi la dan las directivas que impartió el Comité Central Ampliado del Partido Comunista, reunido los días 6 y 7 de enero de 1962, que establecían

> que todos los comunistas traten por todos los medios de impulsar esa unidad a través de candidatos comunes y listas mixtas, con el fin de derrotar al gobierno en las próximas elecciones, abriendo así las perspectivas para el triunfo popular en el año 1962.

La documentación existente pone al descubierto a dirigentes y organizaciones que, al par que afirmaban desde la izquierda defender los intereses obreros, coincidían con fuerzas de derecha ubicadas en las antípodas doctrinarias.

En la carta del secretario del Comité Provincial de Buenos Aires del Partido Comunista, Pedro Tadioli, al doctor Marcos Anglada, que acompañaba a Andrés Framini en la fórmula peronista para la provincia de Buenos Aires, se establecían las siguientes reglas:

El Consejo Coordinador, al que nos dirigimos, ha expresado en innumerables ocasiones la necesidad de derrotar al partido gobernante. Pues bien, es teniendo en cuenta estas expresiones, así como las numerosas coincidencias programáticas –a pesar de nuestras diferencias ideológicas– que el Comité Provincial del Partido Comunista propone a ese Consejo Coordinador realizar conversaciones para sentar las bases, fuesen éstas orgánicas o de acción coincidente, que nos permitan obtener en marzo la cifra suficiente para expulsar a los hombres del FMI.[1]

En vísperas de elecciones estratégicas

El 18 de marzo se realizarían elecciones en centros fundamentales como los de las provincias de Buenos Aires, Córdoba y Capital Federal, a las que se unían Entre Ríos, Mendoza, Corrientes, La Pampa, Tucumán, Chaco, Río Negro y Neuquén.

El peronismo actuó con la misma tónica de sus años de predominio, con bombos y estribillos combativos, como si no hubiese existido una Revolución Libertadora en 1955. Aunque tenía el triunfo asegurado, no contaba ni con los medios ni con una organización logística que le apuntalara el reconocimiento de una victoria mal vista en las Fuerzas Armadas.

El mismo Perón, analista a distancia de todos estos sucesos, pregonaba el voto en blanco que señalaría, con sus cifras, la innegable vigencia del partido. Para que fueran las autoridades nacionales las que denegaran la concurrencia al comicio, postuló su nombre para la vicegobernación de Buenos Aires, con el compromiso por parte del candidato a gobernador, Andrés Framini, de renunciar si se vetaba su candidatura.

Ante la posibilidad de que Perón figurara como candidato, pese a que su nombre no estaba registrado en los padrones electorales, se efectuó una reunión el 19 de enero entre el ministro Vítolo y los tres secretarios militares, general Rosendo Fraga, contraalmirante Gastón Clement y el brigadier Jorge Rojas Silveyra. Se suscribió un acta secreta en la que los militares expresaron su decisión de no admitir

la restauración del régimen de oprobio derrocado por la Revolución Libertadora, ni el retorno de Juan Domingo Perón, ni de los responsables, juntamente con él, de agravios inferidos a la Nación, a la libertad y a la humanidad [...] los señores secretarios militares señalaron que están inquebrantablemente decididos a impedir con todos los medios a su alcance el retorno al poder o a la vida política del prófugo depuesto o a la restauración del régimen oprobioso por él creado y que padeció el país [...] sin perjuicio de que quienes fueron partidarios del ex dictador puedan organizarse en la legalidad sumándose a la convivencia nacional con objetivos pacíficos y democráticos. Lo que está inhabilitado es Perón y su régimen.

No hubo necesidad de avanzar más en esta línea, porque esa salida electoral no se concretó, como tampoco las propuestas de Cafiero y Tedesco, dirigentes que se inclinaban por la concurrencia a los comicios solamente con listas de legisladores nacionales y cargos locales en la Provincia.

El peronismo presentó la fórmula Andrés Framini-Marcos Anglada, como Unión Popular, contando con el apoyo del sector duro del gremialismo liderado por Augusto Vandor. La UCRI postuló al binomio Guillermo Acuña Anzorena-Horacio Zuviri. La UCRP, cuyo candidato Crisólogo Larralde falleció el 22 de febrero, completó su fórmula con la postulación de Fernando Solá y Emilio Parodi, presidente del Comité Provincia.

Aunque el triunfo de la Unión Popular en la provincia de Buenos Aires parecía inexorable, Frondizi rechazó rotundamente la propuesta de proscribir al peronismo, posición compartida por sus ministros Vítolo y Noblía y por el gobernador de ese Estado provincial, Oscar Alende.

Dijo Frondizi:

> Si proscribo, no se adelanta nada; mis enemigos dirán –como ya lo hace *Azul y Blanco*– que elimino a los peronistas para obligarlos a entregarse a la izquierda, como ya ocurrió con la victoria de Alfredo L. Palacios en la capital [...] Quienes quieren quebrar la legalidad, pretextarían que yo la rompí primero al proscribir.

Framini pide ser proscripto

El diario *La Nación* del 8 de marzo de 1962 hizo la crónica de la entrevista en la residencia de Olivos de Andrés Framini con el Presidente de la República, con el objeto de gestionar la proscripción del peronismo en la provincia de Buenos Aires:

> Según nuestras fuentes esa reunión tuvo efecto entre la 1 y las 2 de la mañana del viernes 2. Se realizó con la única presencia de los protagonistas [...]
> Siempre ateniéndonos a la versión recogida en fuentes absolutamente responsables, podemos señalar también que fue gestionada por el señor Framini [...]
> El señor Framini habría sostenido que la autoproscripción del peronismo bonaerense importaría la derrota de su actual conducción gremial, decidida partidaria de la continuidad de las instituciones y el avance del grupo político a la responsabilidad directiva.
> Habría dicho, asimismo, que una derrota electoral del justicialismo también perjudicaría al sector gremial y al propio gobierno, ya que para lograrla, a su jui-

cio, debería recurrir al radicalismo del Pueblo, identificado como el continuador de la política antipopular de la Revolución Libertadora.

Un triunfo de su partido, por otra parte, crearía según el señor Framini, situaciones imprevisibles al gobierno, pero como la tesis concurrencista había sido impuesta por el sector gremial, resultaba imposible a éste modificar su actitud por la que una vez más era conveniente para el presidente decretar su proscripción. [...]

Tras señalar que dirigentes de segunda línea indujeron a volcarse al radicalismo del pueblo, [Framini] propuso que el Consejo Coordinador podría "disponer el voto en blanco o maniobrar de modo tal que se asegurara el triunfo de la UCRI".

El presidente de la República habría contestado a una última alusión sobre la influencia que podían ejercer las Fuerzas Armadas para la proscripción, negando categóricamente que tal influencia hubiera existido y agregando que, por su parte, en ningún momento pensaba tomar la iniciativa para una medida semejante [...]

El doctor Frondizi habría sostenido asimismo, que el único camino viable para que el justicialismo no concurriera a los comicios era su autoproscripción, insistiendo que bajo ningún concepto adoptaría él la medida que, incluso, podría interpretarse a esta altura como el resultado de un acuerdo [...]

El señor Framini habría insistido en que la autoproscripción dispuesta por la conducción gremial sería interpretada por el movimiento como una traición. Y el doctor Frondizi, una vez más, habría señalado que bajo ningún concepto adoptaría él la medida.

La campaña electoral

El clima se enrarecía cada vez más. Algunos colaboradores de Frondizi consideraban la posibilidad de triunfar en Buenos Aires, donde el gobierno de Alende había abierto las puertas a una creciente industrialización, pero el Presidente no coincidía con esa visión optimista.

La campaña proselitista se realizó sin obstáculos. El gobierno trataba de lograr apoyos electorales suficientes dentro de un marco político caracterizado por una permanente inestabilidad. El peronismo buscaba afirmarse en la legalidad abandonando el atajo insurreccional. Y los radicales del pueblo y las fuerzas golpistas esperaban que un triunfo del peronismo deteriorase la imagen del gobierno, abriendo camino a un cambio institucional.

En una serie de charlas por radio y televisión, el Presidente explicó a la ciudadanía la conducta asumida por los miembros del gobierno y por quienes coparticipaban en la tarea de vencer la rutina burocrática y acelerar las grandes medidas del plan de desarrollo, referencia explícita a Rogelio Frigerio y al tan vapuleado "gobierno paralelo". La última de estas disertaciones, el 15 de marzo, estuvo dedicada a dos temas conexos: "el concepto de unidad nacional, concretado en la apertura a hombres de todas las ideas y tendencias; la prevención contra el odio sectario y los actos de provocación que los peronistas duros y las izquierdas estaban realizando en la campaña electoral", y que, en su opinión, "están provocando la represión, están traicionando a su propio pueblo, están trabajando para convertirse en presuntos mártires y para servir sus intereses personales".[2]

Los resultados electorales

El 18 de marzo se inició la cuenta regresiva de la Presidencia de Frondizi.

No hubo desmanes; no se produjeron atentados y, al decir del doctor Vítolo, ese día triunfó la democracia con la libre expresión de la ciudadanía.

Escrutados los distritos de todo el país, dieron los siguientes resultados, tomando como base la elección de legisladores nacionales:

En la Capital Federal triunfó la UCRI con 233.204 votos contra 200.575 de la Unión Popular y 181.823 de la UCRP.

En la provincia de Buenos Aires, la victoria correspondió a la Unión Popular, que obtuvo 1.171.757 sufragios contra 731.877 de la UCRI y 627.094 de la UCRP.

En Córdoba el peronismo no presentó listas. Por la UCRP votaron algunos grupos peronistas y ese partido logró 309.329 votos contra 180.709 de la UCRI.

En Mendoza ganó el Partido Demócrata (conservador), que obtuvo 93.186 votos frente a 59.582 de la UCRP 46.912 de la UCRI.

En Entre Ríos triunfó la UCRI, con 122.917 votos contra 104.823 de la UCRP y 72.530 de Tres Banderas (neoperonista).

La UCRI también triunfó en Corrientes, Formosa, La Pampa, La Rioja y Santa Cruz.

El peronismo, además de la Provincia de Buenos Aires, único distrito electoral importante que le dio la victoria, se adjudicó el éxito en Tucumán, Santiago del Estero, Chaco y Río Negro.

En Neuquén ganó el partido neoperonista de los hermanos Sapag, con el Movimiento Popular Neuquino.

A escala nacional, los porcentajes fueron:

UCR Intransigente	25,2%
UCR del Pueblo	18,7%
Unión Popular (peronismo)	17,8%

La inédita relación de fuerzas que generaron las elecciones pudo convertirse en una estimulante experiencia destinada a allanar el camino hacia una integración política que el país necesitaba imperiosamente. El triunfo peronista en algunas provincias no significaba ni remotamente recuperar el poderío de antaño. No existía un gobierno afín que ejerciera discrecionalmente el poder y, en el caso de la Provincia de Buenos Aires, Framini no contaba con la mayoría parlamentaria, hecho que obligaba al peronismo a encarar mecanismos de negociación y acuerdos. Además, como advierte Emilio Perina, la Corte de Justicia era insospechable de peronismo y el Fiscal de Estado no era elegido por él.

La intervención a las provincias

Pero para el sector castrense la victoria peronista en la provincia de Buenos Aires fue un episodio irritativo y potencialmente generador de conflictos. Los partidos de la oposición exageraron el fracaso del oficialismo, y el fantasma de un regreso de Perón se agitaba como campaña desestabilizadora. La histeria que se apoderó de los jefes castrenses les impidió efectuar el análisis sereno y meditado que la situación merecía y optaron en cambio por exigir replanteos y correcciones en desmedro de las soluciones legales.

En una reunión mantenida el domingo 18 por la noche, los mandos militares exigieron al ministro del Interior tomar medidas preventivas, que iban desde la derogación de la Ley de Asociaciones Profesionales hasta la intervención a todas las provincias, con la consecuente anulación de las elecciones y la disolución del Congreso.

Reunión similar se efectuó entre la cúpula militar y el subsecretario de Defensa, José R. Cáceres Monié, a las dos de la madrugada del día 19. Le solicitaron en esa oportunidad la intervención a las provincias en las que hubiera triunfado el peronismo y la exclusión de todos los frigeristas integrantes del gabinete o del gobierno. La anulación de las elecciones, según el almirante Clement, debía hacerse extensiva también a las realizadas con anterioridad al 18 de marzo, como las de Santa Fe, para evitar la presencia de diputados peronistas en el Congreso Nacional.

Frondizi previó los efectos negativos que habrían de producirse de concretarse tales tendencias, y, dentro del marco constitucional, para salvar la legalidad y aliviar los resquemores de las Fuerzas Armadas, dispuso que el Ministerio del Interior aceptara la intervención a las provincias donde había ganado el peronismo y promover un cambio de gabinete para integrar un gobierno de unión nacional y disminuir la conflictividad social o la pérdida de la legitimidad que podría generarse en el país.

En un cuestionario que elevamos a Frondizi, requerimos su opinión sobre estos acontecimientos. Su respuesta fue la siguiente:

El resultado electoral y la intervención a algunas provincias en las que había triunfado el peronismo (no anulamos las elecciones), fue un pretexto formal; es posible que si proscribíamos al peronismo, el golpe se hubiese producido alegando ese hecho. Preferimos intentar la integración del peronismo al proceso nacional –fuimos los primeros en hacerlo–, pues estábamos seguros, y los hechos posteriores lo confirmaron, de que sin esa integración no habría solución política en el país. También esta caída, por los efectos producidos, deja la enseñanza de la maduración y organicidad que debería alcanzar el movimiento nacional. Si su constitución hubiese sido más sólida, el curso de los acontecimientos hubiese sido distinto. No fue más sólida porque en 1958 no pudo serlo en virtud de la proscripción del peronismo y de la actitud imperante en los medios del poder, que obligaron a que el peronismo no tuviera la participación que nosotros queríamos en el proceso electoral; y no fue más sólida por el resurgimiento de tendencias sectarias en el seno del peronismo que se manifestaron por primera vez en enero de 1959.

El doctor Vítolo, en disconformidad con la intervención a las provincias, presentó su renuncia.

Las reuniones de dirigentes políticos se sucedieron sin solución de continuidad; se buscaba un remedio salvador para evitar el derrocamiento de Frondizi y aun su asesinato, iniciativa a la que no eran ajenos algunos grupos extremistas. El decreto estableciendo la intervención a las provincias fue objeto de un detenido examen, en especial de la Marina, que en reunión de almirantes se había pronunciado por el golpe, como informó a las 23.30 el escribano García al Presidente de la Nación, a la vez que le hacía conocer que se estaría planeando un atentado contra su persona.

Finalmente, a las 20 del lunes 19 se aceptó el texto definitivo, que facultaba a los interventores militares la inmediata caducidad del Poder Ejecutivo y Poder Legislativo provinciales y les permitía poner en comisión al Poder Judicial y a las autoridades comunales.

Tres años después, Frondizi, en un testimonio aclaratorio, dio a conocer la razón que lo llevó a tomar una decisión tan difícil:

La intervención a las provincias, 24 horas después de las elecciones del 18 de marzo de 1962, ha sido presentada como una medida política. Sin embargo, las intervenciones no anulaban ni invalidaban el acto eleccionario. La anulación de las elecciones del 18 de marzo se hizo después del derrocamiento de mi gobierno, por decreto del gobierno de facto. [...]
En aquella oportunidad intervine las provincias precisamente para preservar los resultados electorales, adversos a mi gobierno, pero libremente definidos como tales por la ciudadanía. [...]
La intervención buscaba abrir un paréntesis entre la crisis provocada en el seno de las Fuerzas Armadas –controladas por el "gorilismo"–, por los resultados electorales, y la fecha fijada legalmente para la asunción del mando por los elec-

tos. Ese lapso permitía al Poder Ejecutivo negociar y pacificar, restando a los resultados de las elecciones el aspecto catastrófico para la democracia, con que lo presentaban la reacción y los monopolios internos e internacionales unificados en el propósito de paralizar nuestro desarrollo independiente a cualquier costo y bajo cualquier pretexto. Esa fue la razón determinante de la intervención.

El gobernador Oscar Alende, tras conferenciar con el comandante de la Segunda División de Infantería, general G. Salas Martínez, cuando éste asumió provisoriamente la intervención de Buenos Aires, declaró en ese momento clave:

> He formulado reservas verbales, manifestando que el procedimiento ha sido, a mi juicio, arbitrario, errado e inconsulto. Que contando con la fuerza suficiente lo hubiera resistido. No teniéndola, he ahorrado sacrificios y actitudes estériles.

A su vez, el candidato electo Andrés Framini proclamaba que la intervención era al gobierno de Alende y que él, por lo tanto, enunciaba oficialmente un programa de gobierno, que sería de "paz social y reencuentro de los argentinos". El humanismo cristiano que había dado origen a la doctrina peronista sería la plataforma sobre la que edificaría su acción política. Descartada ahora toda unión con el comunismo, se preparaba para conformar su gabinete con figuras de actuación pública como la del doctor Cafiero, a quien proponía para la cartera de Economía.

Con el objeto de lograr la entrega del poder, Framini no tuvo reparos en cuestionar al gobierno de Frondizi y, en especial, "la experiencia estrepitosamente fracasada, encarada por el ideólogo Frigerio".

Finalmente, en esa declaración del 22 de marzo que firmaba como gobernador electo de la Provincia de Buenos Aires, expresaba:

> Quien ha sostenido la necesidad de la proscripción del pueblo para negociar en su nombre y quien propicia ahora la anulación de los comicios, no puede pretender que se le escuche con seriedad cuando habla de responder a la violencia con la unión pacífica e indestructible de nuestras fuerzas. En lugar del vano intento de aconsejar al peronismo, Frigerio tiene el deber de rendir cuenta al partido oficial al que, de paso, condujo al desastre.

Los dirigentes obreros que habían endurecido el tono de la campaña electoral, ante el giro de los acontecimientos transformaron sus arengas en un llamado a la serenidad de los trabajadores, a la reflexión y a la prudencia.

El doctor Alfredo Roque Vítolo se ocupó de aclarar cuán alejados de la realidad estaban quienes se apresuraron en estigmatizar la supuesta anula-

364

ción de las elecciones del 18 de marzo y las intervenciones provinciales. En el folleto *Frondizi y después,* escrito en 1963, dijo el ex ministro del Interior:

Quiero explicar con toda claridad que el doctor Frondizi no anuló ningún comicio. Envió, por decreto, las intervenciones a gobiernos que le eran adictos, por la situación de fuerza creada, pero estos decretos estaban sometidos a la revisión del Congreso Nacional, que podía dejarlos sin efecto. Es más: el doctor Frondizi estaba cierto de que el Congreso dejaría sin efecto las intervenciones. El envío de éstas fue decidido por el presidente de la República como una contribución más al mantenimiento del orden constitucional, que corría el riesgo de ser abatido la misma noche de la jornada comicial. Me lo dijo categóricamente: "Tenemos que salvar el orden constitucional. Si no el país va a caer en el caos político, en la ruina económica y en la guerra social. Si el envío de las intervenciones es el precio que hay que pagar para salvar a la República, en este instante lo haré sin hesitaciones, para ahorrarle al país tremendos males".

NOTAS

1. *La Razón*, 13 de febrero de 1962.
2. Odena, Isidro: *Libertadores y desarrollistas,* ob. cit., pág. 339.

Martes 20 de marzo

En medio de un clima de tanta tensión, el embajador de los Estados Unidos, Mc Clintock, mantuvo una conversación de 20 minutos con el doctor Frondizi, y le hizo conocer la opinión del presidente Kennedy ante los acontecimientos que envolvían la vida de la República. Para el mandatario norteamericano, la inestabilidad institucional en la Argentina podría significar un obstáculo para la provisión normal de los fondos previstos en el programa de la Alianza para el Progreso.

Esta opinión de Kennedy también se hizo conocer a los jefes militares de las tres armas.

El arzobispo de Buenos Aires, cardenal Antonio Caggiano, dirigió un mensaje al país. Para reforzar el principio republicano, sumó su voz en favor de una actitud de compromiso con la sociedad:

> Hoy más que nunca el bien supremo del país es la paz y la concordia, y su garantía única es el orden constitucional que debemos respetar y defender a costa de cualquier sacrificio.

"No hay legalidad sin Frondizi", era la bandera que sostenían los ministros, legisladores, hombres de derecho, que no justificaban ni el derrocamiento ni el crimen político. Como contracara de esta tendencia, los mandos militares firmaron un acta que no tuvo estado público y en la cual se deja expresa constancia de la posición de cada una de las armas.

> EJÉRCITO: Mantener en el cargo de Presidente de la República al doctor Arturo Frondizi, condicionado a que gobierne con un Gabinete de Coalición que le será propuesto por las tres Fuerzas Armadas y el plan de acción que en su oportunidad se determine concretado en un documento que se le presentará a tal efecto.
> En caso de negativa por parte del Presidente, obligarlo al alejamiento del cargo, pasando la responsabilidad de la conducción del país a las Fuerzas Armadas.
> MARINA: [..] la solución de la grave crisis que vive el país es la voluntaria e in-

declinable renuncia del Señor Presidente de la Nación, lo cual permitiría su alejamiento manteniendo la vía constitucional.

Si esta renuncia no pudiese obtenerse es opinión que, como paso inmediato, debería constituirse un nuevo gobierno.

[...] considerando la opinión del Ejército y de la Fuerza Aérea, [...] la acata aunque considerando que irán en aumento los graves problemas que sufre la Nación.

En caso de producirse variantes importantes en la situación reverá su decisión, previo conocimiento de las otras Fuerzas y procurando siempre mantener la unión que considera máxima garantía para la Nación.

AERONÁUTICA: Mantener en el ejercicio de la primera magistratura al doctor Arturo Frondizi condicionado a que gobierne con un Gabinete de Coalición con hombres escogidos de una lista que le presentarán las Fuerzas Armadas y el plan de acción que oportunamente se le concretará en un documento.

En caso de negativa por parte del Presidente se lo obligará a alejarse del cargo pasando la responsabilidad del gobierno a las Fuerzas Armadas.

Ante la presencia de variantes importantes en la situación revisará su decisión dando previo conocimiento a las otras Fuerzas, con el fin de lograr la unión de las mismas considerado esto como premisa fundamental.

Miércoles 21

Como solución inmediata, el subsecretario de Defensa, doctor Cáceres Monié, inició gestiones para arribar a la constitución de un gabinete de coalición nacional. En un testimonio personal, relató:

> Luego de un cambio amplio y sin reserva de ideas se resolvió que se invitara a las autoridades constituidas de cada uno de los siguientes partidos: Cívico Independiente; Demócrata Cristiano; Federación Nacional de Partidos del Centro; Unión Cívica Radical del Pueblo; Unión Cívica Radical Intransigente; Socialismo Democrático; Demócrata Progresista. [...]
> El general Fraga, el brigadier Rojas y el brigadier Pereyra estuvieron de acuerdo en que se invitara también al Socialismo de Alfredo Palacios, a la Unión Federal, de Basilio Serrano y al Partido Federal Argentino de Ariotti,

a lo que se opuso Marina por considerarlos expresiones minoritarias.

Pero cuando se le planteó a Ricardo Balbín la posibilidad de mantener una entrevista con Frondizi, contestó al capitán de navío Lockhardt, su interlocutor, en estos términos:

> Tengo el agrado de contestar su muy atenta nota de la fecha, en la que ratifica la invitación telefónica para mantener una entrevista con el señor presidente de la Nación [...]

Ratifico, también, la determinación anticipada telefónicamente, en el sentido de que no se considera conveniente, en las actuales circunstancias, la realización de esa entrevista.

Estoy persuadido de que el señor presidente de la República no intenta buscar la unión nacional sino salvar su gobierno, al que pretende identificar falsamente con la suerte de las instituciones democráticas, que a nosotros nos interesa fundamentalmente preservar.

Por lo demás, como resultado del punto 3° del comunicado de prensa mencionado al principio, se ratifican expresamente los lineamientos de una política económica que mi partido [...] considera definitivamente lesiva para los intereses vitales del país [...] Partiendo de tal política, la Unión Cívica Radical del Pueblo no podría colaborar en ningún momento con un Poder Ejecutivo resuelto a llevar adelante ese plan [...] que puede llevar al pueblo argentino a caminos de extravío ideológico que es necesario evitar, para asegurar la suerte y el destino mismo de nuestra nacionalidad.

Fdo.: Ricardo Balbín, presidente. Juan M. Osella Piñero, secretario de la Unión Cívica Radical del Pueblo.

La Unión Cívica Radical del Pueblo se había sumado al golpe. Su actitud cortó toda posibilidad de lograr su apoyo en un proceso de responsabilidades mutuas. Esa respuesta negativa y la calificación del plan de desarrollo como "lesivo a los intereses vitales del país", concuerda con la definición de Frondizi: "los golpes de Estado han sido siempre pronunciamientos cívico-militares y no exclusivamente militares".

Jueves 22

Superando el lógico agotamiento, Frondizi tuvo que recibir al príncipe Felipe de Edimburgo, esposo de Isabel II de Inglaterra, quien llegó a Buenos Aires en una gira continental. El protocolo le impuso una serie de compromisos que afrontó manteniendo la imagen ajustada a su elevada función.

Algunos militares miraban con recelo la posibilidad de la remoción de Frondizi. Así se lo manifestó el general Peralta al doctor Cáceres Monié:

Creo que el doctor Frondizi ha dado muestras en esta oportunidad de una tremenda abnegación y patriotismo, pero creo también que tendrá que extremar su gesto para hallar una solución al caos que se avecina. [...]. Creo que el presidente debe terminar con el régimen de consultas y proveer rápidamente las carteras de su gabinete [...]

El sacrificio supremo del señor presidente deberá ser, a mi juicio, el de aceptar los nombres propuestos por las Fuerzas Armadas y designarlos rápidamente, pues también es cierto que se está trabajando desesperadamente sobre las personas que podrían ser designadas como ministros para que ellos no acepten.

Una nueva solución comenzó a circular con la posibilidad de que el general Pedro Eugenio Aramburu interviniera ante las Fuerzas Armadas para plantear la necesidad de convocar al Congreso Nacional para decidir la restitución de las autonomías provinciales, con el reconocimiento del resultado de las elecciones del 18 de marzo. Igual planteo estaban preparando oficiales de Aeronáutica con el vicecomodoro Carus, y una gestión oficiosa había realizado, en ese sentido, el coronel Juan José Montiel Forzano ante el doctor Balbín:

–Doctor, yo he venido a título personal, preocupado como argentino por lo que está pasando. Esta misma noche puede arder el país y no sé si estoy extremando las cosas o me quedo corto, pero la situación es sumamente grave. Creo que la actitud de esperar de ustedes es negativa, pues en el evento de que ocurran cosas, ellas serán de consecuencias imprevisibles que alcanzarán a todos, sin excepción. Creo que urge que usted y los hombres de su partido entrevisten a los hombres de las Fuerzas Armadas y les ratifiquen la necesidad imprescindible de mantener la legalidad a cualquier precio.

Ese mismo día, las 62 Organizaciones peronistas anunciaron una huelga general de protesta por las intervenciones a las provincias para el viernes 23, pero no contaron con el apoyo de los gremios independientes que consideraban que medidas de ese tipo agravarían los conflictos sociales emergentes de la inestabilidad política.

Viernes 23

La conformación del gabinete exigió a Frondizi un esfuerzo supremo para fusionar fuerzas antagónicas. De acuerdo con las propuestas sugeridas por los militares, tras aceptar unos nombres y rechazar otros, constituyó su nuevo cuerpo de ministros.

Designó a Hugo Vaca Narvaja en Interior; a Rodolfo Martínez (h), en Defensa; para Trabajo escogió a Oscar Puigross, y para Salud Pública, a Tiburcio Padilla. En Economía designó a Jorge Wehbe, quien era proclive a continuar la línea de desarrollo, descartándose la propuesta para esa cartera del ingeniero Alsogaray. En Educación, pese a los pedidos de monseñor Caggiano y del Nuncio Apostólico para que continuara Mac Kay, se nominó a Miguel Susini. El domingo 25 Roberto Etchepareborda se hizo cargo de las Relaciones Exteriores, convirtiéndose en el nuevo canciller argentino. El doctor Cáceres Monié fue propuesto por las Fuerzas Armadas como secretario general de la Presidencia.

Mientras tanto, el doctor Laureano Landaburu, ex ministro del Interior de la Revolución Libertadora, sugirió a Frondizi la posibilidad de una mediación a cargo del general Aramburu. Pero este rol, si bien favorecía los planes políticos pergeñados en torno de la figura del general –considerada a esta altura de los acontecimientos como única alternativa para el próximo período gubernativo–, no contaba con el apoyo de la Marina. Esta fuerza estimaba que la consulta debía ampliarse a prestigiosas figuras de la institución, como los almirantes Rojas y Hartung, cuya voz y opinión contaban con el respaldo absoluto del cuerpo.

Tres opciones presidían el juego del poder:

1° Permanencia de Frondizi con un gobierno de conciliación nacional;

2° Renuncia de Frondizi para que asumiera Guido;

3° Derrocamiento de Frondizi e instauración de una junta militar.

Las reuniones de los altos mandos se multiplicaban ese 23 de mayo y, según opinión del general Lanusse, "todo con miras a influir o presionar para que se adopten las medidas extremas de la variantes N° 3".

Mientras se conocían esos acuerdos, Rogelio Frigerio, cuya figura era dura y unánimemente criticada en las Fuerzas Armadas, para evitar que su presencia siguiera convirtiéndose en un urticante problema para Frondizi, partió hacia Montevideo rumbo al Brasil. Antes de hacerlo aconsejó al Presidente que evitase la sensación de ausencia del poder, efectuando actos positivos como nombrar a los ministros y movilizar al Parlamento con declaraciones por la legalidad y el respeto a la Constitución.

Sábado 24

A medida que se sucedían las reuniones en las Secretarías Militares, los partidos políticos se iban definiendo públicamente.

La UCRP, con la firma de su presidente Ricardo Balbín, inyectó espectacularidad a su declaración, en la que negaba toda colaboración a Frondizi. El doctor Illia, en una política que tendía a salvar su reciente triunfo en Córdoba, reclamaba, como manifestación opositora más atinada, constituir un gabinete con militantes del radicalismo del Pueblo con la presidencia de Frondizi y acuerdo de las Fuerzas Armadas. Se diferenciaba así de sus compañeros de partido, proclives a la renuncia total del gobierno.

La UCRI, con la firma del senador Alfredo García, opinaba, contrariamente, que "para que subsista la legalidad, el presidente debe mantenerse en el cargo".

El general Aramburu solicitó espacios de radio y televisión para dirigirse al pueblo de la Nación, pero luego decidió suspender su discurso:

> He postergado mi discurso. Lo fundamental es lastimar lo menos posible al país [...] Todos tenemos que hacer sacrificios, con abnegación y elevación de miras.

[...] En cuanto a la renuncia, es evidente que no implica quiebra del orden constitucional, porque en la Constitución están previstas todas las circunstancias de sucesión del gobierno.

En esa larga noche del sábado 24, Frondizi expresó al secretario general de la Presidencia:

Si llegan los tres comandantes en jefe les diré: "que no renunciaré, ni pediré licencia de ninguna manera. Que en consecuencia será necesario un acto de fuerza para desalojarme del poder. Si ello ocurre, el Congreso, previa conversación con los diputados y senadores, y con Guido, deberá considerar la cesación de hecho de mi mandato. Poniendo en juego la Ley de Acefalía, debe asumir la Presidencia de la Nación el doctor José María Guido. Para que ello se concrete, él también deberá hacer los esfuerzos necesarios, siempre que no haya violencia sobre el pueblo o actos de fuerza contra él".

El general Aramburu, por imperio de las circunstancias, se entrevistó en Olivos con Frondizi en momentos en que el Presidente, vestido de etiqueta, se disponía a partir con su esposa a la Embajada Británica, para participar de una cena ofrecida en su honor por el príncipe Felipe. Al mismo tiempo, los generales Poggi y Rawson establecían un plazo de 48 horas para que el Presidente renunciase.

Domingo 25

Desde la 0.25 del día domingo 25, se sucedieron sin interrupción las conversaciones telefónicas y las entrevistas en Olivos entre Frondizi y los jefes de la Marina. Versiones cruzadas anticipaban, por un lado, el pedido de renuncia al Presidente de la Nación, y por otro lado, el desmentido de esa solicitud por los mismos protagonistas al salir de la residencia. Pero, según Bernardo Larroudé, secretario de Defensa, los almirantes estaban absolutamente persuadidos del derrocamiento de Frondizi.

El doctor Cáceres Monié mantuvo al tanto de los acontecimientos al general Aramburu, quien en esos momentos sostenía que, pasase lo que pasase, el Presidente no debía renunciar.

El embajador Mc Clintock tendió a distender la situación haciendo llegar a los almirantes la versión de que para los Estados Unidos no era lo mismo que estuviesen los golpistas en el poder a que continuara gobernando Frondizi.

Al mediodía, Cáceres Monié y el almirante Clement mantuvieron una prolongada reunión. En el testimonio del secretario de la Presidencia, se pone de relieve la respetuosa opinión del marino sobre Frondizi:

Tengo del doctor Frondizi una altísima consideración, por sus cualidades, por su patriotismo, por su talento, por su vida familiar digna y ejemplar. En tal sentido quise anoche y luego no lo hice, a riesgo de ser mal interpretado, ofrecerle cualesquiera de mis establecimientos de campo en las provincias de Buenos Aires y Entre Ríos, pues no quiero que el señor presidente pueda sufrir la más mínima afrenta a su dignidad personal. No puede permitirse, de ninguna manera, que cualesquiera sean las consecuencias de este proceso, sufra en lo más mínimo en su decoro.

No pueden permitirse tratos vejatorios, de los que este país, lamentablemente, tiene ejemplos.

Al par que consideraba que Frondizi debía renunciar, "hacer este sacrificio patriótico", señalaba su discrepancia con el general Aramburu, "que está hecho un político descastado que no vacila en los medios para lograr sus propios beneficios". Las diferencias entre las armas eran notorias.

Lunes 26

Cerca del mediodía, el Presidente se aprestaba a tomar juramento a los nuevos ministros, cumpliendo con la ceremonia de rigor. Pero se produjo un episodio que desnudaba la fragilidad de la situación. El doctor Puigross, uno de los ministros designados, había consultado a Aramburu, porque se sentía "de alguna manera comprometido con el general, ya que estuve con él durante más de un año, en conversaciones políticas que teníamos casi semanalmente".

Cuando le informé que me habían ofrecido la cartera de Trabajo para integrar el gabinete, el general Aramburu me respondió que le parecía bien y que debía aceptar.
Iba a jurar el día 26 a las 12. Horas antes de ese mismo día, me llamó el general Aramburu. Eran aproximadamente las 10. "Necesito hablar con Ud. antes de que jure", me dijo. Le manifesté que iría con el doctor Martínez, a lo que me respondió: "Sí, tráigalo también a él". Cuando llegaron los ministros designados, Aramburu les dijo: "Los he llamado para decirles que ustedes no pueden jurar. La razón –dijo Aramburu– es que esta noche voy a pedir por televisión o por radio la renuncia del presidente. Al final, llegué a la conclusión de que con Frondizi no se puede ir a ninguna parte". En un clima muy caldeado, le respondí en estos términos: "General: Ahora, a las 12, voy a jurar, y si usted quiere sacar al presidente, sáquelo; y si quiere pedirle la renuncia, pídasela. Usted está cometiendo un acto de traición al presidente, porque usted, ante el fracaso de sus gestiones ante las Fuerzas Armadas, debió decirle al presidente que ha fracasado y que ambos quedan en libertad". Así terminó la reunión.[1]

Este testimonio, que figuraba entre los papeles de Arturo Frondizi, nos permite comprender hasta qué punto estaba condicionada la recomposición del gabinete nacional.

Tras la ceremonia del juramento, Frondizi recibió en su despacho al capitán Francisco Manrique, con quien mantuvo tres encuentros en los que se analizaron las consultas del general Aramburu en busca de una salida institucional. En diálogo con los periodistas, Manrique expresó que había voluntad general para encontrar una solución. Estas visitas le permitieron apreciar en su real magnitud los sacrificios de Frondizi para salvar la estabilidad de la República, y así se lo manifestó al doctor Mariano Wainfeld:

Casi me hace llorar este hombre. He salido convencido de que Frondizi no renuncia y salgo de inmediato a trabajar como un loco para evitar que lo haga. Si alguna duda tuve alguna vez del patriotismo de Frondizi, queda ahora disipada, pues luego de haberlo escuchado, he quedado convencido de que es un abnegado y gran ciudadano, un gran patriota.

Palabras harto significativas, puesto que las pronunciaba un tenaz opositor.

Pocas horas después, a las 23, Aramburu se entrevistó con Frondizi una vez más, en la quinta de Olivos. El doctor Cáceres Monié, presente en el lugar, dio su impresión sobre este encuentro:

La turbación de Aramburu al llegar era evidente. Saludó al entrar, como si no conociera ni a las personas que allí se encontraban, ni tampoco el lugar que, naturalmente, por razones obvias, era para él familiar. [...] De inmediato entró a conferenciar con el doctor Frondizi.

A las 24 horas se retira Aramburu. Si su turbación era evidente al entrar, más aún lo fue al salir. Era natural; acababa de pedirle la renuncia al Presidente de la Nación.

Imperturbable, por el contrario, a su lado se hallaba el doctor Frondizi, quien, tomándolo del brazo y en actitud visiblemente cordial lo acompañó hasta la puerta de salida. [...]

El hombre que había posibilitado el acceso al poder de la expresión popular representada por Frondizi, acababa de consumar –hasta ese momento– el intento de destrucción de su propio esfuerzo. Se había sumado al conjunto de golpistas.

El general Aramburu no utilizó en esta oportunidad la televisión para difundir el resultado de la misión para la que había sido designado. En cambio, entregó a la prensa una carta dirigida al doctor Frondizi, cuyo texto transcribimos:

S.E. ha requerido mi intervención en la crisis política que el país atraviesa. [...] Desde el primer momento pude verificar que la situación a la que el país ha llegado en el plano político, es realmente extrema [...]

Está efectivamente en peligro la continuidad institucional. Las consultas que he verificado han mostrado, con un acuerdo poco común entre nosotros en el plano político, un juicio decididamente adverso a la permanencia de S.E. en el poder. Una actitud igualmente coincidente y firme he podido verificar en las Fuerzas Armadas.

Cúmpleme destacar que al mismo tiempo, todos los sectores muestran la más firme adhesión a las instituciones republicanas y empeño decidido por salvar la continuidad institucional, tan directamente vinculada con el prestigio del país. Los intereses supremos de la República entran directamente a gravitar sobre las decisiones que debemos tomar en estos momentos. Y no resultaría cierto ni plausible suponer que la continuidad institucional solamente se salva con el mantenimiento del poder por parte de S.E. Antes al contrario, me es forzoso manifestarle que está en manos suyas, y solamente en ellas, la salvación institucional pero exclusivamente sobre la base de su voluntario alejamiento. Una negativa y hasta una vacilación de su parte, puede precipitar al país por vías inciertas. [...] [...] la Nación pide a usted un noble renunciamiento. Lo pide y lo espera de su reconocido patriotismo. [...]

La respuesta de Frondizi fue terminante: no renunciaría a su cargo.[2]

Martes 27

El clima político y militar no difería de las horas anteriores; se hablaba de movimiento de tropas y no se descartaba la posibilidad del crimen político. El general Fraga se apresuró a entrevistarse con el Presidente para acordar las medidas a adoptar, puesto que los plazos se acortaban.

Frondizi, quien estaba dispuesto a tener la más grande flexibilidad, siempre que ella no acarreara la declinación de los poderes obtenidos por la voluntad del pueblo, le dio una orden por escrito en la que disponía la defensa de las instituciones. Por su importancia y proyección futura, el documento debía permanecer a buen resguardo y, para ello, le sería entregado a una personalidad de conducta intachable como era el intendente Hernán Giralt.

El plan consistía en la instalación de Frondizi y Fraga en la guarnición de Campo de Mayo, desde donde el secretario de Guerra impartiría las órdenes. Tanto el jefe del Regimiento de Granaderos a Caballo, coronel Herrera, como el segundo jefe, teniente coronel Luzuriaga, informaron que las fuerzas bajo su mando estaban dispuestas a defender al Presidente.

El ministro de Defensa, a su vez, propuso como alternativa a las Fuerzas Armadas preservar al orden constitucional en base a la convocatoria del Congreso Nacional a sesiones extraordinarias. Se dispondría: que los actos del Poder Ejecutivo y del Poder Legislativo deberían ser refrendados por los secretarios militares y el ministro de Defensa; la implantación de la representación proporcional legislativa, y el desconocimiento legal de toda agrupación totalitaria. Continuaría en vigencia el plan de estabilización financiera y desarrollo económico y se moralizaría la administración pública.

Este plan no tuvo éxito, puesto que la estrategia militar no consistía en aceptar paliativos para la situación sino en forzar la renuncia de Frondizi.

Miércoles 28

Este fue el último día de Frondizi en la Casa de Gobierno, como presidente de los argentinos. Una de sus primeras medidas fue rechazar la renuncia que elevó el general Rosendo M. Fraga, al cual consideraba "dispuesto a pelear e instalar su comando en Campo de Mayo".

La renuncia de Fraga expresaba:

Presento a V.E. mi renuncia al cargo de secretario de Estado de Guerra para el que fuera designado el 15 de octubre de 1960. Motivan esta decisión los acontecimientos públicamente conocidos, la determinación de V.E. de no renunciar y la voluntad de los mandos de Ejército en el sentido de lograr vuestro alejamiento del poder. Mi permanencia en este cargo en tales circunstancias es incompatible con mi propósito de no llegar a constituir un factor de división en los cuadros del Ejército. Debo expresar que mi actitud se inspira exclusivamente en el anhelo de ahorrar males a la República y de no apartarme de los principios democráticos que han regido mi vida, en tanto exista una esperanza de lograr soluciones institucionales para resolver el grave problema que afecta hoy a la Nación.

La respuesta de Frondizi fue:

Como presidente de la Nación he decidido rechazar su renuncia.
Como secretario de Estado de Guerra Ud. tiene el deber irrenunciable de defender la Constitución Nacional.
Tengo la seguridad de que Ud. hará honor a esta responsabilidad de soldado.

Las noticias sobre movimientos de tropas y toma de estaciones radiales desalentaban cualquier reversión de la situación.

Cerca de las 16, Frondizi firmó el decreto N° 1.854, de convocatoria a sesiones extraordinarias para tratar la sugerencia de las Fuerzas Armadas y del general Aramburu para que el Presidente resignara el cargo.

Frondizi no suspendió su tradicional siesta, dejando expresa constancia de que le avisaran cuando llegasen los tres comandantes en jefe. Al mismo tiempo, encomendó a Cáceres Monié que se entrevistara con el general Fraga, a quien transmitiría el siguiente mensaje:

Que, conforme lo convenido, se instale en Campo de Mayo y que su proclama consista en decir: "He constituido el comando en jefe del Ejército en Campo de Mayo, desde donde he de defender el orden constitucional y restablecer la jerarquía y disciplina del Ejército".

También debía preguntarle si el decreto de relevo del general Poggi lo harían allí o se encargaba Fraga de redactarlo. Frondizi insistió en que no fuera a la Secretaría de Guerra, donde podía quedar detenido. El se establecería en Olivos.

Cáceres Monié recuerda la respuesta de Fraga:

–Iré directamente a Guerra, ya que si voy a Campo de Mayo desencadenaríamos nosotros los acontecimientos. En cambio, tengo fe que todavía podemos impedirlos.

Las sospechas sobre el cambio de actitud de Fraga perdurarían. El contraalmirante Gonzalo de Bustamante, entonces edecán presidencial, entendió

que la desobediencia del general Fraga debió haber sido muy consciente para el actor, ya que al no presentarse el secretario de Guerra y asumir el mando militar en Campo de Mayo como comandante de esa fracción legalista del Ejército, iba a implicar, de hecho, el derrocamiento del gobierno constitucional.

En efecto, el general Fraga, como bien lo sabía Frondizi, al dirigirse a su despacho en la Secretaría de Guerra, fue detenido e incomunicado. Es que esta Secretaría se había convertido en el baluarte del comandante Poggi y sus amigos.

Cuando aún permanecía abierta la última expectativa de solución, los comandantes de las tres armas se hicieron presentes en la Casa de Gobierno. Recelos y pesadumbres circularon entre la gente que comenzaba a invadir salas y galerías con la intención de evitar el derrocamiento de Frondizi.

El primero en hablar fue el general Poggi. Luego lo hizo el almirante Penas y, por último, el brigadier Cayo Alsina. Todos coincidían en una demanda terminante: la renuncia del Presidente.

Las palabras de Frondizi, tajantes y sin resquicios para la réplica, se hicieron oír en el despacho:

–Señores, el Presidente de la República ha sido puesto aquí y no renuncia de ninguna manera. En consecuencia, ustedes adopten las determinaciones que consideren del caso.

Ya no había posibilidades de tregua ni de arreglos. Llegado a Olivos, Frondizi tuvo la certeza de que todo había concluido, al ser informado de que el general Fraga, tras su detención, había sido remitido a su domicilio con el compromiso de no participar en ninguna operación.

Recuerdan quienes estaban junto al Presidente –Cáceres Monié, Larroudé y el edecán Luis C. Gómez Centurión– la decisión de Frondizi de hablar personalmente con el general Juan Carlos Onganía, quien estaba al frente del comando de Campo de Mayo. Reproducimos el diálogo que luego de casi treinta y dos años mantuvo fresco en su memoria el edecán presidencial, porque con ello se desvirtúan versiones sobre órdenes impartidas por Frondizi para reprimir a los facciosos:

DOCTOR FRONDIZI: Buenas tardes, general Onganía. Aquí Frondizi, presidente de la Nación.

GENERAL ONGANÍA: Buenas tardes, señor presidente.

DOCTOR FRONDIZI: General Onganía, ¿conoce usted el hecho de que el general Poggi ha detenido al secretario de Guerra?

GENERAL ONGANÍA: Sí, señor presidente.

DOCTOR FRONDIZI: Ante esa circunstancia, ¿qué va a hacer usted, general Onganía?

GENERAL ONGANÍA: Voy a cumplir órdenes de mis comandos naturales.

DOCTOR FRONDIZI: Buenas tardes, general Onganía.

GENERAL ONGANÍA: Buenas tardes, señor presidente.[3]

El general Juan Carlos Onganía, con su respuesta, selló el destino del país. Pero otras actitudes militares ponen de relieve que el lema "subordinación y valor" seguía vigente. El coronel José Rafael Herrera, jefe del Regimiento de Granaderos a Caballo, se apersonó al doctor Frondizi y le dijo:

–Señor Presidente, deseo manifestarle que el Regimiento de Granaderos a Caballo está aprestado para el combate; mañana lo pasaremos a buscar con el Regimiento vestido de gala, con todo el armamento y a partir de allí, iremos a Casa de Gobierno y el que se encuentre enfrente o quiera interponerse en nuestra marcha, tendrá que sostener el combate.

Ante esa muestra de lealtad, contestó Frondizi:

–Coronel, usted responde a la tradición gloriosa del Regimiento de Granaderos a Caballo, y si es que vamos a ir a la Casa de Gobierno, no va a ir usted al frente, sino que iremos los dos al frente del Regimiento.[4]

En el cuartel, manteniendo la más estricta disciplina, había quedado el segundo jefe, el teniente coronel Carlos Luzuriaga, identificado con la decisión de combatir frontalmente la insubordinación.

Jueves 29

En la madrugada del 29 de marzo las Fuerzas Armadas aceleraban su empeño para alejar al jefe del Ejecutivo, y así lo hicieron saber una vez más los secretarios de Marina y Aeronáutica, Clement y Rojas Silveyra. La respuesta de Frondizi fue categórica:

Acá no hay soluciones híbridas, señores; ni renuncio ni pediré licencia. Hay, además, acá, un conjunto de hombres que no son traidores y yo no los relevaré del juramento que tienen prestado. Además, comprenderán ustedes que no tomaré resoluciones de ninguna índole estando el secretario de Guerra preso. En consecuencia, o soy presidente en la plenitud de mis facultades o atributos, y en tal sentido ejerzo el cargo, para lo cual, incluso, estoy dispuesto a aceptar el plan diseñado por el doctor Martínez, o las Fuerzas Armadas me derrocan, instalando una junta militar, o declarando la imposibilidad de que yo ejerza el cargo de presidente de la Nación. Para el último de los supuestos, es decir, para el tercer evento, incluso comprometo mi esfuerzo para hallar una solución civil, influyendo sobre mis amigos, pues deben encontrarse las soluciones que el país requiere. Mi decisión es velar por este país y así lo haré invariablemente. Pienso ejercer hasta el final mis atributos constitucionales, pues el país no puede aguantar más esta situación, y si para mañana no hay solución a esta crisis, aunque fuere con la guardia del Regimiento de Infantería de Marina, o con cien granaderos, iré a la Casa de Gobierno. Debe hallarse una solución civil y, reitero, sólo para ese evento comprometo mi esfuerzo. Desde el lugar en que me encuentre bregaré por este país. Para ello sólo necesitaré un teléfono, pues si bien acá, aunque fuere por ironía mi palabra no es escuchada, en otros países como Estados Unidos, Italia, Inglaterra o Alemania, se harán eco de mis sugestiones.[5]

El coronel José Rafael Herrera, intérprete del sentir de la oficialidad del Regimiento de Granaderos, requirió del Presidente el porqué de su decisión de retirar a los efectivos que cumplían la misión de custodiar la Casa de Gobierno. Con una marcada coherencia Frondizi explicó sus razones:

Primero, porque las fuerzas que se habían destacado en misión de ataque a la Casa de Gobierno eran muy superiores a las del Destacamento de Granaderos y ello traería como consecuencia el aniquilamiento del Regimiento o su rendición. Segundo, porque la tradición del Regimiento era en esa emergencia lo primero que había que cuidar, pues no podía permitirse de ninguna manera que claudicara rindiéndose, o tampoco admitirse que por más bravura que pusiera en su misión, fuera derrotado. Y tercero, porque el Regimiento estaba signado por la inspiración de San Martín de luchar con él por la libertad de la Patria, librándolo de las luchas intestinas. Debe estar, también en esta emergencia, fuera del conflicto actual, respondiendo a su tradición.

A las 4.20, el contraalmirante Clement fue el encargado de comunicar telefónicamente a Frondizi su derrocamiento. Cáceres Monié recuerda el lacónico diálogo:
–Sí, señor almirante, Frondizi habla.
Luego, un angustioso silencio roto sólo por cuatro palabras:
–Bien, señor, buenas noches.

Sin actitudes dramáticas, sin hostilidad hacia quienes desconocían un legítimo pronunciamiento popular, Frondizi dijo a sus expectantes amigos: "Han adoptado la solución 3ª".

Se produjo una larga pausa que nadie se animó a quebrar. Todos tenían, como un peso insostenible, el sentimiento de la derrota. Habían acompañado a Frondizi, con fidelidad y convicción, en su empeño reformista y en su lucha para alentar, desarrollar y encauzar la vocación progresista de la Nación, y aún no atinaban a explicarse ese infausto, absurdo final de un ideal compartido.

Refiere Cáceres Monié:

Fue el propio Frondizi el que rompió el silencio. Con una calma y una tranquilidad tremendas, tal vez incompatibles con el dramatismo del momento, pero que por eso mismo eran más incisivas, dijo:
–Bueno, ahora tenemos que pensar en la solución.

Sobreponiéndose a su drama personal, el ciudadano, el político, el estadista, ya estaba elaborando la salida institucional para ahorrar a su pueblo la vergüenza de una dictadura.

Desgranó nombres y posibilidades:

–Monjardín, no; está viejo. Guido, bueno, será posible, y si no, Aráoz de Lamadrid.

Frondizi, ante la negativa de Cáceres Monié de prestar su colaboración a un nuevo gobierno, respondió:

–No, usted no podrá colaborar, no debe colaborar; el partido deberá estar en la calle. Habrá que trazar una línea de separación entre el partido y el gobierno, pero podemos evitar que una junta militar se haga cargo del gobierno. Hay que evitar la dictadura.

Frondizi manifestó que deseaba descansar para afrontar en condiciones los hechos que se avecinaban.

–Debo estar descansado –dijo–, ahora más que nunca.

Casi simultáneamente, el teniente general Poggi había cursado un radiograma a las unidades de todo el país:

A todos los comandos, organismos y unidades del Ejército. El señor presidente de la República ha sido depuesto por las Fuerzas Armadas. Esta decisión es inamovible.

La decisión fue ratificada por la Junta de Comandantes en un comunicado similar.

Los amigos de siempre, colaboradores de su gobierno, admiradores de su trayectoria, se acercaron a la quinta de Olivos hasta colmar su capacidad, para expresar su solidaridad al Presidente de la Nación. Pese al papel que había desempeñado en todas las alternativas previas, el almirante Gastón Clement y su esposa también se hicieron presentes en la residencia, para saludar al ciudadano en el que, por encima de discrepancias políticas, reconocían "sus cualidades, su patriotismo, su talento, su vida familiar digna y ejemplar".

Eran las 7.30 de la mañana cuando llegó el jefe de la Casa Militar, capitán de navío Lockhart, para informarle que debían trasladarse al Aeroparque, donde los aguardaba un avión de la Fuerza Aérea que lo llevaría a Martín García. Los edecanes Luis C. Gómez Centurión, de Ejército, y Gonzalo de Bustamante, de Marina, no aceptaron acompañar a Frondizi porque rechazaban la posibilidad de conducirlo a una prisión. Gonzalo de Bustamante, en la actualidad contraalmirante, nos aportó su testimonio:

> Le dijimos expresamente al doctor Frondizi el hoy general Gómez Centurión y yo, que no estábamos de acuerdo de ninguna manera, en acompañarlo a su detención; que sí lo íbamos a acompañar hasta último momento como lo habíamos hecho en poco más de un año, cuando desempeñamos las funciones de edecanes militar y naval respectivamente. Nos despedimos del doctor Frondizi con mucha pena. Para mí ha sido siempre el último estadista que hemos tenido en este país, y su derrocamiento significó un golpe político tremendo para nuestra Patria.

Frondizi, con una esforzada sonrisa en su rostro pálido y tenso, comenzó a despedirse del compacto grupo presente en la residencia. Prodigó palabras de afecto a todos e intentó confortar a los más apesadumbrados, mientras quienes lo rodeaban prolongaban sus abrazos en un inútil intento por demorar su partida.

Trabajosamente se encaminó hacia el vehículo que lo estaba esperando. Voces roncas por la emoción comenzaron a entonar el Himno Nacional. Hubo lágrimas y vítores; hombres fogueados en las contiendas cívicas lloraban sin reparos. La última despedida fue para Elena Faggionato, la compañera entrañable, la esposa perfecta. Al subir al coche, sobresalió su voz sollozante:

—Arturo, estoy orgullosa; estoy muy orgullosa.

Recuerda Arturo Frondizi:

> Marchábamos hacia el confinamiento; atrás quedaban los cuatro años de gobierno; sabíamos que habíamos cumplido con nuestra misión. Teníamos la conciencia tranquila mientras el automóvil recorría, en esa desapacible mañana de otoño, la distancia que separa la residencia de Olivos del Aeroparque metropolitano.

Se había consumado un nuevo drama institucional argentino, ante la apatía de un sector de la población y la perplejidad de otro que asistió, inerme, al derrumbe de un proyecto que pretendió rearticular la economía, la sociedad y la cultura en el país.[6]

"No me suicidaré, no me iré del país, no cederé"

El 27 de marzo, en vísperas de su derrocamiento, Arturo Frondizi envió al presidente del Comité Nacional de la UCRI, doctor Alfredo García, una carta que sólo debía hacerse pública en caso que se lo eliminase físicamente o se lo hiciera prisionero. Transcribir algunos de sus párrafos quizás sea el colofón más adecuado para su trayectoria como Presidente de los argentinos.

Deseo comenzar esta carta recordando algunas frases del discurso que pronuncié el 9 de febrero de 1957 y que hoy recobran cabal vigencia: "Los hombres que el destino señaló para servir la causa del pueblo sufrieron siempre los peores embates. Tengo presente el suicidio de Alem, la tentativa de asesinato de Lisandro de la Torre y su posterior suicidio. A Yrigoyen se lo dejó solo".

Tengo la firme decisión de enfrentar todo lo que pueda sobrevenir. No me suicidaré, no me iré del país ni cederé. Permaneceré en mi puesto en esta lucha que no es mía ni sólo del pueblo argentino. Se está librando en nuestra América; la están librando a lo largo y a lo ancho de todo el mundo los pueblos que se levantan contra la opresión y el privilegio y combaten por la libertad, la justicia y el progreso del género humano.

En momentos en que la crisis política que vivimos llega a su máxima gravedad quiero ratificar ante Ud. y demás integrantes de ese Comité Nacional partidario mi irrevocable determinación de no renunciar y de permanecer en el gobierno hasta que me derroquen por la fuerza.

Nuestros enemigos –los enemigos del pueblo argentino– quieren mi renuncia. Con mi renuncia se prepara una parodia institucional sobre las bases de una democracia restringida que excluya a todos los sectores populares y como consecuencia ineludible una despiadada represión contra el pueblo con la que me han amenazado continuamente. Esta es por lo tanto [...] la razón fundamental de mi obstinada y tenaz negativa a renunciar a mi cargo o terminar con mi vida. Quienes se atrevan a sacarme del gobierno por la fuerza o a eliminarme físicamente, deberán asumir ante la historia la responsabilidad de haber desatado en la Argentina la represión popular y su inevitable consecuencia, la guerra social. Ellos, si logran sus designios abrirán las puertas al comunismo que con tanta vehemencia dicen combatir.

Este episodio de hoy es la culminación de un largo proceso a través de cuyo desarrollo se libró un incesante combate entre la legalidad y el despotismo, entre la paz social y el caos, entre el desarrollo y el colonialismo.

En casi cuatro años de gobierno informé en forma permanente al pueblo del sentido de esta lucha. Una y otra vez denuncié qué fuerzas y con qué medios se oponían a un programa de legalidad, paz social y desarrollo económico. Si esta lucha no derivó en forma cruenta, ha sido por la vocación de paz que anima a nuestro pueblo y por el tesonero esfuerzo pacificador de nuestro gobierno. [...]

El 23 de febrero de 1958 no triunfó ni un partido, ni un hombre; triunfó el pueblo, triunfó la idea de lanzar a la Nación a su destino irrenunciable de desarrollo, bienestar y libertad. Este programa necesitaba, para realizarse, que se procediera, rápida y eficazmente. Entrañaba una revolución tan pacífica como profunda. Debíamos terminar con el colonialismo y en consecuencia afectar los intereses locales ligados a esa estructura económica.

Sin embargo el programa de desarrollo había de beneficiar a todos los argentinos, a todos los sectores sociales y a todas las regiones geográficas. [...] Si los sectores ligados al colonialismo hubieran comprendido ello y hubieran tenido fe en el país, habrían facilitado el cambio, incluso para no trabar su propio futuro. Pero no fue así. Pudo más el interés sórdido por lo inmediato. Y entonces comenzó la lucha, que se inauguró antes del 1º de mayo de 1958. Continuistas y quedantistas deliberaron sobre si debían o no entregar el poder a la inmensa mayoría triunfante en los comicios. Acepté, entonces, recibir el poder en forma condicionada. Debí optar entre la frustración de la victoria con que se abría ya el camino de la dictadura o la guerra civil o un punto de partida que permitiera ir construyendo las bases de una legalidad cada vez más intensa, de una paz social cada día más firme y de un desarrollo en acelerado crecimiento. [...] A cada avance por el camino propuesto correspondió una reacción, que se fue haciendo cada día más violenta. [...]

Con el fracaso de la conducción surgida de la crisis de septiembre de 1959 se cierra un ciclo. Pero ya entonces sabíamos que el golpismo y la reacción, acorralados y resentidos por su derrota, asumirían formas más peligrosas. En la tentativa de ensanchar las bases de la legalidad, levantamos las proscripciones. Al mismo tiempo tratamos de hacer entender a las fuerzas en pugna, dentro de la línea nacional, que debían buscar la forma de presentar un frente unido. [...]. Infortunadamente, mi iniciativa no fue comprendida ni aceptada en toda su extensión y llegamos a los comicios de marzo en posiciones aparentemente antagónicas. [...] Ahora, con la legalidad a punto de perecer, comprueban con angustia que su fortaleza estaba en la unidad. [...]

Conocidos los resultados electorales y enfrentados a una grave situación de hecho acepté las intervenciones como un recurso heroico destinado a preservar una parte de la legalidad. Desde esa plataforma podíamos lanzarnos de nuevo a la tarea de su ampliación. [...] No creo haberme equivocado al proceder así. No hay duda de que ahora todo el pueblo sabe, que era el mal menor. Uds. como correligionarios, comprenderán mejor que nadie lo doloroso que fue para mi espíritu firmar esos decretos. Pero de la misma manera que soporté con humildad y con paciencia la calumnia y la infamia como así también sucesivas lesiones a mi investidura presidencial, no vacilé un instante en ese nuevo renunciamiento en defensa de la paz de mi pueblo. [...]

Paradójicamente, quienes me instaban a intervenir todas las provincias en que triunfó el peronismo; quienes lanzan proclamas incendiarias advirtiendo a los peronistas qué género de represión intentarán contra ellos, aducen que la legalidad fue quebrantada por el presidente de la Nación al decretar esas intervenciones. Esto constituye el símbolo de la contradicción de quienes sostienen sin rubor la tesis de una democracia de selectas y reducidas minorías que se arrogan el derecho de tutelar al pueblo todo. Son los mismos a quienes debí ofrecer la banda y el bastón presidencial cuando exigían mi firma para un decreto que interviniera la CGT y que posibilitara los fusilamientos en la Argentina. [...]

Se aproximan horas difíciles para el país. Si no se supera esta crisis, las serán mucho más aún. [...] No renuncio, para no abrir el cauce a la anarquía, pero si pasan por encima de mi voluntad, si me arrojan del gobierno o me eliminan físicamente, quiero que el pueblo todo, conozca la realidad de lo ocurrido para que pueda aprender la lección de la historia. Los últimos comicios señalan que más del 70 por ciento del electorado se ha pronunciado por el desarrollo económico, la justicia social y la convivencia democrática. Las bases de expansión están logradas en forma irreversible y por tanto es más claro el derecho del pueblo a gozar de los beneficios que de esta situación derivan. La lucha que se abre ahora es por la legalidad y la paz. Y la legalidad y la paz, sólo se pueden asegurar por la unificación de todos los sectores populares. Pero si los enemigos de la Nación y del pueblo, lanzan sobre los argentinos la calamidad sombría de la dictadura y la lucha fratricida, habrá que enfrentar con decisión inquebrantable todas las contingencias. [...] Tanto para ese camino, que nos pueden imponer, como para el democrático y pacífico que estamos sosteniendo hasta sus últimas consecuencias, importa fundamentalmente preservar la unidad de los sectores populares como condición indispensable de su triunfo.[...]

Cualesquiera sean las características de la lucha, nuestra concepción cristiana y democrática debe estar íntimamente unida a nuestra acción. Sólo así se evitará que alguna fuerza antinacional capitalice la lucha histórica del pueblo argentino por su autodeterminación.

En estas horas sombrías de la República, pude comprobar cabalmente, con honda emoción republicana el drama de ese gran argentino que fue Hipólito Yrigoyen, cuando solo, enfermo y abandonado fue derrocado por las fuerzas antinacionales. Felizmente Dios ha querido liberarme de esta dolorosa experiencia, porque mi partido y mis amigos de lucha de toda una vida me han acompañado con una conmovedora solidaridad, que obliga a mi emocionada gratitud y que me ha recompensado de la soledad y las penurias del poder. Cualquiera fuere mi destino sé que he contado con la lealtad de mis amigos y de mi partido y con la comprensión de mi pueblo. No necesito más.

De esta carta envío copias autenticadas a un grupo de amigos comunes. Quiero que ella sirva como único y veraz testimonio de las razones de mi decisión, de mi estado de ánimo y del programa de acción que propongo a mis conciudadanos. Ella sólo debe hacerse pública en el caso de que se me eliminara físicamente o se me hiciera prisionero. Espero de Ud. y de mis correligionarios, que sigan, como he seguido yo, hasta sus últimas consecuencias esta lucha por la liberación de la Argentina, por su desarrollo económico, por su soberanía, por la unidad de nuestro pueblo y por sus derechos a un nivel de vida cada día mejor. Esto es la expresión auténtica de la democracia.

Invoco para mi Patria la protección de Dios. Con un abrazo.

ARTURO FRONDIZI

NOTAS

1. Archivo personal de Arturo Frondizi.
2. Frondizi, Arturo: *Cuatro años de gobierno y de futuro nacional*, Desarrollo, Buenos Aires, 1963.
3. Testimonio del general de división Luis C. Gómez Centurión, Archivo de la autora.
4. Testimonio de Bernardo Larroudé, Archivo de la autora.
5. Testimonio de Jorge R. Cáceres Monié, Archivo de la autora.
6. Años más tarde, frente a un Frondizi anciano, al recordar aquella jornada histórica, le pregunté: "En esos momentos tan dramáticos, rumbo a la prisión, ¿en qué pensó?". La respuesta surgió de inmediato. "En la Patria."

*Visita de Frondizi
a los Estados Unidos
en 1959.*
Arriba: *El 19 de enero,
con su esposa
y el presidente
Dwight Eisenhower.*
A la izquierda:
*Aclamado en las calles
de Nueva York
el 29 de enero.*

Reunión de los presidentes Frondizi y Kennedy en el hotel Carlyle, en Nueva York, el 26 de setiembre de 1961. Arriba: *Acompañados por el embajador argentino en los Estados Unidos, Miguel Angel Cárcano.* A la izquierda: *Posando para la prensa.*

Frondizi en la Organización de Estados Americanos, 22 de enero de 1959.

En Italia, 18 dejunio de 1960.
Frondizi homenajeado
por el pueblo de Gubbio,
la ciudad natal de sus padres.

El presidente argentino
y la primera dama
con Konrad Adenauer
y el ministro de Economía
Ludwig Erhard,
en la recepción que les ofreció
el canciller de la República
Federal de Alemania
el 28 de junio de 1960.

Arturo Frondizi
y Elena Faggionato
de Frondizi
con el emperador
Hirohito
y la emperatriz
Nagako. Japón,
14 de diciembre
de 1961.

Frondizi habla en la Asamblea de las Naciones Unidas, el 27 de setiembre de 1961.

Durante su confinamiento en el hotel Tunquelén, Bariloche, 1963.

Arturo Frondizi, interlocutor
de tres papas.
Arriba: *Acompañado
por su esposa, con Juan XXIII,
el 18 de junio de 1960.*
A la izquierda: *Con Paulo VI,
en 1966.*
Abajo: *Con Juan Pablo II,
en diciembre de 1985.*

En la inauguración de los cursos del Centro de Estudios Nacionales, 3 de abril de 1964.

En Puerta de Hierro: José López Rega, Juan Domingo Perón, Arturo Frondizi, María Estela Martínez de Perón y Giancarlo Elia Valori (Madrid, 13 de marzo de 1972).

Frondizi habla en un acto del Movimiento de Integración y Desarrollo, integrante del Movimiento Nacional y Popular.

Con el presidente Raúl Alfonsín y el ministro del Interior Antonio Tróccoli, en el Consejo Federal de Inversiones (10 de setiembre de 1984).

Arturo Frondizi
y su esposa
en la casa
de la calle Beruti
(1988).

Frente a la casa que ocupó en Martín García, durante el viaje evocativo
organizado por el Centro de Estudios Nacionales al cumplirse treinta
años de su prisión en la isla (28 de marzo de 1992).

TERCERA PARTE

OTRA VEZ DESDE EL LLANO

La isla-prisión

En 1930 se inició la desafortunada decisión de recluir en Martín García a presidentes derrocados por una revolución. Un Hipólito Yrigoyen anciano permaneció allí prisionero e incomunicado desde el 29 de noviembre hasta el 19 de febrero de 1932. Indultado por el presidente Agustín P. Justo, medida que rechazó por considerarla agraviante, disfrutó poco de su libertad puesto que, ante una conspiración del teniente coronel Atilio Cattáneo, fue nuevamente recluido en la isla. Como consecuencia del proceso iniciado por dicha conspiración, los doctores Alvear y Güemes –entre otros–, sufrieron el mismo destino.

Más tarde le tocó el turno al entonces secretario de Trabajo y Previsión, ministro de Guerra y vicepresidente de la República, coronel Juan Domingo Perón. Pese a que, ante la profundidad de la crisis política que vivía el país, éste había aceptado la imposición de su renuncia, pidiendo el retiro del Ejército, el presidente Edelmiro J. Farrell, más para resguardarlo –porque se temía por su vida– que como castigo, el 13 de octubre de 1945 ordenó su traslado a Martín García. Pero el 17, un día en el que se abriría una nueva etapa en la historia del país, alegando razones de salud, Perón fue embarcado hacia Buenos Aires y trasladado al Hospital Militar.

En la mañana del 29 de marzo de 1962, cuando el DC-3 de Aeronáutica aterrizó en la isla, comenzaba una prisión más Arturo Frondizi.

Vida de cautivo

La Marina no desconocía la calidad de quien a partir de ese momento quedaba bajo su vigilancia, y así lo testifican las "Instrucciones para custodia del doctor Frondizi", del almirante Agustín R. Penas, comandante de Operaciones Navales, que recibió a las 4.30 de la mañana el director de la Escuela de Marinería y comandante de la Subárea naval de Martín García, capitán de fragata Eduardo Aratti:

En la fecha el Doctor Arturo Frondizi, Presidente depuesto de la República, quedará en calidad de detenido político en esa Base Naval. Le acompañarán en tal carácter su Señora esposa y posteriormente, a su regreso al país, su hija, las cuales estarán autorizadas a vivir con él pero tendrán libertad de acción dentro de las condiciones de seguridad que el señor Comandante dicte para el adecuado cumplimiento de la misión que se le asigna por el presente oficio.

Se cumplirán las siguientes instrucciones:

a) El Doctor Arturo Frondizi no podrá salir de la Isla Martín García, salvo razones de fuerza mayor o de salud que serán especialmente autorizadas por el Secretario de Marina.

b) El doctor Arturo Frondizi y su familia, recibirán trato preferencial, acorde con su condición de ex Presidente.

c) Se le asignará una casa habitación, que posea las mejores condiciones de habitabilidad, donde pueda desarrollar su vida sin interferencias ni vigilancia vejatoria.

d) Tendrá libertad de movimientos dentro de la Isla, compatibles con las condiciones naturales de restricción de la Base.

e) Se le proveerá servicio con personal de Marina, estando autorizado a tener un valet provisto por la Presidencia.

f) Su racionamiento y el de su familia correrá por cuenta de Marina.

g) Podrá recibir visitas con autorización del Secretario de Marina.

El capitán Aratti, a partir de ese momento, se fijó tres objetivos, prevenido por los antecedentes que había en la isla y en la literatura política sobre la detención del presidente Yrigoyen, que habían promovido comentarios ácidos con respecto a la descortesía e irrespetuosidad en el trato. Ellos fueron tratamiento, seguridad y cuidado. Ateniéndose a esas premisas, ajustó las medidas dispuestas a las órdenes y mandatos registrados –con carácter confidencial– por el capitán de corbeta Héctor E. N. Alegre, subdirector accidental, en el "libro de consignas particulares referidas a la permanencia de Frondizi en la isla". Este documento, que figuraba en el Archivo de Frondizi, disponía:

1°– El Doctor Arturo Frondizi recibirá el trato de doctor y la consideración y respeto debidos y guardados en la vida diaria por el Oficial de Marina.

2°– Alojará en la casa que le corresponde al Sr. Sub-Director. Allí tendrá a su disposición al siguiente personal:

2 (dos) cocineros

2 (dos) camareros

1 (uno) jardinero

1 (uno) mayordomo

1 (uno) valet particular.

Figuran en los puntos siguientes consideraciones "para evitar que personal militar, por curiosidad u otras causas, pueda incomodar, importunar o violar la intimidad del doctor Frondizi".

La confección del menú diario debía ajustarse a las órdenes y gustos del doctor Frondizi, estipulándose la diaria visita del jefe de Sanidad para "verificar y cuidar la salud del presidente".

En cuanto a sus movimientos dentro de la isla, el punto 6º determinaba:

> El doctor Frondizi puede circular libremente por la Isla. A efecto de que no se le moleste se prohíbe a la población civil y militar acercarse a él por cualquier causa o razón, excepto en el caso de que el mismo doctor Frondizi sea quien dirija la palabra a alguien. En esa circunstancia fuera quien fuese el interpelado, contestará, acompañará, etcétera, según lo desee el nombrado. El Oficial que lo acompañe en ese momento, cuidará que en toda circunstancia los pobladores y/o visitas guarden la compostura y modales que hacen a la cortesía. En todos los casos se dejará que el doctor Frondizi elija los temas o motivos de conversación. En ningún momento se permitirá que le hagan preguntas de índole particular, familiar u otras que puedan crearle momentos embarazosos o incómodos. Responsable de que se cumpla lo anterior es el Oficial Acompañante.
>
> El Oficial que se designe al efecto caminará o no junto al doctor Frondizi según sea el deseo de éste. Le indicará y orientará cuando el doctor Frondizi le pregunte algo y abordará únicamente los temas que el doctor Frondizi trate.

La atención espiritual estaría a cargo del capellán de la isla, quien visitaría diariamente a Frondizi. Asimismo, ponían a su disposición el uso de la radio y televisión instaladas en su alojamiento, "sin restricciones ni horarios".

La esposa e hija de Frondizi gozarían de amplia libertad de acción y contarían con el asesoramiento y compañía de oficiales para facilitar sus movimientos dentro de la isla.

El 31 de marzo, al "observarse un trámite desusado por las calles adyacentes a la casa del Sr. Sub Director, donde se aloja el doctor Frondizi", porque "la curiosidad u otros motivos han impulsado a muchas personas a rondar la casa, lo que implica una falta (aunque tal vez inconsciente) de consideración para el que allí se aloja [...] pues se está violando ostensiblemente la intimidad a que tiene derecho el morador", se tomaron disposiciones "para evitar que mientras al doctor Frondizi lea, camine, etcétera, sea observado como un motivo de curiosidad que resulte insultante o grosero para él".

Frondizi, para no afectar los movimientos de la población ni turbar sus costumbres, y como expresión de rechazo al control que significaba la continua presencia de un oficial en sus caminatas, decidió no exceder los límites de la casa y recorrer solamente el parque adyacente.

Esta situación hizo decir al doctor Alfredo R. Vítolo en ocasión de su visita el 8 de noviembre:

Hay que puntualizar que a Martín García únicamente van las personas que el gobierno autoriza, sin indicación ni selección por parte del doctor Frondizi, el que está en verdad prácticamente incomunicado de sus colaboradores y amigos políticos. Los argentinos deben saber que el presidente constitucional está realmente preso, en peor situación que muchos presos comunes [...] Jamás un preso político argentino ha recibido el tratamiento que a él se le da.

En el testimonio que nos ofreció el hoy almirante Aratti explica el porqué de esas disposiciones, que no buscaban acentuar el rigor de una prisión sino resguardar la vida del Presidente.

En cuanto a la movilidad del doctor Frondizi en la isla, debemos señalar que los primeros días, ante noticias de posibles ataques o intentos de secuestro, nos vimos obligados a tomar una gran cantidad de medidas de seguridad, inclusive algunas que nos sobrepasaban porque no estábamos preparados para eso. Es por ello que se dispuso que permaneciera en su casa.
[...] pero tan pronto como disminuyó la tensión, el doctor Frondizi volvió a tener libertad de movimiento. La única precaución que tomé fue la de designar a un oficial para que lo acompañara, el que posteriormente fue reemplazado por un ordenanza quien debía mantenerse a cierta distancia para no interferir en el paseo del doctor. [...]
Como el parque de la casa era muy grande, el doctor Frondizi no sintió la necesidad de alejarse; una sola vez lo hizo en mi compañía y en esa oportunidad pude explicarle las características de la región. Su conducta respondía a su discreción y a la autolimitación que se había impuesto, lo que nos ayudaba muchísimo en nuestra misión y en la gran responsabilidad que habíamos adquirido tratando que nada negativo pudiera imputarse a la Marina.

Descripción de Martín García

Frondizi dedicó sus días de soledad a leer, a concretar un caudal de proyectos y, a través de páginas de sencillez conmovedora, a plasmar sus vivencias como prisionero. Así describía la casa en la que residió durante un año:

El portón de la casa da frente a la calle Espora. Y, a su vez, entrando a la casa por el portón se da directamente a la ventana de una habitación que actualmente utilizo como lugar de trabajo. Antes había allí, en esa habitación, un dormitorio que se lo desarmó desde el momento que Elenita comenzó a trabajar y no podía entonces venir más a la Isla. En el dormitorio había una cama, un ropero y una mesa de luz. Se sacó la cama y se dejó el ropero y se llevó una mesa de cocina que utilizaba yo entonces para trabajar con anterioridad en el dormitorio. El ropero fue sacado cuando me fabricaron una biblioteca de seis estantes. En el escritorio, actualmente, además de la mesa y la biblioteca, hay una cómoda de cuatro cajones, una mesa de luz del mismo tipo, de tres cajones, sobre la que tengo el fichero que antes era de dos cajones y ahora es de cuatro; una mesa de luz con un cajón y una puerta en la que tengo la máquina de escribir y otra mesa de luz con una sola puerta en la que tengo el grabador. Además, a un costado ahora tengo una repisa que mandó construir el Comandante, en la que ubico el micrófono. En la habitación hay dos sillas; traje un sillón y una hamaca de hierro en la que normalmente me siento para leer.

Asimismo, aclara que "en el plano de 1956 hay una casa marcada con una cruz. En una casa vivía la gente que atendía a Yrigoyen. Al lado de esa casa había otra que no figura, en la que estaba Yrigoyen". Este dato nos permite consignar que Frondizi no ocupó la misma vivienda que Hipólito Yrigoyen, como se sostuvo reiteradamente.

Con la minuciosidad de un investigador, da detalles que nos brindan una visión abarcadora de Martín García. Así, desfilan las adyacencias a su casa, el barrio chino, "una serie de construcciones que eran hoteles y fondas"; la usina, "muy vieja, con una capacidad de 280 kilovatios y dos motores diesel"; la capilla, "la que habían construido los indios traídos en la época de Roca fue demolida en 1937 y entonces se utilizaba como capilla un polvorín que está al sudeste, entre el muelle Brown y el muelle nuevo. Actualmente está en construcción una de chapa de zinc, de aluminio, cerca del correo"; el agua corriente "que toman del río. La llevan después a unos tanques y allí sufren un filtrado rápido; va a una torre y después se distribuye"; las canteras; los canales, la enfermería vieja; el teléfono; las baterías, "de la época de Sarmiento existe una sola batería instalada cerca de la plaza que tiene tres cañones", el incinerador para basura "que se construyó en la época de la fiebre amarilla. Queda de esa época exclusivamente la chimenea", el cine "construido por un italiano, de no muy buen gusto, recargado de adornos" al que no concurría, pese a que estaba autorizado para ello; el Registro Civil, "de fines de siglo pasado, que depende del gobierno de la provincia"; una escuela, "que depende del Consejo Nacional de Educación" y el Correo, "que también es nacional". La actividad laboral; el penal, "construido aproximadamente a mediados del siglo pasado"; las casas "que habitaba el personal de la isla", ocupan carillas en las que Frondizi delineó las imágenes grabadas en su retina, completadas con datos facilitados por el capitán Aratti en sus largas conversaciones.

Tiempo de estudio

La lectura ocupaba gran parte de su tiempo, de 10 a 12 horas diarias. Frondizi aprovechaba la placidez que lo rodeaba para enfrascarse en obras de historia, filosofía, política, poesía... El almirante Aratti recuerda:

Trajeron cuatro cajas con libros y entonces Frondizi me preguntó si tenía alguna biblioteca, alguna estantería; en caso contrario, que le diera la madera para hacerla él mismo porque, según me confesó, era un buen carpintero, cosa que no llegamos a comprobar porque le dimos una estantería que ocupaba una pared que se completó con libros que le iban trayendo. Su señora lo acompañaba y escribía a máquina lo que el doctor le dictaba.

Entre esos libros podemos citar *Política y poder en un mundo más chico,* de Hans Weigert; *Geografía de la política mundial,* de Cole; *Los buscadores de prestigio,* de Packard; ejemplares de *Cuadernos americanos* y de *Contorno; Supervivencia del hombre,* de Erich Fromm; *Historia Argentina,* de Vicente Sierra; *Intereses argentinos en el mar,* de Storni; *Historia de la ganadería argentina,* de Horacio Ghiberti; *Pellegrini,* de Rivero Astengo; *Vida política,* de Irazusta, geografía de Argentina, Europa, Asia y Africa, etcétera, etcétera. Asimismo, leemos en sus apuntes que solicitó comprar toda publicación sobre la historia de Martín García y *Argirópolis,* de Sarmiento, para obsequiárselas al director Aratti.

Lector cuidadoso, Frondizi organizó su archivo; un valioso fichero con más de mil quinientas tarjetas y dejó apuntes para futuros libros con temarios completos sobre economía, comercio exterior, agro, industrialización, sociología, historia, carbón, siderurgia, energía eléctrica, petróleo, pesca, intereses argentinos en el mar y Mercado Común Europeo, población, capital y ahorro, capital extranjero...

Su esposa Elena y su hija Elenita, con su presencia casi permanente, trataban de recrear una continuidad de vida hogareña cuya normalidad había sido interrumpida por la distancia.

Correspondencia

Las abundantes cartas que recibía le acercaban el cariño de la gente, porque sus colaboradores y amigos deseaban expresarle, por ese medio, su amplia solidaridad al par que le transmitían la creciente preocupación por la situación del país. También llegaba correspondencia de gente que, sin conocerlo personalmente, lo comprendía. Reproducimos una de ellas, valiosa por su sencillez y el lugar de remisión:

Doctor Arturo Frondizi
Personal
Estimado compatriota:

No cumpliría con un deseo de mi conciencia de no hacerle llegar unas líneas de saludo en estas emergencias. Al comprobar que en últimas instancias, usted

"aguantó el chubasco", todos los que mantenemos unas luchas –pese a las discrepancias de todo orden– debemos mantener solidaridad.
En mi calidad de ser el preso más viejo –ya homologo siete años– le hago llegar un fuerte abrazo en la seguridad que lo encuentren entero.

(Hay firma)
Penal Devoto
Octubre de 1962
Enfermería

Los papeles de Martín García

Frondizi recordaba continuamente a su familia y a sus amigos en improvisados apuntes que reflejan ampliamente lo que entonces pensaba y sentía. El domingo 18 de noviembre de 1962, a las 22 horas, registraba así sus pensamientos:

Elena se fue el martes a Buenos Aires. A Elenita no la veo desde el domingo. Estos días comencé a escuchar después del almuerzo y después de la cena, las sinfonías de Beethoven. Son realmente conmovedoras; me conmueven de la cabeza a los pies.
La vida ha sido prácticamente la de todos los días. La única novedad es que el viernes el comandante, después de visitarme, me invitó a que fuéramos caminando hasta la costa del río. Fuimos y por primera vez desde que estoy en la isla, vi el río en toda su amplitud y a lo lejos se veía el humo de la ciudad de Buenos Aires y se divisaba un edificio. Estaba allá la ciudad con todos sus problemas y yo aquí sin poder hacer nada pero sintiendo la vibración de lo que allí ocurre y de lo que ocurre en el país.

El 9 de enero de 1963 escribía:

Son las 22 horas. Termino de comer y vuelvo a mi cuartito de trabajo donde he pasado todo el día leyendo y escuchando música clásica. Continúo con la música. Tomo un libro en que se discuten los fines últimos del hombre. La música me estremece y no me permite leer. Dejo el libro y miro por la ventana hacia la costa oriental. El cielo está cubierto de nubes oscuras, detrás de las cuales se mueve la luna pausadamente, mostrando de tanto en tanto, su cara completamente redonda. A veces, cuando no se la ve, se la adivina a través de la luminosidad que atraviesa capas no tan espesas de nubes. Apago entonces la luz y mientras continúo escuchando música, contemplo el espectáculo del cielo, con sus nubes y su luna que continúa su camino. [...]
Aquí, en el cuarto, adivino en la oscuridad los libros, llenos de sabiduría humana, de pasión, de pasado, de presente, de futuro. Y continúa la música, alta expresión del espíritu, hilo invisible que une la tierra con el cielo.

Y como cada vez que estoy solo, pienso en Elena y Elenita. También en las gentes; en la gente de todas partes, pero con fuerza, con más fuerza, como si los tuviera dentro del corazón, pienso en mi gente, en mi patria.

El viernes 11, anotaba:

Lectura. Escribo apuntes sobre la revolución del 30. [...] A las 19.30 vino el Comandante. Trajo lista de visitantes del domingo. Se retiró a las 20. Después de cenar escucho la Novena Sinfonía; cada vez me deslumbra y conmueve más. Lectura hasta la 1. Después, dormir.

En sus notas del 12 de enero se percibe algo vulnerable en ese hombre que había disciplinado sus emociones con tanta tenacidad.

[...] Después del almuerzo leí en la cama los diarios de los dos días –viernes y sábado– y ahora, son las 17, me dispongo después de tomar el té, a leer y escribir. Más que por aprender algo, para que pasen las horas de este nuevo día, que me acercan a cuando lleguen Elena y Elenita.

Cuán complejo es el ser humano. Cuando están, les dirijo, de tanto en tanto, alguna reprimenda. Cuando no están, las extraño mucho. Pero, en cuanto a Elena, la verdad sea dicha, creo que en los treinta años de casados, es cuando la he atendido mejor y durante más tiempo. Pobre muchacha. Hace treinta años era joven, bonita, simpática y con dinero. Cómo se equivocó con el casamiento. Hace más de treinta años, iniciamos prácticamente el noviazgo estando yo preso en Villa Devoto. Ahora, otra vez preso, después de tantas alternativas.

Muchas veces miro el recorte de diario pegado a la pared, en que está Elenita recibiendo de manos de Risieri el diploma de profesora. Siento una dulce satisfacción viendo a mi hija con sus pasos hacia el futuro.

Risieri me recuerda los años de infancia, pero, sobre todo, los de adolescencia en que vivíamos en el mismo cuarto en la casa de la calle Simbrón. Y, naturalmente, el recuerdo siempre presente de "La Vieja", lo siento como una suave protección que está conmigo en todas partes.

El contacto diario con los suboficiales y jóvenes marineros le permitió conocer muchas de sus preocupaciones y asumir funciones inesperadas. En un caso particular, retomó su añeja vocación docente. En sus recuerdos del domingo 19 de agosto de 1962, dice Frondizi:

[...] Esa noche, después de cenar, Villalba se para en la puerta del comedor. Hace días, conversando con él, me enteré que cuando llegó a la Isla no sabía leer; que aquí le han enseñado y ha aprendido bastante. Le había ofrecido en distintas oportunidades practicar lectura conmigo, pero él había rehuido la posibilidad con cierto temor.

Al verlo, le digo: ¿Por qué no estudiamos un poco, Villalba? Me contesta: Y bueno, si le parece, estudiamos. Lo hago sentar a la mesa del comedor; como me dijo que no tenía el libro de lectura, busco un diario. El único que tengo a mano en ese momento es *Democracia*. Comienzo a hacerle leer los títulos y lo hace bastante bien, pero deletreando.

Le pregunto si sabe escribir, y me contesta que algo. Me dice que él le escribe a veces a los padres. Lo interrogo si quiere escribirle a alguien, y entonces, con un poco de vergüenza, me dice que le gustaría escribirle a la novia, puesto que en su último viaje a Campo Gallo no la ha visto porque no estaba en el lugar. Tomamos un papel blanco, del que uso para hacer mis apuntes, y le doy una lapicera. ¿Qué le quiere mandar a decir?, le pregunto. Y él me contesta: Yo no sé qué se le dice a una novia en una carta. Dígame usted lo que yo debo escribir. Me siento en una situación un poco embarazosa, pero le digo: Bueno, escriba; y comienzo a dictarle: Martín García, 19 de agosto de 1962. Esto lo escribe muy trabajosamente. Me va preguntando qué letra tiene que poner. Algunas de las palabras no sabe cómo escribirlas y me pregunta entonces cómo se escriben. Yo a mi vez tomo un papel y le trazo la palabra para que él la copie. [...] Continúo dictando: Señorita, y entonces él me dice cómo se llama y pone el nombre después que yo lo escribo en el papel para que él lo copie. Le pregunto después: Bueno, ¿cómo la trata usted a su novia? Me contesta, yo no sé cómo se le dice a una novia en una carta. En realidad, yo siento tanta angustia como Villalba sobre esta experiencia de escribirle una carta a la novia. Nunca supe escribir cartas, y menos a la novia. No sé cómo se hace el amor por carta. Pero, naturalmente, él me está mirando con sus grandes ojos y esperando que yo le diga qué es lo que tiene que poner. Entonces comienzo a dictarle. Le digo: escriba "querida amiga". Villalba trabajosamente lo escribe. Ahora quedo allí trancado yo. Villalba me mira y me dice: Y bueno, ¿qué más escribo? Yo dicto un par de frases, diciéndole que lamento no haberla visto cuando estuve en Campo Gallo y que la recuerdo mucho. Le agrego saludos para la familia y alguna otra frase más, así, poco expresiva. Y se me presenta ahora el problema de la despedida. Villalba, con la lapicera en la mano, me observa como interrogándome. Como no le digo nada, habla: ¿Qué le pongo ahora? Yo dudo frente a este saludo más que en muchos asuntos de gobierno que tuve que enfrentar. No sé, pienso, un beso, cariños. Entonces me decido y le digo: Bueno, póngale un abrazo. [...] Después me dice: Ahora ¿puedo poner la firma?, ya muy decidido. Y le digo sí. Entonces, con gran firmeza, traza su nombre y su apellido. Lo miro, y los dos estábamos transpirando aunque hacía bastante frío. Pero la verdad es que los dos estábamos contentos.

La "dualidad de Frondizi"

Mucho se habló de la supuesta proclividad de Frondizi a desmentir, en los hechos, sus puntos de vista expuestos en declaraciones y discursos. En un borrador escrito en Martín García, a través de una anécdota, nos da una visión sobre "la dualidad de Frondizi", con gracia no exenta de picardía:

17 de marzo de 1962 (sábado). En Olivos, visitan a Frondizi un dirigente gremial ferroviario, acompañado por un dirigente gremial internacional del transporte (Horas de la mañana).

Se examinaron distintos fines en forma muy cordial, llegándose a tocar el tema de la acusación de dualidad que se hacía a Frondizi.

Frondizi, dirigiéndose al gremialista extranjero que era un hombre muy gordo, le dijo: "Mi dualidad consiste en lo siguiente:

"Estoy sentado en este sillón y anuncio que mi propósito es levantarme para poder caminar libremente, porque eso es lo que le conviene al país. Cuando estoy por realizar ese propósito, Ud. que debe pesar más de 100 kg, se arroja encima mío y no me deja levantar.

"Los que desde afuera pudieron estar mirando, dicen que Frondizi promete una cosa –levantarse– y que en cambio hace otra cosa, se ha quedado sentado. Ahí tiene Ud. una forma de dualidad, la de prometer una cosa y hacer otra.

"Pero resulta que Frondizi conserva su propósito de levantarse y para intentar hacerlo, necesita que el hombre gordo ceda en su posición. Entonces Frondizi dice: Está bien, no quiero levantarme, me quedaré sentado.

"El hombre más delgado que ya había estado protestando contra Frondizi, se arroja encima de éste diciéndole: Ud. es un dual, antes dijo que quería levantarse y ahora dice que se quiere quedar sentado.

"Pero como a su vez, el gordo sólo había aflojado su presión, resulta que Frondizi debe aguantar a los dos.

"Así, con el gordo agarrado a un brazo y el flaco del otro, debe trabajar Frondizi sus casi cuatro años de gobierno. El gordo vendría a representar a la oligarquía y el flaco, a la izquierda".

El 29 de marzo, Frondizi es derrocado del gobierno. Ya no debe estar sentado en el sillón; ahora podrá caminar libremente aunque está preso.

Las visitas a la isla

Amigos, ex funcionarios y quienes habían compartido su continuo batallar político, ajustándose a las estrictas normas establecidas, llegaron hasta Martín García para acompañar a su jefe. Llevaban su severa carga de inquietudes frente a un panorama crítico y conflictuado, buscando la palabra experimentada y el consejo de quien mantenía con ellos conversaciones directas y sencillas, alentándolos "a continuar en la lucha, sin vacilaciones de ninguna naturaleza y en la defensa de los intereses nacionales y la solución de los problemas económico-sociales".

El mismo día 29 de marzo, a las 16.45, arribó a la isla una delegación de la Unión Cívica Radical Intransigente, integrada por el presidente del partido y senador nacional, Alfredo García; el senador Lucio Racedo; el presidente de la Cámara de Diputados, Federico Fernández de Monjardín y el presidente del bloque mayoritario, Héctor Gómez Machado.

Este contacto permitió a los visitantes constatar el estado de ánimo del Presidente y comprobar el tratamiento que recibía por parte de quienes estaban a cargo de su custodia. Su presencia desvirtuaba los rumores de "una estricta incomunicación" que circulaba insistentemente entre la población, si bien debía solicitarse el permiso correspondiente a las autoridades de la Marina.

Sus hermanos compartían tertulias con Frondizi, y entre éstos, el almirante Aratti recuerda con especial deferencia a Risieri, quien con su presencia demostraba que el amor fraternal superaba divergencias u opiniones antagónicas.

Entre los visitantes debemos destacar al doctor Vicente Pataro, amigo de los claustros del Mariano Moreno y médico personal de Frondizi; a él recurrían las autoridades navales cuando alguna dolencia, tanto del Presidente como de Elena, requería una consulta. Bernardo Larroudé, Mariano Wainfeld y Eduardo González, su secretario privado, ratificaron –por declaraciones del primero– que Frondizi gozaba de buen semblante y gran ánimo, pero que era "un auténtico preso aunque el trato que recibe es correcto y está de acuerdo con su jerarquía".

El jueves 2 de agosto, Frondizi recibió a los cronistas de *El Mundo*, *La Nación*, *Clarín* y *La Prensa*. Igual misión habían cumplido, el miércoles 1º, cinco corresponsales extranjeros que efectuaron una extensa descripción sobre el ambiente en el que transcurrían los días del ex mandatario.

Conforme al compromiso adquirido con el comandante del subárea Martín García, los periodistas preguntaron sobre temas de actualidad, sin que en momento alguno interfiriera en la charla el oficial naval presente. En la edición de *Clarín* del 3 de agosto, se publicaron las reflexiones de un Frondizi que, evidentemente, había aumentado unos kilos de peso:

La primera impresión fue la que se recogía mirándolo a los ojos: tristeza, pero, al prolongarse la charla hacia las 17 horas, fue operándose un cambio: La mirada del doctor Frondizi adquirió brillo.

Llevado por la impaciente curiosidad de los hombres de prensa, afirmó el doctor Frondizi, que actuaba como dueño de casa:

Es una plática entre amigos, de las muchas que he mantenido en mi vida con los periodistas, a quienes les estoy reconocido por su discreción. Comprendan que no estoy en condiciones de formular declaraciones, pero que las haré cuando desaparezca esta situación de hecho. Ahora lo que interesa es el país. Este ha sido el derrotero de toda mi vida. Y cuando hable lo haré sin afectar al país. Yo no he renunciado. Ni tampoco me he pegado un tiro. Me trajeron aquí y aquí me quedaré. Nunca dejé el país y no es ésta la primera vez que estoy preso.

No incursionó en política, porque

así como he hecho toda clase de sacrificios en mis cuatro años de gobierno y acepté negociar en muchas oportunidades para no provocar males al país, creo también que ahora es mi deber no formular declaraciones que contribuyan a crear más perturbaciones. Cuando hable tendré que explicar muchas cosas y quiero hacerlo en forma amplia y clara.

Reafirmó que no tenía ninguna limitación ni restricción para efectuar paseos, escribir, recibir o mantener correspondencia, la que tampoco le era abierta o controlada.

Estoy bien, recibo un trato correcto, pero el hecho importante no es cómo soy tratado, sino el otro, el de que estoy aquí.

Rodolfo Mario Pandolfi, de *El Mundo*, definió a Frondizi como un hombre que sabe estar solo, que lee, escribe y que, desmintiendo mitos, se ríe a menudo porque reconoce que "si se tiene tranquilidad de conciencia y se sabe que se está luchando por la causa justa, no se sufre en esa lejanía".

El viernes 19 de octubre, una delegación de la UCRI, encabezada por Oscar Alende, Héctor Gómez Machado, Carlos Sylvestre Begnis, Raúl Uranga, Fernando Piragine Niveyro y Abel Costa, viajó a Martín García llevando como presentes a Frondizi una "guacha" o talero correntino, una botella de cognac y el saludo de amigos y correligionarios. Frondizi y Elena los aguardaban junto a la puerta de la casa, y desde ese momento la conversación se generalizó sin poder soslayar los temas referidos a la situación político-social. Ese día Frondizi, ante la posibilidad de entrega del poder al futuro gobernante no más allá del 12 de octubre de 1963, expresó:

Soy el juez que ha puesto término a su propia condena. Permaneceré en las condiciones actuales hasta que expire el mandato que el pueblo me ha conferido y al que no he renunciado. Seré presidente de la Nación hasta el primero de mayo de 1964.

Para los visitantes, el Frondizi "adusto, reconcentrado en problemas de gobierno, había dado paso a un Frondizi menos intelectualizado, más humano, con una percepción increíble, dadas las circunstancias, sobre las más complejas cuestiones".

Al despedirse, Elena fue colocando en la solapa de cada uno un botón de rosas rojas, y Gómez Machado, en un gesto espontáneo, se despojó de un poncho que había lucido en campañas políticas y en el propio recinto de la Cámara de Diputados, y se lo obsequió a Frondizi.

Después de diez meses, ninguno de sus actos ni ninguna de sus palabras se desvió de la línea que Frondizi se trazó a partir de marzo de 1962. Jamás dio declaraciones que pudieran considerarse proclives a intervenir en el trajinar político que llevó a Guido al gobierno ni en los enfrentamientos –que bien había previsto– entre azules y colorados.

La designación de Guido

El derrocamiento de Frondizi había producido la acefalía del poder; la búsqueda de una solución a esa situación concentró las preocupaciones, esfuerzos y ambiciones en las Fuerzas Armadas y en la dirigencia política.

Numerosos testimonios reafirman la actitud del núcleo político que respaldó el juramento del senador por Río Negro y presidente provisorio del Senado, doctor José María Guido. No faltaron quienes –como el doctor Alfredo García–, para avalar ese apoyo sostuvieron contar con la anuencia de Frondizi, que nunca se manifestó al respecto.

José María Guido nos relató cómo se decidió a dar ese paso:

> Tenía la cabeza en blanco y por ello pedí opinión al grupo de amigos y correligionarios que nos rodeaban. El primero en hablar fue Fernández de Monjardín, quien dijo: "Entiendo que debe aceptar. Si usted no lo hace, con todo el dolor de mi alma, lo haré yo". Todos opinaron lo mismo. Mi decisión no fue personal; fue una decisión de equipo.[1]

Ante la premura del caso, Julio Oyhanarte y R. Colombres se movilizaron y convocaron a los miembros de la Corte Suprema: "La decisión debía ser rápida –dice Oyhanarte–, no podía durar más de cinco minutos la deliberación, porque, en caso contrario, asumirían los militares". Basaba sus palabras en los comentarios formulados por el presidente de la Corte Suprema, Benjamín Villegas Basabilbaso sobre la posibilidad de la formación de un triunvirato militar, según confesión del almirante Rojas a un amigo común.

Según Oyhanarte,

> se resolvió aceptar el juramento de Guido. Villegas justificó su actitud diciendo: "Hemos violado la ley pero hemos salvado la República"; a lo que respondió Colombres: "Quien salva la República cumple con la ley".
> La reunión fue tan veloz que Boffi advirtió que, por razones de decoro, debían esperar a que se cumpliera el plazo de los cinco minutos.

Guido estaba terriblemente presionado por los radicales que pregonaban: "Caeremos todos con Frondizi, oponiéndose a su juramento". No comprendían que el dilema no era Frondizi o Guido sino Guido o dictadura militar.

Guido tuvo que salir a escondidas. En la inmensa sala de la Corte, sólo con los ministros y el secretario, con la mano extendida sobre la Constitución utilizada en las reuniones del Tribunal y sin acta –que se hacía en el despacho contiguo– juró el nuevo presidente.[2]

El general Alejandro Agustín Lanusse vivió este proceso desde dentro de Fuerzas Armadas:

En horas de la madrugada, en el Comando en Jefe del Ejército se encuentran reunidos los tres comandantes en jefe y sus más inmediatos colaboradores. Allí también ha estado el doctor Mariano Grondona, quien concurre como asesor de Marina. Se redacta allí el comunicado que se publica en los diarios de ese día.

El coronel Zalazar concurre en horas de la tarde a la Casa de Gobierno a reconocer sus interiores, precediendo al general Poggi, que se hace presente en ella con poco disimuladas intenciones de asumir el poder, presidiendo una Junta Militar.

Para formalizar el acto ha sido citado el Escribano Mayor de Gobierno. Es en esas circunstancias cuando el general Poggi se entera, sorpresivamente, que el doctor Guido ha prestado juramento como Presidente de la República ante la Suprema Corte. La reacción de los sectores golpistas del Ejército no se hace esperar; aproximadamente a las 20 hs. el comandante en jefe del Ejército ordena el acuartelamiento total de los efectivos.

21.30 hs.: El general Túrolo manifiesta a sus subordinados de la Escuela Superior de Guerra: "El doctor Guido es un traidor, porque ha jurado sin previo aviso a los comandantes en jefe; se trata de una nueva maniobra", y agrega: "El acta levantada en la Suprema Corte no es válida porque sólo la firman dos de sus ministros y no está la firma de los secretarios de la Corte, etcétera, etcétera".

El acta se publica en los diarios del día siguiente y estaba en regla. La Suprema Corte en pleno había tomado juramento al doctor Guido. A muchos nos quedó la sensación de que los sectores golpistas veían una vez más frustrados o postergados sus deseos de arreglar al país según sus mágicos planes. [...][3]

Sigue el relato de Oyhanarte:

En la casa de Gobierno estaban reunidos los ministros militares y los comandantes en jefe cuando entró Guido. Estaban todos sentados pero movidos por la influencia mágica que da el poder, se iban poniendo de pie a medida que Guido, que ya había dejado de ser un pobre abogado rionegrino, pasaba a su lado. Poggi se quedó sentado. "Póngase de pie que soy el presidente", replicó Guido. Cuando Poggi lentamente se puso de pie, recién entonces se sintió realmente presidente de la República.[4]

El general Nicolás A. Cerrutti, amigo personal del general Raúl Alejandro Poggi, en una reunión efectuada en el domicilio del doctor Frondizi en 1980, nos dio detalles sobre una conversación mantenida en la laguna termal de Copahue, ya retirado Poggi del servicio activo.

A sus preguntas sobre la causa del derrocamiento y el porqué de su no asunción de la Presidencia en esas circunstancias, respondió Poggi que no se había hecho cargo de la primera magistratura porque eran tales las disidencias existentes que podían llevar al país a una guerra civil. Y sobre esa actitud asumida casi veinte años antes, afirmó que se sentía desilusionado por haber actuado contra el doctor Frondizi.

A su vez, expresó Poggi que en aquella jornada de marzo de 1962, el general Jornet, comandante en jefe del primer Ejército en Palermo, le pidió autorización para rodear con tropas el Palacio de Justicia en momentos en que los miembros de la Corte Suprema tomaban juramento a José María Guido como presidente de la República, y realizar descargas de armas a los efectos de impedir la designación, solicitud que fue denegada.

La situación, sin embargo, seguía siendo inestable. Mientras el doctor Martínez, flamante ministro de Defensa de Guido, planteaba al almirante Clement la necesidad de que las Fuerzas Armadas asumieran la responsabilidad de responder al nuevo presidente, el general Juan Carlos Onganía, oponiéndose a la actitud de catorce generales que se habían reunido para deliberar sobre la ilegitimidad de Guido, sostuvo con firmeza que

el presidente Frondizi perdió la confianza de las Fuerzas Armadas y fue destituido. Del doctor Guido aún no he oído ninguna acusación que justifique esta intervención, a la que me opongo. Yo defenderé al nuevo presidente y si dentro de una hora no vuelvo a Campo de Mayo, mi segundo, el general Caro, avanzará con los tanques sobre Buenos Aires.

Los demás generales se plegaron a esa posición y aseguraron la permanencia de Guido en el gobierno.

Divergencias

"Yo no fui un presidente constitucional –diría Guido–, fui un presidente de la ley." El hecho es que su asunción desató reacciones divergentes entre la propia dirigencia de la UCRI. Héctor Gómez Machado, presidente del bloque de diputados nacionales, opinó:

el operativo que yo llamaría continuidad histórica a través de Guido fue cumplido por el presidente Guido con una profunda honradez mental al servicio de los ideales que entonces representaba el radicalismo intransigente y acaso aseguró la tranquilidad de más de un hogar, desde Frondizi para abajo pues se podía haber inaugurado el crimen político. Guido hizo honradamente lo que pudo y con la modestia que le es característica, prestó un gran servicio al país.[5]

En cambio, dirigentes de primera línea como Alfredo Roque Vítolo, Oscar Alende, Arturo Zanichelli, Héctor Noblía, Bernardo Larroudé, Adolfo Scilingo, Fernando Piragine Niveyro, Francisco H. Uzal, Marisa Liceaga, entre otros, señalaban la violación de la Constitución Nacional y la necesidad de restituir a Frondizi en su cargo.

Según Alende, Guido, al asumir la primera magistratura,

planteó el problema de la colaboración. El gobierno quedaba, con la máscara de Guido, en manos de golpistas, con un gran sector de la oficialidad (luego azul) decepcionado de Frondizi, sintiéndose impotente para actuar. La subsistencia del Congreso, los esfuerzos destinados a salvarlo a todo trance, aun cuando ello conspiraba contra la lógica más elemental, las luchas palaciegas y las intrigas menores, complicaron la solución.

Pocos comprendían que lo importante para el partido era normalizar su propia vida, revitalizar sus esencias y reorganizarse con mano firme.[6]

El ex ministro del Interior, Alfredo Roque Vítolo, a su vez, propugnó la restitución del presidente de la Nación porque se había generado un vacío de poder como consecuencia directa del quebrantamiento del orden constitucional que "sumió al país en los enfrentamientos militares, en crisis de todo orden cada vez más agudas, más peligrosas y potencialmente insolubles".

Arturo Frondizi analizó años después esta coyuntura institucional en la que la conducción de las Fuerzas Armadas era

depositaria real de un esquema de poder presentado bajo la dudosa investidura de José María Guido. Dudosa y débil, ésta cumplió sin embargo una función: fue una valla jurídica colocada en el camino del extremismo revanchista y un punto de referencia para la convergencia de los grupos profesionalistas que coincidirían en el ejército azul.

Guido, en medio de las incoherencias y rupturas de aquellas horas terribles, pudo sostener las condiciones mínimas para llevar al país hacia una frágil y restringida salida democrática.

Las líneas internas de la UCRI

La prisión de Frondizi en Martín García y su posterior confinamiento en Bariloche no detuvieron la actividad de la UCRI. Se constituyó de inmediato una Comisión Pro-Libertad de Frondizi que apoyó lo establecido por la

Convención Nacional de Tandil, en junio de 1962, entre cuyas resoluciones figuraban el enfrentamiento al gobierno sin concesiones, la defensa de la integridad partidaria y la solidaridad con el doctor Frondizi, así como el repudio a los movimientos golpistas militares de América y la solidaridad con los gobiernos democráticos.

Las disidencias internas entre sus principales dirigentes, motivadas por enfoques divergentes de la política nacional, y su acercamiento o negación absoluta del gobierno de José María Guido, permitieron la formación de líneas opuestas dentro de la UCRI.

Una era la de los "colaboradores"; Alfredo García, presidente del Comité Nacional, era su principal gestor, acompañado por antiguos ministros y altos funcionarios, como Rodolfo Martínez y Julio Oyhanarte, legisladores y dirigentes partidarios. Esta línea, que acompañaba al presidente Guido, pretendía dar la impresión de continuidad gubernativa con la preservación del poder civil por sobre la potestad militar y, según expresión de Gómez Machado, para evitar una guerra civil.

Otro sector de la UCRI tenía en Oscar Alende su figura representativa. El ex gobernador de Buenos Aires nucleaba tras de sí a sus partidarios bonaerenses y a la juventud que veía en el "Bisonte" –tal la denominación que le había impuesto Olegario Becerra por su ímpetu avasallador– a un líder de la Intransigencia que, aunque opuesto a la intervención de su provincia, se autoconvocó espontáneamente para cerrar filas en torno del partido y del Presidente, que resistía la presión golpista, según palabras de Emilio Perina.

> Su objetivo debía ser uno solo: empujar al gobierno hacia las elecciones y atender el proceso de su evolución interna, vigilando las tendencias dominantes en su seno, con sus influencias en el campo político, económico, social, gremial y militar.[7]

El Movimiento Nacional y Combatiente, la tercera línea, alcanzó resonancia por la acción tenaz e ininterrumpida de sus fundadores, Alfredo R. Vítolo, Héctor Noblía, Fernando Piragine Niveyro, Arturo Zanichelli, Américo García, Bernardo Larroudé, Adolfo Scilingo y Francisco H. Uzal, entre sus figuras más representativas. Ejerció una férrea crítica desestimando la legitimidad gubernativa y en el Plenario realizado el 7 de diciembre fijó el Programa del Movimiento que, según Alfredo Vítolo, había surgido

> como una expresión de decoro y de conducta en ocasión del derrocamiento de Arturo Frondizi, pero también como una refirmación programática en defensa de la doctrina y del ideario del partido, puesto que el apoyo a los usurpadores del poder y la mentalidad colaboracionista-electoralista, frenaron su capacidad de lucha.[8]

Organizado en toda la República, reclamó en actos públicos y conferencias de prensa la libertad de Frondizi y la plena restauración del orden institucional, propiciando

la formación de un Frente Nacional antes del comicio, frente integrado por fuerzas políticas afines a los objetivos esenciales del país, coincidentes en un programa común y fórmulas ejecutoras también comunes, programa que deberá ser ejecutado conjunta y solidariamente desde el poder.

Con el logro de uno de sus objetivos, el regreso de Frondizi de su confinamiento, y tras oponer sus principios y programa a los alentados por el sector de Alende, proclive a asumir la conducción del partido, el Movimiento se disolvería con una cena multitudinaria en su sede de la calle Montevideo 55, después de haber propiciado el 5 de julio de 1963 el voto en blanco, "en cumplimiento de la decisión partidaria, en solidaridad con el pueblo trabajador y con los participantes del Frente Nacional y Popular, en los comicios del domingo 7 de julio".

La gestión presidencial de Guido

El presidente José María Guido procuró encauzar un Estado que marchaba en medio de la borrasca. Su falta de gravitación política le quitaba la capacidad de liderazgo imprescindible para imponer la autoridad que reclamaba un país sacudido por tensiones sectoriales e intereses en colisión.

El 3 de abril de 1962, Guido y su ministro Rodolfo Martínez firmaron el decreto 2887 por el cual el ex presidente quedaba detenido a disposición del Poder Ejecutivo, "atenta la responsabilidad que las circunstancias imponen al Gobierno de garantizar el orden y la tranquilidad pública y de preservar la seguridad personal del doctor Arturo Frondizi, protagonista principal de los acontecimientos que han conmovido a la Nación".

Otra de las resoluciones de su gobierno fue la de dictar los decretos 3534 y 3657, por los que se anulaban las elecciones del 7 de diciembre de 1961 y del 14 de enero, 25 de febrero y 18 de marzo de 1962 (abolición que erróneamente se atribuye a Frondizi quien, como ya vimos, se limitó a intervenir las provincias en las que había triunfado el peronismo en el último de los comicios mencionados). Se impedía así la admisión de los legisladores electos que debía efectuarse el 25 de abril.

La Cámara de Diputados de la Nación difirió hasta el 22 de mayo la apertura de sus sesiones ordinarias en lugar de hacerlo el 26 de abril, para no convalidar la incorporación de esos noventa y cuatro representantes. Pero de nada valió este intento de preservar la continuidad del Poder Legislativo, ya que el 19 de mayo Guido estableció el receso del Congreso Nacional por tiempo indefinido y el 8 de setiembre dispuso su disolución. Asimismo, extendió la intervención a todas las provincias, con la consiguiente caducidad de las autoridades legalmente establecidas.

La reacción de los partidos políticos no se hizo esperar.

Ricardo Balbín, de acuerdo con la decisión de la Convención Nacional de la UCRP pidió al titular de su bloque, Anselmo Marini, el 23 de mayo, que efectivizase la renuncia de todos sus miembros.

La Convención Nacional de la UCRI, reunida en Rosario el 9 de julio, ordenó a sus legisladores que hicieran abandono de sus bancas, a la vez que exigía a todos los afiliados que desempeñaban cargos públicos que dejasen sus puestos bajo pena de cancelarles la afiliación. Triunfaba dentro del ucrismo la línea dura aferrada a principios rígidos opuestos a toda práctica conciliatoria con el gobierno.

De acuerdo con el Acta Secreta del 29 de marzo firmada por Guido y los comandantes en jefe de las Fuerzas Armadas, el presidente de la Nación y su ministro del Interior, Carlos Adrogué, procedieron a firmar cuatro decretos por los que se establecía un nuevo Estatuto de los Partidos Políticos; la creación de la Justicia electoral; la adopción del sistema electoral D'Hont de representación proporcional, y la prohibición de la propaganda peronista.

Estas reglamentaciones fueron factor decisivo para impulsar a grupos "gorilas" del Ejército a plantear su disconformidad por la conducción moderada de algunos de sus mandos.

Alvaro Alsogaray: sus bonos patrióticos para "pasar el invierno"

La renovación del gabinete nacional entre el 20 de abril y el 14 de mayo, en el que los radicales del pueblo lograron –con Jorge Walter Perkins y José María Cantilo– los ministerios del Interior y de Defensa, y al que ingresaron conservadores, hombres de negocios y estancieros, fue excluyendo a los representantes de la UCRI de su seno, con lo que paulatinamente se fueron anulando medidas desarrollistas de Frondizi.

Federico Pinedo, con los gravámenes impuestos a la producción industrial, sólo duró dos semanas en el gobierno, y fue reemplazado por el ingeniero Alvaro Alsogaray, que retornaba al Ministerio de Economía con el máximo de poder en sus manos.

La aguda crisis que amenazaba la estabilidad de la República llevó a Alsogaray a crear más impuestos para pagar a los empleados estatales –a los que se adeudaban varios meses de sueldo–, tratar de lograr un necesario equilibrio y evitar un colapso general. Con tal fin pergeñó el Empréstito de Recuperación Nacional, cuyos bonos se convirtieron en moneda de pago obligatoria. Estos "Bonos Patrióticos 9 de Julio", al devaluarse y llegar a tener un valor inferior al costo del papel en el que se los imprimía, provocaron la reacción de la población, que se vio obligada a canjearlos a un 10 por ciento de su valor nominal. Años después, cuando estaban en manos de unos pocos poseedores, se cotizaron otorgando pingües beneficios a quienes los habían retenido para especular.

Esta propuesta de Alsogaray también se entronca erróneamente con el gobierno de Frondizi, pero si el ministro de Economía era el mismo, debemos señalar que fue Guido quien refrendó esa medida.

El descontento de la clase obrera por la creciente desocupación acentuó la crisis, que registró en los primeros meses de 1963 un ritmo sin precedentes en quebrantos comerciales, en especial en los rubros metalúrgico y textil. Ese deterioro económico obligó a Alsogaray el 10 de diciembre de 1962 a dejar el Ministerio, no sin antes dejar en la memoria colectiva la frase "Hay que pasar el invierno" con la que justificó sus medidas restrictivas.

"Una persecución bien organizada"

El ministro Carlos Adrogué, en junio de 1962, creó una Comisión Nacional Investigadora presidida por el doctor Bernardo Velar de Irigoyen, para investigar supuestos actos ilícitos de funcionarios y ex colaboradores de Frondizi, en una verdadera "caza de brujas".

El doctor Juan Ovidio Zavala, uno de los involucrados por su actuación al frente del Comité Ejecutivo del Plan de Racionalización Administrativa, fue convocado por Velar de Irigoyen pero resolvió no acudir a esa cita. La consideraba un episodio de "una persecución bien organizada", y en carta al presidente de la Comisión expresó que sólo podía obligársele a comparecer por la fuerza, "como cuadra a un organismo emanado de un acto ilegítimo" que justificaba su proceder al considerar como utopistas peligrosos o nacionalistas fanáticos a los partidarios del gobierno desarrollista.

En el expediente judicial interpuesto fueron procesados Arturo Frondizi, Antonio Acevedo, Alfredo Roque Vítolo y Juan Ovidio Zavala, pero la Comisión no insistió en citarlos entonces ni después.

En setiembre de 1962 se disolvió dicha Comisión, porque, según el decreto firmado por Guido, "las investigaciones concluidas por la Comisión en los tres meses de sus tareas no justifican, ni por su número ni por su importancia, mantener en funcionamiento un organismo de excepción que excedía con creces las normas legales".

El 24 de octubre se creó en su reemplazo la Fiscalía Nacional de Investigaciones Administrativas, a cuyo frente actuó el doctor Sadi Conrado Massue.

La anarquía militar: azules y colorados

Dentro de un generalizado malestar que se evidenciaba sin disimulos, como consecuencia del brusco descenso de la capacidad económica de la población, las Fuerzas Armadas llevaron a niveles extremos sus disidencias. Las declaraciones extemporáneas, los conatos de insubordinación y el ostentoso despliegue de efectivos militares para dar contundencia a los reclamos eran acallados con la endeble solución de relevos y traslados.

A partir de agosto de 1962 y abril de 1963, hicieron crisis las corrientes que escindían la maltrecha institución castrense. Se definieron dos bandos militares. Uno de ellos, el colorado, aliado con la Marina, exponía sin miramientos su profundo sentimiento antiperonista. Sus mentores más exaltados propiciaban la toma del poder por las Fuerzas Armadas para restaurar la obra de la Revolución Libertadora.

El otro sector, el azul, definido como legalista, con vocación democrática, propiciaba la recuperación de la profesionalidad de las Fuerzas Armadas y rechazaba cualquier intento de instaurar una dictadura. Al aludir a la Revolución Libertadora, el entonces coronel Alejandro Agustín Lanusse expresó su repudio hacia quienes "hacían gala de una intransigencia y de un sectarismo que jamás estuvo en el espíritu de los que fueron auténticamente revolucionarios". Los azules afirmaron su apoyo al orden legal constituido y a una amplia salida electoral con el retorno al poder de un régimen que ejerciera en plenitud sus atributos constitucionales.

Posiciones tan antagónicas desembocaron en un enfrentamiento en el mes de setiembre de 1962, del que emergieron triunfantes los azules.

La brecha sustantiva existente en el Ejército quedó en apariencia conjurada con el repliegue del grupo denominado "gorila" y su imposibilidad para interferir en la política oficial. La victoria azul tuvo otra consecuencia: la proyección en el plano nacional del general Juan Carlos Onganía, de actuación decisiva en el desenlace de la contienda.

El Ejército y la Marina se enfrentan

El triunfo del comando azul creó una marcada tensión entre el Ejército y la Marina. El célebre comunicado 150, que propiciaba la participación en la vida nacional de todos los sectores, fue interpretado como una tentativa destinada a restituir su poder al peronismo, pese a la clara advertencia de dicho comunicado que señalaba "la imposibilidad del retorno a épocas ya superadas".

Los acontecimientos de setiembre de 1962 generaron un resentimiento que crecía, presagiando un estallido. El 2 de abril de 1963 se produjo la sublevación de la Marina, con el apoyo de comandos civiles. Los insurgentes emitieron una proclama en la cual se instaba a "terminar con la ignominia, destruir el régimen infame extirpando sus lacras y reconstruir la Argentina". El verdadero sentido de la rebelión debía buscarse en el empeño por impedir un pronunciamiento electoral en el que participarían fuerzas afines al peronismo. Trascendió que el plan incluía listas con nombres de civiles y militares que serían eliminados; la inusual agresividad del levantamiento sembró inquietud y temor en el país.

El Ejército, con apoyo de la Aeronáutica, inició una acción represiva y finalmente redujo a los rebeldes al ocupar sus bastiones en La Plata y en las bases navales de Río Santiago y Punta Indio. Puerto Belgrano fue sitiado y finalmente, el 5 de abril, se produjo la capitulación de la Armada.

Las acciones de guerra tuvieron un cruento saldo de muertos y heridos. Se atentó contra el general Osiris Villegas, quien salvó milagrosamente la vida, aunque resultó herido, y existió la intención de secuestrar y asesinar a Frondizi, todavía prisionero.

La Marina demostró su espíritu de cuerpo, ya que todos sus miembros se abroquelaron en torno de su Fuerza, aun quienes no compartieron el episodio bélico. Fiel a su reconocida ideología, el almirante Isaac Rojas asumió la jefatura del arma en esas jornadas. Pero los ideales "colorados", a pesar de su derrota, no se diluyeron totalmente. Siguió prevaleciendo un marcado tinte antiperonista que ponía en tela de juicio la intención antidiscriminatoria y pacificadora del sector "azul".

La reorganización de las fuerzas políticas
El Frente Nacional y Popular

A comienzos de 1963 se fueron organizando los nucleamientos políticos con miras a las elecciones.

Los peronistas, vetados para presentar un partido con su denominación identificatoria, se estructuraron con el nombre de Unión Popular, mientras cobraba fuerza la formación de un Frente Nacional. Esta era una idea madre en el pensamiento de Frondizi, con la que coincidían sectores del gobierno –representados, entre otros, por Rodolfo Martínez– que aspiraban a aglutinar a la masa peronista en esa conjunción de partidos, con el objeto de restar influencia a Perón y facilitar el visto bueno de las Fuerzas Armadas.

Un nuevo ordenamiento político, la Unión del Pueblo Argentino –UDELPA–, con el apoyo del Partido Demócrata Progresista, se congregó en torno de la figura del general Pedro Eugenio Aramburu, cuyo nombre propiciaba para la Presidencia de la Nación. Aramburu, con un pensamiento abierto y conciliador, quería lograr la concordancia entre lo permanente de la doctrina peronista y lo positivo de la Revolución Libertadora.

La Unión Cívica Radical del Pueblo, armada y preparada en la constitución de sus cuerpos, superados los desencuentros internos, mantuvo su independencia con respecto a alianzas o acuerdos interpartidarios. El nombre de Arturo Umberto Illia se impuso para el primer término de la fórmula presidencial, acompañado por Carlos Perette. Eran dos figuras de amplia notoriedad en sus provincias, Córdoba y Entre Ríos, respectivamente, y en el campo nacional por su actuación en la Cámara de Diputados de la Nación.

La Unión Cívica Radical Intransigente –UCRI– procuró conformar un núcleo renovado, apropiado para enfrentar la lucha electoral. Las Convenciones de Tandil y Rosario fijaron las normas a las que ajustarían su accionar y, si bien mantenían sus bases doctrinarias, sostuvieron la formación de un Frente Nacional integrado por fuerzas políticas afines en los objetivos esenciales del país.

Frondizi, si bien evitó interferir en el proceso nacional con declaraciones de tono político, desde su confinamiento insistió en la necesidad de articular un frente que obrase como alternativa posible en un escenario que aparecía convulsionado en todos sus sectores. Creía que "nuevamente comenzaban a diseñarse las coincidencias valorizadas por las consecuencias que trajo la incomprensión que predominó en los cuatro años de gobierno". Desde Montevideo, Rogelio Frigerio trabajaba con ahínco para reinstalar la mística frentista, mientras restablecía sus contactos con Perón.

La escisión de la UCRI

Mientras en la Unión Popular había surgido el nombre del empresario católico Carlos Pérez Companc como posible candidato, en la UCRI se advertían contradicciones entre los frentistas y aquellos que, si bien aceptaban formalmente la idea, la subordinaban a la conveniencia partidaria.

La Convención Nacional de la UCRI, reunida en el cine Cecil de la calle Defensa 845, el 4 de mayo eligió la fórmula presidencial Oscar Alende-Carlos Sylvestre Begnis, sujeta a las instancias del Frente Nacional y Popular constituido formalmente el 3 de mayo entre la UCRI, la Unión Popular, los Conservadores Populares y otros núcleos políticos menores.

En los últimos días de ese mes, el 24, se conoció la inesperada voluntad de Perón de proponer a Vicente Solano Lima, del conservadorismo popular, como candidato a presidente por el Frente, a quien acompañaría en la fórmula Carlos Sylvestre Begnis. Esta independencia de acción con respecto a lo señalado al formalizarse el Frente, a la par que causó extrañeza por el origen del candidato, irritativo para radicales y obreros, mostró la endeblez del acuerdo al ser ásperamente criticado por dirigentes de la UCRI y del Movimiento Popular Nacional y por el general Bengoa, entre otros.

Alende no estaba dispuesto a declinar su candidatura. En cambio, Frondizi, que para entonces había sido trasladado de Martín García a su nuevo sitio de detención, el Hotel Tunquelén, en Bariloche, dio a conocer una declaración, su "carta de Bariloche" del 29 de mayo en la que expresaba su apoyo a Solano Lima, porque la garantía de que el Frente permanecería fiel a las necesidades y aspiraciones de la comunidad argentina no dependía de la personalidad de quienes lo representaran sino de la presencia en él de los trabajadores y de su contenido programático.

La Convención Nacional de la UCRI, reunida en Córdoba, tuvo problema para alcanzar el número que requería la aprobación de la fórmula propuesta; el alendismo centró todos sus esfuerzos para impedir esa consagración, absteniéndose de participar en las deliberaciones y de conformar el quórum exigido por la Carta Orgánica.

La UCRI enfrentó una escisión. Alende mantuvo su candidatura y las siglas partidarias, mientras los frentistas, fieles a la concepción de Frondizi –quien había presentado a Solano Lima como un batallador de la democracia–, avalaron la aceptación de la fórmula Solano Lima-Sylvestre Begnis.

El 20 de junio el gobierno dictó un decreto por el que las limitaciones establecidas para la Unión Popular en cuanto a la integración de sus listas con peronistas se hicieron extensivas a todos los partidos que presentaran candidatos de la misma tendencia a electores de presidente y vice o de gobernador y vice. A esta medida se sumó la imprevista e inoperante orden de Perón del 27 de junio, disponiendo la abstención de sus partidarios, los que deberían votar en blanco en los comicios del 7 de julio, actitud a la que se sumaron las 62 Organizaciones obreras.

Los partidos integrantes del Frente, en solidaridad con el pueblo trabajador y con el peronismo, asumieron igual decisión, a la que adhirió Raúl Matera, cabeza de la fórmula de la Democracia Cristiana con Horacio Sueldo, quien debió recomponer el binomio Sueldo-Cerro, que había proclamado esa entidad política antes del acercamiento al peronismo disidente.

Las elecciones del 7 de julio de 1963

En un clima que no era el más propicio para la recuperación de la democracia, se llevaron a cabo las elecciones del 7 de julio de 1963.

Con la abstención del Frente Nacional y Popular, tres eran los candidatos con posibilidades de triunfo. Arturo H. Illia por la UCRP; Oscar Alende, apoyado por la UCRI, y el general Pedro Eugenio Aramburu, candidato de la coalición de UDELPA con el Partido Demócrata Progresista.

Realizado el acto comicial, el resultado del escrutinio dio a la Unión Cívica Radical del Pueblo 2.441.064 votos, con un porcentaje del 25,1% y 168 electores; en segundo lugar figuró la Unión Cívica Radical Intransigente, con 1.593.002 votos, con un 16,4% y 110 electores, y el tercer puesto fue para la Unión del Pueblo Argentino y la Democracia Progresista, con 1.246.342 votos, el 13,9% y 72 electores.[9]

Los votos en blanco alcanzaron la cifra de 1.800.000. Muchos peronistas se volcaron a las listas del radicalismo para evitar el triunfo del general Aramburu, otros lo hicieron por Alende y no fueron pocos los que acataron disciplinadamente el voto en blanco.

En estas elecciones ingresaron al Congreso, por primera vez desde 1955, representantes del neoperonismo, pertenecientes a partidos provinciales.

Arturo H. Illia, con tan solo el 25,1% de respaldo popular, contó con el apoyo de otras agrupaciones menores en el Colegio Electoral, por ser el candidato más votado o primera minoría, lo que permitió que el 31 de julio se proclamara la fórmula Arturo H. Illia-Carlos Perette.

NOTAS

1. Testimonio de José María Guido, Archivo de la autora.
2. Testimonio de Julio Oyhanarte, Archivo de la autora.
3. Testimonio del general Alejandro A. Lanusse, Archivo de la autora.
4. Testimonio de Julio Oyhanarte, cit.
5. Testimonio de Héctor Gómez Machado, Archivo de la autora.
6. Alende, Oscar: *Entretelones de la trampa,* Santiago Rueda, Buenos Aires, 1964, pág. 53.
7. Idem, pág. 55.
8. *Libro de Actas del Movimiento Nacional y Combatiente,* Archivo de la autora.
9. Alende, Oscar: ob. cit., pág. 451.

Despedida de Martín García

Al iniciarse la actividad política con miras a las elecciones, se consideró la necesidad de alejar a Frondizi de Martín García para impedir que su presencia en la isla pudiera incidir en forma más directa sobre la marcha del proceso comicial. Es que la cercanía permitía un contacto asiduo con dirigentes de la UCRI que lo consultaban sobre los procedimientos a encarar para constituir una alianza de fuerzas en el ámbito nacional.

Este traslado dio origen a las más contradictorias versiones sobre las motivaciones de las autoridades. Aparte de lo ya dicho, se lo atribuyó también a disensos entre las Fuerzas Armadas y al deseo de la Marina de Guerra de no seguir dando la imagen de carcelera del presidente. Otra explicación se basaba en la presión internacional, puesto que tanto autoridades gubernativas como personalidades políticas, económicas y culturales de los países americanos habían apoyado decididamente la libertad de Frondizi.

Cuando se cumplía un año de reclusión, el 1° de marzo de 1963, el presidente José María Guido dispuso el traslado de Frondizi a Laguna del Trébol, sitio distante 5 kilómetros de San Carlos de Bariloche.

Terminaba la primera etapa de su cautiverio. Ya en el Sur, Frondizi recibió una carta del cabo Segundo Amaya que interpreta los sentimientos, el respeto y la admiración de quienes habían tenido a su cargo su atención personal en la isla.

Isla Martín García – 17-3-63

Doctor Arturo Frondizi
Respetable Sr. y Señora Elena

Les escribo así no por economía, únicamente que quiero que a mi carta la lean los dos.
Dicen que las despedidas son tristes, una vez más este dicho tuvo razón. Petrosino lo encontré que estaba llorando; vengo a mi casa, la encuentro a mi seño-

414

ra que también lloraba. La casa en la noche estaba tan triste que no pude más y me fui a prender las luces. Dejemos las cosas tristes. [...] Estamos muy contentos por el traslado que le hicieron al Hotel.

Mi chico aprobó con 7 en latín y con 8 en matemática. Lo tengo anotado en el Colegio Nacional de Adrogué. [...]

Un gran saludo de mi señora a la señora; muchos cariños muy sinceros. Saludo de todos los muchachos.

De mi parte mi más sincero aprecio y respeto, a la señora un cariñoso abrazo. Saludo y recuerdos a la señorita Elenita.

Espero no haberlo aburrido con mi charla.

Fdo.: Amaya Segundo

No se olvide que me prometió que me iba a mandar una fotografía y postales.

Martín García no fue un episodio anecdótico; dejó su sello en Frondizi quien, ante la pregunta que se le formulara en diciembre de 1962 sobre qué haría con la isla si volviese a ser presidente, respondió: "Fundaría en ella una Universidad Latinoamericana".

Segunda etapa de la prisión: Bariloche

La poca seguridad que ofrecía el lugar inicialmente elegido, llevó a las autoridades a tratar de contratar el Hotel Tunquelén –en el centro cívico patagónico–, cuyos administradores, dado que Bariloche estaba en plena época de turismo, sólo pudieron ofrecer el tercer piso y dependencias del cuarto para albergar a Frondizi, su familia y los custodios. Allí continuó el confinamiento desde el 3 de marzo.

Durante las primeras semanas se le prohibió dejar su habitación, así como transitar por el parque. Pero muy pronto se anularon esas medidas restrictivas y Frondizi, siempre acompañado por un custodio, pudo recorrer los alrededores del hotel en sus periódicas caminatas con su esposa e hija, gozar de la belleza del lago y el reflejo multicolor de los árboles sobre su superficie espejada.

Su presencia en el comedor provocaba las expectativas de los turistas. Esther López de Ceaglio, hija del entonces concesionario del hotel, Amadeo López, nos comentó, al cumplirse el 25º aniversario del confinamiento de Frondizi, que numerosas excursiones, especialmente las "mieleras" o de recién casados, habían puesto en su circuito la visita al Hotel Tunquelén, para ver al Presidente y fotografiarse junto a él.

En peligro de muerte

La tranquilidad de Bariloche se vio convulsionada cuando llegaron hasta ese centro turístico los resabios del alzamiento del general Federico Toranzo Montero, comandante en jefe del Ejército en Revolución; del comodoro (R) Oscar Lentino, jefe de la Aeronáutica en Revolución, y de las unidades navales que se habían plegado al levantamiento del 2 de abril de 1963.

Este enfrentamiento armado entre azules y colorados, previsto por Frondizi, quien trató de evitarlo con su conducta de marzo de 1962, tuvo su repercusión en Bariloche al ser detenido el coronel Montes –azul–, jefe de la guarnición, y asumir la jefatura el mayor Morgan, perteneciente a la facción colorada. Inmediatamente fueron ocupados la guarnición, la municipalidad, el Cuartel de Policía, la emisora local LV8 y otros puntos clave de la región. Pese a que la Policía quedaba subordinada al Ejército, los encargados de la custodia de Frondizi reforzaron su provisión de armas con ametralladoras PAM, disponiendo una guardia permanente en el hotel, al mismo tiempo que cortaban los ascensores y aislaban al Presidente en el tercer piso para facilitar su protección.

No obstante la declaración de los insurrectos de no combatir contra otras fuerzas ni reprimir a los rebeldes, sino limitarse a asumir el control de la zona para resguardar el orden, los civiles golpistas organizaron comandos para consolidar sus propósitos. Alfredo Allende, presente en Tunquelén con un grupo de amigos, entre ellos Félix Luna y Dardo Cúneo (h), resaltó la actitud decidida del presbítero Calixto Schencarioli quien, ante la posibilidad de que los revolucionarios atacaran el hotel e intentaran una acción violenta contra Frondizi, amenazó con "arremangarse la sotana y tomar una PAM".

Ante ese peligro, el doctor Raúl Rabanaque Caballero propuso trasladar al Presidente hacia la frontera chilena, distante 3 kilómetros, pero Frondizi se negó terminantemente. Surgió entonces la idea de aplicarle una inyección para "dormirlo" y así poner en marcha el plan elaborado. Para ejecutarla, necesitaban la colaboración y consentimiento de Elena, que contestó con firmeza:

–Arturo ha dicho que no renunciará, ni se suicidará, ni se irá del país. Prefiero verlo muerto, antes que infiel a su palabra.

Frondizi permanentemente repetía esta anécdota, con emoción y orgullo por el gesto de Elena, quien, por encima de su cariño, hizo prevalecer el respeto por las decisiones de su esposo, el Presidente.

El documento del 29 de mayo

La lejanía de Bariloche no fue impedimento para que sus amigos se trasladaran hasta ese lugar para conversar con Frondizi y mantenerlo informado sobre un proceso en el que se entretejían nombres y candidaturas, muchas de las cuales aspiraban a lograr su consenso para afirmarse ante el electorado. Como consecuencia de esa constante comunicación, Frondizi retomó su obligación imperiosa frente a la sociedad y emitió un documento, el primero desde el 29 de marzo, en el que expuso su apreciación sobre el contradictorio panorama que se delineaba en el país. Esta declaración, del 29 de mayo de 1963, luego de catorce meses de reclusión, señalaba la gravedad de la cuestión económica,

> con la quiebra de innumerables empresas y la contracción generalizada y creciente de la actividad industrial y comercial; la brusca caída del nivel de ocupación; el consiguiente descenso de la capacidad adquisitiva del mercado; la pretensión –simultánea, paralela y coherente con esa política económica– de privar al pueblo todo de su legítima participación en las grandes decisiones nacionales...

Frondizi consideraba que había llegado el momento de romper el silencio y propugnar la formación de un Frente Nacional y Popular, para "liberar al país de la asfixia que lo paraliza". Mucho se discutió, en su momento, la autenticidad de este documento, más producto de dirigentes que participaban en líneas divergentes dentro del partido que obra de Frondizi. Pero, legítimo o no, este escrito coincidía con una línea de conducta invariable, la formación de un frente político como única solución viable para el país.

Estudios sobre la Patagonia

En Bariloche, como en Martín García, leía mucho, escuchaba música y asistía a misa en la capilla de San Eduardo acompañado por su familia. En ese clima distendido, la misión de sus cuatro guardaespaldas y casi veinte policías de la custodia se veía facilitada.

Una preocupación central de su gestión gubernativa, el deseo de transformar nuestro Sur, llevó a Frondizi a estudiar las experiencias de Ezequiel Ramos Mexía y de Bailey Willis, que fueron tema para la preparación de un trabajo que se gestó en Tunquelén. Se interesó por los datos que pudiesen tener las instituciones y residentes lugareños y solicitó material bibliográfico sobre la misión cumplida por el geólogo norteamericano –incluida su obra *El Norte de la Patagonia* y el informe elevado al ministro Ramos Mexía sobre la promoción patagónica–, consistente en planes de desarrollo de las tierras fiscales, búsqueda de agua y tendido de líneas ferroviarias estatales de fomento del Sur.

En julio de 1963 terminó de escribir su folleto *Breve historia de un yanqui que proyectó industrializar la Patagonia (1911-1914)*, persuadido de "que el ejemplo de estos viejos proyectos de industrialización de la Patagonia será útil para comprobar que no hay otro camino razonable y justo para la Argentina que no sea la paz, la integración y el desarrollo".

América reclama la libertad de Frondizi

Con el objeto de movilizar a la opinión americana en favor de la liberación de Arturo Frondizi, sus amigos iniciaron diligencias para lograr que mandatarios, funcionarios y políticos, académicos e intelectuales se expresaran en ese sentido.

En México, el canciller Manuel Tello, con el respaldo del presidente Adolfo López Mateos, comprometió una gestión diplomática confidencial ante las autoridades argentinas, expresando la satisfacción con que el gobierno de la nación azteca vería que Frondizi fuera liberado. Al mismo tiempo, altas personalidades como el ex presidente Miguel Aleman, ministros, sectores de universidades y representantes de la prensa, hicieron pública una exhortación similar.

En Venezuela, una declaración del presidente Rómulo Betancourt –que fue conocida dentro del campo del Derecho americano como "Doctrina Betancourt"– planteó conclusiones definitorias sobre la defensa de la legitimidad gubernativa y la disconformidad con los movimientos militares que quebraran la legalidad constitucional. Los delegados argentinos contaron con el más amplio patrocinio de la prensa venezolana que, sin excepciones, destacó las declaraciones a favor de la finalización del cautiverio de Frondizi.

En Colombia, el presidente Alberto Lleras Camargo y los más importantes políticos, tanto liberales como conservadores, brindaron su simpatía y apoyo a la solicitud de plena restitución de las normas constitucionales en la Argentina. Merece destacarse la actitud del canciller Caicedo Castilla, quien prometió formalmente realizar una gestión ante el gobierno argentino en defensa de los derechos humanos, extensiva a la libertad del Presidente detenido. En el Senado colombiano, a requerimiento del doctor Turbay Ayala y del sector liberal, se registró en el diario de sesiones una petición análoga que se elevaría a la Cancillería argentina.

En Perú, pese a la crítica situación interna que había alterado su régimen gubernativo, su canciller se comprometió a seguir pasos equivalentes a los de su colega colombiano.

Igual tesitura adoptaron los ministros de Relaciones Exteriores de Brasil y Uruguay, país este en el que el miembro del Consejo y líder ruralista Benito Nardone ofreció su decidida participación.

Y a fines de 1962, Dardo Cúneo logró en Nueva York que importantes personalidades latinoamericanas y estadounidenses avalaran un solidario pedido en favor de la libertad de Arturo Frondizi.

En libertad tras dieciséis meses de prisión

Realizadas las elecciones nacionales el 7 de julio de 1963, el presidente Guido dispuso el 31 de ese mes la libertad de Frondizi: su presencia en Buenos Aires ya no influiría en el resultado de los comicios. Cesaban dieciséis meses de una injusta prisión que causó más conmoción fuera que dentro del país. El jueves 1° de agosto Frondizi inició su regreso a la Capital y se estableció en la quinta Los Plátanos, en la localidad de San Miguel.

Si bien volvía al gran escenario nacional para retornar, desde el llano, a su misión política, puso un paréntesis a la iniciación de esta actividad para compartir, en amables tertulias, sus contactos con amigos, quienes le informaban sobre la actualidad del país y la permanente tensión por el deterioro de la situación social. Confesaría Frondizi:

> En las largas horas de confinamiento había meditado mucho sobre las circunstancias y los problemas nacionales. Retornaba con mis convicciones retempladas y el ánimo dispuesto a reanudar la tarea política en la diaria comunicación con los correligionarios y con todos los argentinos que se acercaban a nosotros preocupados por el destino de la Nación. Nos esperaba una tarea imprescindible: orientar el alumbramiento de una nueva fuerza política.

"Un enfermo ideal"

Una dolencia en la espalda, que se había hecho sentir en Martín García, exigió una rigurosa observación médica. El doctor Germán Hugo Dickmann confirmó el diagnóstico del doctor Russi sobre un tumor benigno que comprimía la médula espinal.

El doctor Dickmann dejó su testimonio sobre la entrevista que mantuviera con Frondizi en la tarde del 20 de octubre en la habitación 203 del Sanatorio Anchorena:

> "Doctor Frondizi: usted tiene una compresión medular; debe ser intervenido quirúrgicamente, pero usted no es un enfermo común; usted es el ex presidente de la República, y yo soy el Doctor Dickmann, el neurocirujano, el profesor, pero soy socialista democrático y alguna vez fui candidato a diputado nacional y he sido adversario político suyo [...] por lo tanto, primero le confieso esto para que usted lo sepa, que se va a entregar en manos de un adversario político; y segundo, para que usted, siendo nada menos que un ex presidente, tenga la libertad, que a mí no me molesta de ninguna forma, de hacer todas las consultas".
> Y allí se me reveló el hombre excepcional que es Arturo Frondizi, con firmeza

y seguridad, con ese tono cortante y preciso con que habla don Arturo: "Doctor, yo le tengo absoluta confianza; no necesito consulta ninguna; usted dice que debe operarme y me opera mañana, si así lo cree". Le contesté: "Muy bien, doctor Frondizi, lo operaré mañana", a lo que respondió: "Sólo le pido una cosa –y ahí pude apreciar la entrega de este hombre, con una tranquilidad real, de fondo–: que me confiese la verdad, ¿me voy a curar o no me voy a curar? ¿Voy a poder seguir caminando o voy a quedar paralítico? Yo estoy dispuesto y resignado a lo que el destino disponga".

La operación fue un éxito, y a los ocho días, Frondizi abandonó el sanatorio, caminando con soltura. Según palabras de Dickmann,

Frondizi era un hombre que demostró que dominaba voluntaria o instintivamente, en una forma que realmente es un ejemplo digno de exhibir, todo sentimiento emotivo, no para con los demás, cosa fácil, sino para consigo mismo, que eso es lo difícil en circunstancias que pudieron haber sido trágicas. Por eso lo presento como un ejemplo de enfermo ideal.[1]

NOTA

1. Testimonio del doctor Germán Hugo Dickmann, Archivo de la autora.

José María Guido pudo cumplir, el 12 de octubre, con la salida institucional prevista y entregar el mando a su sucesor Arturo H. Illia quien, honrado y parco en el modo de expresarse, con una imagen paternalista y campechana tan opuesta a la intelectualista de Frondizi, era el primer médico que llegaba a la alta magistratura.

Carlos Perette, que completaba el binomio presidencial, aportó como contracara su fama de *enfant terrible* y su experiencia legislativa.

Frondizi, aunque estimó que el gobierno que comenzaba su gestión había surgido de un proceso electoral viciado por la exclusión de un gran sector de la ciudadanía, no vaciló en sumar todas sus energías a lo que consideraba un punto de partida en la lucha por recuperar la plena legalidad:

> No perturbaré la acción de las futuras autoridades, ni pediré su renuncia, ni golpearé, para conspirar, a la puerta de los cuarteles. Como siempre, defenderé los derechos del pueblo con las armas de la ley. Como siempre, lucharé para ahorrar al país el riesgo del caos, el dolor del derramamiento de sangre y la amenaza de la dictadura. Contribuiré con todas mis fuerzas para que los argentinos podamos dedicarnos a trabajar en paz a fin de superar la profunda crisis y la paralización ocasionada por la quiebra de las instituciones.[1]

Potable para las Fuerzas Armadas por haber llegado al poder sin el voto peronista, Illia debió enfrentar problemas en el seno castrense que, si bien no trastornaron la marcha de su gobierno, fueron indicadores de una tranquilidad más aparente que real en ese sector de la sociedad. Tuvo a su favor importantes factores positivos como la acción responsable de la oposición, la solución del déficit energético y el reequipamiento de la industria, pero el programa que ofrecía su partido se demostraría divorciado de necesidades imperiosas de la Argentina.

Anulación de los contratos petroleros

La campaña electoral de la UCRP se había sustentado en la acerba crítica a los contratos petroleros firmados por Frondizi; de allí que una de las primeras medidas que asumió el gobierno fue la de tratar su anulación en la Cámara de Diputados de la Nación.

No había transcurrido un mes de gobierno, cuando Illia y sus asesores consideraron conveniente proceder a la anulación de los contratos.

El día 11 de agosto de 1964, Illia en declaraciones al *New York Times*, reafirmaba que su política petrolera, con el control estatal de los yacimientos petrolíferos del país, había sido un puntal de su programa partidario por cuarenta años, que debían cumplir. "El problema ahora –reconocía– es lograr un acuerdo justo y equitativo con las empresas."

Muy pronto se advirtió la presencia de dos criterios opuestos en el núcleo del radicalismo del pueblo, que se pusieron de manifiesto incluso en la Comisión Especial Investigadora de los Contratos de Petróleo a la que ya nos hemos referido. Un sector encabezado por el presidente de YPF, doctor Facundo Suárez, a quien respaldaba Illia, no descartaba una fórmula transaccional en tema tan espinoso y discrepaba en muchos aspectos con el inspirado por el secretario de Energía y Combustibles, doctor Antulio Pozzio, estimulado por Perette y por la Comisión Pro Defensa del Petróleo.

Esta última ya no disimulaba su disconformidad con la política oficial, a la que no consideraba lo suficientemente dura. En una nota presentada el mismo miércoles 12 de agosto a la Cámara de Diputados, acusaba al oficialismo de "continuar la entrega de nuestra independencia nacional", puesto que las compañías petroleras extranjeras continuaban en posesión de las áreas concedidas y presionaban al gobierno disminuyendo la producción para lograr arreglos amistosos y extrajudiciales.

Uno de sus principales partícipes, Adolfo Silenzi de Stagni, presentó su renuncia como asesor del gobierno y, con todas estas declaraciones, propuestas y medidas gubernativas, lo cierto es que el autoabastecimiento corrió el riesgo de perderse ya que se superaron las importaciones de crudo y se redujo considerablemente el volumen de las exportaciones.

Al tratar la anulación de los contratos, con la consiguiente investigación de sus articulados, no se hizo diferencia alguna entre los firmados con negociación directa de Arturo Sábato en su calidad de delegado personal del presidente de la Nación, el suscrito por Horacio Aguirre Legarreta, designado presidente de YPF con acuerdo del Senado, y los tramitados por licitación bajo la presidencia de Juan José Bruno.

Se rompió la continuidad jurídica, lo que hizo perder confianza en el exterior, "cosa que pudieron experimentar en carne propia los delegados que salieron a renegociar la deuda externa", según comentario del doctor Frondizi.

El diputado nacional Jorge Washington Ferreira, en la sesión del 27 de noviembre de 1964, destacó que la Comisión Investigadora no consideró en absoluto un dictamen del Tribunal de Cuentas de la Nación, de noviembre de 1963, formulado a requerimiento del procurador del Tesoro del gobierno de Illia, en el que se declaraba que los contratos petroleros no eran observables, así como tampoco los decretos que los aprobaban, con la rúbrica de Frondizi. Según Ferreira, con la exclusión del dictamen del Tribunal de Cuentas se obraba de mala fe, ya que la Comisión Investigadora "había hecho solamente un examen parcial del problema sometido a su investigación", porque

> han omitido analizar precisamente el contrato celebrado durante la administración del doctor Guido entre YPF y Atlas Development Inc., que ha sido ampliado por el actual gobierno [...] y convertido, a la vez, en un contrato de importación de crudo común, del crudo que tenemos bajo nuestros pies y que ahora no se lo saca con la intensidad con que se lo hubiera sacado, de acuerdo con nuestra política.[2]

Concluidos los testimonios, la Comisión Investigadora elevó a la Cámara de Diputados sus conclusiones, en un documento un tanto ambiguo. La mayoría parlamentaria se pronunció por el reconocimiento de dolo, cohecho y otras irregularidades en las contrataciones. Su dictamen pasó a la Justicia que no encontró en el cúmulo de declaraciones que conformaban impresionantes infolios, ningún motivo valedero de imputación. No dictó fallo y la causa prescribió en razón del tiempo transcurrido.

Ante la propaganda que efectuaba el gobierno sobre los beneficios que traería a la Nación la anulación de los contratos de petróleo, el diputado Héctor Gómez Machado presentó un pedido de informes por el que ponía en conocimiento público que un hermano del primer mandatario y el presidente de YPF, Facundo Suárez, habían apelado "ante el doctor Frondizi para que aconsejara acerca de la posibilidad de una renegociación franca de los contratos y no dificultara con actitudes políticas esta negociación".[3]

Nadie desmintió las afirmaciones del diputado Gómez Machado y la prensa, que había insistido en la dualidad de Frondizi durante su presidencia, no se hizo eco de esta posición ambivalente del gobierno de Illia.

El atentado contra Frondizi

La noche del 14 de agosto se realizó una cena en el local de la Federación de Sociedades Gallegas, de la calle Chacabuco 947, en pleno barrio de San Telmo. Allí se concentraron más de trescientos amigos y correligionarios de Frondizi, que deseaban expresarle su solidaridad ante las impugnaciones llevadas a cabo en la Comisión Investigadora de los Contratos de Petróleo.

Esta cena, llamada de la Amistad, fue abruptamente interrumpida por un grupo armado de unos diez individuos que, dando vivas a Perón y al grito de "Vas a acabar, Flaco", atacó a balazos a los presentes, en especial a los que compartían la mesa central con el homenajeado y su señora.

Mientras algunos trataron de resguardar a Frondizi y otros de buscar seguridad bajo las mesas, los más osados comenzaron a tirar sifones y botellas sobre los atacantes. Frondizi, erguido, desafiaba con su actitud calma a los autores de la agresión. Concluido el ataque, se comprobó que el diputado nacional Achiari, Orestes Frondizi, Néstor Hugo Landa y Enrique Ruiz Díaz habían resultado heridos.

Pese a que a pocas cuadras se encontraban una comisaría y el Departamento Central, la policía llegó recién media hora después.

Frondizi, elevando su índice acusador, dijo a los presentes:

Se ha decidido no continuar esta comida en homenaje a los amigos heridos y a la sangre derramada. Quiero sólo agregar que estos actos criminales, de los que hago responsable al gobierno de la Nación, comenzando por el presidente de la República abajo, no nos han de apartar del cumplimiento de nuestro deber, afirmado en el inquebrantable propósito de lograr la paz y la conciliación de los argentinos. [...] Y yo les digo a los cegados por el odio, que no derramen la sangre de los que me acompañan. Les ofrezco la mía, que he entregado a la República.

Los panfletos de los atacantes anunciaban: "Perón vuelve, Perón única solución"; "La juventud de pie para realizar la revolución nacional justicialista – Juventud Peronista – Comando Norte". Según Bernardo Larroudé, testigo de aquel suceso, "no era difícil individualizar a los autores intelectuales y materiales del atropello; pertenecían al 'elenco estable', protegido por los responsables de las averiguaciones y los representantes de la UCRP en la Cámara de Diputados".

El atentado tuvo una derivación imprevista. Al día siguiente –15 de agosto–, cuando se llevó el tema al recinto de la Cámara de Diputados, el legislador por Corrientes Fernando Piragine Niveyro, al hacer uso de la palabra –calificando enérgicamente al atentado como "un hecho vandálico sin precedentes" en el que involucró al Presidente de la República–, fue interrumpido por el diputado neoperonista Alberto Serú García. En ese momento se observó que Piragine Niveyro caía hacia atrás en su sillón. Rodeado por sus conturbados pares, fallecía en su banca víctima de un ataque cardíaco.

El gobierno, pese a las declaraciones condenatorias de Frondizi y las expresiones de indignación de distintos sectores de la población, no dio trascendencia al atropello. El doctor Palmero, ministro del Interior, al ser interpelado en la Cámara de Diputados, negó que la agresión hubiera tenido como blanco al doctor Frondizi y manifestó: "No trato de disculpar este alevoso atentado, pero es evidente que en ningún momento se intentó provocar la muerte de nadie".

La visita de Charles De Gaulle

El sábado 3 de octubre de 1964, el general Charles De Gaulle llegó a la Argentina y recibió los honores oficiales y populares que merecía la gloriosa trayectoria de quien restituyó a Francia su honor nacional y su preeminencia en el mundo libre.

Los peronistas trataron de capitalizar en su beneficio la visita y, a pesar de las precauciones tomadas por el gobierno para aislar al huésped, se hicieron presentes en todas las oportunidades que les fue posible al grito de "De Gaulle-Perón / un solo corazón".

Hombre de Estado, en su agenda de encuentros con la dirigencia política De Gaulle destacó el nombre de Frondizi, a quien tuvo oportunidad de aquilatar y valorar cuando se entrevistó con él en Francia. De ahí que la exclusión del ex presidente en la lista de invitados al banquete oficial que le ofreció el doctor Arturo H. Illia le produjera una ingrata sorpresa. El visitante colocó en situación incómoda a sus anfitriones cuando interrogó sobre los motivos de esa ausencia. Dispuesto a salvar la omisión, invitó personalmente a Frondizi a la recepción con que retribuyó atenciones a las autoridades nacionales. Con cortesía pero con firmeza, Frondizi adujo que, si su Presidente no consideró oportuno invitarlo, con gran pesar debía desechar la convocatoria del presidente francés.

Antes de partir, De Gaulle se entrevistó por propia iniciativa con el ex mandatario, a quien envió como regalo dos artísticos candelabros de cristal que Frondizi donó al Centro de Estudios Nacionales.

"La cuestión dominicana y la soberanía argentina"

A los diferendos provocados en la zona fronteriza entre Argentina y Chile por la jurisdicción sobre Palena y Laguna del Desierto, se sumó la actuación de nuestro gobierno ante la presencia de tropas norteamericanas en Santo Domingo. Para Frondizi, esto no sólo afectaba la soberanía de ese país sino que "también afecta a la soberanía argentina y al destino de la comunidad latinoamericana en el contexto mundial".

El episodio, como explica Frondizi en su folleto *La cuestión dominicana y la soberanía argentina,* "comenzó con un levantamiento militar contra un gobierno que no era el gobierno legítimo de la República Dominicana, sino fruto de un alzamiento anterior contra el gobierno del señor Bosch, elegido libremente y por el sesenta por ciento de la ciudadanía", realizado bajo la acusación de filocomunismo, socialismo y mala administración.

Ante un conflicto entre las fuerzas militares dominicanas que detentaban el poder, el gobierno de los Estados Unidos decidió evacuar a sus nacionales residentes en la isla, lo que se cumplió en cuarenta y ocho horas. Pero luego no dispuso el retiro de los efectivos enviados al efecto.

Esta decisión, tomada sin previa consulta a la Organización de los Estados Americanos ni al Consejo de Seguridad de las Naciones Unidas, provocó la inmediata reunión del Consejo de la OEA. Este organismo soslayó el problema al no cuestionar la acción norteamericana ni examinar el antagonismo interno dominicano. Se limitó a intervenir por medio de una comisión de paz y concretar el pedido de creación de una fuerza interamericana que prestaría su pabellón a las tropas de los Estados Unidos, enfoque sui géneris de las prescripciones específicas de la Carta de Bogotá, que en sus artículos 15 y 17 prohibía las intervenciones.

A su vez, el Consejo de Seguridad de las Naciones Unidas no se pronunció sobre el origen de la agresión pero instruyó a su secretario general para que enviara una misión de exploración sobre el territorio.

El gobierno de Illia, después de un mes de producida la revolución dominicana, se sumó a esa violación del principio de no intervención cuando su representante ante la Organización de los Estados Americanos votó a favor de la creación de la fuerza interamericana permanente, una especie de policía continental para "institucionalizar la fuerza unilateral de la unión y de este modo controlar el proceso de intervención".

Las reacciones no se hicieron esperar, y aun dentro de la UCRP la juventud mostró una abierta disconformidad.

Arturo Frondizi consideró que el gobierno había actuado "como instrumento secundario e inepto de esta nueva transgresión al derecho de América",

> y no ha sido, como algunos creen, fruto de la ya clásica inoperancia de este gobierno. Ha sido una posición deliberada y abonada por el criterio de nuestra actual Cancillería que destruye totalmente el principio de la no intervención.

Señaló también que el país había retrocedido décadas, tanto "en su fuerza material como en su dignidad espiritual", pero esperaba "que los argentinos afrontaran con lucidez la enorme tarea de salvar a su propia patria".

El Poder Ejecutivo había elevado al Senado el pedido de autorización para enviar tropas a la República Dominicana, pero, por decisión del presidente Illia,

426

lo retiró. Esta rectificación trajo como consecuencia un enfriamiento con el Ejército que, por medio del general Juan Carlos Onganía, mostraba su inclinación favorable a esa participación porque "las Fuerzas Armadas recibirán importantes conocimientos de los Estados Unidos en lo que respecta a operaciones y la Argentina seguramente recibirá equipos de los Estados Unidos".

Coincidiendo con el pedido esperanzado de Frondizi, la Cámara de Diputados, el 14 de mayo de 1965, condenó la intervención de Norteamérica en la República Dominicana y solicitó el inmediato retiro de sus fuerzas de la isla caribeña.

La agitación social

Illia cumplió con sus promesas electorales y con las formuladas a dirigentes obreros partidarios de un estatismo e intervencionismo similar al de las primeras épocas del peronismo, al anular los contratos petroleros y establecer el control de cambios. Pero esto motivó el desaliento de los inversionistas extranjeros.

La lentitud gubernamental para disminuir el creciente costo de vida y la desocupación de trabajadores por la acelerada liquidación de la mediana y pequeña industria, fue causa de una presentación de la CGT que constituía un verdadero programa gubernativo por las inquietudes presentadas en el campo económico, educativo, crediticio, acompañado por las posibles realizaciones para paliar esa crítica situación. A esta propuesta, que no recibió respuesta oficial, siguió la ejecución del Plan de Lucha en mayo de 1964, que comenzó a deteriorar la imagen del gobierno. Sus débiles resoluciones, como la ley de salario mínimo, vital y móvil y la ley de Abastecimientos –que imponía la regulación policial a los precios–, más que satisfacer las demandas de los trabajadores, constituyeron un desafío para la CGT que las vio como un intento de quebrar la unidad del movimiento obrero.

El Plan de Lucha incluyó la ocupación de fábricas. Frondizi criticó esta metodología señalando que, al dañar las propiedades, aislaba a los trabajadores y los enfrentaba con los empresarios, "sus aliados naturales en la lucha contra una política que multiplicaba la desocupación de los unos y cerraba las fábricas de los otros".[4]

El incremento del producto bruto interno gracias a las buenas cosechas fue una panacea fugaz, que desapareció muy pronto ante la caída de la producción industrial y el aumento de la importación de combustible, consecuencia de la anulación de los contratos de petróleo. Este confuso panorama favoreció al liderazgo de Augusto Timoteo Vandor, el "Lobo", dirigente metalúrgico que encabezó la fracción cegetista opuesta a la aceptación lisa y llana de las órdenes de Perón. Con Iturbe, propiciaba en lo político y sindical una orientación conciliadora proclive a llegar a negociaciones para imponer salidas favorables para los obreros.

La gravedad de la situación llevó a Frondizi a realizar un exhaustivo examen de la conducción gubernativa, en el discurso que pronunció el 26 de marzo de 1965, en la comida mensual del Instituto de Inversiones Económico-Financieras de la Confederación General de Empresarios. Allí denunció que

con los recursos despilfarrados en el déficit del presupuesto y de las empresas estatales, hubiéramos podido construir todo lo que el país necesita para autoabastecerse de combustibles, acero y productos petroquímicos y construir una red de quince mil kilómetros de nuevos caminos.

El año 1965 tenía su centro político en el llamado a elecciones generales para el mes de marzo.

Vandor, tras haber logrado el respaldo de Perón a cambio de abandonar sus deseos de reorganizar al partido peronista al margen de las directivas de Madrid, había gestado a fines de 1964 la "Operación Retorno" para consolidar la unidad del peronismo. El famoso "avión negro" que trasladaría al país al viejo caudillo era esperado ansiosamente por sus partidarios, en tanto los militares se movilizaban para enfrentar la situación. Pero el avión no tenía esas características, sino que era el *Velázquez,* de Iberia, que llegó a Río de Janeiro a las 7.30 del miércoles 2 de diciembre de 1964. A las medidas preventivas tomadas por el presidente Illia y por sus ministros del Interior y de Defensa, se sumó la resolución de las autoridades de Brasil que declararon persona no grata a Perón, el que no podría continuar su viaje ni permanecer allí, "en atención a un pedido del gobierno argentino", según rezaba la nota del Palacio de Itamaratí.

No obstante, el canciller Miguel Angel Zabala Ortiz, para resguardar la imagen de su gobierno, declaró:

éste es un problema que lo resuelve exclusivamente el gobierno del Brasil y nosotros no tenemos ninguna intervención en la solución del problema, de tal modo que dicho asunto dependerá de lo que quiera hacer el gobierno del Brasil.

Perón permaneció custodiado en el aeropuerto de El Galeão durante doce horas, y regresó a Madrid en el mismo avión.

NOTAS

1. Frondizi, Arturo: *Mensaje al pueblo argentino. Cuatro años de gobierno y el futuro nacional,* Desarrollo, 1963.
2. Ferreira, Jorge Washington: "Investigación sobre la política petrolera del presi-

428

dente Frondizi", separata del discurso pronunciado en la Cámara de Diputados de la Nación, el 27 de noviembre de 1964, Buenos Aires, 1965.

3. *Qué!*, Nº 276, 4 de noviembre de 1964, pág. 7.

4. Frondizi, Arturo: *Carta a los trabajadores. Pan, techo, cultura, libertad,* MID, Buenos Aires, 1965, pág. 9.

EL MOVIMIENTO DE INTEGRACIÓN Y DESARROLLO Y EL CENTRO DE ESTUDIOS NACIONALES

El Movimiento de Integración y Desarrollo

La difícil elección de Frondizi al optar por el voto en blanco en la campaña electoral de 1963, mientras la UCRI mantenía su fórmula y ocupaba el tercer lugar en el cómputo de sufragios, abrió una insalvable fisura en esa organización. Después del acto comicial, los alendistas convocaron a la Convención Nacional para fijar las normas que debían seguir los diputados electos. El máximo organismo partidario separó a los integrantes de su Mesa Directiva y determinó la caducidad de las autoridades del Comité Nacional.

Por su parte, el presidente de la Convención, Julio Oyhanarte, citó a los convencionales frondizistas para decidir sobre la situación. Con dos convenciones sesionando en forma independiente, atribuyéndose cada una la legitimidad de sus funciones, quedó formalizada la división partidaria.

Se planteó una áspera disputa por el uso de la sigla y el control del partido, pleito que la Justicia Electoral dirimió al conceder al sector de Alende la titularidad de la UCRI con todos sus bienes y registros de afiliados.

Nuevamente, en condiciones difíciles y sin la respuesta masiva que se esperaba del voto en blanco, Frondizi debía armar un nuevo partido. La perspectiva de los acelerados cambios que la tecnología y el avance de la ciencia imponían en todos los órdenes, debía incidir en la revisión de aspectos esenciales del nuevo nucleamiento político, que mantendría la vocación frentista de su fundador. Aclaró Frondizi:

> Nos proponíamos atraer hacia nuestros cuadros las expresiones reales de la sociedad argentina: los obreros, los empresarios, los estudiantes, los profesionales, los artistas e intelectuales y en general todos los grupos, sectores y clases, incluyendo los militares y los religiosos. Se trataba de forjar un partido como entidad política que asume la universalidad de las aspiraciones e intereses de la Nación, a través de la diversidad de las clases y sectores.

La clásica política que resumía en el comité su base estructural, con el consabido clientelismo electoralista que condicionaba la acción de los dirigentes, quedaba fuera del esquema organizativo. Para Frondizi, los grupos de estudio, investigación y análisis constituían el núcleo fundamental del partido al entender que "toda tarea política que se proponga la transformación de la sociedad debe asentarse sobre un conocimiento exacto del medio a transformar".

Tomando como base la experiencia con los grupos de trabajo que colaboraron en la campaña de 1958, se reeditó esa práctica para organizar los nuevos cuadros. El controvertido equipo paralelo encabezado por Rogelio Frigerio, que había provocado disgustos y rebeldías en algunos dirigentes de la UCRI, pasó a integrar el partido.

Se adoptó la denominación de Movimiento de Intransigencia Radical, MIR, para la naciente fuerza política, pero la UCRP y la UCRI impugnaron el uso de la sigla MIR por ser patrimonio de una corriente interna del radicalismo, y un nuevo pronunciamiento judicial obligó a cambiar el nombre. Surgió entonces el definitivo con la inclusión de los términos integración y desarrollo, síntesis de la obra de gobierno de Frondizi. Quedó así formalizado el Movimiento de Integración y Desarrollo (MID). Con este cambio desaparecía el último vínculo que subsistía con el originario tronco radical.

La necesidad de consolidar la inserción nacional obligó a Frondizi a realizar continuos viajes al interior del país. Ante nutridas asambleas explicó las bases del programa y la necesidad de organizar todos los distritos.

> La primera bandera que el Movimiento habrá de sostener como síntesis de su pensamiento y de su acción –explicó Frondizi–, es la de integración nacional, con su profundo significado de unión sin rencores, de sufragio libre, de eliminación de las proscripciones, de superación de todos los antagonismos de nuestra historia lejana o reciente; la segunda es la del desarrollo, es decir, la idea del crecimiento acelerado del país; la tercera es la de la justicia social, o sea la justa distribución de la riqueza creada por el esfuerzo de todos; la cuarta es la de la política internacional independiente, o sea la defensa de nuestro interés nacional; la quinta es la de la cultura nacional, fundada en la adaptación de nuestro pueblo y su formación espiritual a las grandes corrientes del mundo actual, pero afirmando los valores propios que distinguen al ser argentino.

Sobre el flamante partido escribió Alain Rouquié:

> No se sabría decir si el nuevo movimiento es un partido político o un grupo de presión ideológica más preocupado por el desarrollo de la industria argentina que por la conquista del poder.

Podemos agregar que el MID fue más un movimiento de difusión doctrinaria que una potencia electoralista

El Centro de Estudios Nacionales

Arturo Frondizi comprendió que toda tarea política necesitaba asentarse sobre un centro cultural complementario de la actividad militante, para la formulación de un pensamiento basado en un serio estudio de la realidad. Fue así como en 1956 se habían dado las bases para el nacimiento del Centro de Estudios Nacionales, que comenzó a funcionar en Luis María Campos 665, como lugar de elaboración programática y de instrumentación táctica de la campaña electoral de la UCRI.

Tras la prisión de Frondizi en Martín García y su confinamiento en Bariloche, el 27 de agosto de 1963 el Centro de Estudios Nacionales se organizó como Fundación por iniciativa del ex presidente, su señora Elena Faggionato de Frondizi y la hija de éstos, Elena Frondizi. Este nuevo estado le aseguraba su independencia de toda institución, tanto política como de cualquier otro tipo, y su autonomía económica, puesto que como persona de derecho podía tener su propio patrimonio.

El CEN contaba con la biblioteca perteneciente a Frondizi, que totalizaba aproximadamente 20.000 volúmenes, y con el archivo sobre su actuación política y su gestión presidencial.

El 3 de abril de 1964 se reiniciaron sus actividades en su nuevo local, la casona de Cangallo –hoy Teniente General Juan Domingo Perón– 2373, oportunidad en la que Frondizi reseñó la historia del establecimiento:

> Cuando asumí la responsabilidad de la Presidencia de la República, continué enviando aquí toda mi biblioteca y todo mi archivo, que quedó durante esos años a cargo de una persona que iba clasificando el material. Cuando regresé de Martín García y Bariloche, pensé que a esto debía darle una organicidad en el trabajo, que debía darle una base de carácter legal y que debía actuar como un Centro de Estudios al margen de la actividad partidista. Esto ha permitido y permite que personas que no coincidían con los esquemas políticos partidistas en los que yo estoy actuando, participen en las discusiones y actividades del Centro.

La Biblioteca llegó a tener más de 2.000 carpetas con documentos y 80.000 volúmenes, producto de los libros pertenecientes a Silvio Frondizi, de legados efectuados por Mariano Wainfeld, César Tiempo, José María Rivera, Elena Frondizi de Seghetti, así como donaciones de embajadas y centros de investigación. En su hemeroteca se encontraban colecciones casi inhallables como las de *País Libre*, la revista *Qué!*, *Cursos y Conferencias* –publicación del Colegio Libre de estudios Superiores–, a las que se sumaban *Estrategia*, los diarios de sesiones de las Cámaras de Diputados y de Senadores, los informes de FIDE, CEPAL, CONADE, etcétera.

El CEN fue un ámbito de indagación que atrajo no sólo a estudiosos del país sino del extranjero, como investigadores de las universidades de Harvard y Princeton, y de la Fundación Adenauer.

Las paredes de la casa estaban tapizadas con los diplomas de las condecoraciones recibidas por Frondizi y en vitrinas se resguardaban obsequios de mandatarios e instituciones del país y del extranjero.

La tribuna de su sala de conferencias fue ocupada por figuras de primer nivel que desarrollaron con amplia libertad los más variados temas de educación, filosofía, historia, defensa y política, como también los problemas que incidían sobre la población, aportando salidas viables para solucionarlos.

Las elecciones de marzo de 1965

En un denso clima en el que sobresalió un impresionante aparato buro-crático integrado por un organismo gubernamental deficitario y empresas es-tatales con pérdidas millonarias, se llevaron a cabo las elecciones del domin-go 14 de marzo de 1965 para renovar la Cámara de Diputados de la Nación.

El Movimiento de Integración y Desarrollo participaba por primera vez en un acto eleccionario, y Arturo Frondizi en su "Carta a los trabajadores" recordaba que el momento por el que atravesaba el país exigía la unidad de objetivos de todos los sectores y clases, en el plano económico, social e in-ternacional, para lograr lo cual debería constituirse un movimiento nacional y popular, un frente que "es la política de la victoria".

Pese a que la sigla MID fue oficializada por la Justicia quince días antes de las elecciones, logró un tercer puesto detrás de la Unión Popular y la Unión Cívica Radical del Pueblo, aventajando a la UCRI de Oscar Alende.

La misión de Isabel Perón

El 11 de octubre de 1965 arribó al país la tercera esposa de Perón, Isabel Martínez –María Estela Martínez de Perón–, generando exaltadas manifes-taciones y choques entre sus defensores y los antiperonistas, frente al Alvear Palace, donde se alojaba. Cundieron las dudas sobre las motivaciones reales de su viaje que abarcaban un amplio espectro de incógnitas que iban desde resaltar el sentido del 17 de Octubre; difundir un mensaje de paz para todos los argentinos; reorganizar el partido, o pactar un encuentro entre Perón y el gobierno.

El gobierno nacional, hasta la llegada de Isabel, no había incursionado en el manejo de los fondos sindicales pero, ante los desórdenes promovidos el 17 de octubre, decidió investigar sus destinos y elaborar un decreto para re-primir las actividades políticas en los sindicatos, que se dio a conocer el 18 de octubre. Augusto Vandor inició una campaña de protesta contra lo que consideraba una intromisión oficial y, tras una serie de desórdenes, se declaró un paro general para el 22 de octubre.

En tanto, el gobierno, a dos años de estar en el poder, con su lento accionar calificado como "tortuguismo" en la jerga popular, sólo había inaugurado obras que en su momento criticara violentamente, como las usinas de Córdoba, las de Buenos Aires, el gasoducto de Pico Truncado a Buenos Aires y muchísimos emprendimientos viales.

Frondizi, desde la tribuna o las páginas de los diarios y la revista *Qué!*, seguía señalando que la política gubernativa conduciría al enfrentamiento de los distintos sectores de la población. En otro documento básico, la "Carta a los empresarios", fijó la misión de este sector:

> El empresariado y la clase obrera no son términos antitéticos, sino elementos de una síntesis. A los dirigentes de cada sector corresponde la responsabilidad de ubicarse históricamente para poner las condiciones básicas de una política nacional, para la que nuestro país está maduro y que supone, ante todo, la alianza real y orgánica del empresariado y la clase obrera tras las banderas del desarrollo y la integración nacional.

Preocupaba a Frondizi el conflicto latente entre José Alonso, peronista ortodoxo, y Augusto Timoteo Vandor, al que Isabel Perón, pese a una aparente aceptación, no perdonaba su independencia de acción.

> La prensa mostró esta situación en toda su crudeza y la que respondía al desarrollismo tomó partido por Vandor, a quien no escatimó elogios atacando, a su vez, al entorno madrileño de Perón –especialmente a Isabelita y Jorge Antonio–, presentando a aquél como un anciano enfermo y dominado por éstos, que lo mantenían prácticamente secuestrado.[1]

La agudización de las pasiones llevó a un enfrentamiento entre los vandoristas y los militantes de "De pie junto a Perón" que apoyaban a José Alonso, en Avellaneda. En el choque resultaron muertos Rosendo García, Domingo Blacjaquis y J. J. Salazar. A partir de ese momento se multiplicaron los conflictos que llevaron al gobierno a reglamentar la Ley de Asociaciones Profesionales, reafirmando la prohibición a los sindicatos de actuar en política partidista.

Frondizi había prevenido a la clase obrera que esa lucha por mantener hegemonías era una vía equivocada que resultaría negativa para sus aspiraciones por lograr cambios en el rumbo económico.

En los primeros meses de ese año –1965–, Frondizi viajó a Italia para pronunciar conferencias, invitado por importantes centros culturales. Prosiguiendo con su invariable norma de conducta, no hizo declaraciones sobre la situación política del país fuera de sus fronteras, limitándose a señalar que en los próximos años las tensiones sociales aumentarían engendrando una subversión contra los regímenes democráticos.

La crisis militar

La crisis desatada en el Ejército ante el relevo del jefe del Regimiento 3 de Infantería por el comandante en jefe, general Juan Carlos Onganía, trajo como consecuencia el alejamiento del secretario de Guerra, general Ignacio Avalos y, el 22 de noviembre de 1965, la renuncia de Onganía, "uno de los más firmes puntales de la legalidad", según palabras del diputado radical Antonio Tróccoli. A su vez, Rogelio Frigerio había considerado que "el paso de Onganía por la Comandancia en Jefe del Ejército queda señalado por el recuperado espíritu nacional que alienta en los cuadros de nuestras Fuerzas Armadas".

El espíritu de orden impuesto a sus fuerzas por Onganía comenzó a mostrar brechas, prenunciando un desequilibrio general que reflejó Mariano Grondona en la revista *Primera Plana*, el 19 de abril de 1966: "1964 fue el año de la euforia; 1965, el año de los primeros obstáculos y 1966, sin duda, el año de la crisis".

La confusión llegaba también al campo sindical y al político; la derrota electoral del oficialismo en comicios provinciales no sólo debilitó a los radicales del pueblo sino que demostró que Perón seguía manteniendo su indiscutible jefatura frente a Vandor, quien buscó un acercamiento con los militares.

El discurso del 29 de mayo que pronunció el nuevo comandante en jefe, general Pascual Angel Pistarini, en el día del Ejército, fue el detonante que anunciaba el golpe de Estado, justificado por el vacío de poder que se atribuía al gobierno. Si bien Perón desde Madrid se había referido a las posibilidades de una revuelta que pondría fin a la aparente tregua que reinaba en el país, fue Frondizi quien especificó, a su regreso de Europa, los objetivos nacionales y la imperiosa necesidad de realizar profundos cambios en el plano económico-social.

En dos memorándum, uno para el líder de la democracia progresista doctor Horacio Thedy, del 23 de mayo, y otro enviado el 12 de junio al comandante en jefe del Ejército, general Pistarini, subrayó que en la Argentina estaba en gestación una etapa de transformaciones de las estructuras sociales que no satisfacían ya las aspiraciones de las distintas clases y sectores del pueblo y premonitoriamente remarcó que la situación podía tener como desenlace la toma del poder por las Fuerzas Armadas.

El discurso de junio de 1966

Para el desarrollismo, la política de la UCRP significó un retroceso y por esa razón decidió pasarse del lado de la futura revolución transformadora y modernizante. Por otra parte, la caída de su gobierno constitucional en 1962 había producido un cambio sustancial en la actitud de Frondizi. A partir de 1963 [...] dejó de considerar a la democracia como un objetivo en sí mismo y comenzó a ver a esta forma de gobierno como un medio aunque no el único para lograr los objetivos de la política desarrollista.[2]

Es por eso que, ya fuese en el diálogo directo o en opiniones públicas, Frondizi mantuvo un permanente reclamo de cambio inmediato en la instrumentación de la política económica.

Illia, en un severo discurso, recabó la explicación de los términos "cambio de estructuras" exigidos por la oposición y que, con hechos y documentos, se probara si algún gobierno anterior al suyo había cumplido una obra de mayor envergadura que la emprendida por la UCRP. De inmediato Frondizi solicitó, el 23 de junio, se le permitiera hacer uso de la radio y televisión para aclararle al Presidente sus dudas sobre la expresión "cambio de estructuras". Nélida Baigorria, ex diputada de la UCRI, al frente de la Comisión Administrativa de emisoras comerciales y televisión, respondió con una rotunda prohibición.

El domingo 26, los diarios publicaron el texto completo del discurso vetado, del cual destacamos los siguientes conceptos:

– En la Argentina de 1966 el gobierno de Arturo Illia constituye un anacronismo; es la expresión postrera de una estructura socio-económica que ha perdido vigencia.
– Empieza un nuevo proceso: el del desenvolvimiento pleno de todas las energías nacionales, el de su integración; es la etapa de la liberación nacional, pero sería un error suponer que este cambio se produce en una transición brusca.
– Se han dado las condiciones para la liberación nacional a menos que nos condenemos a la autodestrucción. La inacción, esto que se llama estilo de gobierno a la espera de la solución de los conflictos por el mero transcurso del tiempo, conduce inexorablemente a la desintegración nacional, cuyos signos aparecen en todas partes.

En directa relación con la solicitud presidencial, decía: "Este es el cambio de estructuras que el presidente Illia alega no comprender", y a continuación realizaba un detallado resumen del significado e implicaciones para llevar a efecto el cambio de estructuras, con el fin de "unir a todos los sectores sociales, a los grupos políticos y culturales, al pueblo entero del país en torno de los objetivos del crecimiento económico y del bienestar social". Y agregaba:

> Se corre el riesgo de que la revolución nacional que necesita el país sea enervada por los intereses del pasado que quieren echar una cortina de humo sobre las necesidades genuinas de la comunidad y sus aspiraciones históricas [...] Este reclamo requiere respuesta inmediata.

Terminaba su frustrada alocución radiotelevisiva denunciando que la comunidad haría su revolución cualesquiera fuesen las intenciones de los gobernantes,

> porque la liberación nacional no puede ser demorada y si los dirigentes de la hora no fueron capaces de conducirla o se dejaron seducir o someter por los resortes de la acción psicológica que contra ellos ha de articular la reacción antinacional, serían rápidamente rebasados y el pueblo encontraría el camino para ello.

Este discurso, al augurar que la Argentina de 1966 poseía en su seno fuerzas de transformación incontrastables que impulsaban al cambio, fue la antesala de una revolución que no tardó en producirse.

Coincidentemente, otros dirigentes políticos dieron a conocer sus críticas a la acción oficial; la Democracia Cristiana declaraba: "se necesitan cambios en profundidad"; Américo Ghioldi dijo: "Estamos en un momento de entretenimiento, de ganar tiempo", y Horacio Sandler, secretario general de UDELPA, sumaba su opinión:

> El peligro que se cierne sobre la estabilidad constitucional ha de mantenerse mientras el Gobierno siga sin escuchar el clamor casi unánime de la mayoría de los sectores que integran el quehacer nacional.

El derrocamiento de Illia

Las actitudes asumidas por el comandante en jefe del Ejército, general Pascual Angel Pistarini, desde el discurso pronunciado el 29 de mayo, Día del Ejército, culminaron con la presentación de un comunicado el 18 de junio, en el que se conminaba al gobierno a efectuar un cambio y solucionar los problemas "dentro de la Constitución y las normas democráticas". Con el fin de "defender el orden constitucional", Illia dispuso el retiro del comandante en jefe el 27 de junio y esta decisión no hizo sino apresurar su caída.

En la madrugada del 28 de junio, ante la presión militar y tras un áspero diálogo con el general Julio Alsogaray y el coronel Perlinger, a los que cali-

438

ficó de "salteadores nocturnos que como bandidos aparecen de madrugada para tomar la Casa de Gobierno", Illia se vio obligado a abandonar la sede gubernativa. La dignidad con que afrontó la situación fue su último intento por salvaguardar la investidura presidencial.

En 1983, al preguntarse a Frondizi sobre su vinculación con el golpe militar, respondió:

> Como se ha dicho que participamos del derrocamiento del doctor Illia, como lo hicieron los radicales con nuestro gobierno, debo señalar que no participamos en esa conspiración militar, sino que señalamos lealmente con nuestras críticas el callejón sin salida al que llevaba una política que se caracterizó por detener el proceso de inversión que había lanzado nuestro gobierno, no obstante beneficiarse con los resultados que ese proyecto ya arrojaba, actitud con la que contribuyó a hipotecar el futuro.

Una Junta Revolucionaria integrada por los comandantes en jefe de las tres armas –Pascual Angel Pistarini, de Ejército; Benigno Ignacio Marcelino Varela, de Marina, y Teodoro Alvarez, de Aeronáutica– se arrogó los poderes militares y políticos de la República y dispuso la disolución del Congreso Nacional, las legislaturas provinciales y los partidos políticos, separando de sus funciones al procurador general y a los miembros de la Corte Suprema. De inmediato procedió a designar al general Juan Carlos Onganía como presidente de la Nación. Este asumió su cargo el 29 de junio, en un acto que contó con la presencia de dirigentes sindicales, políticos, eclesiásticos y militares, lo que abrió un amplio campo de expectativas favorables hacia las nuevas autoridades.

Los comandantes en jefe señalaron los fines de la llamada Revolución Argentina en un Estatuto al que se dio prioridad normativa sobre la Constitución. En él se enunciaban los objetivos políticos de la Revolución: la defensa de la soberanía nacional, la integridad territorial, los valores espirituales y "el estilo de vida y fines morales que hacen a la esencia de la nacionalidad", en el ámbito de la política interna, económica y de bienestar social.

NOTAS

1. Castello, Antonio Emilio: *La democracia...*, ob. cit., pág. 266.
2. Acuña, Marcelo Luis: *De Frondizi a Alfonsín, la tradición política del radicalismo*, Tomo II, Centro Editor de América Latina, Buenos Aires, 1984, pág. 162.

Onganía, en su primer mensaje al país, el 30 de junio, manifestó estar "persuadido de que es menester producir un cambio fundamental, una verdadera revolución que devuelva a los argentinos su fe, su confianza y su orgullo". Uno de los primeros pasos fue trasladarse a Tucumán, provincia en la que se habían iniciado años atrás movimientos guerrilleros de protesta, para anunciar desde allí los objetivos perseguidos por su gobierno a través de tres tiempos: el económico, el social y el político.

El recibimiento tributado por la población fue triunfal, coincidiendo su presencia con los festejos de los ciento cincuenta años de la declaración de la independencia.

Frondizi y la Revolución Argentina

Para Arturo Frondizi, esta revolución era la expresión de la Argentina del porvenir.

> Se equivocan –dijo– quienes ven en ella un motín militar más en nuestra América. Los militares han declarado que son solamente el brazo ejecutor de una revolución que hace el pueblo, en nombre de las necesidades y las expectativas de un país que tiene claros objetivos nacionales. [...] Si el consenso social fuera la medida del éxito de esta revolución, hasta ahora se cuenta con él.[1]

Pero este apoyo no era de manera alguna absoluto e ilimitado. Las fuerzas que habían considerado inevitable la sustitución del gobierno de Illia "vigilarán el curso de la revolución y los actos del gobierno para hacer cumplir los objetivos del movimiento".

La fuerte presencia del general Onganía y el apoyo nacional que generó la Revolución Argentina, le hizo suponer que podía posibilitar el surgimiento de mecanismos de representatividad de todas las fuerzas sociales del país.

Un esquema de poder militar, fuertemente cohesionado en torno de las medidas de fondo, podía encarar los problemas centrales en acción coordinada con todas las clases y sectores sociales. Este camino justificaba –en opinión de Frondizi– el respaldo que ofreció a la gestión de Juan Carlos Onganía en su primera etapa.

También el semanario *Azul y Blanco,* de Marcelo Sánchez Sorondo, en su editorial del 7 de julio destacaba que se había iniciado un período fundacional, porque "éste no es un gobierno de facto sino un gobierno revolucionario, con plenipotencia superior a la de los gobiernos constituidos". Y Perón, desde Madrid, sostenía que las nuevas autoridades habían expresado propósitos acordes con los principios de su Movimiento.

Dentro de la estrategia global fijada por el gobierno, limitar los gastos del Estado fue una de las primeras medidas que se decidió encarar con un Plan de Ordenamiento y Transformación Racional de la Administración Pública Nacional, que si bien consiguió una reducción en el ámbito de los agentes estatales, no alcanzó la tasa lograda entre los años 1959 y 1962.

Existía un general apoyo a las autoridades, pero la sociedad se vio sacudida por una serie de acontecimientos que obligaron al gobierno a tomar disposiciones drásticas.

La noche de los bastones largos

Para conjurar la influencia de la extrema izquierda en las universidades, Onganía anunció el 9 de julio que no permitiría que "acosen a nuestra juventud extremismos de ninguna naturaleza". El 29 de julio se puso fin a la autonomía universitaria, interviniéndose las casas de estudio, al mismo tiempo que se prohibían las actividades de los centros estudiantiles.

La reacción de los alumnos no se hizo esperar, tomaron las facultades, y la Policía, armada con sus bastones largos, invadió los claustros y desalojó a los ocupantes, que salieron de la Facultad de Ciencias Exactas con las manos en alto. No se hicieron diferencias en el duro trato, y profesores, el decano Rolando García y el vicedecano Manuel Sadosky, al igual que los alumnos, supieron de golpes y empujones. Esa jornada, conocida como "la noche de los bastones largos", trajo como consecuencia el éxodo de docentes representativos del más alto nivel dentro de la enseñanza superior.

Los principales centros culturales del mundo enviaron notas de repudio solidarizándose con la agredida intelectualidad del país. Pero no se logró minar la aquiescencia de que gozaba el gobierno revolucionario, y así lo reflejaba en un artículo editorial *La Prensa*, el 18 de junio de 1968, a dos años de los hechos relatados:

El dominio de las universidades argentinas por el comunismo y sus compañeros de ruta era tan evidente hasta hace dos años que ni sus mismos usufructuarios pretendían ocultarlo en los hechos [...] La índole de tal injerencia... obligó a las nuevas autoridades a considerarla como el primer problema que debía ser resuelto para comenzar el restablecimiento del orden. Lo hizo mediante la intervención de las universidades y, aparte incidencias desacertadas que no se prolongaron, sus medidas contaron con la aprobación indiscutible de la mayoría de los ciudadanos.

La Iglesia y la Revolución Nacional

En enero de 1967 había comenzado a actuar un grupo de sacerdotes a los que se acusó de promover manifestaciones de obreros en el interior del país, como protesta por los despidos. Estos religiosos integrantes de un equipo obrero creado por monseñor Antonio María Aquino, obispo de San Isidro, en contacto con dieciocho obispos del Tercer Mundo, expusieron la problemática espiritual y material de América latina y elaboraron un documento con las ideas del Movimiento sobre el agravamiento del subdesarrollo en los países latinoamericanos, que enviaron al Sumo Pontífice y al episcopado latinoamericano, que meses más tarde se reuniría en Medellín (Colombia). Basaban su pensamiento en la encíclica *Populorum Progressio* de Paulo VI, y ese escrito, que recibió la adhesión de 400 sacerdotes argentinos y más de 500 de Latinoamérica, fue una de las bases para la organización del grupo que se conoció como "sacerdotes para el Tercer Mundo".

Frondizi, muy ligado a la Iglesia, sabía de su compromiso en torno de esos objetivos. Se relacionó con esos sacerdotes, cuya activa participación para cambiar la estructura subdesarrollada le hizo exclamar: "Dios se vale de muchos medios para lograr sus fines; ahora que se cerraron los comités, se abren las iglesias".

La CGT ante la política de Onganía

En este duro panorama social se fue preparando una paulatina reacción contra disposiciones del gobierno tendientes a rescatar las inversiones extranjeras para el despegue de la economía nacional. Para contrarrestar la influencia de quienes se oponían a la política de abrir las puertas al capital extranjero, Onganía, que no ocultaba su disconformidad por la marcha del proceso de la Revolución Argentina, procuró reactivar el aparato económico nacional, restituyó la personería gremial a los sindicatos textil y metalúrgico e inició contactos con sindicalistas para analizar el tema del deterioro de los salarios y el aumento de la desocupación.

Para lograr esos objetivos había renovado su gabinete, asumiendo un compromiso contraído con las líneas nacionalista y liberal que orientaron a los revolucionarios. Entre otros, ingresaron en el elenco gobernante Guillermo Borda, Adalbert Krieguer Vasena y Nicanor Costa Méndez.

Tendencias dentro del gobierno

Muy pronto se advirtió la presencia de dos tendencias bien definidas en el accionar del gobierno; una, nacionalista, católica y moderada, que gravitaba en el área presidencial y en el Ministerio del Interior. El Ateneo de la República, con Mario Amadeo y elementos del sector azul del Ejército, coincidían con esta orientación. La segunda tendencia estaba representada por la línea dura del liberalismo, que tenía su fortaleza en el Ministerio de Economía liderado por Krieguer Vasena. Militares como Osiris Villegas avalaban medidas que tendían a imponer normas preventivas de toda influencia ideológica en la marcha de la revolución.

Pese a sus lineamientos opuestos, no llegaron a chocar entre sí por la presencia de Onganía, quien trasladó a la esfera política el orden impuesto en las Fuerzas Armadas. Esta imagen de hombre fuerte fue la que llevó al ingeniero Alvaro Alsogaray a propiciar la proclamación de una monarquía. En un reportaje efectuado por la revista *Panorama,* al preguntársele a Onganía sobre ese ofrecimiento, fue muy explícito: "Sí, un día me propuso que yo fuera rey, pusiéramos un primer ministro y adiós con los problemas. Entonces yo le contesté: 'Usted se cree que yo soy Hirohito'".[2]

El 25 de agosto se promulgó la ley 17.401, que facultaba a la autoridad judicial a decretar la clausura de los lugares donde "se imprima, prepare, edite, distribuya, venda o exhiba material considerado como comunista". Por estas disposiciones se clausuraron semanarios como *Prensa Confidencial, Prensa Libre* y *Azul y Blanco,* aunque no se encuadraran en los términos de la ley, como se había prohibido la publicación de *Tía Vicenta,* imprescindible para el estudio iconográfico de ese período de la historia argentina.

El contacto con sindicalistas moderados agudizó la oposición al gobierno, al mismo tiempo que Perón impartía instrucciones para fortalecer la central obrera a fin de resistir con mayor efectividad las resoluciones oficiales. No tardó en producirse una escisión: nació la CGT de los Argentinos, con Raimundo Ongaro como secretario general. La otra CGT, integrada por los grandes sindicatos, conocida como CGT Azopardo, reiteraba su llamado a la colaboración con el gobierno, instándolo "a ser el vértice del entendimiento y ejecutor de un mandato que puede ser histórico para el futuro argentino". La CGT de los Argentinos rechazaba esa tentativa de entendimiento e incluía en su lista a Frigerio y Frondizi, con los que "no puede haber acuerdo de ninguna especie".

Frondizi, al percibir que la política monetarista llevada a cabo desde el Ministerio de Economía se alejaba de los propósitos fijados el 28 de junio perjudicando la marcha de la Revolución Argentina, la denunció como "una trampa a la estrategia de la revolución nacional".

Para los frondizistas,

el signo distintivo de esa política económica fue una destrucción consciente de los intereses económicos nacionales, pulverizando el poder adquisitivo de los salarios, impulsando a la quiebra a las empresas nacionales y centralizando y concentrando el poder económico y financiero en manos de corporaciones internacionales.

En editoriales de la revista *Confirmado,* Frondizi –bajo el seudónimo de Dorrego–, no obstante advertir que el gobierno podía ser captado por la contrarrevolución, siguió alentando al proceso revolucionario porque "la revolución es lo permanente, el gobierno es lo contingente".

"Ni estabilidad ni desarrollo"

El año 1968 se vio sacudido por acontecimientos indicativos de una generalizada crisis de valores. A los asesinatos del reverendo Martin Luther King, premio Nobel de la Paz, en Memphis, el 4 de abril, y del senador Robert Kennedy, hermano del ex presidente John F. Kennedy en los Angeles, se sumó la violencia política en Guatemala, Italia y París, donde los choques entre estudiantes y fuerzas del orden en el mes de mayo, dieron origen a un movimiento que alcanzó repercusión mundial.

En nuestro país, ante los crecientes rumores sobre el intento de implantar instituciones corporativas, el mismo general Onganía se preocupó por señalar que no eran corporativistas ni totalitarios sino que buscaban una salida hacia una democracia representativa. Frondizi, por su parte, opinaba:

No hay intento alguno de implantar en nuestro país instituciones corporativas y menos totalitarias. Sin embargo, ciertos sectores están agitando el fantasma del totalitarismo para distraer al gobierno y al pueblo de su preocupación por la verdadera crisis que es la económica y social,

Frondizi se convirtió así en un agudo cuestionador del operativo instrumentado por el ministro de Economía y denunció el curso reaccionario que se imponía al proceso. El 27 de mayo de 1968 dio a conocer una declaración titulada "La crisis político-militar de la Revolución y su verdadero significado", en la que diagnosticó la acción de sectores contradictorios que, actuando dentro del gobierno y desde la oposición, intentaban evitar la transformación del país. La política del equipo económico fue considerada como

> deliberada y sistemática de desmantelamiento y asfixia de los sectores agropecuarios e industriales y de puertas abiertas a la penetración de los monopolios agroimportadores [...] El gobierno fulmina con retórica fácil al liberalismo reaccionario y los liberales reaccionarios atacan por ello al gobierno. Pero la verdad es que la reacción no da importancia alguna a los discursos antiliberales porque está bien afincada, con férreas y concretas raíces en el sector oficial que le interesa: el del gobierno económico.

Cada una de las medidas del equipo de Krieguer Vasena fue analizada y cada objeción perfectamente fundamentada para demostrar que "la contrarrevolución atrincherada en un sector del gobierno, actúa fuera de él para minar las bases de la propia Revolución". Demostró que los resultados tras un año de actuación del grupo económico ministerial ponía en evidencia "que no puede haber estabilidad sin desarrollo" porque "la estabilización registrada en los primeros meses del corriente año es resultado de la severa contracción de la demanda que obliga a los fabricantes a liquidar sus existencias".

Asimismo, en ese cuadro de retroceso, la división del movimiento obrero era índice demostrativo del "retorno a la democracia de las minorías".

Pero esta *performance* desfavorable no significaba que la Revolución estuviera agotada: "Incumbe a la conducción revolucionaria actuar antes de que sea demasiado tarde. A la contrarrevolución hay que atacarla con la Revolución. En los hechos, no en las palabras".

"El Movimiento Nacional frente al fracaso del gobierno"

El 21 de abril de 1969, Frondizi dio a conocer otro documento público, "El Movimiento Nacional frente al fracaso del gobierno", en el que subrayaba:

> Se ha cerrado una etapa de la revolución nacional; ésta ha sido una etapa de frustración pero no ha sido inútil. Sirvió para que maduren los principios de la revolución en los sectores responsables de consumarla hasta el fin.

El fracaso de este primer período no significaba el fin del proceso revolucionario. Frondizi proponía un programa concreto de gobierno y reclamaba que no debían repetirse las improvisaciones y ambigüedades de la reciente experiencia. Para ello habría "que integrar el gobierno con revolucionarios probados y no con pseudo técnicos que actúan al servicio de intereses anti-nacionales".

El texto de este documento parecía hablar en pasado sobre el gobierno de Onganía. Así fue interpretado por un corresponsal extranjero, que el miércoles 22 enviaba el siguiente cable a una importante agencia europea:

El ex presidente argentino Arturo Frondizi solicitó ayer la destitución del presidente Juan Carlos Onganía. Los argentinos recuerdan que el 24 de julio de 1955, seis semanas antes del derrocamiento de Juan Perón, pidió la caída de ese gobernante en un discurso, y el 23 de junio de 1966 pronunció un explosivo discurso augurando la caída de Arturo Illia que fue derribado cinco días más tarde.[3]

El general Onganía se apartó de su costumbre de no responder a los políticos y abrió el debate público en el almuerzo realizado por el Círculo de la Prensa en el Plaza Hotel. Por su parte, Frondizi aclaró el jueves 23:

Cada proceso histórico llega a un punto crítico en que la apreciación lleva a tomar las decisiones. No hay nada que agregar al documento ni hay, tampoco, ningún motivo de conocimiento especial u oculto que me haya impulsado a formular esas declaraciones. [...] Yo no pedí la destitución de Onganía ni me paso pidiendo la renuncia a presidentes, ni formulo pronósticos o profecías, ni pido a los demás que asuman responsabilidades por mí, ni actúo sobre la anécdota.

Sin embargo, Frondizi viajó al litoral para analizar con los caudillos del MID Carlos Sylvestre Begnis y Raúl Uranga, entre otros, una situación que lo había llevado a desoír a quienes consideraban que debía haberse atrasado la divulgación del texto del 21 de abril. Su frontal denuncia alteró la quietud asumida por los frondizistas desde 1966, quienes se dedicaron a explicar intensamente la posición de Frondizi en todos los sectores de la población.

El cordobazo

Grupos extremistas habían comenzado a actuar en operaciones guerrilleras, atacando puestos clave del Ejército, en especial armerías. El gobierno, para paralizar esos intentos de desestabilización, pretendió inaugurar el "tiempo social" con normas que delimitaban el participacionismo.

Pero ello coincidió con una rebelión obrero-estudiantil con centro en Córdoba, el 29 de mayo de 1969, que paulatinamente fue adquiriendo tal grado de vehemencia que logró rebasar a las fuerzas policiales y de seguridad encargadas de contenerla. Este movimiento conocido como "el cordobazo", abrió paso a "la dramática secuela de acontecimientos de violencia que ensangrentó al país durante el decenio del setenta" que, según Frondizi, "nos permitió descubrir la tendencia ensombrecedora que se ocultaba bajo las aguas aparentemente calmas durante los primeros años del gobierno del general Onganía".

El general Alejandro Agustín Lanusse, entonces comandante en jefe del Ejército, expresó al presidente Onganía su opinión sobre el cordobazo:

> Estoy totalmente seguro que eso estuvo lejos de ser obra exclusiva de la subversión. Los elementos subversivos actuaron y, en algún modo, marcaron el ritmo. Pero en la calle se veía el descontento de toda la gente. [...] puedo decirle que fue la población de Córdoba, en forma activa y pasiva, la que demostró que estaba en contra del gobierno nacional en general y del gobierno provincial en particular.[4]

El MID, en el folleto *La crisis argentina,* editado en 1975 por su órgano partidario *Reconstrucción,* cuyo subtítulo "Durante 3 años el MID pronosticó el desastre y propuso soluciones" es por demás abarcativo, analizó ese momento político:

> El cordobazo fue la culminación de una lucha popular que se distinguió por su espontaneidad ante la ausencia de vanguardias dirigentes que estuvieran a la altura de las circunstancias, muchas veces dramáticas, que generó la política económica.

La guerrilla y la subversión

La guerrilla popular sumó su acción disolvente. Tras la utopía de un cambio radical, un importante núcleo juvenil se lanzó a un desmesurado despliegue terrorista con atentados, secuestros y muerte. La Argentina se internaba en un abismo.

El extremismo agudizó la situación con el asesinato de Augusto Timoteo Vandor, el 30 de junio de 1969. Y con el secuestro, el 29 de mayo de 1970, del general Pedro Eugenio Aramburu, se hizo conocer públicamente el grupo Montoneros.

Con el asesinato de Aramburu el 1° de junio, se iniciaron hechos aciagos que dejaron sus estigmas en la década del setenta, y la unidad que había presidido a las Fuerzas Armadas, con el lema de "subordinación y valor", se resquebrajó. Según Lanusse, el Ejército no podía seguir refugiándose ni física ni espiritualmente en la cárcel de oro de la obediencia mecánica.

La reacción que arrastraría a la juventud a una lucha armada tan cruel como insensata, provocó una verdadera conmoción en Frondizi. El había previsto y denunciado el descontento de un país irritado, que se sentía defraudado por un sistema económico sostenido por los mismos intereses que fueron determinantes de su caída. Pero, enemigo declarado del uso de la violencia, no aprobaba la táctica utilizada por Perón quien, en un mensaje del 2 de junio de 1969 incitaba a emplear esos métodos para derribar el estado de cosas existente. Ello no le impidió señalar que el origen de la violencia estaba en la política antipopular del gobierno.

> Cuando la sociedad llega a un clima tal de tensión [...] aunque el grueso del país no quiera la violencia, hay grupos pequeños que pueden ejercerla como forma de protesta.

Se acercaba el fin del gobierno de Onganía quien "debió resignar el poder en absoluta soledad", según palabras de Frondizi. El 9 de junio de 1970, los tres comandantes en jefe, teniente general Alejandro Agustín Lanusse, almirante Pedro A. J. Gnavi y brigadier Carlos Alberto Rey, asumieron el poder político designando para la función presidencial, el 13 de ese mes, al general Roberto Marcelo Levingston, a la sazón representante argentino ante la Junta Interamericana de Defensa, con sede en Washington.

Este nombramiento no dejó de causar sorpresa porque en la lista de posibles candidatos para la sucesión presidencial no figuraba su nombre. Según Lanusse,

> la designación de Levingston cayó mal en muchos sectores de las Fuerzas Armadas, pero yo no aprecié como grave esa situación por dos motivos principales: 1º, porque a esa altura de las cosas era difícil pensar que algún candidato dejaría de tener resistencia y, 2º, porque a partir de ese momento, todo dependería más del éxito del presidente que de las opiniones previas.[5]

La Prensa, en uno de sus editoriales, señalaba que se había producido "el desenlace razonable de una crisis política peligrosa".

NOTAS

1. Frondizi, Arturo: "Mi apoyo al golpe militar argentino", en *Blanco y Negro,* 20 de agosto de 1966, Madrid.
2. *Panorama,* "Memorias de un gobernante", Año VIII, Nº 190, 15 al 21 de diciembre de 1970, pág. 13.
3. *Confirmado,* "La proclama de Frondizi", Año V, Nº 254, del 29 de abril al 5 de mayo de 1970, Buenos Aires, pág. 14.
4. Lanusse, Alejandro A.: *Mi testimonio,* Laserre, Buenos Aires, 1977, págs. 15-16.
5. Idem, pág. 147.

La conflictiva situación heredada por Levingston se vio agravada al encontrarse en una estancia de Timote, en el partido bonaerense de Carlos Tejedor, el cadáver del general Pedro Eugenio Aramburu.

Este lacerante hecho demostró que los antagonismos ideológicos se mantenían vigentes. Al presentarse Arturo Frondizi, acompañado por el embajador Adolfo Scilingo, en el velatorio del hombre al que, más allá de las disidencias, respetaba, un grupo que seguía comulgando con el espíritu revanchista de la Revolución Libertadora, trató de impedirle la entrada con insultos y empellones. El doctor Eugenio Aramburu, hijo del ex presidente provisional, se acercó para ofrecerle sus disculpas y agradecimiento por su gesto.

Asaltos a bancos, copamiento de poblaciones, se sucedieron ininterrumpidamente. Luego se sumó otro asesinato, el de José Alonso el 28 de agosto de 1970, ex secretario general de la CGT y líder moderado del Sindicato del Vestido.

La política económico-social del gobierno, que giraba en torno del concepto de estabilización, fue cuestionada por huelgas declaradas por el sindicalismo rebelde de la CGT Azopardo. Su secretario general, José Rucci, al negarse a aceptar las negociaciones que proponían los funcionarios, proclamó: "Golpearemos adonde más les duela y ya sabremos qué es lo que les duele".

Levingston, para quien los partidos políticos estaban disueltos en forma irrevocable, con el propósito de encontrar los mecanismos que garantizasen una gestión participativa, invitó a ex presidentes a almorzar en la Casa Rosada, para que formularan sus propuestas. Arturo Frondizi fue el primero en concurrir, el 14 de setiembre, y señaló los postulados sostenidos por el MID para lograr el ordenamiento de la economía. Años más tarde diría:

Las condiciones parecían diferentes pero los problemas de fondo de la Argentina seguían siendo los mismos, sólo que progresivamente agravados por el paso del tiempo. No había razones entonces para modificar la estrategia general, que debía seguir siendo la de construir el Frente, de la misma forma que el objetivo no podía ser otro que la integración y el desarrollo.

Con el propósito de "argentinizar la economía", el ministro de Economía y Trabajo Aldo Ferrer, que años atrás coincidiera con el desarrollismo, dio a conocer poco después un programa de expansión de créditos, suspensión por un año del impuesto a la exportación de carnes y restricciones para las importaciones. Era un planteo para conjugar aspectos económico-sociales, diseñar opciones estratégicas de crecimiento y encarar un descontento que "brotaba por todos los poros de la sociedad".

El 29 de setiembre Levingston había enunciado una enmienda constitucional que consistía en la unificación de los mandatos por cuatro años, reelección por una única oportunidad y "ballotage". Este proyecto, que contaba con amplio consenso militar, sería aprobado durante el gobierno de Lanusse.

Frondizi se refirió al tema de la reforma constitucional en una entrevista otorgada a la revista *Confirmado*:

> Toda la discusión constitucional, a la que yo desde luego no me opongo, tiende en muchos sectores del gobierno a entretener al país con el debate sobre aspectos formales para que dejemos de lado lo esencial. [...] Es la táctica de la cortina de humo. [...] yo creo que la declaración sobre derechos y garantías no hay por qué tocarla; creo que en lo que hace a la estructura electoral, no podemos estar haciendo una elección cada dos años [...] Es decir que habrá que ir a la unificación de mandatos.[1]

La Hora del Pueblo

La hostilidad al gobierno se manifestó claramente cuando los políticos expresaron sus intenciones de retornar cuanto antes a las elecciones.

El 11 de noviembre de 1970, Ricardo Balbín, Eloy Camus, Jorge Selser, Vicente Solano Lima, Horacio Thedy, Leopoldo Bravo, entre otros representantes de diversas corrientes de opinión –UCRP, Movimiento Nacional Justicialista, Partido Socialista Argentino, Conservador Popular, Demócrata Progresista, UCR Bloquista y liberalismo ortodoxo– se reunieron convocados por Jorge Daniel Paladino, delegado personal de Perón. Las coincidencias los llevaron a constituir La Hora del Pueblo, agrupamiento interpartidario que fijó su accionar futuro descalificando toda cooperación con el gobierno, en una superación de la antinomia peronismo-antiperonismo. Para Frondizi, allí se dio la convergencia de quienes consideraba opuestos al proceso renovador frentista que él propiciaba.

Las Fuerzas Armadas, al diluirse los objetivos de la Revolución Nacional, caían en el descrédito.

Economistas del peronismo, como Antonio Cafiero y Alfredo Gómez Morales, y el delegado de Perón, Jorge Daniel Paladino, con el apoyo de una dirigencia sindical complaciente, y con los representantes de la política tradicional, concibieron ese acuerdo, forzando una salida electoral. Perón actuó con su reconocida flexibilidad y, a través de Paladino, prestó un moderado apoyo a La Hora del Pueblo y declaró que era necesario fijar "la fecha cierta de elecciones generales en todo el país, para que el pueblo elija sus gobernantes en un plazo mínimo".

En rigor, desde el lanzamiento de La Hora del Pueblo, el planteo político se impuso al económico-social, y el radicalismo de Balbín, con el apoyo peronista, priorizó la función del comité para manejar el proceso electoral. En una cena partidaria llevada a cabo el 10 de diciembre de 1970, en un bodegón del barrio de Monserrat, Balbín, en improvisado discurso afirmó: "Si yo no hubiese llegado a un acuerdo con otros políticos, el frente lo hubiera instrumentado el gobierno".

Frondizi discrepaba frontalmente con el programa y propósitos de La Hora del Pueblo, cuya prevista salida electoral frustraría la Revolución, y deliberadamente se mantuvo al margen porque entendía

que el camino de las coincidencias pasaba por el frentismo y no por el acuerdismo. Lo primero significa la más amplia alianza de clases y sectores tras un programa de pocos y fundamentales puntos destinados a dar respuesta a las aspiraciones de la Nación y de sus habitantes. El segundo expresa una mera coincidencia circunstancial, sin otro objetivo que asegurar un resultado electoral, o, como en el caso de La Hora del Pueblo, arrancar al gobierno una convocatoria comicial que, de antemano, estaba concedida debido al agotamiento del ciclo militar.

Los núcleos más radicalizados de los partidos tradicionales agrupados en La Hora del Pueblo, a los que se sumaron los comunistas y sindicalistas combativos de Raimundo Ongaro, constituyeron el Encuentro Nacional de los Argentinos (ENA) en Rosario, a fines de noviembre de 1970. En una de sus declaraciones, entre cuyas firmas estaba la del ex rector de la Universidad de Buenos Aires, Risieri Frondizi, reclamaban a las Fuerzas Armadas que constriñeran su actividad "a la obediencia y sometimiento al poder civil, legal y democráticamente constituido".

Movimiento Nacional versus La Hora del Pueblo

En este clima convulso y angustiado por el determinante peso de una política económica generadora de paros de protesta, como el viborazo –nuevo levantamiento cordobés con un trágico saldo de muertes–, Frondizi realizó continuos viajes al interior explicando la necesidad de organizar en todos los distritos un Movimiento Nacional, base fundamental para recuperar la ansiada unidad del país. Consideraba que el agotamiento de la partidocracia exigía un cambio en la filosofía de valores predominante hasta comienzos del 70 e insistía en su preocupación por fijar los límites entre partidos políticos y Movimiento Nacional.

Yo no soy enemigo de los partidos políticos y milité muchos años en un partido político. Pero quiero hacer la distinción cuando hablamos de revolución nacional. Una cosa es la idea clásica de partidos políticos, donde a la gente se le imponían normas obligatorias, y lo que es un movimiento nacional. Un movimiento nacional se caracteriza, a diferencia de un partido, en primer término, por la presencia de todos los sectores sociales; segundo, por la coexistencia en un mismo movimiento, de gente con distintas posiciones ideológicas; tercero, por la coincidencia en los aspectos fundamentales, pero aceptando criterios diversos en lo que no son puntos fundamentales.[2]

Para lograr la consolidación del Movimiento, necesitaba del concurso del peronismo, al que consideraba un fenómeno muy importante, cuantitativamente, por su arraigo en todo el país y, sobre todo, cualitativamente porque representaba al grueso de la clase obrera. De allí los viajes de Rogelio Frigerio a Madrid para conversar con Perón, ya que los mensajes de éste llegaban distorsionados o confusos a Buenos Aires, o bien eran difundidos tendenciosamente por Paladino. La profusa correspondencia daría fe del alto nivel de simpatía personal y respeto recíproco con que enfocaron la problemática nacional. Dice Frigerio:

Manteníamos el mismo enfoque programático, en el cual habíamos llegado a un acuerdo hacía ya mucho tiempo, pero en las cuestiones estratégicas y tácticas el entendimiento se hacía más trabajoso.[3]

Las divergencias entre Frigerio y Perón estribaban en la actitud frente a una posible salida electoral.

El prefería hostigar a fin de forzar la salida electoral, por eso no veía con malos ojos ciertos atentados, aun cuando discrepara con los fines. Yo, en cambio, le proponía desnudar de ideologismo a las organizaciones gremiales y hacer que las reivindicaciones de los obreros y de los empresarios concurrieran en un punto: el cambio de política económica que salvara al proceso revolucionario.[4]

Pese a que la situación política reclamaba su presencia, Frondizi decidió viajar a Perú, donde se puso en contacto con el general Juan Velasco Alvarado, líder de una revolución de hondo significado social para una América mestiza. Al conocer los lineamientos del programa gubernativo de quien derrocara al presidente Fernando Belaunde Terry, señaló como necesidad prioritaria, antes que profundizar la reforma agraria, favorecer la radicación de capitales para conseguir la superación del subdesarrollo.

Esta vinculación con el mandatario peruano y la muerte de su sobrino Diego Ruy Frondizi, hijo de su hermano Ricardo –junto con Manuel Eduardo Belloni y el conductor del automóvil en una calle desierta del Tigre, como consecuencia de un procedimiento policial antiterrorista que los consideró sospechosos de pertenecer a una organización guerrillera–, dieron paso a un Frondizi incisivo y hasta intemperante que, si bien desestimaba la lucha armada como medio para lograr el poder, comprendía aunque no justificaba la acción de "esos muchachos que violentamente reclaman justicia, vida digna y libertad".

> En todo el mundo se está viviendo una gran época de transición y en el país estamos viviendo una época de transición y una época de frustración. [...] Yo no predico la violencia, pero cerrar los ojos a la realidad de miles de jóvenes frustrados en la Universidad y que simpatizan con la violencia como reacción; cerrar los ojos es una actitud absurda.

Frondizi aclara su relación con Levingston

El gobierno, para afrontar las amenazas y el empeoramiento del panorama comercial anunció los lineamientos generales de un Plan de Desarrollo 1971-1975, que abarcaba tres sectores básicos de la economía: industria frigorífica, política petrolera y política crediticia molinera. El brigadier Arturo Cordón Aguirre reunió en su despacho del Ministerio del Interior a los dirigentes frondizistas Carlos Sylvestre Begnis, Ismael Amit, Jorge Arballo y Raúl Uranga, para sondear la posibilidad de contar con ellos en la reestructuración de los gobiernos provinciales y promover contactos con el ministro Aldo Ferrer. Estas conversaciones y la declaración de Oscar Alende a mediados de enero de 1971 tras su entrevista con Levingston, alertando a la población sobre un complot de empresas extranjeras y monopolios internacionales destinado a frustrar la orientación nacional de la política económica del gobierno, hicieron creer en un acercamiento de Frondizi al oficialismo.

No tardó el presidente del Comité Nacional del MID en aclarar esas sutilezas interpretativas.

> Cada uno puede hacer las elucubraciones que quiera. Yo hago una: lo que ocurre es que cuando comenzamos a lanzar la idea del desarrollo, era una palabra prohibida. Y como ahora el lenguaje nuestro lo repiten todos y si se leen los discursos de los gobernantes, están textuales, entonces hay gente que hasta cree que los hacemos nosotros. Lo que pasa es que la idea de desarrollo, por más que

le agreguen "con justicia", no tiene remedio; es histórica y políticamente inseparable de nosotros. Porque, además, cuando nosotros la planteamos, hasta se reían de la palabra, de la manera de decirla, hasta marcaban la elle.[5]

Discurso del 2 de diciembre de 1970

Con el agravamiento de las diferencias con la política oficialista, adquirió papel protagónico el documento que Frondizi dio a conocer el 2 de diciembre de 1970. Para algunos, este discutido texto era un vaticinio sobre la suerte del gobierno de Levingston. En otras oportunidades, sus declaraciones habían precedido la caída del presidente de turno: Castillo, Rawson, Perón, Lonardi, Illia y Onganía. Pero Frondizi aclaró:

> Yo no juego a la caída de nadie; yo no juego de adivino. Yo señalo las tendencias históricas. Lo que ocurre es que en mi vida política produje millares de documentos y millares de discursos. Algunos coincidieron con las caídas de gobernantes. Hasta mi caída, repito, que yo predije para quien quiso enterarse en mi discurso de Paraná, un discurso de despedida.

Frondizi marcó claramente las diferencias que ahondaban la brecha entre sus propuestas y la filosofía del Ministerio del doctor Ferrer, que iban desde los salarios hasta la presión impositiva y el inmenso aparato burocrático. Con sus observaciones críticas llamó a la reflexión; en síntesis, proponía como orden de preferencias tomar rápidamente y en forma ejecutiva medidas de liberación económica y recién después apelar a la convocatoria a elecciones.

Hubo reacciones en favor y en contra en sectores políticos y militares y muy pronto se evidenció un distanciamiento entre el presidente y el comandante en jefe. Dice Lanusse en su libro *Mi testimonio*:

> Arturo Frondizi, con su agudo sentido político, había expresado que, en su concepto, la situación presentaba cuatro cursos posibles: que yo me subordinara totalmente a Levingston; que lo derrocara; que Levingston me relevara o que todo quedara como estaba. La peor variante, según Frondizi –y en eso yo coincidía con él– era esta última.

Nuevos movimientos de fuerza tanto sindicales como estudiantiles se unieron a manifestaciones pacíficas en las que los estribillos patentizaban los reclamos de la población. Estos actos fueron debilitando a un presidente que, para salvaguardar su prestigio, destituyó al secretario de la Junta de Comandantes, brigadier Ezequiel Martínez, y relevó y ordenó la detención del comandante en jefe del Ejército, general Alejandro A. Lanusse, por considerar agraviantes juicios emitidos por ambas autoridades militares.

Las guarniciones se mantuvieron fieles a Lanusse y la Junta de Comandantes resolvió, a las 2.10 del día 23 de marzo de 1971, destituir al Presidente de la República y reasumir una vez más el poder político hasta el cumplimiento del proceso de la Revolución Argentina, decisión avalada por una acordada de la Corte Suprema.

El día 26 de marzo se encomendaba la Presidencia de la Nación al general Alejandro Agustín Lanusse.

NOTAS

1. *Confirmado*, Año VI, N° 286, pág. 16.
2. *Confirmado*, ob. cit., pág. 15.
3. Díaz Fanor, *Conversaciones con...*, ob. cit., pág. 78.
4. Idem, pág. 80.
5. *Confirmado*, Año VI, N° 286, pág. 17.

TERCERA ETAPA DE LA REVOLUCIÓN
ARGENTINA: LANUSSE

El nombramiento del general Alejandro Agustín Lanusse dio paso a la etapa política de una revolución que no había logrado afirmarse y poner fin a un período caracterizado por factores de perturbación y violencia intimidatoria que continuaban afectando a todos los sectores. Lanusse justificó su actuación al decir que llegó debilitado al poder, "porque estaba debilitada, confundida, desorientada, la estructura en que yo me apoyaba".

Añade, al referirse a los 26 meses de gobierno, que tuvo

> enemigos como Perón, como Frondizi y como Levingston; durante 26 meses debí soportar, al mismo tiempo, el desgaste de las Fuerzas Armadas –a las que representaba como jefe de un gobierno militar– y el desgaste de los dirigentes políticos, a los que yo había rehabilitado; durante 26 meses debí afrontar al más cruento terrorismo subversivo y a las más anacrónicas conspiraciones de la extrema derecha; durante 26 meses enfrenté a los peores intereses financieros –aquellos que sólo pueden prosperar donde no hay democracia ni Congreso– y a la mayor demagogia lanzada jamás al mercado político argentino; durante 26 meses jugué mis cartas en el estrecho margen de un espacio imposible.[1]

En tanto, en las esferas gubernativas tomaba cada vez más cuerpo el planteo de la institucionalización del país, que giraba en torno del Ministerio del Interior. El doctor Arturo Mor Roig, quien había presidido la Cámara de Diputados de la Nación entre 1963 y 1966, fue el encargado de desempeñar esa cartera y, pese a que en un primer momento Ricardo Balbín dudó en brindar su aquiescencia a esa nominación para evitar que el origen radical del ministro involucrara a la UCRP con el gobierno, contó con el aval de La Hora del Pueblo y en forma muy explícita, del delegado de Perón, Jorge Daniel Paladino.

Dos propuestas dieron la sensación de que se ponía en marcha la idea de implantar una democracia estable. El 1° de abril de 1971 quedó rehabilitada la actividad política en toda la República. Este funcionamiento de los partidos coincidía con la idea de conformar el Gran Acuerdo Nacional –GAN– formulado por Lanusse con el propósito de aglutinar a las fuerzas políticas, a los sectores empresariales, financieros, laborales, crear un clima de paz social y entendimiento para desarrollar las potencialidades del país y satisfacer las inquietudes populares.

Durante las dos primeras semanas de julio, se desencadenó una amplia campaña publicitaria en todo el país. Grandes carteles con la imagen de dos jugadores de fútbol disputándose la pelota y la inscripción "GAN, un partido que debemos jugarlo todos", incitaban a la población a apoyar el plan gubernativo, que muchos consideraban como un futuro lanzamiento de la candidatura presidencialista de Lanusse.

Frondizi no coincidía con la metodología del GAN, que conceptuaba un acuerdo propiciado por el gobierno, inducido por la dirección de la CGT, "santificado por Balbín y Lanusse" y, como heredero de La Hora del Pueblo, incapaz de contener el desborde de los problemas que la sociedad ya no soportaba:

> La posibilidad de las urnas alborozaba a muchos políticos creídos de que bastaría el acto de votar para erradicar de cuajo los males que aquejaban al país. Nosotros sabíamos que no era así. La institucionalización, para ser efectiva, debía abrir paso a un sistema político con aptitud (poder y programa) para enfrentar los intereses del atraso y con soluciones para frenar la caída de la Nación por el despeñadero en el cual se venía precipitando.

Tratativas con Perón

El 2 de abril de 1971, el general Juan Carlos Onganía dio a conocer un documento con el que retomaba su presencia política. Consideraba que el fracaso de la Revolución era consecuencia de quienes "desde sus propias filas, no dejaron de combatirla", en clara alusión a Lanusse. Negaba al gobierno el derecho a usar el término Revolución Argentina, acusándolo de pretender convertir a las Fuerzas Armadas "en el brazo armado de una aventura partidista, facciosa y personal".

Se trató de no dar mayor proyección al documento, y ese mismo día la Junta de Comandantes en Jefe señalaba al Ministerio del Interior que en el término de tres años debía restablecerse el orden constitucional. El 5 de abril, Lanusse inició con Ricardo Balbín el ciclo de conversaciones con dirigentes políticos. Comenzaba una etapa de apertura, y no se descartó la posibilidad de dialogar con Perón. Una parca comunicación del secretario de Prensa, Edgardo Sajón, dejaba abierta esa concertación:

El presidente de la Nación está dispuesto a escuchar todo aporte constructivo que tienda al establecimiento de una democracia real, auténtica, moderna, estable y eficiente, en el marco del más integral respeto al sistema republicano, representativo y federal.

Como paso previo a todo entendimiento, se colocó el busto de Perón en la Casa de Gobierno. En esa escultura, Perón no aparecía con su uniforme, pues el grado militar aún no le había sido restituido. La entrega de los restos de Eva Perón, el problema del pasaporte y la prescripción legal de las causas civiles que aún tenía pendientes, eran otros de los asuntos que figuraban en el temario oficial.

Como consecuencia de esa predisposición al diálogo, que encontró eco en sectores de las Fuerzas Armadas, se envió a Madrid al coronel Francisco Cornicelli. La entrevista con Perón tuvo lugar el 21 de abril de 1971 y Jorge Daniel Paladino fue el encargado de efectuar las presentaciones. Afirmó Lanusse:

> Uno de los objetivos del proceso que habíamos puesto en marcha buscaba terminar con la figura de Perón agrandada, en la distancia, por el mito de lo prohibido. Y si un propósito tuvo hablar con él fue el lograr que se presentara a la luz pública, que desilusionara a la guerrilla que usaba su nombre para cometer asesinatos, que hablara de frente y desde la Argentina.

Otro gesto conciliatorio hacia Perón fue la devolución, el 3 de setiembre de 1971, del cadáver de Evita.

Pero todo entendimiento quedaría paralizado por propia decisión del líder exiliado en Madrid, quien inició otras concertaciones políticas.

El MID no descartó el calendario político –aunque no coincidía con él– y Frondizi, el 14 de agosto, encabezó la Junta Promotora encargada de la organización del partido, del que fue elegido presidente. En su discurso explicó el propósito de concertar una conducción frentista. Pero este proyecto no sólo encontraba obstáculos desde el gobierno sino desde el seno del peronismo. Paladino rechazó la constitución del frente e inauguró la campaña de afiliación al Partido Justicialista.

El 17 de setiembre, el general Lanusse concretó el llamado a elecciones nacionales a realizarse el 11 de marzo de 1973, fijándose el 25 de mayo para la transmisión del mando.

El movimiento rebelde de Azul y Olavarría

Las expectativas generales en torno de una salida electoral no fueron suficientes para evitar el recrudecimiento de la violencia. La guerrilla urbana nacida en el seno de la clase media, del estudiantado y de la intelectualidad, que se proponía reinstaurar el peronismo en el poder y erigir una sociedad socialista, volvió a sembrar el pánico.

El 8 de octubre se produjo la rebelión contra el gobierno de las unidades blindadas de Azul y Olavarría, encabezadas por los tenientes coroneles Fernando Amadeo de Baldrich y Florentino Díaz Loza. Los sublevados se autodefinían como "cristianos, nacionales y populares" y, al repudiar el proyecto electoral instrumentado desde la Casa Rosada, denunciaban que la Argentina había pasado a ser "una filial de las usinas internacionales del dinero". Sostenían los jefes insurrectos que era necesario "hacer la revolución" antes que entregar el poder a la no superada partidocracia, porque en este caso "todo volvería a ser como antes".

Al no contar con el apoyo de fuerzas comprometidas y ante la presencia de efectivos movilizados para reprimir el movimiento, comandados por el general Leandro Anaya, los sublevados se entregaron al ejército leal. El teniente coronel de Baldrich huyó al Uruguay, y fueron detenidos por considerarlos afines con los amotinados –o, por lo menos, teorizantes de la agitación–, el general Levingston, el sacerdote Julio Meinvielle y Enrique Gilardi Novaro, entre otros. También circuló la versión de que no habían sido ajenas a este intento figuras del equipo frondizista como Rogelio Frigerio, Samuel Smuckler y Oscar Camilión. Este último, en una carta abierta, negó toda vinculación con el golpe.

Lanusse atribuyó la sedición a la ultraderecha fascista y el apoyo al gobierno no se hizo esperar. Radicales y peronistas aseveraban que la asonada estaba dirigida a cerrar el camino a la institucionalización, mientras los gremios, la dirigencia empresarial y la CGE controlada por Gelbard se pronunciaban con expresiones condenatorias. *La Razón* destacaba la significativa reserva de Frondizi en el repudio de los acontecimientos del 8 de octubre, dejando abierta así una doble interpretación: prudencia en el análisis o complicidad con el intento revolucionario por la afinidad política con personas comprometidas en el hecho, a las que hizo llegar su solidaridad.

Por su parte, Frondizi expresó que la crisis castrense constituía "una manifestación de protesta contra la falta de solución de problemas acuciantes del país", aun sabiendo que sospecharían de él e insinuarían dudas sobre su participación en la revuelta.

El pluralismo ideológico

El general Juan Carlos Onganía había proclamado la política de fronteras ideológicas, asentada en un cerrado anticomunismo que lo aislaba de todo contacto con gobiernos de tipo nacionalista, izquierdista o socialista. Lanusse cuestionó esa propuesta porque consideraba que "era importante generar la imagen de una política independiente, sin prejuicios, sin barreras ideológicas y capaz de ser apoyado por el grueso de la población". Frondizi aplaudió esta condena a las fronteras ideológicas porque era una manera de combatir los grandes consorcios internacionales y construir el país.

Lanusse restableció relaciones con Cuba y programó entrevistas con presidentes latinoamericanos. Jorge Pacheco Areco, de Uruguay; Hugo Banzer, de Bolivia; Juan Velasco Alvarado, de Perú, y Emilio Garrastazú Médici, de Brasil, concretaron esos planes de acercamiento. Pero fue el encuentro con Salvador Allende, presidente socialista de Chile, realizado en Salta, el que ejemplarizó con mayor nitidez este giro en la política internacional.

La actitud de Lanusse al llegar a un acuerdo para someter a arbitraje el diferendo de límites con respecto al Canal de Beagle no desató polémicas ni alteró a la Junta de Comandantes como años atrás había ocurrido con la reunión Guevara-Frondizi. Era evidente que en el campo de la política mundial y hemisférica se había operado un cambio que no hacía sino ratificar la actitud asumida por la delegación argentina en Punta del Este durante la gestión presidencial de Frondizi.

"La única verdad es la realidad"

La actividad política volvía a ocupar un lugar de privilegio en los últimos meses de 1971. En el peronismo, un posible adelanto en las elecciones generó posiciones antagónicas en cuanto a mantenerse dentro de la estructura de La Hora del Pueblo o alejarse de ella. Este juego obedecía a la táctica de Perón, quien abría nuevas puertas sin cerrar ni entornar las existentes. Estas actitudes llevaron a Paladino a presentar su renuncia como secretario general del justicialismo y como delegado personal del caudillo. El ex diputado Jorge Gianola y el doctor Héctor J. Cámpora lo reemplazaron en esas funciones.

Cámpora era una figura afín a los sectores más violentos del partido, no desautorizados por su líder. Su designación predisponía contra la formalización del acuerdo que se ambicionaba desde las esferas oficiales. Paralelamente, Isabel Martínez de Perón llegaba a Buenos Aires el 7 de diciembre y denunciaba que "el mantenimiento del proceso por traición a la patria y la falta de pasaporte impiden que Perón vuelva al país".

Perón, al tiempo que se valía de sus representantes en La Hora del Pueblo para hostigar al gobierno y apresurar las elecciones, se reunía con políticos opuestos a esa línea, entre ellos Rogelio Frigerio. Como consecuencia de esas conversaciones en Puerta de Hierro y a través de una proficua correspondencia, se fue conformando su decisión de replantear sus puntos de vista sobre el programa y la estrategia y táctica a utilizar, porque "Perón era un profuso defensor de ideas políticas y sociales no siempre coherentes entre sí y antes que nada, era un gran difusor de objetivos tácticos".[2]

El 15 de febrero de 1972 Perón dio a conocer su documento "La única verdad es la realidad. No ataco, critico", único escrito de fondo en todo ese período. Allí hacía un diagnóstico realista de los problemas y, al plantear a través de diez puntos una solución orgánica, rescataba la erección en el país de las industrias siderometalúrgicas, la química pesada, petroquímica, celulosa y papel, como así también el autoabastecimiento de petróleo y carbón. En otros párrafos, en abierto enfrentamiento con el populismo sustentado hasta entonces, proponía la reducción drástica del déficit de las empresas del Estado.

El documento, si bien conservaba el estilo típico de Perón, presentaba similitudes con las propuestas desarrollistas, lo que dio pie a preguntarse si no había sido llevado en el bolsillo por Frigerio cuando mantuvo conversaciones que insumieron no menos de cien horas. Para Frondizi, en este escrito

se planteaban correctamente las bases del problema político argentino, se definía el encuadre de fuerzas que se requería para arrancarlo del subdesarrollo y se establecían los fundamentos de un programa capaz de unificar efectivamente el Movimiento Nacional.

A partir de esta actitud, Perón abandonaba su compromiso con La Hora del Pueblo para propiciar la convocatoria de "una alianza de clases y la formación de un Frente con todas las tendencias representativas".

La entrevista Perón-Frondizi en Puerta de Hierro

Arturo Frondizi no vaciló en aceptar una invitación al diálogo formulada por los comandantes en jefe. Llegó a la residencia de Olivos acompañado por David Blejer y durante el almuerzo expuso la necesidad del autoabastecimiento y de activar la política del acero. "Cuando se coloque el primer ladrillo para la construcción de un alto horno —les dijo—, entonces aplaudiré." Y les previno sobre una posible devaluación del peso si no se reestructuraba la economía, abandonando los planes de Krieguer Vasena.

También decidió viajar a Madrid para conferenciar con Perón. Sus amigos alegaban la inconveniencia de ese viaje, dado que Perón podía cobrarle viejas deudas al Frondizi opositor, negándole la entrada a la mansión de la calle Navalmanzanos 16, lo cual lesionaría la imagen de Frondizi. Pero éste asumió el riesgo.

El lunes 13 de marzo de 1972 se produjo la entrevista. Frondizi fue recibido a la entrada de la quinta "17 de Octubre" por José López Rega, un oscuro personaje que había logrado captar las simpatías de Perón. La reunión duró tres horas, desde las 18 hasta las 21 y en su comienzo estuvieron presentes Isabel, López Rega, Giancarlo Elia Valori –secretario del Instituto de Relaciones Internacionales de Roma y amigo de ambos presidentes–, Héctor Villalón y allegados a Jorge Antonio. Por expreso pedido de Perón se retiraron y la conversación transcurrió a solas. Frondizi, años después, describió la impresión que le produjo el viejo líder:

> Encontré a un anfitrión cordial y un político lúcido, con buena información sobre lo que ocurría en el país. Era la primera vez que nos veíamos y la charla inicial insumió unas tres horas. Nos reunimos varias veces, y en esas sesiones de trabajo fue naciendo el diseño del Frente.

Ninguno de los contertulios se refirió a los temas tratados. De todos modos, quedaba claro que con el documento "La única verdad es la realidad" y esta reunión, la conducción del Frente quedaba en manos de Perón y Frondizi. Este se autodefinió públicamente como un simple soldado del Movimiento Nacional y destacó que la mayor responsabilidad recaía en el justicialismo.

Un aspecto puntual al que se prestó una atención especial en esta reunión fue el relativo a las Fuerzas Armadas. Frondizi opinaba que, sin el concurso de aquéllas, no podría formalizarse el Frente, mientras que Perón no vacilaba en excluir "lo militar" de su espacio político, quizá con el propósito de concretar su retorno sin cuestionamientos.

Ante la constitución del Frente, el desarrollismo, para no replantear divergencias, dejó a un lado su exigencia de crear las condiciones económicas que disminuyesen las tensiones sociales como paso previo para llegar al acto eleccionario. El Frente se erigía como el primer eslabón para la conquista de la legalidad, y Perón –según Frondizi– "se había convertido en algo más que el jefe del peronismo; era el eje de una imbatible convergencia nacional".

El miércoles 15, el embajador argentino en España, Jorge Rojas Silveyra, los invitó a concurrir a la sede diplomática y, al día siguiente, les obsequió con un almuerzo en su residencia. Esta actitud fue interpretada como un posible paso hacia la efectivización de un acuerdo con Lanusse. Como afirmación de esta hipótesis, se evaluaba la carta de Perón a José Rucci fechada el 12 de marzo, en la que lo exhortaba a manejar con prudencia las protestas sindicales, y la notificación del día 14 por la cual se invitaba al exiliado a pasar por las oficinas de la Embajada a retirar su pasaporte.

Para reforzar aún más esas especulaciones sobre el camino político elegido por Perón, el justicialismo compró una casa en la calle Gaspar Campos, en Vicente López, para el caso de que el caudillo concretase su viaje a la Argentina.

Violencia y salida electoral

El año 1972 se caracterizó por un recrudecimiento de la violencia. El 21 de marzo, el Ejército Revolucionario del Pueblo (ERP) llevó a cabo el secuestro del doctor Oberdan Sallustro, director general de la empresa Fiat Concord, a quien asesinó el 10 de abril, día en que también cayó el general Juan Carlos Sánchez.

Esta agrupación subversiva de tendencia trotskista, encabezada por Roberto Mario Santucho, conjuntamente con Montoneros, expresión directa del peronismo, las Fuerzas Armadas Revolucionarias (FAR) y las Fuerzas Armadas Peronistas (FAP), entre otras, inició una escalada terrorista destinada a provocar un colapso total en el país. Pese a los operativos de seguridad, se reiteraron los atentados sin que ninguno de los partidos políticos se expidiera concretamente en sus críticas, casi siempre ambiguas. Esta situación ponía en descubierto una política dual que no deseaba colaborar abiertamente en el esclarecimiento de los hechos, a los que se criticaba con expresiones de dudosa interpretación, como "La violencia de arriba engendra la violencia de abajo", o "Hay muchas formas de violencia además de la armada".

Perón mostraba esa misma dualidad: si bien no concordaba con los objetivos de los guerrilleros, consideraba que algunas de sus acciones armadas ayudaban a imponer la salida electoral. El MID, en cambio, sostenía que "el hostigamiento con cualquier medio oscurece el problema y motiva una reacción y una represión indiscriminada. Sirve para que se piense en buscar una salida y no una solución".[3]

El FREJULI

El 6 de julio, consecuencia directa de la entrevista Perón-Frondizi, se constituyó el FRECILINA (Frente Cívico de Liberación Nacional) al que Frondizi criticó su contenido antimilitarista, rechazando el término cívico que limitaba su concepto básico de aglutinar todos los sectores sociales.

La conducción de mi partido –explicará Frondizi– no ocultó sus reservas para esa definición. Queríamos integrar un frente nacional, no un frente cívico, y el signo distintivo de tal alianza debía ser no su civismo sino su condición revolucionaria, basada en la alianza de los sectores sociales. Por otra parte, la pretensión civilista implicaba renegar de los propios orígenes del peronismo que, antes que del movimiento obrero, nació del GOU, una logia de oficiales surgida de las filas del Ejército. Pero la conducción justicialista supo sortear la trampa del antimilitarismo y con la organización del FREJULI y su victoria en las urnas se inicia una nueva etapa de nuestra historia política.[4]

Frondizi, en carta del 25 de mayo de 1974 al embajador Alfredo Sánchez Bella, reiteró los propósitos de su filosofía integracionista:

Los militares, en el caso de América latina, son parte inseparable e insustituible de la conducción política que ha de emprender el proceso final de desarrollo y transformación. Es decir, son un insoslayable sector en la conducción de la revolución latinoamericana. Todos los esfuerzos que se hagan para mantener las cosas en el plano de la institucionalidad formal, por más base de legitimidad electoral de que inicialmente dispongan, no podrán ocultar la realidad que reclama inexorablemente la constitución de equipos de conducción cívico-militar que son los únicos aptos para responder a las exigencias de la sociedad en los momentos revolucionarios.

En el radicalismo se afirmaba paulatinamente la oposición al GAN por parte de un grupo de afiliados en el que tenía influencia un ascendente político de Chascomús, Raúl Alfonsín, hasta ese momento considerado el delfín de Balbín. Cuando el 7 de mayo de 1972 se efectuaron las primeras elecciones internas en la Provincia de Buenos Aires, para renovar los delegados al Comité Nacional de la UCR, Alfonsín se postuló como candidato apoyado por la juventud, en especial la universitaria que, como Franja Morada, cumplió un papel muy importante en el movimiento opositor a la línea acuerdista de Balbín. Este ganó las elecciones, pero Alfonsín obtuvo la minoría y el 26 de setiembre de 1972 anunció la formación de una nueva línea interna, el Movimiento Renovador, que se convertiría en el ala izquierdista del partido.

El 24 de octubre de 1972, Frondizi contestó con amplitud la requisitoria del ministro Arturo Mor Roig sobre la actualidad nacional. Exhortaba a comenzar de inmediato los cambios económico-sociales y que se invirtiera el proceso de desocupación, pérdida del valor real de los salarios, quebrantos comerciales, etcétera.

Los problemas internos del peronismo no creaban la debida correspondencia con sus aliados en el frentismo. Por ello, el MID, para respaldar su posición en el Frente y precaverse de imprevistos, el 1° de diciembre proclamó a Frondizi como candidato a la Presidencia. Este renunció a esa postulación simbólica en enero de 1973, cuando fue oficializada la fórmula del FREJULI. Consultado sobre el sentido de esa candidatura, Frondizi respondió:

La decisión de nuestra Convención Nacional fue la de cumplir con todos los requisitos legales a los efectos de preservar nuestra presencia política electoral. [...] En todo momento, las nominaciones del MID estuvieron y están subordinadas al Frente. [...] entendemos al Frente, aun en su expresión meramente electoral, como un extremo que expresa al Movimiento Nacional y al mismo tiempo conduce a su formación y consolidación. Esa es la explicación de nuestra presencia en el Frente, y ése es el sentido de nuestra decisión de subordinar la individualidad del MID a la participación en el Frente [...] haciendo oídos sordos a la provocación instrumentada por el régimen para dividir las fuerzas nacionales.[5]

La "masacre de Trelew"

Las autoridades nacionales y las organizaciones políticas estaban concentradas en el futuro proceso electoral cuando se produjo un suceso que conmovió a la opinión pública: la toma del penal de Rawson por los guerrilleros recluidos en él, la fuga de veinticinco de ellos, la toma por éstos del aeropuerto de Trelew y el secuestro y desvío a Chile de un jet de la empresa Austral llevando a bordo a los principales jefes de ERP, FAR y Montoneros, entre ellos, Santucho, Quieto, Vaca Narvaja y Gorriarán Merlo.

Una vez retomado el control del penal por las autoridades y habiéndose rendido los guerrilleros que ocupaban el aeropuerto y no habían logrado abordar un segundo avión, estos últimos fueron trasladados a la base aeronaval Almirante Zar. Allí se produjo, el 22 de agosto, el episodio que pasaría a la historia como "la masacre de Trelew". De acuerdo con el informe oficial, cuando se realizaba la inspección de práctica, uno de los terroristas intentó apoderarse del arma del guardián, se produjo un forcejeo y la intervención de los otros custodios que abrieron fuego contra los amotinados. Trece guerrilleros resultaron muertos, a los que se sumaron tres que fallecieron más tarde como consecuencia de las heridas recibidas. El almirante Hermes Quijada, en su calidad de jefe del Estado Mayor, fue el encargado de la lectura de un comunicado sobre los hechos.

Una ola de rumores creó mucha incertidumbre sobre el verdadero desarrollo de los sucesos. Según la versión de quienes cuestionaban al gobierno, había sido un asesinato premeditado. En las manifestaciones callejeras del FREJULI y de otras agrupaciones políticas, se entonaban estribillos amenazadores: "Ya van a ver/ ya van a ver/ cuando venguemos los muertos de Trelew". Una ola de atentados terminó con la vida de los almirantes Emilio Berisso, Hermes Quijada –el héroe del Polo Sur y amigo de Arturo Frondizi, a quien injustamente se incriminó con los sucesos del 22 de agosto– y del coronel Héctor A. Iribarren, y una andanada de hechos de violencia convirtió al episodio de Trelew en bandera de lucha.

"A Perón no le da el cuero para venir"

El 7 de julio de 1972, el presidente Lanusse, en el discurso pronunciado en la cena de camaradería de las Fuerzas Armadas, fijó las reglas a las que deberían ajustarse los postulantes a cargos electivos en 1973. Determinó así la imposibilidad de presentarse para tal fin a quienes no residieran permanentemente en el país desde antes del 25 de agosto de 1972 hasta la asunción del poder por parte del nuevo gobierno constitucional. Esta disposición trataba de impedir la candidatura de Perón.

Una frase dicha por Lanusse el 27 de julio en el Colegio Militar de la Nación despertó un singular revuelo en el ambiente político:

> Si Perón necesita fondos para financiar su venida, el Presidente de la República se los va a dar. Pero aquí no me corren más a mí, ni voy a admitir que corran más a ningún argentino, diciendo que Perón no viene porque no puede. Permitiré que digan: porque no quiere. Pero en mi fuero íntimo diré: porque no le da el cuero para venir.

El frentismo se movilizó en torno de este reto. Los justicialistas y la CGT preparaban sus cañones y reclamaban que Perón se presentara en Buenos Aires y aceptase encabezar la fórmula presidencial. Frondizi, en cambio, consideró que el país no presentaba las condiciones exigidas para que lo hiciera, y que la vuelta de Perón debía ser consecuencia de un proceso de liberación pero nunca su prerrequisito.

El 7 de noviembre de 1972 Frondizi publicó en la revista *Confirmado* un artículo titulado "El regreso de Perón". En él afirmaba que una minoría trataba de convertir ese regreso "en una inmensa cortina de humo que oculta en gran medida la objetividad de los problemas concretos que enfrentan el pueblo y la Nación", con el propósito de "afirmar las posiciones reaccionarias: las de la dependencia fundada en la vieja y obsoleta estructura". Frondizi pensaba que en las gravísimas condiciones de la hora, la presencia de Perón aguijoneada por sectores de la izquierda –que habían copado a grandes contingentes de la juventud peronista– no sólo perjudicaría los fines del FRECILINA sino que acarrearían un resultado exactamente contrario.

> No puede venir, salvo que esté dispuesto a alienarse a las exigencias de un compromiso político, en cuyo caso va a castrar de todo contenido revolucionario al movimiento de los trabajadores y al propio movimiento peronista,

manifestaba Frigerio a la revista *Confirmado* el 7 de noviembre de 1972, diez días antes de la llegada de Perón.

Los peronistas rechazaron esta visión, porque sus intereses exigían la presencia del líder para traducir en hechos sus aspiraciones de poder.

Habían pasado sólo unas semanas desde el desafío de Lanusse, cuando Cámpora confirmó, el 7 de noviembre, el viaje de Perón, que llegó a Ezeiza en un avión de Alitalia en la mañana lluviosa del 17 de noviembre.

No fue un recibimiento multitudinario; estaban los dirigentes de FRECILI-NA –entre ellos Frondizi–, sindicalistas, los miembros del Partido Justicialista y el círculo de sus colaboradores íntimos, que establecieron un estricto control para aislar a Perón. Esta circunstancia, unida al pedido del gobierno para que, por seguridad, permaneciera en Ezeiza una noche, dio pábulo a la versión de que estaba prisionero. Frondizi solía comentar que había sido requerida su intervención para que, con su custodia personal, facilitara la salida de Perón del aeropuerto.

La casa de Gaspar Campos, en Vicente López, se convirtió en el escenario de continuas entrevistas. Entre las visitas más importantes estuvo la de Ricardo Balbín.

El 1° de diciembre, Frondizi concurrió a Vicente López y la larga conversación entre los líderes afianzó los lineamientos del FREJULI, nueva denominación oficializada del frentismo.

La corta estadía de Perón, quien se ausentó del país el 14 de diciembre, sirvió para acrecentar las especulaciones sobre la futura fórmula presidencial. Por un lado, se barajaron nombres y se habló de una posible concordancia con el radicalismo propiciando una candidatura común. Por otro, se asentó la certidumbre de que, al pontificarse desde Gaspar Campos esas nominaciones, se evitarían luchas internas en marcha el frentismo. Aún con dudas, se recordaba la afirmación de Perón de apoyar a gente joven sin un pasado comprometido en el enfrentamiento peronismo-antiperonismo.

Contra toda presunción, el 15 de diciembre se proclamó la fórmula presidencial Héctor J. Cámpora-Vicente Solano Lima.

Las elecciones del 11 de marzo de 1973

La campaña proselitista del FREJULI, que se hizo con el slogan "Cámpora al gobierno, Perón al poder", confirmaba inequívocamente quién detentaría el mandato popular.

La UCR, que había recuperado el uso de la sigla sin aditamentos, enfrentó la lucha electoral con la fórmula Ricardo Balbín-Eduardo Gamond. Otro binomio aglutinaba a los sectores que coincidían con la necesidad de democratizar al país sin caer en el juego del populismo: Francisco G. Manrique-Rafael Martínez Raymonda representaban a la Alianza Popular Federalista.

El gobierno, por su parte, alentó la fórmula integrada por el brigadier Ezequiel Martínez y Leopoldo Bravo, candidatos de la Alianza Republicana Federal.

El comunismo tuvo una activa participación con la Alianza Popular Revolucionaria, que auspiciaba el binomio Oscar Alende-Horacio Sueldo.

El MID intervino con entusiasmo en la campaña pero conservó su fisonomía e independencia: salvo en la fórmula presidencial, concurrió al comicio con sus propios candidatos. Al decir de Frondizi, exhibía, "junto a los viejos militantes y dirigentes, una nueva promoción de muchos jóvenes, fieles intérpretes del pensamiento y de la dinámica de la integración y el desarrollo y consecuentes sostenedores de la estrategia frentista".

Las elecciones del 11 de marzo cerraron el último período del proceso revolucionario iniciado en junio de 1966.

El FREJULI se impuso por el 49,59% de los votos. Sin embargo y a pesar de que muchos dirigentes justicialistas no lo reconocieran, sin la alianza los peronistas no hubiesen evitado afrontar el "ballotage".

La euforia que ganó las calles de todas las ciudades no acalló la preocupación que el nuevo panorama político creó en Frondizi. Si bien advertía la superación del esquema antagónico peronismo-antiperonismo, no ocultaba su temor frente a las influencias contradictorias que predominaban en grandes contingentes juveniles del justicialismo, plasmadas en las consignas "Si Evita viviera sería montonera", "Patria socialista" y "Socialismo nacional". La reivindicación clasista, según Frondizi, "tendía a fraccionar el Frente Nacional que, por su propia esencia, era policlasista".

NOTAS

1. Lanusse, Alejandro A.: *Mi testimonio*, ob. cit., pág. 193.
2. Díaz Fanor: *Diálogos polémicos, conversación con...*, ob. cit., pág. 83.
3. Idem, pág. 80.
4. Frondizi, Arturo: *El Movimiento Nacional. Fundamentos de su doctrina*, Losada, Buenos Aires, 1975, pág. 167.
5. *El Cronista Comercial*, 5 de febrero de 1972, pág. 3.

El 25 de mayo de 1973, Héctor J. Cámpora asumió la primera magistratura de la Nación. La ceremonia en el Salón Blanco de la Casa de Gobierno contó con la presencia de invitados extranjeros, entre los que se destacaban los presidentes de Cuba, Osvaldo Dorticós, y de Chile, Salvador Allende, como signo elocuente del apoyo brindado a las nuevas autoridades por las agrupaciones de izquierda.

A poco, una verdadera pesadilla ensombreció lo que debía ser un día de júbilo. Las paredes de la Casa Rosada fueron cubiertas con leyendas –entre ellas "Casa montonera"– que patentizaban la virulencia contestataria de grupos juveniles. Vehículos incendiados, comercios y dependencias oficiales atacados y cánticos hirientes hacia las Fuerzas Armadas completaron la jornada. Gran parte de los asistentes al acto se convirtió en una desbordada masa que, en repudio a Lanusse, elevó sus voces entonando la marcha peronista en lugar del Himno Nacional.

En medio de una confusión alarmante, Lanusse se retiró atravesando el salón invadido por jóvenes que pedían revancha, cantaban e insultaban, vestidos con *blue jeans* y camperas, con las camisas abiertas y armas en la cintura, destacándose entre ellos los que muy pronto alcanzarían preponderancia en el comando guerrillero.

Cámpora, leal a Perón, le restituyó el 29 de mayo su grado militar. Su breve y caótico gobierno afrontó serios reparos por la ineficacia para tutelar la paz interior y el orden y para frenar, como sentenció Frondizi, "al infantilismo revolucionario que estaba corroyendo rápidamente las bases de la alianza frentista y hasta de la legalidad". El mismo día de su juramento, el flamante Presidente y su ministro del Interior, Esteban Righi, firmaron el decreto estableciendo una amplia amnistía que beneficiaba tanto a terroristas como a delincuentes comunes. La Legislatura al entrar en funciones, no limitaría el alcance de ese decreto.

El desgobierno fue absoluto. A las fábricas tomadas siguió la actividad guerrillera del ERP, que reabrió la serie de secuestros con rescates millonarios, como el del empresario inglés Charles Lockwood. La universidad fue un símbolo de la anarquía. Las aulas convertidas en barricadas desmentían la expresión del ministro de Educación Jorge Taiana: "La universidad será un ejemplo".

"La matanza de Ezeiza"

En ese ambiente, el 14 de junio Cámpora decidió viajar a Madrid para propiciar el retorno definitivo de Perón.

Contra lo esperado, la frialdad y dureza del dueño de casa contrastó con la aprobación que pensaba encontrar Cámpora tras el triunfo electoral. El "compañero presidente", como lo llamaban los liberados de Villa Devoto, sintió que había perdido la confianza de Perón. Según versiones que pueden entrar en el campo de la conjetura, Perón le habría reprochado los bochornosos actos del 25 de mayo y la audiencia oficial otorgada a las agrupaciones terroristas.

El 20 de junio se produciría la llegada de Perón a Ezeiza. Una verdadera multitud en la que predominaban jóvenes entusiastas marchó al lugar donde se había levantado el palco desde el que los oradores dirigirían la palabra.

Pero a las 12.30, ante la sorpresa de quienes protagonizaban un duelo verbal de estribillos contrapuestos –"la patria peronista" versus "la patria socialista"–, hombres atrincherados en el bosque cercano iniciaron indiscriminadamente un tiroteo, sembrando el pánico entre los desprevenidos asistentes, muchos de los cuales repelieron la agresión.

Este enfrentamiento fue otra página de la tragedia que envolvía al país: la izquierda trataba de copar el poder para convertir a la Argentina en un centro de afirmación marxista, y la derecha mostraba su índole represora con grupos de presión como la Alianza Libertadora Nacionalista, la Juventud Sindical Peronista y el Comando de Organización, entre otros.

El avión de Perón fue desviado hacia la base aérea de Morón y, en Ezeiza, lo que debía ser una fiesta se convirtió en un círculo de muerte.

De Cámpora a Lastiri

Cámpora, desde el 20 de junio, fue sólo un presidente de nombre pero no un jefe de Estado, con su prestigio deteriorado por la complacencia de sus ministros y gobernadores con el accionar desembozado del extremismo y presionado por las fuerzas políticas que integraban el FREJULI para que cumpliera con el compromiso contraído al aceptar el documento "La única verdad es la realidad". Sin respaldo y sin autoridad, el 12 de julio Cámpora y Solano Lima renunciaron a sus cargos.

Con el súbito pedido de licencia del vicepresidente del Senado, Alejandro Díaz Bialet, la derecha, con José López Rega, tomó el timón de la República. Raúl Alberto Lastiri, presidente de la Cámara de Diputados, asumió provisoriamente la primera magistratura. Figura sin relieve, títulos ni antecedentes para desempeñar esa función, salvo el estar casado con Norma López Rega, hija del influyente asesor de Perón, fue un personaje grotesco en la galería política argentina.

La convocatoria a elecciones nacionales, fijada para el 23 de setiembre, dio pie a las más diversas reuniones para analizar posibles alianzas. Perón y Balbín protagonizaron entrevistas que despertaron grandes expectativas sobre una fórmula compartida. El diálogo, aunque ajeno a todo antagonismo, no fue suficiente para consolidar esa unión, y la opinión pública giró entonces en torno de un interrogante, ¿quién completaría el binomio presidencial con Perón? Inesperadamente, el Partido Justicialista proclamó el nombre de Isabel.

El 7 de setiembre, Frondizi manifestó su preocupación por el panorama que ofrecía el país:

> Nos hacemos cargo con la experiencia que recogimos cuando ejercimos el gobierno, de que en cuatro meses no se puede hacer todo. Pero debe admitirse que en breve lapso no se tiene derecho a agravar la situación de las grandes masas populares, siquiera sea en nombre de una revolución.

El veterano dirigente político, sin hacer recaer toda la responsabilidad en el gobierno, alertaba que la crisis podía derivar en caos si no se procedía a satisfacer los requerimientos de la población.

El 11 de setiembre, una noticia procedente de Chile alteró el mapa político del continente. Salvador Allende, destituido por un golpe militar, se había suicidado durante los enfrentamientos. Una Junta presidida por el general Augusto Pinochet Ugarte instauraba una cruenta dictadura. Frondizi condenó el dramático desenlace de los episodios trasandinos.

> El derrocamiento y la muerte del presidente Allende no solamente subleva y enluta al pueblo de Chile, sino a todos los de América y el mundo. Estos hechos interrumpen un proceso revolucionario que los chilenos cumplen en uso de su inalterable derecho de autodeterminación nacional. Consecuentemente, agravian a la comunidad internacional y conforman un intento reaccionario de sofocar la lucha de liberación en que están empeñados nuestros pueblos.

No obstante, definió su posición ante el fracaso de la experiencia socialista de Allende en América, en la que elementos "sectarios e intolerantes" habían dominado la política del gobierno y de la oposición, favoreciendo las maniobras de la "minoría antinacional" y la intervención del imperialismo

En 1974, en carta a su amigo el embajador Alfredo Sánchez Bella, explicaría su interpretación de las causas del derrocamiento de Allende:

> Con todas sus buenas intenciones, lo que hizo fue llevar a la sociedad chilena, a través de una política inspirada por los términos más pueriles del izquierdismo universitario, a su virtual paralización como sistema de producción de bienes y servicios materiales y culturales.

La presencia de Perón en el país, que había significado cierta tranquilidad para la clase media y las Fuerzas Armadas, no fue suficiente para detener la subversión. La guerrilla, que había convertido a Salvador Allende en uno de sus ídolos, retomó sus operativos terroristas después de una aparente tregua. El 25 de setiembre, dos días después de las elecciones, se cuestionó la seguridad del Estado con el asesinato del secretario general de la CGT, José Ignacio Rucci.

En ese momento Rucci era el hombre en quien Perón tenía más confianza, y su presencia ponía un límite a la influencia de López Rega. El crimen, aunque consumado durante el recrudecimiento de la guerrilla, fue atribuido por distintas fuentes a una orden directa de aquél, puesto que era el que más se beneficiaba con la desaparición del sindicalista. Cuando preguntamos a Frondizi sobre la posible identificación del grupo agresor, sin dudas contestó que había sido la Triple A, instigada por López Rega.

El 23 de setiembre la fórmula Juan Domingo Perón-María Estela Martínez de Perón se impuso por 7.359.139 votos (61,35%) a los candidatos de la UCR, Ricardo Balbín-Fernando de la Rúa, que obtuvieron 2.905.719 (24,42%) y, como estaba previsto, la transmisión del mando se efectuó el 12 de octubre.

La presencia de Perón permitía despejar el panorama político de rencores y revanchas, aportando el clima necesario para llevar adelante un plan serio y profundo en el campo de la economía. Pero la permanencia de José Ber Gelbard en la cartera de Economía, lejos de producir confianza, intensificó el intento de implantar una política antiinversionista que desmantelaba las bases materiales de la Nación. Así lo señaló Frondizi:

> La política planteada por el ministro Gelbard mezclaba el más rígido estatismo distribucionista, los controles de precios, el manejo discrecional de los tipos de cambio, el fiscalismo y cierto aliento a la exportación de artículos manufacturados, sobre todo los fabricados por los integrantes del grupo de interés más cercano al ministro. En ese esquema faltaba coherencia y respeto por la ley económica.

El 28 de marzo Perón, a cinco meses de asumir su mandato, convocó a los partidos integrantes del FREJULI e invitó a los dirigentes a exponer sus puntos de vista, sugiriendo que iniciara el diálogo el doctor Arturo Frondizi. El líder desarrollista prenunció la crisis haciendo un análisis completo y global del cuadro general del país.

Insistió sobre dos temas que a su juicio debían considerarse fundamentales, la violencia y la errónea política económico-social. Respecto de la violencia, señaló que debían considerarse como un toque de atención los síntomas de frustración de la juventud, para no "reiterar el error de gobiernos anteriores que consideraron estos hechos como simples actos de provocación y omitieron el análisis de factores que creaban el clima propicio para los excesos".

En cuanto al segundo tópico, a su modo de ver, la política adoptada por la conducción económica no era compatible con los objetivos de liberación trazados por la conducción política. "En el país no se invierte y los resultados de semejante falencia se sentirán a corto plazo", dijo, y agregó:

> En el ciclo transcurrido desde que comenzó la gestión del actual equipo no puede señalarse un solo programa importante de inversión iniciado en el sector privado o en el público. No puede decirse que el tiempo ha faltado o que se pretende impacientemente quemar etapas que son indispensables.

Perón, rectificando su propuesta de escuchar previamente a todos los presentes para responder al final de la reunión, replicó de inmediato a Frondizi y, si bien le dio la razón al considerar que era vital una política de inversiones, no dejó de asumir la defensa del plan propuesto y ejecutado por Gelbard.

La firmeza de Frondizi en sus propuestas creó una fricción en el Frente, que se puso de manifiesto a la hora de designar las autoridades de la Cámara de Diputados. El 25 de abril, de acuerdo con lo convenido en el FREJULI, el MID sostuvo el nombre del doctor Isidro Odena, pero un sector de los diputados justicialistas se opuso a esa nominación. Para evitar el espectáculo público de una escisión, Odena ofreció su renuncia y Frondizi, en carta al presidente del Bloque del FREJULI, Ferdinando Pedrini, le manifestó su disgusto porque entendía "que ningún diputado del Bloque tiene derecho a objetar el nombre propuesto por nuestro partido para ocupar el cargo que le corresponde según resolución del Frente".

A pesar de estas disidencias, Frondizi se esforzó por seguir desempeñando un rol señero en la consolidación del FREJULI.

El 29 de abril de 1974 se alejó del país invitado a pronunciar conferencias en los principales centros universitarios de Roma y Trieste, España, Francia y Bélgica. El sábado 4 de mayo, el Papa Paulo VI lo recibió en audiencia especial privada que se prolongó por casi una hora. Frondizi declaró que había dialogado

> en primer lugar acerca de la paz del mundo y de la lucha de la Iglesia por defenderla. También conversamos con el Santo Padre acerca de los problemas del desarme y de la situación latinoamericana, en particular con referencia a las cuestiones del subdesarrollo.

El 1º de mayo de 1974

Esta actividad no le impidió dejar un mensaje dirigido a los trabajadores de su país, expresando su adhesión a los actos del 1º de Mayo:

> La concurrencia masiva a Plaza de Mayo, desde donde se escuchará la palabra del presidente Perón, debe ser cuidada por todos los argentinos, para que sepamos que la paz y la convivencia se han hecho posible entre nosotros.

Pero esta festividad exacerbó los antagonismos. Desde uno de los sectores de la plaza, un núcleo compacto con banderas de Montoneros reclamó una respuesta clara a sus cuestionamientos. Perón reaccionó violentamente y, al llamarlos "imberbes estúpidos" y obligarlos a retirarse del lugar, cortó los últimos eslabones que podían evitar un desenlace sangriento. Como respuesta, la subversión declaró una verdadera guerra al hasta ese instante su líder indiscutido.

El ocaso del caudillo

Perón no era ya el enérgico caudillo de 1945. Su actitud anímica era distinta y estaba totalmente cercado por colaboradores ambiciosos y obsecuentes. Según palabras de Rogelio Frigerio, quien lo entrevistó en varias oportunidades, José López Rega lo seguía como una sombra, vigilaba estrictamente sus pasos y controlaba sus conversaciones.

La edad y la enfermedad contribuyeron a acentuar esa declinación: "conversaba con inteligencia y su astucia de siempre, pero tenía aniquilada la voluntad, como pudieron comprobarlo sus médicos".[1]

El cardiólogo doctor Pedro Cossio confesó que Perón había sufrido algunas crisis cardíacas por lo que necesitaba una vida más tranquila, sin sobresaltos, como en Madrid, pero López Rega e Isabel contradijeron las apreciaciones médicas y permitieron que el 21 de mayo viajara al Paraguay. En Asunción, bajo una lluvia torrencial, pronunció un largo discurso; su salud se dañó terriblemente, confirmando el grave diagnóstico sobre un estrecho margen de vida.

Frondizi previó entonces que podían hacerse añicos las más firmes esperanzas de recuperación. Sabía que el país se derrumbaba y el 8 de junio, reelecto como presidente del Comité Nacional, suscribió el documento "El MID le dice al país". Si bien admitía que "la Argentina de hoy muestra al mundo su contenido democrático, su voluntad de defender la soberanía propia y su inserción en un mundo que quiere la convivencia y la paz", no dejaba de criticar la instrumentación económica: "No hay inversión, su ritmo no es satisfactorio y pronto el desabastecimiento afectará a todos los sectores de la producción y el consumo".

En esos momentos, un grupo de afiliados encabezados por los caudillos del litoral Carlos Sylvestre Begnis y Raúl Uranga, disconformes con la conducción partidaria constituyeron la línea Paraná, pero esto no erosionó la estructura del MID.

El 12 de junio, en su última aparición en público, Perón mostró su capacidad para convocar a las grandes masas. Señaló que sería muy difícil para sus seguidores reemplazarlo, ya que sólo el pueblo podía ser su heredero. Juan Domingo Perón falleció el 1° de julio.

El 4 de ese mes, en el homenaje que se rindió ante sus restos mortales en el Congreso Nacional, fue Ricardo Balbín quien conmovió a la ciudadanía al manifestar:

> Frente a los grandes muertos tenemos que olvidar todo lo que fue el error, todo cuanto en otras épocas pudo ponernos en las divergencias y en las distancias... Este viejo adversario despide a un amigo...

Para Frondizi el desaparecido líder dejaba un vacío de poder y, según el periódico midista *Reconstrucción* del 16 de octubre, Perón "murió, podría decirse, en medio de la batalla por el poder que insidiosamente trataba de arrebatarle la ola de terrorismo".

Isabel Perón asumió la primera magistratura que desempeñaba desde el 29 de junio, mientras durara la enfermedad del Presidente.

NOTA

1. Díaz Fanor: *Diálogos polémicos...*, ob. cit., pág. 90.

Bajo el gobierno de Isabel Perón creció el mesianismo de José López Rega, convertido en un superministro. La sociedad tuvo la certeza de que, a la sombra de una presidenta débil e incapacitada, se instalaba un usufructuario del poder ante cuyo arbitrio peligraban todos los derechos y garantías.

Frondizi, para quien la muerte de Perón creaba condiciones para la dispersión del Movimiento Nacional, consideró que debía hablarle al país con franqueza. El 4 de setiembre dio a conocer un documento en el que advertía:

> De nada vale proponerse ambiciosas metas si la implementación de la política económica no presta principal atención a los procesos de acumulación e inversión que permitan llevarlos adelante.

Pero la nueva conducción del Poder Ejecutivo se mostró partidaria de mantener la influencia del ministro Gelbard y de continuar aplicando la misma política económica.

No se equivocaba Frondizi al incitar a cumplir con el programa frentista si se quería evitar una aguda crisis impregnada de violencia. Y esta violencia cotidiana pasó a ser una constancia monocorde de nuestra realidad.

La muerte de Arturo Mor Roig; el secuestro de los hermanos Juan y Jorge Born y la tenebrosa profanación del panteón de la Recoleta, con el robo del cadáver del general Aramburu, devuelto el día en que los restos de Eva Perón llegaron al país, episodios lamentables que se sumaron a una verdadera guerra desatada en Tucumán, fueron la trágica expresión del terrorismo izquierdista. Pero una nueva fuerza comenzó a socavar la estabilidad argentina, con un repertorio de violencia de igual magnitud. La Triple A, inspirada por López Rega con gente de ultraderecha, combatió a la guerrilla con sus mismas armas y con su misma falta de ética y moral.

En su respuesta al desafío de la violencia, dijo Frondizi:

> En la Argentina de hoy la inseguridad amenaza a políticos e intelectuales, a militares y sacerdotes, a dirigentes gremiales e intelectuales, a legisladores y ar-

tistas. Encumbradas figuras de la vida argentina y hombres del común han sumado sus nombres, día a día, a la interminable lista de víctimas de este proceso de destrucción nacional.[1]

La locura persecutoria de López Rega hirió en lo más profundo a Frondizi, con el asesinato de uno de los seres que más quería y admiraba, su hermano Silvio. El 27 de setiembre, criminales de civil con protección policial sacaron a Silvio Frondizi de su departamento y lo arrastraron por los cabellos hasta una camioneta que esperaba en la calle. Al tratar de defenderlo, su yerno fue baleado. Los atacantes, además, destruyeron el mobiliario del departamento y cometieron actos de pillaje.

Una larga odisea de Arturo Frondizi y un reducido grupo de leales amigos por dependencias policiales culminó con la localización del cadáver acribillado y terriblemente mutilado de Silvio. Con entereza afrontó Frondizi el reconocimiento de los restos y, más tarde, el velatorio familiar con sus seres queridos y el efectuado en la Universidad Tecnológica, donde los estudiantes hicieron guardia y expresaron su repudio e indignación.

Frondizi, desoyendo amenazas sobre su integridad física, con gesto desafiante ante cualquier intento de profanar el cadáver vejado de su hermano, lo acompañó hasta el cementerio, viajando en el coche fúnebre. Quiso estar junto a Silvio hasta el último momento.

Calificó a esa tragedia como "salvaje y sin sentido. Una locura más de una ola que asoló al país".

Años más tarde, cuando lo visitó Norma López Rega en su domicilio de la calle Beruti 2526, al abordar ese tema recibió una respuesta que la hizo llorar: "Sí, fue su padre el que mandó matar a mi hermano, pero yo lo perdono porque en mi corazón no guardo rencor ni deseos de venganza".

Un Estado en crisis

El 8 de octubre de 1974, Isabel Perón convocó a una reunión con la Multipartidaria, ante los sucesos que amenazaban la capacidad operativa del Estado. Asistieron representantes de los partidos oficialistas y opositores. Arturo Frondizi estuvo presente porque ponía, por sobre los dolores personales, la obligación de ayudar a resolver la gravedad de la crisis. Dijo en esa oportunidad:

El gobierno por intermedio de la señora presidente, ha formulado una convocatoria a todos los sectores de la realidad nacional. [...] Este llamado, indudablemente correcto, tiene que ser acompañado hoy por la consolidación del instrumento político que es el respaldo real del gobierno. Ese instrumento es el Frente

478

Nacional. La lucha contra la subversión es eminentemente un cometido del Frente porque aquélla lo ataca en lo más profundo. En última instancia, el efecto objetivo de la violencia es la división de las fuerzas nacionales y es por eso que cabe adjudicarle siempre una inspiración proveniente de intereses externos.

En el diagnóstico efectuado en la reunión y contenido en su declaración "La crisis del Estado. Respuesta al desafío de la violencia", enfocó la pérdida o la precarización del trabajo, la caída de los ingresos y todos los flancos débiles de la gestión de gobierno, recalcando que "lo que está en cuestión en la Argentina de hoy es la subsistencia del Estado". La violencia había alcanzado un punto de no retorno, pero más allá de ello, para Frondizi existía "una realidad argentina de frustración y estancamiento que subsistirá aun en la hipótesis del desvanecimiento de la violencia actual y la derrota de los grupos subversivos". Sólo la ejecución de un programa revolucionario podía evitar el caos: "O el orden lo impone el Estado democrático, fundado en la soberanía popular, o lo imponen las fuerzas reaccionarias".

El segundo equipo económico

El 21 de octubre de 1974, Alfredo Gómez Morales reemplazó a José Ber Gelbard. Esta designación de un nuevo titular en el equipo económico abría, para Frondizi, una etapa de expectativas:

El signo de esa expectativa es favorable. Por una parte, así lo determina la personalidad del ministro escogido por el gobierno nacional. Por otra, la gestión anterior había llegado a un punto a partir del cual su continuidad representaba un desgaste político que se extendía más allá de la cartera. Es evidente que el frente económico ha pasado al primer plano de la preocupación de todos los sectores de la vida argentina.

Frondizi aportó con franqueza su opinión sobre las dificultades que había que superar, en su documento "El MID y el cambio del equipo económico", del 25 de octubre:

La Argentina pasa por los momentos más críticos de un proceso revolucionario que requiere cambios profundos. Una vez más el pueblo está dispuesto a dar un voto de confianza a quienes tienen la responsabilidad de la conducción. Pero en esta oportunidad el acierto en el camino escogido es una obligación y su alternativa una variante colmada de imprevisibles riesgos.

Pero el esperado cambio de rumbo no se verificó. Y otra vez Frondizi manifestó su preocupación. El 13 de marzo de 1975, al cumplirse el segundo aniversario de las elecciones de 1973, dio a conocer el crítico documento "La gravedad de la crisis deja poco margen para el error", en el que caracterizó a la estrategia empleada como "irremisiblemente condenada al fracaso por la ausencia de contenido revolucionario":

> Como en dos años no ha invertido ni el sector privado ni el sector público, la economía argentina se ha deteriorado peligrosamente. El sector agropecuario ha realizado el esfuerzo de mantener transitoriamente los niveles de consumo popular con el resultado de que los precios de sus productos son los más bajos de los últimos tres lustros. El sector público ha intentado atacar la desocupación por la vía de la ampliación de la burocracia pero a costa de frustrar todo el programa de inversiones anunciado en el Plan Trienal. Ha profundizado, además, su déficit a los niveles exorbitantes a que acaba de referirse el señor ministro de Economía. Los precios políticos han creado en el país una especie de fondo estable de desabastecimiento en el que ingresa cada día un producto que reemplaza al que vuelve a reaparecer en el mercado después de un trabajoso proceso de reajuste que contemple sus costos reales.

Frondizi advirtió que se había abierto un abismo entre el mandato popular y su expresión política en el gobierno. "Es trágico y suicida aferrarse a este fracaso estrepitoso", dijo sobre la acción de una conducción económica que sólo tapaba los baches dejados por Gelbard.

Importantes centros del país solicitaron la presencia de Frondizi, y así se lo vio ocupar distintas tribunas desde las que instó a unirse "para luchar contra los obstáculos materiales e ideológicos, internos y externos, que se oponen al desarrollo". De discurso en discurso, de ciudad en ciudad, continuó con el análisis de la realidad nacional. La CGT, con Casildo Herreras consolidado en su cúpula, exigía una participación más activa. La CGE, con términos singularmente severos, enjuiciaba a la conducción económica. Y la violencia, que llegaba a su más horrenda expresión, se acrecentaba con la impunidad de lo que podía calificarse como violencia represiva.

El rodrigazo

El martes 2 de junio de 1975, cumplido apenas el primer aniversario de su instalación, el gobierno hacía debutar a su tercer equipo económico. Las primeras medidas del ingeniero Celestino Rodríguez como ministro de Economía fueron la devaluación monetaria, el aumento de los precios de los combustibles y artículos de primera necesidad, la elevación de las tarifas de los servicios públicos, etcétera, lo que afectó de manera extraordinaria la economía de los sectores de menores ingresos. El ministro Rodríguez, como defensa de su administración, afirmaba que "había dos posibilidades para salir adelante: o adoptar la mencionada decisión con el esfuerzo de todo el pueblo o recurrir a los préstamos externos".

El plan del ingeniero Rodríguez, con un planteo nacionalista de medios y no de fines, al comprimir el consumo interno para ahorrar más y así aumentar la inversión despreciando los aportes del extranjero, conducía al subdesarrollo con una crisis mayor que la heredada.

Lo que se llamó "el rodrigazo" engendró una nueva enfermedad, la especulación. El *shock* producido por el mismo obligó a la CGT, conducida por Casildo Herreras, y a la UOM de Lorenzo Miguel –apoyados por el propio ministro de Trabajo, Ricardo Otero–, a organizar una concentración en Plaza de Mayo el 27 de junio, como acto de repudio. Por primera vez el sindicalismo peronista enfrentaba al gobierno.

Una salida institucional frustrada

La incapacidad de Isabel Perón para afrontar la compleja gama de situaciones que la acosaban creó un vacío de poder que su entorno trataba inútilmente de disimular. Los enfrentamientos internos y la presión de los jerarcas sindicales finalmente impulsaron un principio de solución institucional. El Senado de la Nación designó presidente provisional del cuerpo al senador Italo Argentino Luder. El lopezrreguismo no favoreció este nombramiento que abría una posible instancia sucesoria a la Presidencia. Pero ni el alejamiento de José López Rega el 18 de julio, que Isabel aceptó con renuncia, ni los distintos reemplazos ministeriales, lograron salvar al país.

Ante la encrucijada en que se encontraba, el 13 de octubre Isabel solicitó una licencia que se prolongó más de un mes. Italo Luder desempeñó un interinato digno y tranquilizador en un país con miedo, "miedo por el presente y por el futuro; con una sensación de inseguridad que sólo viven los pueblos en momentos de profunda anarquía", según expresaba Frigerio.

La reasunción de Isabel Perón, al marcar una ofensiva del "verticalismo", y el incremento de los atentados guerrilleros, que buscaban acelerar la caída del gobierno, inclinaron a los militares "por el golpe en algún momento de la segunda mitad de 1975, probablemente a fines de octubre o principios de noviembre".[2]

Frondizi, el 14 de octubre, en vísperas del día de la lealtad peronista, en su mensaje "Ya no queda ningún margen para el error", insistió en su llamado a la reflexión:

Un clima de colapso invade las más diversas actividades y sectores, la totalidad de la geografía de la patria. Se ha agotado la posibilidad de prever al más corto plazo en el orden político y en el orden económico. Ha cesado la iniciativa para cualquier actividad que no cierre su propio ciclo en la especulación cotidiana. Ha concluido también el lapso de expectativas y esperanzas que se abrió hace treinta meses ante el optimismo de vastas mayorías. Uno de los pueblos que tenía más fe en sí mismo de los que habitan el mundo, vive cada día una jornada de dolor, escribe una página de sangre.

Para salvar a un país empobrecido, empequeñecido y, dicho sea de paso, fácilmente manejable para los monopolios, Frondizi señaló que no eran culpables de la crisis económica ni los obreros ni los empresarios ni los intelectuales ni los sacerdotes ni los militares, sino los que proclamaban la inflación cero, los que tuvieron en sus manos la conducción desde mayo de 1973, los que alegaban un verticalismo anacrónico, la subversión, y todos los que con su accionar pretendían convertir a la Nación en un mero territorio.

Esta admonición, que hizo como presidente del Comité Nacional de MID, no era un llamamiento más; era un toque de atención a todos los que ocupaban funciones de responsabilidad porque ya no quedaba ningún margen para el error:

[...] la Argentina podrá eludir las asechanzas y realizarse históricamente si aplica sin demoras una política que promueva masivamente inversiones productivas y oriente prioritariamente el cambio de estructuras a los sectores de las industrias de base y la infraestructura de servicios; una política que genere riqueza suficiente para dar pan, techo, salud y educación a todos sus habitantes; una política que se nutra de poder en una sólida y extendida alianza de clases y sectores; una política que reduzca la violencia a la condición de ejercicio legítimo de las funciones del Estado o a una patología socialmente irrelevante; y una política que sea capaz de afirmar la personalidad del país en el mundo.

La gira europea

La ardua tarea política no distrajo la relación de Frondizi con el contexto internacional. Su presencia era requerida en distintos foros del pensamiento y en cónclaves políticos, económicos y universitarios.

En octubre de 1975 aceptó la invitación de universidades y del Instituto de Relaciones Internacionales para presidir los seminarios sobre el Nuevo Orden Económico Internacional, en los que estarían presentes delegados de Europa Occidental, los Estados Unidos y el bloque oriental. Se considerarían temas relacionados con el desarrollo y los vínculos entre la Argentina y el viejo continente en una etapa en la que se acrecentaban los pasos hacia la coexistencia y el diálogo entre las grandes potencias.

Aprovecharía su viaje para reunirse con diversas personalidades vaticanas, como el cardenal Sebastián Baggio, prefecto de la Sagrada Congregación de Obispos; el cardenal Silvio Oddi, alto funcionario papal y el general de los jesuitas padre Pedro Arrupe, entre otros altos prelados. Visitó centros fabriles y se entrevistó con empresarios como Giovanni Agnelli, presidente de la empresa Fiat y titular de la central empresaria Confindustria; Giuseppe Patrilli, presidente del conglomerado empresario estatal IRI; empresarios franceses y dirigentes de los más importantes partidos políticos, desde el Demócrata Cristiano hasta el Partido Socialista Italiano.

Su gira abarcó las ciudades de Roma, Vicenza, Padua, París y Bucarest, donde se entrevistó con el presidente Nicolás Ceaucescu. Cuando iba a viajar a Rumania, tuvo una conversación con el cardenal Agostino Casaroli, secretario del Estado Vaticano, quien le pidió que hablara con Ceaucescu sobre la condición de la iglesia en su país. Frondizi le planteó al presidente la cuestión, el cual sostuvo la vigencia de una absoluta libertad religiosa, aunque señaló que existían situaciones especiales sobre la designación de obispos y sacerdotes que no se podían alterar. Cumpliendo con la solicitud de monseñor Casaroli, Frondizi concurrió a una iglesia durante un oficio religioso y pudo comprobar que el templo estaba lleno de creyentes. Pero su investigación lo llevó a verificar que los nombramientos eran atribución de la autoridad pública comunista sin intervención de la Santa Sede.

El tema central de los coloquios fue el nuevo orden económico internacional y los sistemas vigentes en el Este y en el Oeste.

"Vivimos en un mundo de transición que marcha hacia formas superiores de convivencia", dijo Frondizi, a la vez que reclamó una mayor cooperación por parte de los integrantes del Comicom, la URSS y las potencias del Oeste para contribuir al desenvolvimiento de los pueblos rezagados:

> La verdadera antinomia de nuestro tiempo se da entre los países altamente industrializados y el mundo subdesarrollado, problema que se extiende más allá de las ideologías. Esta brecha entre naciones ricas y pobres constituirá un riesgo más explosivo que todo el arsenal atómico disperso por el mundo.

"La Nación marcha a la deriva"

Cuando Frondizi regresó de su gira pudo constatar que no había variado el panorama económico-social ni el incremento de la violencia, pese a que desde el 5 de febrero de 1975 regía el decreto reservado por el cual la presidente había dispuesto que "el comando general del Ejército procederá a ejecutar todas las operaciones militares que sean necesarias a efectos de neutralizar y/o aniquilar el accionar de los elementos subversivos que actúan en la provincia de Tucumán".

La lucha en el campo puramente militar podía resultar estéril porque la generalizada frustración favorecía el reclutamiento de adeptos que robustecían las huestes guerrilleras. La alternativa era la disgregación nacional y la anarquía o el cumplimiento de objetivos mínimos para alentar el desarrollo y consolidar la paz interior.

En el MID se buscaban respuestas congruentes para detener la escalada terrorista:

> [...] la violencia por ilegítima que sea, por absurda que resulte, por destinada al fracaso que esté, es siempre –en mayor o menor medida– una respuesta a un estado de cosas insatisfactorio, una protesta contra un orden que se considera injusto [...] Toda acción destinada a suprimirla, para tener éxito, tiene que estar articulada a una política de fondo que aísle a la violencia de sus conexiones sociales y la circunscriba al ámbito de la patología ideológica.

Un pedido de renuncia de la presidente hecho por el Partido Peronista Auténtico –de orientación izquierdista y cuyos promotores, Oscar Bidegain, Alberto Martínez Baca y Andrés Framini, habían sido expulsados del justicialismo– se sumó al proyecto de los diputados nacionales del Partido Bloquista de San Juan, solicitando el juicio político de Isabel Perón, "por mal desempeño en el ejercicio de sus funciones".

La Legislatura, por compromisos políticos, intereses o aparcerías, al no utilizar el recurso legal brindado por la Constitución Nacional que permitía el acceso a la Presidencia de un hombre respetable y moderado como Luder, fue en gran medida responsable del golpe militar y de sus posteriores consecuencias.

Paralelamente con el crecimiento de la inflación, los manejos dolosos realizados durante la gestión de López Rega contribuyeron a aumentar el desgobierno de Isabel Perón. La voz de Frondizi se hizo oír nuevamente:

> El ciclo iniciado con los pronunciamientos electorales de 1973, al cabo de sólo 30 meses, toca a su fin. Las esperanzas de millones de argentinos marchitaron y las ha sucedido una generalizada frustración. La Nación marcha a la deriva. El Estado está en crisis, la moral está en crisis, la economía y la cultura están en crisis.

El agotamiento definitivo y total de las expectativas lo llevó a admitir públicamente la crisis del FREJULI. Su nuevo testimonio político del 18 de diciembre, con el lema "No al falso Frente y no al revanchismo antipopular", reflejó el dramatismo de la situación que conmovía a la República. Tanto dirigentes oficialistas como opositores estaban comprometidos con el esquema de poder vigente. "El vaciamiento del FREJULI es total", advirtió en nombre del MID. "El FREJULI, por sus compromisos irreversibles, es ya un obstáculo para el desenvolvimiento del Frente real."

La crisis abarcaba todos los órganos de la realidad nacional, prácticamente había destruido al Estado:

> El Poder Ejecutivo está vacante. La presidente de la Nación no lo ejerce ni siquiera en sus apariciones intermitentes y formales. Los ministros producen hechos aislados conforme lo permite una relación de fuerzas que cambia día a día. El Congreso no escapa a la crisis. [...]

Reconstrucción, vocero del MID, en su primera plana del 17 de marzo de 1976, pintaba un panorama ominoso:

> Los últimos días han estado especialmente cargados de hechos demostrativos del descontrol en que se encuentra el aparato estatal: falta de autocrítica y profundización de los errores por parte del gabinete, desborde de la inflación y protesta social generalizada, crisis de autoridad de la dirigencia sindical, pérdida total de iniciativa de la partidocracia e impotencia manifiesta del Parlamento para decidir.

A pesar de los desmentidos oficiales, los rumores sobre un próximo golpe de Estado daban cuenta de una realidad que favorecía su difusión; se llegaba al extremo de mencionar el día y hora presuntamente exactos.

Con un Parlamento inoperante, los diputados del MID exigían el sinceramiento tanto en el plano económico como en el político:

> No puede esperarse una tregua a pretexto de un año electoral ni arbitrarse paréntesis entre concepciones en pugna. Hay que poner manos a la obra del cambio en la estructura productiva en forma inmediata, pensando al país en su continuidad en el tiempo, no a través de etapas precarias o provisorias.

El derrocamiento de Isabel Perón

El desenlace del drama nacional era previsible. El 16 de marzo de 1976, Ricardo Balbín habló por radio y televisión. Reclamó la defensa del orden constitucional y, tras reconocer que si "algunos suponen que he venido a dar soluciones. No las tengo, pero las hay...", apeló a Almafuerte para recordar que todos los males tienen cura, "cinco minutos antes de la muerte".

El 19 de marzo se reunieron Ricardo Balbín, Oscar Alende y Deolindo Bittel, entre otros jefes partidarios, para buscar coincidencias.

El 23 de marzo, con los puntos vitales de la Nación ocupados por los militares, Oscar Alende dirigía un mensaje radiotelevisivo asumiendo una rígida actitud crítica: "El pueblo vive en la inseguridad a causa del desgobierno, la inmoralidad, el empobrecimiento del país".

En su edición del 23 de marzo, *La Razón* publicó un editorial con el título de "Es inminente el final".

El 24 de marzo de 1976 fue destituida Isabel Perón. Desafortunadamente se habían cumplido las permanentes advertencias de Frondizi, sistemáticamente desoídas por el elenco gobernante, en una actitud casi suicida.

Notas

1. Frondizi, Arturo: *La crisis del Estado. Respuesta al desafío de la violencia,* octubre de 1974.
2. Di Tella, Guido: *Perón-Perón, 1973-1976,* Colección Historia y Sociedad, Sudamericana, Buenos Aires, 1983.

Los comandantes en jefe, general Jorge Rafael Videla, almirante Emilio E. Massera y brigadier Orlando R. Agosti, tomaron la responsabilidad de cubrir el vacío de poder. El 29 de marzo, Videla se hizo cargo de la Presidencia de la República.

Todas las expectativas estaban centradas en el Ministerio de Economía para el que fue designado el doctor José A. Martínez de Hoz, hombre del grupo liberal, de vasta actuación en el campo económico y universitario.

El apoyo de Frondizi al Proceso de Reorganización Nacional

El 31 de marzo Frondizi dio a conocer el primero de sus cuatro memorándum en el que advertía que el cambio de gobierno no sólo era previsible sino también necesario.

> El desorden populista agravaba peligrosamente los factores estructurales de la crisis y se estaba produciendo un virtual vaciamiento de la economía nacional. Si los jefes militares se hubieran hecho eco de la tesis según la cual convenía postergar la toma del poder, habrían cometido un crimen por omisión al permitir que se produjeran lesiones irreparables al aparato productivo.

El apoyo prestado al gobierno militar, basado en la decisiva razón de que "los actuales jefes son una garantía en cuanto a evitar desbordes revanchistas", no impediría que, en su momento, "el desarrollismo fijara claramente su posición como lo había hecho en todas las oportunidades en que la política imperante minaba las bases materiales de la revolución", sobre todo ante el nombramiento en la conducción económica que aplicaría un programa de inspiración monetarista.

Por esta razón, no desechaba Frondizi que la marcha del proceso podía ser conflictiva. Pero eso no le impedía asumir una actitud de colaboración:

[...] los desarrollistas debemos dejar de lado los preciosismos doctrinarios, que no tienen sentido en un proceso que por definición tiene que ser "impuro". El apoyo tiene que ser, como dijimos, franco y total, desprovisto de especulaciones secundarias. Si se nos pide que ocupemos cargos debemos hacerlo sin suponer que nos conviene hacerlo más adelante.

El 2 de abril el ministro Martínez de Hoz anunció su plan económico. Frondizi consideró que cada uno de los capítulos de ése propósito podría representar el instrumento indispensable para una política de desarrollo económico. En su segundo memorándum, del 19 de abril, analizó el diagnóstico ministerial, destacando su coherencia y pragmatismo: "El plan se presenta no como un mero paquete de medidas sino como un todo integral, cuyas partes se suponen recíprocamente". Para Frondizi, la Argentina había dado

un paso adelante de gran importancia al descartar buena parte de los manejos populistas que condujeron a la actual situación límite. El solo cambio de rumbo tiene gran valor aunque debe tenerse en cuenta que no basta un giro parcial en el camino que se venía recorriendo. Hace falta aquí un cambio total.

El 28 de abril, en carta dirigida a los militantes desarrollistas, Frondizi explicaba el porqué del apoyo dado al gobierno, al que consideraba revolucionario por haber abierto las compuertas para que las fuerzas reales de la sociedad argentina comenzaran a expresarse;

si logran hacerlo, aun por las vías menos formales, el país emprenderá el camino del cambio de estructuras indispensables para superar el empobrecimiento progresivo, los conflictos sociales y la amenaza cierta de la desintegración.

No obstante el decreto que prohibía la actividad política o gremial, Frondizi apostaba a un futuro al servicio de la normativa nacional:

La suspensión de la actividad partidaria dispuesta por el gobierno militar es un hecho positivo en tanto apunta contra la partidocracia que tiene una alta cuota de responsabilidad de lo que ha ocurrido en el país. Y es positiva en tanto los sectores menos ligados al electoralismo, los más vinculados a los problemas concretos de la sociedad argentina, tendrán mayores posibilidades relativas de desenvolvimiento.

Las desapariciones

En tanto, la retahíla de atentados sangrientos efectuados por la guerrilla dio pie a una tarea de acorralamiento por parte de las fuerzas regulares, que en su accionar represivo apelaron a procedimientos extremos. Esa metodología fue denunciada por los representantes de la Asamblea Permanente por los Derechos Humanos, Oscar Alende, Raúl Alfonsín, Alicia Moreau de Justo, Alfredo Bravo y el obispo Jaime de Nevares quienes, conjuntamente con los persistentes reclamos de las Madres de Plaza de Mayo, dieron origen a la expresión "desaparecidos".

Años más tarde, cuando se le preguntó cuál había sido su criterio frente al problema de los desaparecidos, Frondizi respondió:

> Hemos reclamado reiteradamente que se dé una explicación completa a los familiares sobre la situación de los "desaparecidos". Esa explicación es necesaria para restablecer la convivencia, aun cuando no va a reparar las pérdidas sufridas. Es indispensable que el gobierno reconozca explícitamente que cometió excesos durante la guerra antisubversiva y que se comprometan formalmente las Fuerzas Armadas a no volver a cometerlos en el futuro, en el caso en que –Dios no lo quiera– debamos enfrentar nuevamente la agresión subversiva.

Críticas y aportes a la política económica

La conducción económica se había negado a adoptar las medidas de fondo que, en opinión de Frondizi, debían incluir la racionalización del sector público y la promoción de la inversión y el desarrollo. En su memorándum N° 3, del 4 de setiembre de 1976, alertaba Frondizi sobre la inviabilidad de la política económica de la que el Presupuesto era una prueba palpable.

> La magnitud del déficit configura una situación cualitativamente distinta de la que debieron afrontar anteriores conducciones económicas. Estamos ante una situación inmanejable con los procedimientos que han sido habituales hasta el presente. La brecha es demasiado ancha para que pueda ser "cubierta" con recesión. Si no hay un cambio, ésta desembocará en conflictos sociales generalizados y en formas de violencia colectiva totalmente distintas de la actual subversión.

Frondizi trataba de evitar que un nuevo fracaso en la conducción trajera aparejado el desaliento de la población con la caída inevitable en la disgregación nacional. Sus críticas tendían a la corrección de medidas para impedir una inflación incontrolable porque "los remiendos presupuestarios o impositivos se agotan al poco tiempo".[1]

El fallecimiento de Elenita

El jueves 19 de agosto de 1976 deparó a Frondizi un golpe del que no se recuperaría jamás. Ese día, tras sufrir una larga y penosa enfermedad que enfrentó con admirable resignación, falleció su única hija, Elenita.

Profesora en Ciencias de la Educación, graduada en la Facultad de Filosofía y Letras de la UBA, se había dedicado con fervor a la educación infantil. Elenita acompañó al doctor Frondizi en distintos viajes, lo que le permitió imbuirse de lo más avanzado en materia educacional. Las investigaciones llevadas a cabo en centros pedagógicos del exterior contribuyeron a convertir al instituto y jardín de infantes "La casa de los niños" en un modelo en su género.

Casada con el doctor Franco Seghetti, tuvo dos hijos, Marina y Diego, en quienes los abuelos volcarían todo su cariño.

Se denuncia la recesión

El 8 de noviembre de 1978, Frondizi urgió rectificaciones de la orientación económica, de la que dijo:

> Es negativa no sólo porque ha fracasado rotundamente en su propósito de contener la manifestación externa de la inflación, sino porque su acción está destruyendo partes vitales del aparato productivo.

Frondizi se sentía obligado a puntualizar su preocupación y desacuerdo con la forma en que era conducido el proceso. No quería poner obstáculos sino contribuir al éxito de las Fuerzas Armadas.

El presidente Jorge R. Videla, en el discurso que pronunció al cumplirse en febrero el tercer aniversario del Operativo Independencia, reconoció que virtualmente se habían eliminado las expresiones armadas del extremismo, aunque la subversión recurriría a otras formas y procedimientos. Para Frondizi, esa resonante victoria, si no quería aparecer como un paliativo, debía arrancar los motivos de lo conflictivo, instalados en el terreno económico-social. Pero, lamentablemente, se marchaba en dirección inversa con la invasión de productos de importación destructivos de la producción nacional.

Era la recesión más grave que se registraba desde la crisis de 1930, y lo más desolador era que el país se había "latinoamericanizado", pero no en el sentido de identificarse "con los intereses y las metas de los países hermanos, sino en el de semejarnos con los rasgos más dramáticos de la pobreza y el subdesarrollo". Frondizi instó a aplicar una política que orientara al capital nacional y extranjero hacia estrategias de desarrollo enmarcadas en un real proceso de apertura.

Pronunciamientos políticos

En el terreno político, Frondizi proponía normalizar la situación de los detenidos al superarse el flagelo subversivo y abrir el diálogo con dirigentes sociales y partidarios. La constitución de un movimiento nacional era, nuevamente, la tarea que debían asumir todos para "poner fin al calvario y retomar el camino de la plena realización nacional".

El Episcopado Argentino también fijó sus puntos de vista en relación con la situación nacional. Los obispos, que deliberaron en San Miguel con la presidencia del cardenal Raúl Primatesta, elaboraron un documento en el que señalaban la necesidad de "terminar con la afligente situación de las familias de menos recursos. La situación de muchos es hoy realmente difícil, el sacrificio que se les pide se torna con frecuencia heroico". Pero fueron más allá al pedir "un régimen de legalidad jurídica plena" que evitase lesiones a la libertad, que impidiese "los desbordes de la represión" y que proscribiese "los apremios violatorios a la integridad y dignidad del hombre". Por último, reclamaron que "se diga una palabra esclarecedora a las familias de los desaparecidos" para lograr la tan ansiada reconciliación nacional.

Al mismo tiempo, uno de los dos nucleamientos en que se había dividido el movimiento obrero –los "25"– declaró el estado de alerta en rechazo de la política económica y en defensa del salario.

En contraposición con este clima negativo, el afán consumista se había visto acrecentado en cierto sector de la población por el aparente valor del dinero. Eran los tiempos de la "plata dulce", posibles por la "tablita" del dólar. Esta ficticia situación no condecía con los problemas de fondo generados por una invasión de productos del exterior que empujaban a la quiebra a los empresarios nacionales.

En busca de la paz

Mientras tanto, la tensión con Chile por el diferendo limítrofe del Beagle amenazaba con culminar en un enfrentamiento bélico. Frondizi y el dirigente justicialista Eloy Camus habían dirigido un mensaje al país el 6 de enero, señalando que estaban dispuestos a cerrar filas en defensa de la soberanía territorial amenazada.

Afortunadamente, la firma del Acta de Montevideo el 8 de enero de 1979 entre los cancilleres de Argentina y Chile y el representante del Pontífice, cardenal Antonio Samoré, al establecer la búsqueda de una solución pacífica del conflicto, con la mediación de Su Santidad Juan Pablo II, aventó el peligro de guerra.

Una urgente rectificación

En un reportaje que efectuó el diario *Clarín* a ex presidentes –Illia, Lanusse y Levingston–, Frondizi reiteró: "Nosotros seguimos apostando al éxito del actual proceso pero exigimos una rectificación de la actual política económica cuyo mantenimiento es un grave error". Y afirmó no estar seguro de que la política del ministro de Economía fuese la de las Fuerzas Armadas:

> Una política que desarma a la industria y al trabajo nacional frente a la importación no puede ser la política de instituciones donde se formaron Richieri, Savio y Mosconi. [...] estoy persuadido que hay un proceso muy rápido de maduración y confío en un cambio antes que sea tarde. Antes que las Fuerzas Armadas deban cargar con la responsabilidad del plan, antes que haya un reflujo del antimilitarismo y de todo lo que ha sido triste experiencia para los argentinos.

Su discurso careció de implicaciones electoralistas, contrastando con lo que solicitaban otras organizaciones políticas; "sólo cuando estén en marcha las medidas fundamentales para superar la crisis –solamente en marcha, no ejecutadas por completo– el cuadro social y político cambiará sustancialmente"; entonces sí sería posible dar un vuelco "en favor de la renovación de los cuadros dirigentes y en favor de una democracia representativa y operante para encarar los problemas nacionales".

Discrepancias con Videla

El 28 de diciembre de 1979, el MID difundió el documento "El país y las bases políticas", en el que analizó las propuestas dialoguistas formuladas por el gobierno del general Videla. Allí se señalaba que las bases difundidas por las autoridades no se ocupaban de un cambio de la política de fondo y, al mantener la orientación social vigente, estaban destinadas al fracaso al igual que el diálogo propuesto, que resultaría difícil e inútil. Las críticas se acentuaron en el área de la economía.

El gobierno siguió impertérrito con su política. En abril de 1980, el Presidente de la Nación presentó una declaración optimista, en la que pasó revista a los primeros cuatro años del Proceso de Reorganización Nacional. Frondizi creyó necesario contestar sus expresiones y lo hizo con el documento "Frondizi responde a Videla", del 12 de abril.

Con indicadores reales y estadísticas fundamentadas, Frondizi demostró al Presidente que estaba aplicando un modelo económico contrario a los intereses nacionales. El endeudamiento del sector público, las dificultades bancarias y financieras, el tipo de cambio para el dólar que, atrasado en un 40 por ciento, provocaba distorsiones en el proceso económico; los salarios congelados, entre otros efectos negativos, contradecían a Videla cuando afirmaba que el gobierno combatía al nocivo estatismo. En cuanto al superávit comercial, afirmaba Frondizi:

> [...] no lo utilizamos para nuestro desarrollo, lo perdimos como consecuencia de la actual política que, entre otros derroches, ha posibilitado que, en adquisiciones de inmuebles y en turismo, Brasil haya recibido una cifra cercana a los 800 millones de dólares en sólo el pasado verano. El total de los egresos por turismo desde 1978 a la fecha, alcanza a 4.000 millones de dólares.

La inflación, cuya reducción había sido presentada como un logro, seguía existiendo y, "cuando se produzca el verdadero sinceramiento que más tarde o más temprano habrá que producir para no paralizar el país, la inflación mostrará su verdadera faz". El panorama era desalentador:

> La caída de la actividad no es sólo respuesta del cuatrienio anterior, en los cuatro años de la actual gestión se registró la tasa de crecimiento más baja de todos los cuatrienios desde la crisis mundial de 1930.

También la educación, con altos índices de deserción, y la salud y la vivienda habían experimentado un sensible deterioro. La política exterior distanciada de los verdaderos intereses nacionales y una libertad de expresión coercionada, sumadas a los déficit anteriores, eran factores que, según Frondizi, dañaban al país y a las Fuerzas Armadas.

Este pronunciamiento recibió la adhesión unánime de dirigentes empresariales, sindicales y políticos de distinta extracción, que se unieron a su pedido de revisión de la política vigente. Entre los funcionarios gubernamentales, se produjeron reacciones contrapuestas. En el aniversario de SOMISA, su presidente, el general Horacio Aníbal Rivera, se refirió a la conveniencia de que el país produjera su propio acero como factor de desarrollo. En cambio, el secretario de Comercio y Negociaciones Internacionales, licenciado Alejandro Estrada, defendió el liberalismo a ultranza cuando, interrogado acerca de la visión industrial del equipo económico, respondió: "Queremos un modelo de país moderno, de sociedad occidental de igualdad de oportunidades; si produce golosinas o si se dedica a la siderurgia, eso lo irá diciendo la economía".

NOTA

1. Frondizi, Arturo: "Memorándum N° 4" del 18 de diciembre de 1976.

La presidencia de Viola

El 29 de marzo de 1981, el teniente general Jorge Rafael Videla fue reemplazado en la Presidencia por el general Roberto Eduardo Viola, sin que se alteraran las conductas ni la fisonomía del país.

En medio del deterioro y descrédito del oficialismo, el 29 de julio se reunieron, convocados por la UCR, justicialistas, desarrollistas, democristianos e intransigentes, para oficializar la Junta Multipartidaria. Su propósito no era ir contra nadie, y sus decisiones podían servir incluso al Proceso porque, en el peor de los casos, los militares conocerían "cómo piensa ahora la mayoría del país y eso es siempre útil a los gobernantes".

La Multipartidaria se convirtió en un núcleo dinámico dentro del proceso político. Sus integrantes mantuvieron su fisonomía dentro de la diversidad porque no era una alianza electoralista sino una convocatoria a todos los sectores para plantear soluciones concretas. El documento formulado por la "Comisión de los 5" no planteaba una antinomia cívico-militar sino que exigía el sinceramiento de la economía y la reversión de la tendencia impulsada durante la gestión de José Alfredo Martínez de Hoz, que permanecía bajo su sucesor, Sigaut.

La Iglesia respaldó la propuesta multipartidaria y, tras una reunión mantenida con los obispos, Frondizi señaló que, después de veinticinco años de distanciamiento, emprendía una acción común con el radicalismo para afrontar la crisis imperante en la Nación.

El 28 de agosto de 1981 el MID dio a conocer el documento "La realidad argentina de hoy y el ministro Sigaut". El texto –firmado por Frondizi– decía en uno de sus párrafos que el reciente mensaje del ministro de Economía confirmaba la existencia de un criterio continuista que había hecho desvanecer las expectativas de cambio de orientación surgidas con su designación.

Esto dio pie a una operación emprendida por quienes lo combatían para generarle problemas con el gobierno. La revista *Somos,* en setiembre de 1981 publicó una nota de tapa titulada "Viola versus Frondizi", en la que apuntaba que el MID cuestionaba las políticas de los ministros para socavar a la conducción gubernativa.

Galtieri y la guerra de Malvinas

El ciclo de Viola llegaba a su fin. Se reproducían los trascendidos sobre su estado de salud y la línea sucesoria, mientras sus allegados denunciaban una campaña para desestabilizarlo. Finalmente, Viola delegó el mando, el 21 de noviembre, en el general Horacio Tomás Liendo. Y el 22 de diciembre, el comandante en jefe del Ejército, Leopoldo Fortunato Galtieri, asumió la Presidencia.

El doctor Roberto T. Alemann ocupó la cartera de Economía hasta el 2 de julio de 1982, cuando fue reemplazado por José M. Dagnino Pastore.

El 2 de abril de 1982, una noticia sacudió los sentimientos y convicciones de la ciudadanía: se había efectuado el desembarco en las Islas Malvinas y el general Mario B. Menéndez asumía la autoridad en la región.

Pocos días antes, el 30 de marzo, una importante manifestación organizada por la CGT Brasil, con Saúl Ubaldini al frente, había expresado su oposición a la política salarial impuesta por la administración nacional. La policía había reprimido con dureza a los presentes en la Plaza de Mayo. Ahora, una multitud entusiasta aplaudía en la misma plaza al general Galtieri quien restituía a la República una tierra reclamada con justicia desde 1833. Los argentinos olvidaban su grave malestar económico llevados por su fervor patriótico.

Pero una voz reclamó prudencia: era la de Arturo Frondizi. Sin retroceder de su defensa de nuestros derechos soberanos, anteponía la razón y las frías normas de la diplomacia a los sentimientos.

El gobierno había llevado al país a una guerra sin preparación militar previa y sin el respaldo económico y político necesario para afrontar el conflicto, confiando en la aplicación del Tratado Interamericano de Asistencia Recíproca. Frondizi había objetado su aprobación en las sesiones de la Cámara de Diputados de junio de 1950; estaba convencido de que el TIAR sólo cumpliría su cometido de defensa continental en la medida en que no afectase la preservación del área de influencia de la superpotencia occidental. El comportamiento de los Estados Unidos durante el conflicto confirmó esta presunción. Y el hecho fue que el gobierno llevó al país a una catástrofe de alienaciones político-económicas, cuyas consecuencias siguen gravitando negativamente sobre la Nación.

"Aporte del MID a la consolidación de la soberanía"

El 22 de abril, bajo el título "Aporte del MID a la consolidación de la soberanía", el desarrollismo presentó un documento en el que fijaba su posición sobre la situación nacional enmarcada en el conflicto con Inglaterra. En su libro *Qué es el MID,* Frondizi se refirió al tema de las Islas Malvinas y demás territorios del Atlántico Sur y a este documento:

> Nuestro partido advirtió, en su momento, sobre los riesgos que se corrían con el operativo militar cuando era muy difícil hacerlo, pues desde el gobierno y los medios de comunicación masivos se confundía a la opinión pública con la explotación de un legítimo sentimiento nacional, en tanto gran parte de las dirigencias políticas renunciaron a un análisis objetivo que las hubiera enfrentado al gobierno.

Efectivamente, la declaración del MID del 22 de abril decía:

> Sería absurdo suponer que en la Argentina hay quienes no apoyen la recuperación, pero así como la apoyamos queremos distinguir entre la acción de las Fuerzas Armadas, teñida ya de coraje y de sangre, respecto de la decisión política del gobierno.

Luego planteaba interrogantes fundamentales que se acentuaron a medida que se desarrollaba el conflicto en el Sur. Preguntaba si se había evaluado la relación de fuerzas internacionales y las consecuencias económico-sociales del conflicto, y si se había reflexionado sobre los riesgos de romper la coherencia entre la posición estratégica del país y el campo occidental en el que estaba ubicado.

> Esclarecer esas cuestiones es indispensable para respaldar la acción de nuestras Fuerzas Armadas y de nuestra diplomacia, esto es para la reconstrucción política y económica durante una etapa que aun cuando desde ahora no se dispare un solo tiro, será de guerra y posguerra.

Finalmente, proponía un programa de emergencia para superar la crisis y atacar la inflación en su causa,

> que es la insuficiencia de la estructura productiva y el déficit del sector público [...] La situación militar y diplomática no debe abandonar ambos objetivos porque está visto que hacerlo ni siquiera posterga los problemas sino que agudiza a la vez la inflación y la recesión.

El documento fue formulado en una total soledad, ante la desinformación de la población y el fomento de un triunfalismo que necesariamente alimentaría a la frustración.

La misión pacificadora de Juan Pablo II

Cuando se hablaba de la proximidad de una dramática batalla en Puerto Argentino llegó al país, el 11 de junio, Su Santidad Juan Pablo II para traer su palabra de fe y formular un llamamiento pacificador. Su visita, interpretada como una compensación del viaje que en misión ecuménica había realizado al Reino Unido, tuvo una dimensión trascendente.

En plena guerra, el 12 de junio, dos millones de voces, ante el altar erigido en los jardines de Palermo, elevaron al cielo una unánime invocación: "queremos la paz". El Pontífice marcó la diferencia entre pueblo y gobierno. Durante su estancia en la casa Rosada sólo dispuso de diez minutos de intimidad con la Junta para transmitirle su mensaje personal. En cambio, tuvo especial interés en preguntar, antes de cada presentación, "¿dónde se ubicará el pueblo?".

Para Frondizi,

Juan Pablo II dejó un mensaje que los argentinos debemos aprovechar sin deformaciones, necesitamos de la paz para reconstruir la Nación en todos sus aspectos e incluso para algún día reivindicar con éxito las islas irredentas.

Finalmente, se produjo la rendición de las fuerzas argentinas en Malvinas. Más allá de sus críticas al gobierno por el carácter aventurero de su operación militar, Frondizi quedó profundamente conmovido por el patriotismo y denuedo de una juventud cuyo sacrificio no pudo recoger los frutos de la victoria sino que, por el contrario, sufrió el desengaño ante la indiferencia de las autoridades.

En 1993, la Federación de Veteranos de la Guerra de Malvinas y la Municipalidad de la Ciudad de Buenos Aires firmaron un convenio creando un centro educativo de nivel secundario para veteranos de la guerra de las Malvinas y su grupo familiar. Su director, Enrique Daniel Rodríguez Masdeu, al carecer de la estructura necesaria para la iniciación del curso lectivo, solicitó al doctor Frondizi el ámbito del Centro de Estudios Nacionales.

El ex presidente nos encomendó a quienes estábamos a cargo de la dirección del CEN que dispusiéramos de todo lo necesario para hacer efectiva la solicitud. Salas, la mapoteca, la biblioteca, fueron el aporte de la institución para que funcionara allí el centro educativo, cuyos cursos se inauguraron el 8 de marzo de 1993.

Bignone: el fin del Proceso

Con la derrota militar el relevo de Galtieri era un hecho. Su caída llegó como consecuencia de numerosos cónclaves realizados por los altos mandos de cada fuerza. En el Ejército el caso fue cerrado por abrumadora mayoría: doce de los catorce generales del Estado Mayor levantaron su mano por un No cuando se planteó la eventualidad de seguir el estado de beligerancia.

El 17 de junio el general Galtieri debió renunciar y, tras el interinato del general Américo Saint Jean, el 1° de julio asumió la Presidencia el general Reynaldo Bignone, cuya meta sería constitucionalizar el país, a más tardar en marzo de 1984.

Durante su gobierno predominó una inquietud política que se canalizó hacia los partidos, que comenzaron a organizar sus cuadros. El 16 de diciembre de 1982 una verdadera muchedumbre concurrió a la "Marcha del Pueblo por la Democracia y la Reconstrucción Nacional", convocada por la Multipartidaria. Pero esa unidad en la calle no se transformó en predisposición de la dirigencia a componer un frente electoral.

El MID, firme en su concepción estratégica, no favoreció una fórmula presidencial única de la Multipartidaria. Frondizi sostuvo que esta agrupación podía jugar un rol muy importante, a condición de que los integrantes de los diversos partidos comprendieran cuál era la verdadera profundidad de los problemas que afrontaba el país ante la concertación propuesta por el oficialismo y aplicaran el programa de diciembre de 1981.

Existían tres cuestiones que debían ser aclaradas por el gobierno para registrar un cambio de fondo: el modelo económico instituido desde 1976, el tema de los desaparecidos y la operación militar de Malvinas. Si no se atendían esos reclamos, las intenciones de entregar el gobierno podían verse amenazadas. Frondizi se refirió en particular a cada una de esas materias. En el terreno económico,

si Bignone enfrenta los problemas y busca las soluciones –dijo– estará constituyendo su propia estabilidad. Si no lo hace, estará creando condiciones que conspiran contra su permanencia en el poder.

En cuanto a los desaparecidos, precisó:

Es un problema que debe resolverse ahora. Por una parte es un reclamo de los familiares, a quienes deben dárseles todas las explicaciones que correspondan. Por otra, es tema que no tiene que gravitar en el futuro gobierno y que no debe ser instrumentado políticamente, pues ya es suficientemente doloroso para toda la comunidad nacional.

Respecto de las consecuencias de la guerra de Malvinas, Frondizi opinaba que el aislamiento internacional finalizaría si la Argentina realizaba su destino histórico; en tal caso, "no habría campaña alguna que pueda deteriorar su posición en el mundo".

Finalmente, Frondizi exigió una urgente salida política:

> Como el gobierno no tiene legitimidad alguna para permanecer, hay que convocar a elecciones lo más pronto posible y traspasar el poder pero no debe prorrogarse ni un día más el modelo económico y social en vigencia.[1]

Un clima conflictivo

Durante el gobierno de Bignone la situación internacional se agravó al punto que recrudecieron los rumores belicistas originados en los problemas limítrofes con Chile. El Vaticano urgió a una reunión de los negociadores para impedir que estallaran nuevas hostilidades.

Estaban abiertos en la zona austral dos focos de alta tensión: el de las islas Malvinas, que no podía resolverse sino a través de una gestión diplomática, y el del canal de Beagle. Refiriéndose a este último, Frondizi señaló: "No se vislumbra qué objetivo nacional concreto puede beneficiarse hoy con nuevas dilaciones en la solución del caso", y reclamó la aceptación de la propuesta formulada por Juan Pablo II el 12 de diciembre de 1982, ad referéndum del futuro gobierno constitucional; lo contrario sería entrar en un punto de no retorno hacia una salida de fuerza.

Un gran acusador

En medio de este clima de recalentamiento belicista, las Fuerzas Armadas dieron a conocer un informe oficial sobre la guerra contra la subversión que mereció un repudio generalizado en el país y en el exterior. El desarrollismo puntualizó que carecía del principio elemental con el que debió concebírselo: la verdad. Aunque se reconocía el carácter necesario de la lucha contra la subversión y se aceptaba la corrección del relato referido al accionar extremista, las críticas apuntaban a la ausencia de precisiones respecto de las violaciones a los derechos humanos y al destino de los desaparecidos.

Hoy difícilmente se menciona a Frondizi cuando se habla sobre el tema de los desaparecidos. Sin embargo, él fue un gran acusador y lo hizo en forma pública y privada. Puedo testimoniar que a la salida de la Catedral, tras un oficio religioso, se acercó a un oficial de alto grado y le dijo:

–Ustedes tendrían que ir hasta el altar mayor y, de rodillas, solicitar perdón por los crímenes que han cometido.

En una nota publicada en *Tiempo Argentino* el 27 de noviembre de 1982, se había referido al tema en estos términos:

> Durante mucho tiempo he recibido a madres angustiadas que venían a verme en busca de una palabra que engendrara una esperanza. Durante mucho tiempo también, hablé con civiles y militares, investigué, pedí que la razón volviera por sus fueros. Como dice el Eclesiastés, "hay un tiempo para todo". En todo ese tiempo, el equilibrio del país era muy inestable. El terrorismo, una enfermedad que parece extenderse por todo el mundo, nos puso al pie de la guerra civil y los cimientos de nuestra sociedad se conmovieron hasta el fondo. Una lucha por sostener la República podía ser comprensible. Pero los métodos fueron descontrolándose. Es difícil ver con claridad hasta que se toma distancia. Pero es muy grave que, cuando esa distancia se toma, no se vea con claridad. "Calificar" lo que se hizo ya sirve para poco. Lo que sí sirve es "clasificar" lo que se hizo.

Los partidos en campaña

La apertura dispuesta por el gobierno impulsó a los partidos políticos tras una espera de más de seis años, a aglutinar a sus simpatizantes en torno de posibles candidaturas.

La muerte del ex presidente y figura consular del radicalismo Arturo Illia, el 18 de enero de 1983, permitió a Raúl Alfonsín ganar espacios rápidamente dentro de la UCR; el 30 de julio de 1983 se proclamó la fórmula presidencial Raúl Alfonsín-Víctor Martínez.

Dentro del justicialismo, protagonista predominante fue Herminio Iglesias, candidato a gobernador de Buenos Aires, representante de un sistema político del más crudo cuño populista. El doctor Italo A. Luder, que integraba la fórmula presidencial con Deolindo Bittel, trataba de dar la imagen de un peronismo renovado, alejado del folklorismo que pretendía resucitar Iglesias.

El Movimiento de Integración y Desarrollo presentó al binomio Rogelio Frigerio-Antonio Salonia. Si bien la idea frentista seguía siendo el móvil del MID, en esta oportunidad enfrentó independientemente el proceso electoral en el ámbito nacional. No obstante, en la provincia de Buenos Aires apoyó la candidatura de Herminio Iglesias constituyendo un frente electoral con quien era presidente del Partido Justicialista bonaerense. Esta alianza fue objetada por núcleos desarrollistas como el liderado por Alfredo Vítolo (h), lo que permitió presuponer la intromisión del MID en cuestiones internas del justicialismo.

La aparente contradicción que planteaba la alianza Frondizi-Iglesias fue explicada por aquél para aplacar las lógicas inquietudes de sus correligionarios:

No hacemos frentes con hombres sino con partidos que confluyan en un programa mínimo de coincidencias; Herminio Iglesias puede abrazarse con los dirigentes de la Sociedad Rural o preconizar la derechización del peronismo, pero con nosotros acepta puntos programáticos que dan vigencia a la plataforma frentista.[2]

El 30 de octubre se realizaron las elecciones que dieron la victoria a la UCR con 7.659.530 votos contra 5.936.556 del binomio justicialista. Le siguieron el Partido Intransigente con Oscar Alende, con 344.434 sufragios y el MID con 179.589.

NOTAS

1. *El Nacional*, Año V, N° 229, 20 de diciembre de 1982 al 20 de enero de 1983.
2. Boimvaser, Jorge: "Frondizi y los suyos", en *La Prensa*, lunes 28 de enero de 1985, pág. 5.

El 7 de diciembre, ambas Cámaras del Congreso Nacional reunidas en Asamblea proclamaron formalmente la fórmula presidencial Raúl Alfonsín-Víctor Martínez. El triunfo de Raúl Alfonsín contó con el entusiasta apoyo de la juventud, que ocupaba nuevamente un lugar destacado dentro de las estructuras partidarias. En todo el país la euforia que despertó el regreso a la democracia ganó a las multitudes, que concedieron un amplio crédito al nuevo gobierno. Los problemas acumulados en décadas de autoritarismo, desidia e ineficacia, cedieron paso a la ilusión.

A partir del 10 de diciembre, el gobierno encaró varias medidas con el propósito de encauzarse dentro de las normas legales; así, inició acción penal contra siete dirigentes subversivos y contra los integrantes de las tres primeras juntas militares del Proceso. Asimismo, creó la Comisión Nacional sobre la Desaparición de Personas (CONADEP), presidida por Ernesto Sabato, para aclarar un problema lacerante: el de las víctimas de la represión. Al respecto se preguntaba Frondizi:

> ¿Existió alguna CONADEP para los subversivos? No, porque los subversivos estaban justificados, entonces no hacía falta investigarlos.

En conversaciones mantenidas antes de la asunción del mando, en el domicilio particular del doctor Frondizi, éste había señalado a Alfonsín el estrangulamiento de la economía y la necesidad de revertir ese caótico cuadro productivo que cada día sumergía más al país. El nuevo presidente, en su primera conferencia de prensa, el 12 de enero de 1984, reconoció públicamente las dificultades económicas que se presentaban a su gobierno:

> La situación que hemos heredado es grave. Conocíamos en líneas generales lo que ocurría en el país, pero la realidad aún parece más dura.

Según versiones informales recogidas por Jesús Iglesias Rouco y publicadas en *La Prensa* el 2 de noviembre de 1983, Alfonsín, al iniciar conversaciones para formar su gabinete, había ofrecido a Frondizi el cargo de ministro de Relaciones Exteriores, por entender que se trataba "del político argentino más solvente en ese tema y también el más apreciado en las capitales del Oeste". Frondizi agradeció su postulación pero no aceptó porque prefería mantener su libertad de acción y seguir con sus críticos aportes para precisar los cambios necesarios en la comunidad nacional. No obstante, comprometió sus esfuerzos para concretar una reversión en las relaciones con los Estados Unidos y Europa occidental, dados los sólidos vínculos que mantenía con líderes de diversos países. También había declinado el ofrecimiento que le hiciera el gobernador de Corrientes, Antonio J. Romero Feris, en nombre del Partido Autonomista, para ocupar una banca en el Senado Nacional.

Entrevista con Tróccoli

El 29 de octubre, pocos días antes de las elecciones, Frondizi había manifestado al diario *Il Tempo,* de Italia, su escepticismo sobre la posibilidad de salir rápidamente de la crisis. Percibía que ni peronistas ni radicales podían establecer una gestión sana sin dar concesiones a las exigencias del populismo o del nacionalismo que impulsaban a las dos fuerzas en pugna.

Alfonsín, ante el cuadro que presentaba la Nación, se dispuso a reanudar contactos con la Multipartidaria, a la que consideraba un instrumento necesario para fortalecer el régimen constitucional, por su pluralismo político. Con este propósito, el ministro del Interior, doctor Antonio Tróccoli, inició las conversaciones para llevar al Presidente una suerte de síntesis del pensamiento sustentado por los integrantes del organismo que, según sus palabras, "si había servido para las malas, debía servir para la reconstrucción del país". En ese marco se inscribió la reunión que mantuvo con Arturo Frondizi en su domicilio del barrio de la Recoleta.

–Lo importante del doctor Frondizi –dijo Tróccoli– es que está en la tarea del diálogo, pero, además, de gran colaboración en defensa del orden constitucional; a partir de allí, sus discrepancias y distintos puntos de vista forman parte de este debate que tanto necesita el país.

Al término de la entrevista, sostuvo que había sentido la obligación de requerir la opinión de

> un hombre importante de la República, no solamente de la primera línea de la política argentina, sino también de un ex presidente, es decir, de una inestimable experiencia y una visión del país que va más allá del bien y del mal [...] nosotros estamos dispuestos a aprovechar esa riqueza, experiencia y talento, y por eso consultaremos sus opiniones para conocer sus puntos de vista, que adoptaremos o no; pero que siempre tendremos presente, pues él ha estado antes que nosotros en estas peripecias de tratar de salvar al país.

Problemas económicos

Frondizi sabía que no bastaba invocar la unidad de todos: "quedan en pura retórica los reclamos a la unidad que no van acompañados de políticas concretas capaces de modificar la realidad".

La economía era primordial para el encauzamiento de la Nación, y los planes anunciados por el ministro Bernardo Grinspun no aportaban la solidez esperada y suscitaban poco entusiasmo entre la ciudadanía. La cuestión principal era que el alfonsinismo triunfante fuese capaz de ejercer el poder emergente de la victoria electoral. Se imponía una cirugía mayor y de urgencia: la reducción, racionalización y privatización del inmenso complejo estatal que asfixiaba a la economía nacional y empobrecía al grueso de la población.

Pero a "los cien días de la democracia", la exaltada palabra del Presidente en Plaza de Mayo no tomaba en cuenta que habían comenzado a brotar toda clase de problemas, desempleo y progresiva paralización de la actividad productiva. Seguía con la euforia del pronunciamiento electoral y con los principios enunciados en el preámbulo de la Constitución Nacional.

La dilatada negociación con el Fondo Monetario Internacional, pese a la remanida muletilla de "no aceptaremos programas recesivos", no daba paso a medidas concretas para afrontar una situación extremadamente crítica. El memorándum girado al Fondo por el gobierno prenunciaba, para Frondizi,

> la caída de los salarios, el incremento de los gastos del Estado y, en consecuencia, mayor presión impositiva, mantenimiento de tasas de interés confiscatorias correlacionadas en su evolución con la tasa de devaluación de la paridad cambiaria. Estos datos presagian un panorama de mayor recesión y mayor inflación. [...] Siguen operando los mismos intereses que prevalecieron en el pasado reciente. Esto es constatable fácilmente y ocurre por más que el propio señor presidente desee que ocurra otra cosa. De él depende que todo siga como está o que entremos en un proceso genuinamente democrático, lo cual, esto último, implica que se aplique una política de Desarrollo Nacional.

Mientras la CGT y las principales organizaciones patronales del país daban a conocer un documento de contenido realmente revolucionario y los paros del sector obrero mostraban el desequilibrio general, el ajuste que fue el efecto del pacto Grinspun-FMI alejaba cualquier posibilidad de inversiones en el país.

La propuesta desarrollista

En diciembre de 1984, el MID dio a conocer una declaración titulada "La crisis un año después", en la que criticaba con severos calificativos la gestión del gobierno frente al movimiento obrero, las Fuerzas Armadas y la cuestión de las violaciones de los derechos humanos, que presentaban un contenido revanchista. Puntualizaba que las situaciones provinciales configuraban cuadros de extrema pobreza, y diagnosticaba:

> En ese marco afloran brotes que, so pretexto de hablar de federalismo, en realidad esconden tendencias hacia la disolución de la Nación. En la Patagonia, en Cuyo, en el norte, incuban propuestas que entrañan una quiebra de los lazos de solidaridad nacional y pueden eclosionar en el futuro, en conexión con dificultades externas e internas que deba afrontar la Argentina.

Frondizi, el 1° de febrero de 1985, al considerar la vinculación del gobierno con la socialdemocracia europea, adujo que la Argentina no podía aislarse ni prescindir de sus relaciones con organismos de los que formaba parte y a cuya asistencia tenía derecho como país miembro aportante de una cuota de su capital. No era acertado romper con el Fondo, sino negociar seriamente en base a un plan de expansión y no en base a un plan de recesión.

Para esclarecer más sus premisas, Frondizi y Frigerio presentaron las "Bases del programa económico-social del MID para impedir la decadencia de la Argentina". El momento era oportuno para esta argumentación porque se advertían "signos positivos en el pensamiento y en los reclamos de los empresarios y trabajadores que frente al plan de estancamiento del gobierno proponen corregir los errores del pasado y tomar el camino del desarrollo".

Si se aplicaban los doce puntos de ese documento, en el que podía descubrirse sin dificultad la antítesis existente entre las propuestas desarrollistas y la política de Alfonsín, se posibilitaba alcanzar el incremento del producto bruto, el aumento del salario real, la duplicación de las exportaciones, la estabilidad en el valor de la moneda, el afianzamiento y expansión de la empresa privada, el fortalecimiento del Estado nacional y el equilibrio y armonía en el desarrollo regional argentino.

"Si los ministros no cumplen hay que echarlos"

El deterioro del país era evidente y, ante críticas al ministro Grinspun, Frondizi aclaró:

> en primer lugar, el que está llevando adelante la actual política es el presidente Alfonsín y no el ministro Grinspun. El pueblo el 30 de octubre votó a Alfonsín

y no a Grinspun y será él quien deba dar una razón de sus actos. Durante mi gobierno las políticas se fijaban desde la Presidencia de la Nación ateniéndose a las líneas que habían sido fijadas en los discursos que yo había pronunciado como candidato [...] No acepto lo que he escuchado en muchas partes de que hay que cambiar el ministro, porque es el presidente quien debe decir las políticas concretas y si el ministro no está de acuerdo que se vaya, o si no cumple que lo eche, pero no hay que echarle más la culpa al ministro, al partido oficialista o a la oposición de los fracasos de un gobierno.

Planes fracasados

El 18 de febrero de 1985 el ministro Grinspun fue reemplazado por Juan Vital Sourrouille, pero el cambio no generó el efecto esperado. Se estrechó más aún el cepo de la recesión de los sectores productivos a través de los cortes financieros. Frondizi rechazó la posibilidad de seguir aplicando la misma política económica y reclamó un plan de estabilización que permitiera elevar el nivel de vida de la población.

En junio el gobierno estableció el Plan de Austeridad con la nueva moneda, el austral, equivalente a $1.000 o a 0,80 de dólar.

[El Plan Austral] fue el proyecto más ambicioso para equilibrar las cuentas públicas, descansó exclusivamente en el aumento de la presión fiscal, los aumentos tarifarios y los efectos del desagio. Cuestiones estas, combinadas con la caída en los salarios reales de los agentes públicos y el retroceso de la inversión. Esta estrategia sería reiterada en los numerosos planes de ajuste fiscal posteriores.[1]

El Plan Austral fue establecido en momentos en que la siembra de desconfianza y de rencores comenzaba a desahogarse, y la violencia se manifestaba en robos de comestibles y medicamentos o asaltos de diversa índole en todo el país, especialmente en el Gran Buenos Aires. Esa violencia asumió rasgos aterradores en las canchas de fútbol y en los secuestros extorsivos, y produjo un marco de inestabilidad que impedía la inversión extranjera.

Los paliativos demagógicos del Plan Alimentario Nacional –PAN–, establecido en marzo de 1984, no habían solucionado los problemas de fondo que se acentuaron en los años siguientes.

Alfonsín superó los moldes preestablecidos y las consignas nacionalistas y antipersonalistas del viejo tronco radical para proclamar desde Houston la apertura del país al capital extranjero para la explotación de los hidrocarburos. La tan combatida batalla del petróleo librada por Frondizi durante su gobierno había sido replanteada por el Presidente. Pero esto no bastaba. Con cambios en el Ministerio de Economía –Juan Carlos Pugliese y Jesús Rodríguez–, la gestión de Alfonsín siguió caracterizada por la contradicción entre los objetivos enunciados para reducir el gasto público y los hechos llevados a cabo. En junio de 1989 la hiperinflación mensual fue de 114,5%. Para Frondizi, el fracaso del gobierno no implicaba solamente el desprestigio de sus funcionarios; era un fracaso del país, un retroceso que castigaba a todos los argentinos, especialmente a los que menos responsabilidades tenían por lo que estaba sucediendo.

El Plan Austral y su sucesor, el Plan Primavera –que nunca tuvo siquiera principio de ejecución– se orientaron hacia el tratamiento de las cuestiones exclusivamente coyunturales, en el marco de una inflación creciente y del fracaso de los sucesivos intentos de estabilización.

El malestar económico se manifestó en los comicios con una baja en la representación parlamentaria del radicalismo. La inflación arreció a partir del segundo semestre de 1987 y los conflictos laborales incidieron a tal punto en las determinaciones gubernamentales, que Frondizi acusó a Alfonsín de ser el principal desestabilizador al insistir en una política que era un caos.

El Beagle

El litigio del extremo sur fue otro frente abierto durante el gobierno de Alfonsín. Para cerrarlo el camino más directo y conveniente era aceptar la propuesta papal.

Según el periodista Marcelo Mendieta, Alfonsín había buscado el respaldo de Frondizi para colaborar en la redacción de un dictamen relacionado con el problema del Beagle. La respuesta fue positiva, y sólo exigió reserva y que su nombre fuera excluido de cualquier mención a su trabajo.[2]

El 19 de octubre de 1984 se dio a conocer el tratado que, si bien otorgaba las islas Picton, Lennox y Nueva a Chile, establecía una delimitación marítima que introducía mejoras en la posición argentina con relación a los principios originales. También puso fin a la cuestión de la boca oriental del estrecho de Magallanes.

Una terrible disyuntiva dividió a la población al conocerse el texto; la antinomia guerra o paz llevó al gobierno a efectuar una consulta para ratificar en las urnas lo que debía hacer.

Los argentinos se prepararon para afrontar el plebiscito por Sí o No. El debate televisivo entre el senador Vicente Saadi, aspirante a ganar la conducción del Partido Justicialista, y el canciller Dante Caputo, por el estilo de los contendientes más que por el enfoque estratégico del problema, influyó indiscutiblemente en la ciudadanía y asestó un duro golpe al peronismo.

El domingo 25 de noviembre el pueblo votó, y pocas horas después de conocido el resultado, Frondizi emitió un comunicado al respecto:

Los argentinos vivieron una jornada de apoyo mayoritario e indubitable a la paz y se manifestaron masivamente por el cese de los conflictos que pueden amenazarla. [...] Ha llegado el momento, ahora, de proponerse la integración del extremo sur del país al cuerpo de la Nación con un plan de desarrollo que asegure la movilización de sus riquezas.

El país había dado un paso histórico. El resultado de la consulta barrió con todos los pronósticos previos y el presidente Alfonsín salió fortalecido.

Frondizi y el MID

Desde el comienzo de la intensa actividad política con vistas a elecciones de legisladores, Frondizi volvió a lanzar la necesidad de construir un frente nacional, que si bien no alteraría la situación económica, podía modificar las relaciones de fuerza existentes.

Con el propósito de impedir el cruce de líneas contradictorias en el MID, en el que afloraban núcleos disconformes con la conducción, y permitir un amplio debate interno, el 29 de noviembre de 1985, Frondizi y Frigerio presentaron sus renuncias a la presidencia y vicepresidencia, respectivamente, de la Comisión Directiva del Comité Nacional.

El 27 de diciembre de 1986, Frigerio asumió la presidencia del partido, en el que Frondizi continuó como afiliado. Pero una nueva fisura mostró la persistencia de una manifiesta dualidad que separaba el pensamiento de Frondizi del acordado por los integrantes de la máxima representación partidaria. Entre las discrepancias figuraba el enfoque dado por el ex presidente a la organización del Movimiento Nacional. Sus objetivos prioritarios eran encontrar soluciones para que fueran aplicadas desde el gobierno. Este enfoque, así como el vinculado con el procesamiento a los integrantes de las Juntas Militares, endureció las posiciones.

Frondizi, para no quebrar la unidad y evitar enfrentamientos, decidió renunciar a su afiliación para seguir machacando con amplia libertad sobre temas que consideraba esenciales para la Nación. El texto de su renuncia –elevada al presidente del Comité Capital del MID, ingeniero Mario Frigerio, el 22 de julio de 1988– explicaba:

Me llevan a tomar esta determinación, las declaraciones hechas por un dirigente que asesora a la Mesa Directiva del Comité Nacional del MID, al diario *El Litoral*. En ellas señala las discrepancias que existen entre las posiciones del Movimiento y las mías, sobre las soluciones que deben tomarse para resolver los más importantes problemas nacionales y en el análisis de las causas de estos problemas. Seguiré difundiendo mis ideas como lo he hecho siempre, respetando a los que disienten, pero sin desmayos ni claudicaciones.

Defensa de los valores morales

Ante el peligro que acechaba al país de desembocar en un proceso de "libanización" o disgregación nacional, reconocido por el propio presidente Alfonsín el 30 de marzo de 1984, Frondizi señaló la urgencia de enfrentar esos signos negativos mediante la defensa de los valores morales y de las instituciones encargadas de velar por su cumplimiento.

El Episcopado, estrechando los lazos entre el poder secular y el poder eclesial, y de acuerdo con la tarea del CELAM de defender los principios de la "Doctrina Social de la Iglesia", consideró necesario exponer su pensamiento sobre los múltiples interrogantes que se formulaba la sociedad argentina. En consonancia con su labor pastoral, precisó las exigencias y obligaciones que la realidad planteaba al Estado para preservar los principios morales de la población.

El pronunciamiento dio origen a graves embates ideológicos dirigidos a disminuir la preeminencia social de la Iglesia. Esta campaña difamatoria hizo decir a Frondizi:

> Quienes la agreden, parecerían ignorar que la Iglesia expresa el sentido espiritual de nuestra Nación y ha cumplido un papel unificador del ser nacional a lo largo de nuestra historia. Esto no ha implicado, ni implica una segregación respecto de los restantes cultos que armoniosamente conviven en nuestro país, sino un reconocimiento a la tarea evangelizadora de la Iglesia Católica, que contribuyó decisivamente a la definición de nuestro perfil nacional.[3]

La reforma de la ley de matrimonio y la consagración del divorcio vincular promulgada el 8 de junio de 1987, así como la proliferación y rápido reconocimiento de las sectas, sacudieron a las máximas autoridades de la Iglesia, porque contribuían a distorsionar la existencia misma de la familia.

Frondizi asumió una postura crítica, coincidente con los cuestionamientos de la jerarquía eclesiástica:

> La familia, célula básica donde se forman los argentinos del mañana, está expuesta a riesgos y exigencias que cuestionan su existencia. Las crecientes dificultades que enfrentan los padres para poderles dar un techo digno a sus hijos, alimentarlos y garantizarles salud y educación, conspiran contra la continuidad de la vida familiar, moral y de las tradiciones heredadas, condiciones todas para que una comunidad pueda proyectarse históricamente. Agrava esta situación la expansión aparentemente descontrolada de hábitos y costumbres inmorales, como la drogadicción y la pornografía, que atentan contra la integridad de nuestra juventud en la cual deben fincar las esperanzas de todos.[4]

El 2 de abril de 1987, la réplica desde el púlpito de la Catedral por parte del presidente Alfonsín a la homilía del obispo castrense, monseñor Medina, quien se había referido a las reservas morales de la sociedad, marcó un momento de especial dureza en la relación de ambas instituciones. Esta aspereza se acentuó cuando el sacerdote Rómulo Puiggari, el 25 de mayo del mismo año, requirió la defensa de la continuidad histórica, basada en los valores cristianos incorporados a la esencia misma de la Nación.

Las sectas y la vigencia del Estado Nacional

El crecimiento geométrico de las sectas preocupó profundamente a Frondizi. Percibía que, con la proliferación de múltiples vertientes confesionales, se consumaba una penetración doctrinal, cuyo mecanismo era dejar que el tiempo hiciera lo suyo en la captación de adherentes. Desde su punto de vista, este fenómeno representaba una penetración disimulada pero efectiva del imperialismo que debilitaba principios religiosos muy arraigados en el pueblo argentino.

Para Frondizi, los enfrentamientos de las sectas con la catolicidad no hacían sino favorecer la disgregación de la Nación, a semejanza de los partidarios de los esquemas transnacionales de las grandes corporaciones mundiales. De allí sus categóricas denuncias sobre las sectas y sus reiteradas demandas sobre la necesidad de salvaguardar la unidad y la fe religiosa, elementos inescindibles para la supervivencia del Estado Nacional.

"No es prioritario reformar la Constitución ni trasladar la Capital"

Dos iniciativas gubernativas, la reforma de la Constitución Nacional y el traslado de la Capital Federal, fueron lanzadas en momentos críticos, como resultado más de especulaciones políticas que de necesidades reales del país.

Sin lugar a dudas, la Constitución de 1853, como cualquier norma, era perfectible, pero Frondizi sostenía que toda reforma debe encararse en el momento oportuno, con un debate profundo, enmarcado en la juridicidad y apartado de tintes partidarios. Por eso, al ser consultado sobre el tema, enunció que la reforma de la Constitución no constituía una prioridad y que no era ése el momento apropiado para encararla. La Constitución –decía– no es un mero instrumento ideológico amoldable a cada orientación política; es un instrumento jurídico que bien podía llamarse pacto de unidad nacional porque preceptúa qué es lo que debe hacerse en interés de la Nación. No impide en absoluto adoptar medidas destinadas a provocar transformaciones económicas, sociales, políticas y culturales, es apta para hacer todo cuanto se necesita hacer, no obstante que a su hora deba perfeccionarse.

Otra propuesta del presidente Raúl Alfonsín sobre el traslado de la Capital Federal a la zona de las ciudades de Viedma-Carmen de Patagones, aduciendo problemas de federalismo, de necesidad de desarrollar la Patagonia y de cambios fundamentales en la administración pública, fue conocida por la ciudadanía sin un estudio de factibilidad ni una discusión previa acerca de su conveniencia.

Para Frondizi, el proyecto era contradictorio con la situación económica, no formaba parte de un planificado proyecto nacional y podía traer resultados opuestos a los que se proponía. Ese traslado debía ser el último punto de un plan de desarrollo que enfocara el conjunto del problema territorial argentino y de la política que debía seguirse al respecto: había que terminar de construir la Nación, comenzando por integrar la Patagonia, es decir, cambiar el país, no la Capital.

La creación de una capital política-burocrática donde comienza la Patagonia no asegurará de ninguna manera el progreso de esta vasta región argentina. Para ello será necesario integrarla al país, haciendo inversiones en comunicaciones, dándole la posibilidad de que usufructúe de la energía y del gas que ella misma aporta a la economía del país, tecnificando su agro y creando industrias. Realizados estos proyectos, la Patagonia no necesitará tener la Capital Federal en su territorio para asegurar el progreso y bienestar a sus habitantes y contribuir a preservar la soberanía nacional.

El proyecto, sin embargo, fue sancionado por la Cámara de Diputados el 27 de mayo de 1986, pero, al no concretarse la instalación en el Sur de la nueva capital en la fecha límite de cinco años, su vigencia se venció en forma natural.

El juicio a las Fuerzas Armadas

Apenas asumió la Presidencia, el doctor Raúl Alfonsín encaró el arduo problema militar con amplio consenso en numerosos sectores de la vida nacional. Las Fuerzas Armadas afrontaban una profunda crisis interna como consecuencia de la derrota en Malvinas y sobre ellas pendía el cierre definitivo de un ininterrumpido ciclo de desarticulación institucional que soportó el país a partir de 1930.

El Presidente anunció la anulación de la Ley de Pacificación Nacional sancionada por el gobierno militar en setiembre de 1983, un mes antes de las elecciones, y ordenó el sometimiento a juicio sumario ante el Consejo Supremo de las Fuerzas Armadas, de los jefes de las Juntas Militares. Simultáneamente decretó la acción penal contra los responsables de los grupos guerrilleros Montoneros y ERP.

Al caducar el plazo concedido al tribunal militar sin que éste dictara sentencia, el caso fue tomado por la Cámara Federal de Apelaciones de la Capital Federal donde, en juicio oral y público, en diciembre de 1985 se emitió el fallo condenatorio extendiendo el enjuiciamiento a todos aquellos oficiales que cometieron actos represivos en la denominada guerra sucia. Este fallo fue confirmado, por unanimidad, por la Corte Suprema de Justicia de la Nación.

El severo pronunciamiento contra los responsables del Proceso provocó una conmoción nacional. Se agudizó un profundo sentimiento antimilitarista y algunas declaraciones llegaban a sugerir la despersonalización del castigo para instituir una segregación punitiva extensible a las Fuerzas Armadas en su conjunto.

El 5 de diciembre de 1986 Alfonsín, por la cadena oficial de difusión, anunció un proyecto que emplazaba la presentación de denuncias por vulneración de los derechos humanos en un término de treinta días, tras el cual caducaría el derecho a reclamar justicia. El proyecto, bautizado como "Ley de Punto Final" fue remitido al Senado y posteriormente a la Cámara de Diputados, donde se sancionó el 23 de diciembre de 1986.

Tras los sucesos de Semana Santa, con el levantamiento de los militares "carapintada", se promulgó, en junio de 1987, la "Ley de Obediencia Debida". Según el presidente de la Comisión de Defensa de la Cámara de Diputados, Balbino Zubiri, "no era una amnistía, porque en ésta se borran los efectos del delito", sino una decisión que surgió de todos los sectores el domingo de Pascua en la que se acordaba distinguir el grado de responsabilidad respecto de la lucha contra la subversión. "Esta es una ley –aseguró– resultante del compromiso democrático."

Frondizi consideró indispensable dar a conocer su opinión. Lo hizo por medio de una solicitada publicada en *La Nación* el 5 de abril de 1987, con el título "Arturo Frondizi opina ante el grave problema nacional":

En estos días asistimos a los prolegómenos de un verdadero suicidio colectivo. Los enfrentamientos larvados que advertimos entre el poder civil y los militares, a propósito de los juicios a los responsables de la lucha contrasubversiva y a sus subordinados más directos, no contribuyen ciertamente a una visión optimista sobre nuestro futuro inmediato.

Todo el país sabe que pocos políticos están más autorizados que yo para hablar de presiones militares y de relaciones difíciles entre el poder político y el poder militar.

Durante los casi cuatro años de mi mandato, como presidente constitucional de la Argentina, tuve que soportar reiterados planteos y crisis militares. Finalmente, terminaron con mi gobierno. [...]

Por otra parte, y en épocas recientes, mi familia cercana pagó tributo de sangre a la demencial ordalía desatada en la década pasada, pero no creo que por ello, y en razón de un sentimiento de angustia que he experimentado como tantos otros a los que el destino puso a prueba, esté moralmente autorizado a perder toda objetividad en los juicios que, como hombre público, estoy obligado a formular acerca de la historia de mi país.

[...] los conflictos entre los hombres, cuando comprometen las instituciones, deben enfocarse tratando de resguardar a estas últimas, por encima de los enconos y resentimientos. He aprendido también, que la justicia no está desvinculada de su contexto y que una misma acción debe ser valorada según las intenciones de sus autores y no según el esquema desnudo de los comportamientos y las decisiones. [...]

Hoy contemplo con perplejidad cómo los hechos van anudando cierta aventurada coyuntura histórica donde [...] un número excesivo de jefes y oficiales pueden verse condenados por haber cumplido órdenes de guerra en una guerra revolucionaria, tan desembozada y evidente como la que soportó nuestro país en la década pasada.

Llegó a cuestionarse como tal, curiosamente, hasta el estado de beligerancia en la selva tucumana, que amenazaba con crear una "zona liberada" que pretendía reconocimiento internacional. Todos estos excesos, en la correcta valoración de los hechos hacen mucho daño a la conciencia histórica de la juventud y siembra en ella gérmenes de desintegración nacional que únicamente serán neutralizados si los hombres más maduros dejamos de lado las viejas estratagemas proselitistas y nos decidimos a decir la verdad que surge de nuestras respectivas experiencias y serenas reflexiones.

En un reportaje que le efectuara el periodista Bernardo Neustadt refrendó esos conceptos, agregando que no cedería en la lucha en favor del reencuentro y la reconciliación de los argentinos porque debía reconocerse "que la acción de las Fuerzas Armadas y de seguridad permitieron que hayamos podido volver a vivir y disfrutar del estado de derecho en democracia".

Nuevos hechos desestabilizadores

Dos hechos desestabilizadores sumados a la repercusión de los juicios a los comandantes en jefe en diciembre de 1985 y a la sanción de la ley de Punto Final, de diciembre de 1986, pusieron a prueba la fortaleza de la democracia recién instaurada. En 1987 se produjo la rebelión de Semana Santa de los militares denominados "carapintadas", motivada por problemas internos del arma y por reivindicaciones sectoriales. Córdoba, el 16 de abril –Jueves Santo–, fue el epicentro de este movimiento, al que se plegó el día 17 un reducido grupo de militares que se acuartelaron en la Escuela de Infantería de Campo de Mayo, al mando del teniente coronel Aldo Rico.

A una convocatoria del doctor Alfonsín para que los parlamentarios se reunieran en Asamblea General con el propósito de encontrar una salida al conflicto, siguió la vía de la negociación que puso fin al problema sin que se alterara mayormente el orden público. En una actitud inédita, ninguna fuerza militar obedeció la orden de reprimir.

Una muchedumbre se concentró en Plaza de Mayo y en las cercanías de los cuarteles de Campo de Mayo, adonde se trasladó el doctor Alfonsín para parlamentar con el jefe de los rebeldes. Tras un arreglo que no fue suficientemente aclarado, Alfonsín tranquilizó a la asamblea cívica autoconvocada en la plaza, pronunciando la frase: "Felices Pascuas, la casa está en orden".

Frondizi no estaba en el país al producirse este acontecimiento porque había viajado el 15 de abril a Kuala Lumpur –Malasia– para asistir a una reunión del Consejo de Interacción de ex jefes de Estado, que integraba como ex presidente de la República.

El 23 de enero de 1989 un nuevo intento terrorista sacudió al país, con el ataque a los cuarteles del Regimiento 3 de La Tablada, por el grupo guerrillero Todos por la Patria que retuvo a soldados conscriptos como rehenes. Este asalto cruento e insensato fue reprimido por las fuerzas regulares convocadas por el gobierno.

Las elecciones nacionales

Era difícil para las autoridades superar tal constelación de actitudes negativas y resultaba por demás evidente que ningún plan para la reactivación podría funcionar eficazmente con la violencia que había signado los años anteriores. Pero no cabía otra alternativa que cumplir con el calendario electoral, de allí que se fijara la fecha de los comicios para mayo de 1989.

Los operadores políticos elaboraron líneas de acción que apuntaban en una sola dirección: requerir el voto positivo, que en el caso de los radicales era lograr el respaldo al gobierno, y en el de la oposición, de castigo al oficialismo.

Con su irrupción en el corazón mismo de Buenos Aires, el caudillo riojano Carlos Saúl Menem, con un slogan de rápida captación, "Síganme que no los voy a defraudar", consiguió el alineamiento del conglomerado peronista y de una golpeada clase media.

El 14 de mayo se realizaron las elecciones. El FREJUPO, con la fórmula Carlos Saúl Menem-Eduardo Duhalde obtuvo un porcentaje del 47,12% con 7.862.475 votos, seguido por la UCR con Eduardo Angeloz-Juan Manuel Cassella, con 32,32% y 5.391.944 votos.

La situación no se presentaba muy halagüeña tras el resultado del escrutinio, y Arturo Frondizi, ante el desorden económico-social, decidió romper el voluntario silencio que se había impuesto desde fines del año anterior para no profundizar aún más el desgaste del gobierno. El 1° de junio, con la "serenidad que otorga la experiencia y la fe que el Altísimo alimenta en mi espíritu", reclamó la renuncia del Presidente para "liberar el mecanismo consiguiente que otorga la Constitución Nacional y la Ley de Acefalía, con todos los alcances que la misma conlleva".

En cuanto al doctor Menem, Frondizi también le fijaba sus exigencias republicanas:

> interpretar fielmente el manifiesto sentir del pueblo que lo eligió en instancias tan definitorias como las actuales, en congruencia con la promesa de "no los voy a defraudar", síntesis emotiva de un resultado palmario.

Muchos dirigentes políticos, en coincidencia con Frondizi, pidieron la entrega anticipada del poder para frenar, de ese modo, el agotamiento de las reservas del Banco Central y el incremento de la deuda externa. Como resultado de un acuerdo que bien podría tener su basamento en el principio de necesidad y urgencia, tras días de negociación se llegó a una transacción entre las autoridades y Menem: traspasar el poder antes del 9 de julio. Aunque no se veía muy claro el hecho de que el gobierno cambiara antes del período legal, esta solución representó una tentativa racional para sacar al país de la posición en que se encontraba.

NOTAS

1. Zavala, Juan Ovidio: *Racionalización para...*, ob. cit., pág. 150.
2. Mendieta, Marcelo, *Temas,* Internacional, Año IV, N° 205, 19 de abril de 1984.
3. Frondizi, Arturo: *La unidad nacional debe concretarse ya mismo,* 23 de febrero de 1986.
4. Idem.

El 8 de julio, Carlos Saúl Menem asumió la Presidencia de la Nación. Era de esperar que durante un tiempo hubiese problemas especialmente en el plano económico. Y cabía preguntarse si se tomarían disposiciones a corto plazo para lograr una ocupación razonable o, en caso contrario, se adoptarían prevenciones adecuadas para suavizar el golpe sobre la masa más desposeída.

Menem llevó adelante una profunda reestructuración en casi todos los órdenes del país. Su gran popularidad y el amplio consenso político y legislativo le brindaron apoyo suficiente para encarar reformas alejadas del credo peronista que propugnaba un Estado sobredimensionado y omnipresente. Logró quebrar la inflexible tutela de la CGT, actuando en forma independiente frente al poder sindical. Y así pudo auspiciar una etapa de privatizaciones sin antecedentes por su magnitud.

Domingo Cavallo como titular del Ministerio de Economía obtuvo uno de sus mayores logros al conseguir la estabilidad monetaria y eliminar el fantasma de la inflación que asoló a los gobiernos anteriores. Pero el crecimiento económico no tuvo un correlato adecuado en la política social y comenzaron a manifestarse críticas de sectores afectados en sus ingresos, que veían sus necesidades básicas insatisfechas, a la vez que las normas aperturistas aceleraban la desaparición paulatina de la pequeña y mediana industria.

Frondizi evaluaba con creciente inquietud las alternativas de un proceso en el que ya advertía señales alarmantes. Una vez más, repitió su conocida propuesta, propugnando un crecimiento con desarrollo para satisfacer legítimas demandas, lo que permitiría poner en marcha el potencial productivo del país y proponer una distribución más equitativa de la riqueza. "La estabilidad sin desarrollo no sirve –decía–. Albania es un país con estabilidad, pero todos se mueren de hambre."

Menem, mediante el decreto N° 764 del 14 de setiembre de 1989, había incorporado a Frondizi a su equipo de asesores "ad honorem", designación que constituía un homenaje al veterano político a quien siempre se refirió con gran respeto. En disidencia con el rumbo impreso a la política económica y social del gobierno, Frondizi renunció a esa asesoría el 12 de marzo de 1991. Consideraba que la proclamada "Revolución productiva" había dado paso a una subordinación total a los designios del FMI y, a través de ellos, a los grandes monopolios:

> Hoy nuestro país se encuentra en el rango de país subordinado a los Estados Unidos, y sin ninguna posibilidad de ejecutar una política independiente en el contexto internacional. Esto es una consecuencia de la actual debilidad de la Nación y del gobierno frente a la política que se dicta desde Washington.

Y en clara alusión a la injerencia del embajador de los Estados Unidos afirmaba: "En mi país no gobierna mi amigo Menem, sino mi amigo Todman", al que calificaba como Virrey. Esta frase de Frondizi fue utilizada por los medios periodísticos para interpretar la realidad económica existente a raíz de la "Iniciativa para las Américas" del presidente George Bush, que limitaba el proceso de industrialización logrado con la "Alianza para el Progreso", propuesta que había federado los empeños de prosperidad continental de Frondizi y Kennedy.

Otro enfrentamiento militar

El 3 de diciembre de 1990 se produjo un nuevo pronunciamiento militar que se llevó a cabo como acto de resistencia a una política minimizadora de las Fuerzas Armadas, "que agudizaba el estado de indefensión que padecía la República". El movimiento intentó tomar el Regimiento 1 "Patricios", en Palermo, ocasionando trece bajas entre compañeros de armas. En esos momentos la sociedad argentina comenzaba a entender que los diferendos se resolvían por caminos opuestos, precisamente, a los de las armas.

Tras el incidente, se inició un proceso que determinó la condena de los responsables de esa frustrada operación, la cual –según sus protagonistas– no pretendió el derrocamiento de los poderes públicos del gobierno nacional sino detener la crisis debilitante que afectaba a las Fuerzas Armadas. Entre las penas dictaminadas figuraba la prisión por tiempo indeterminado para el ideólogo del movimiento, el coronel Mohamed Alí Seineldín quien, pese a encontrarse preso en San Martín de los Andes, asumió la responsabilidad de las acciones del 3 de diciembre.

A cuatro años del hecho, el 19 de octubre de 1994, el doctor Arturo Frondizi en su carácter de ex presidente constitucional de la Nación, solicitó la libertad del coronel Seineldín y sus compañeros, ex militares "carapintadas", a quienes visitaba en el penal de Magdalena, del que fueron trasladados posteriormente al penal militar de Campo de Mayo. En carta al primer magistrado, señaló que su propuesta era "de vital importancia para consolidar la unidad nacional, para la cual entiendo prioritario bajar nuevamente el telón sobre el pasado, método utilizado cada vez que en el país quiso superarse una etapa". Entendía que desde el 3 de diciembre de 1990 hasta la fecha, había "transcurrido el tiempo necesario para calmar los espíritus y reflexionar una abnegada autocrítica de todos los sectores".

Una concepción coherente

Sin duda, una de las actitudes más criticadas y expuestas de Frondizi fue ese pedido de indulto para Seineldín, un tema urticante que había llevado a gran parte de la opinión pública a una posición de rechazo hacia el militar. La declaración de Frondizi provocó adhesiones y refutaciones, algunas de inusitada dureza que aludían a su edad avanzada. Pero su actitud no hacía más que ratificar la coherencia de su concepción sobre el rol de las Fuerzas Armadas en el Estado nacional, sus fines y su defensa.

En 1983, en su libro *Qué es el MID,* había escrito:

> Las Fuerzas Armadas se deben a la Nación, como su brazo armado. El incumplimiento de su función en la preservación de la soberanía nacional se debe a los errores cometidos por sus dirigentes, o sea sus cúpulas, en las decisiones políticas que éstas han tomado, lo cual las ha llevado al punto actual de confusión y fracaso. No creo que deba requerirse su neutralidad frente a los grandes problemas nacionales, ni que esté en su naturaleza dar golpes de Estado. Los sectores reaccionarios siempre intentaron influir en ellas, y en la medida en que lo lograron les imprimieron una dirección que tarde o temprano las enfrenta con el resto de los sectores y clases sociales con los que tienen que actuar conjuntamente.

Consecuente con esta línea de pensamiento, el 25 de julio de 1988 Frondizi había dado a conocer un documento sobre el proceso a los impulsores de la operación Malvinas, en el que postulaba:

> El proceso que se sigue a los oficiales superiores de las Fuerzas Armadas por su intervención en las operaciones en las Islas Malvinas, debe ser cerrado sin condena alguna. Si fuera indispensable, habrá que recurrir a la Ley de Amnistía o a un indulto. [...]
> Es imperioso rendir emocionado homenaje a nuestros muertos que yacen en territorio argentino y a todos los que pelearon con coraje en defensa de la integridad territorial.

Y fue esta concepción la que lo llevó, en el ocaso de su vida, a distanciarse de la política militar de Menem. En un reportaje efectuado el 24 de marzo de 1993, Frondizi advirtió que "las Fuerzas Armadas, lejos de haberse reestructurado, se están disolviendo de hecho y el estado de indefensión de la República es alarmante". Esta situación era contraproducente en un país en el que no podían descartarse las hipótesis de conflicto. "Me opongo –decía– a la hipótesis de la disuasión mundial, pues exige a las Fuerzas Armadas de los países, como ocurre actualmente en la Argentina, someterse a instancias supranacionales."

Para Frondizi, el envío de tropas al exterior demostraba

que la tendencia del Gobierno es preparar a nuestras Fuerzas Armadas para intervenir en acciones concertadas a escala mundial. Otra prueba de ello es la destrucción de las empresas estatales ligadas al Ministerio de Defensa, las que por ser estratégicas tienen, sin perder el criterio de eficiencia y rentabilidad, que quedar en el sector público.

Antes de entrar en los últimos tramos de la vida de Arturo Frondizi creímos imprescindible echar luz sobre una de las facetas fundamentales de su personalidad: su relación con la Iglesia católica. Asentado en una profunda religiosidad, ese vínculo se expresó también en el terreno temporal cuando el estadista debió buscar orientación para su accionar político. La dimensión de su compromiso lo convirtió en interlocutor privilegiado de los tres últimos pontífices Juan XXIII, Paulo VI y Juan Pablo II.

Juan XXIII

Durante su gobierno, Frondizi tuvo la inefable experiencia de un encuentro personal con Juan XXIII, el Papa que renovó normas seculares de la Iglesia y señaló con clarividencia, en su encíclica *Mater et Magistra,* que la contradicción entre riqueza y miseria, progreso y estancamiento, configura el conflicto esencial de nuestro tiempo e impone su rumbo al proceso histórico. Por encima de los subsistentes enfrentamientos políticos, ideológicos o militares, para Juan XXIII nuestra época se singularizaba por la lucha para extender a todas las naciones y, dentro de ellas, a todos los estratos sociales, los logros de la civilización industrial.

Las coincidencias sobre temas fundamentales que afectan a la sociedad contemporánea, y el influjo del sucesor de Pedro, se grabaron en el espíritu de Frondizi con rasgos indelebles. Siempre exhibió con orgullo el blanco solideo que le obsequió Juan XXIII con paternal afecto.

Paulo VI

En dos ocasiones, en el transcurso de sus viajes, Frondizi dialogó con Paulo VI, un pontífice que poseía un amplio conocimiento de los problemas y necesidades de su tiempo y desarrolló un papado inspirado y revolucionario.

El Papa, al ascender al pontificado en 1963, tenía ideas precisas para una encíclica sobre el desarrollo económico, social y moral. Desde entonces expuso su tesis al examen de economistas y sociólogos de todo el mundo. En 1966, en audiencia privada, Frondizi mantuvo diálogos con el Santo Padre y compartió su preocupación para erradicar del planeta el hambre, la miseria, las porfías y la codicia.

A pedido de Paulo VI, se trasladó con Elena a la isla de Cerdeña, donde se reunió con el secretario papal y un grupo de prelados. La futura encíclica y el desarrollo, que según monseñor Antonio Quarracino constituía para la Iglesia un lema y una esperanza, fueron temas excluyentes del cónclave. El hecho de exponer sus convicciones ante los más calificados dignatarios del culto católico le brindó la oportunidad de reafirmar la trascendencia de la concepción desarrollista en el contexto contemporáneo.

Elena solía comentar que, mientras ella recorría los bellos rincones de la isla, "Arturo deliberaba con los delegados del Vaticano".

En marzo de 1967, en el cuarto año de su pontificado, Paulo VI promulgó su carta encíclica *Populorum Progressio,* sobre "la necesidad de promover el desarrollo de los pueblos". El jefe de la Iglesia se pronunciaba a favor de la paz, contra el armamentismo y la hostilidad bélica, y reconocía que "el desarrollo es el nuevo nombre de la paz", especificando que "decir desarrollo es, efectivamente, preocupante tanto por el progreso social como por el crecimiento económico, para no separar la economía de lo humano".

Frondizi tuvo la satisfacción de apreciar una afinidad conceptual con la más alta jerarquía eclesiástica, sobre un sistema político que en su patria fue tan cuestionado y rebatido.

Juan Pablo II

En identificación de ideales, Frondizi se entrevistó con Juan Pablo II quien, como pastor de la Iglesia Universal, en su misión apostólica no había dejado de convocar sin excepción a todos para que las relaciones familiares, laborales y sociales redundaran en beneficio de la Patria y la sociedad.

En ese diálogo no sólo se fortalecieron los vínculos de afecto y solidarias aspiraciones, sino que se enfocaron temas más allá de los señalados por la doctrina de la Iglesia. El peligro del comunismo y su penetración en el ámbito occidental y cristiano, fue analizado con reflexiva objetividad.

La superioridad intelectiva de Frondizi lo había llevado a enfocar todo pensamiento representativo del mundo circundante. En el proceso destinado a afirmar la concepción de progreso y transformación de la sociedad, no descartó la lectura de las obras completas de Lenin, base de una concepción antagónica, sobre las que hizo una exégesis profunda que le permitió citar párrafos y efectuar comparaciones que ocasionaron el asombro de dirigentes marxistas de nota como Andrei Gromiko, Kim Il Sung y el "Che" Guevara. A las observaciones que en ese sentido realizó Frondizi, Su Santidad respondió que él también conocía a fondo todas esas vertientes, puesto que era polaco.

La relación entre Frondizi y Juan Pablo II fue clarificadora. Su fluidez está expresada en la correspondencia que mantuvieron, de la que emergen, con óptica comprensiva, las ultimidades de los problemas referentes a la libertad, al hombre y a la justicia social.

Respeto en los desacuerdos

Este estrecho vínculo de Frondizi con la Iglesia no se vio alterado por los desacuerdos episódicos que, como era inevitable, debían emerger alrededor de aspectos concretos del accionar político.

Durante el gobierno surgido en 1958, las relaciones fueron muy positivas y, cuando surgieron algunas discrepancias por la colindancia entre lo espiritual y lo temporal, ellas se plantearon con "franqueza y no impidieron avanzar en lo que se estaba de acuerdo".[1]

Cuando el Consejo Episcopal Latinoamericano (CELAM) dio a conocer su libro *Fe cristiana y compromiso social,* en el que consideró la problemática mística y material de América latina y, por ende, la cuestión de las inversiones extranjeras, Frondizi expresó a monseñor Antonio Quarracino, presidente de CELAM, sus observaciones sobre el texto y su disenso en cuanto al enfoque sobre el capital foráneo. Asimismo, escribió al reverendo padre Fernando Bastos de Avila, S. J. de Brasil, haciéndole conocer su punto de vista "en lo referente a una cuestión clave para nuestros pueblos que es la de la inversión".

Es el mismo Frondizi el que nos explica el porqué de sus inquietudes, que lo llevaron a elaborar el libro *La inversión extranjera: ¿instrumento de liberación o dependencia?*:

> Desde siempre he aceptado la autoridad del Magisterio de la Iglesia en cuestiones de doctrina, pero también he creído que es una obligación de todos los católicos y de todos los hombres de buena voluntad señalar nuestros puntos de vista cuando se trata de explicar los problemas complejos del mundo material y de la vida social, porque esa explicación depende de análisis científicos.

Este concepto coincidía con lo expresado por Juan Pablo II en la encíclica *Laborens Exercens:* "La tarea científica no es responsabilidad del Magisterio de la Iglesia".

Entendía Frondizi que la interpretación del CELAM al considerar a la inversión extranjera "un factor que mantiene a los países latinoamericanos en una situación de dependencia", no armonizaba con otra expectativa positiva para la sociedad:

> Para promover las inversiones necesarias no tenemos más que dos caminos, por lo menos en teoría. Uno es forzar la voluntad de nuestros pueblos, a través de oprobiosas y quién sabe si eficaces dictaduras, para que realicen por sí solos el esfuerzo de inversión en general y en particular en los sectores prioritarios y adquieran la aptitud económica adecuada. El otro es recurrir a la cooperación internacional y a las inversiones extranjeras para complementar el esfuerzo nacional. Este último camino no sólo es el que se compadece con ideales de democracia y de justicia, sino es el más apropiado a las condiciones históricas presentes.

El 23 de abril de 1984, el padre Bastos de Avila escribió a Frondizi expresando su "admiración por la lucidez de los conceptos, el vigor de la articulación lógica y la familiaridad con el pensamiento social de la Iglesia que el texto revela, características poco frecuentes en textos presidenciales".[2]

Este intercambio de ideas constituyó un aporte esclarecedor sobre los interrogantes planteados por concepciones opuestas en el tema de las inversiones extranjeras. Así lo reconocieron Frondizi y Bastos de Avila. Este manifestó:

> Creo poder concluir con una fórmula que acerca nuestras posiciones. Las inversiones extranjeras son importantes, especialmente cuando el ahorro interno es pequeño, pero no suficientes, especialmente cuando falta un liderazgo político del cual la Argentina parece ahora ofrecer un ejemplo notable.[3]

Y Arturo Frondizi señaló:

> Las nuevas investigaciones de la realidad, la mejora en los métodos de análisis y la orientación de la Doctrina Social de la Iglesia nos ayudarán, a no dudarlo, a reconocer las estructuras y comportamientos objetivos y a proponer políticas honestamente fundadas en el propósito de adecuar la vida social a las exigencias de la dignidad humana.[4]

NOTAS

1. Frondizi, Arturo: *Qué es el MID,* Sudamericana, Buenos Aires, 1983, pág. 253.
2. Carta de Fernando Bastos de Avila, S. J., en Frondizi, Arturo: *La inversión extranjera: ¿instrumento de liberación o dependencia? Crítica a la opinión de algunos sacerdotes de América Latina,* edición del autor, Buenos Aires, 1984, pág. 39.
3. Idem.
4. Carta de Arturo Frondizi, en Frondizi, Arturo: *La inversión extranjera...,* ob. cit., pág. 54.

El 25 de abril de 1991 Frondizi habría de sufrir un golpe desgarrante al fallecer su esposa Elena Faggionato, compañera ejemplar de las horas buenas y malas, que no se dejó tentar por las grandezas del Estado y prefirió la penumbra discreta de su hogar y las compensaciones espirituales del arte y la cultura.

La pérdida de sus dos seres más próximos y entrañables, esposa e hija, hizo más profunda la soledad y la añoranza de afectos permanentes en su vida, atenuadas en parte por la presencia de sus nietos Marina y Diego.

Ya comenzaba a vivir para la historia. El 28 de octubre, al cumplir 83 años, donó al Museo de la Casa de Gobierno el bastón de mando y la banda presidencial que usara el 1º de mayo de 1958. El presidente Menem, al recibir ese legado, recordó con reverencia que su primer voto había sido precisamente para Arturo Frondizi, en quien reconocía a uno de sus maestros políticos junto al general Perón, "a través de su trayectoria como gobernante, como diputado nacional y, sobre todo, como amigo".

* * *

La vejez no desarraigó de Frondizi la preocupación apasionada por los grandes problemas nacionales. Un tema que lo obsesionaba era la defensa de la soberanía territorial amenazada con el trazado de una nueva línea fronteriza –la poligonal– en la zona de los hielos continentales.

El 10 de abril de 1992 viajó a El Chaltén y Lago del Desierto. Fue la primera personalidad con rango presidencial en arribar a esa desolada zona patagónica y las palabras llenas de fervor patriótico que dirigió a la limitada guarnición emocionaron hasta las lágrimas a los rudos gendarmes custodios de nuestros derechos sobre la región. Con un vibrante "¡Viva la Patria!", expresaron su agradecimiento, al par que le rendían su homenaje como si aún fuese un jefe de Estado en ejercicio. Este encuentro fue evocado continuamente por Frondizi, como uno de sus más bellos recuerdos.

*

Al cumplirse treinta años del derrocamiento y cautiverio del presidente constitucional, en el Centro de Estudios Nacionales organizamos un viaje a Martín García.

Aquel 28 de marzo de 1992 fue un día inolvidable porque la respuesta superó los cálculos más optimistas; llegaron adhesiones desde todos los rincones del país y la presencia de Frondizi en la isla no fue un acto rodeado de soledad. Ex gobernadores, ex ministros, correligionarios, amigos, admiradores de su obra gubernativa lo acompañaron para testimoniarle su afecto. La Prefectura Naval Argentina adhirió al homenaje rindiéndole sus más altos honores.

Un evocativo recorrido por la isla puso el acento de solemnidad a una remembranza sobre los momentos allí vividos por Frondizi, quien, durante el curso de aquella jornada fue un cicerone informativo y ameno.

*   *   *

El Ejército no permaneció ajeno a la reivindicación nacional. Las ideas de Frondizi ya se estudiaban y analizaban en los nuevos cuadros de oficiales, y la dirigencia castrense rindió su homenaje condecorándolo, el 29 de mayo de 1992, con la orden por los servicios distinguidos. "Fue una forma de reparar el error histórico que significó su derrocamiento", manifestó el jefe de Estado Mayor del Ejército, general Martín Balza.

*   *   *

Siempre dispuesto al diálogo civilizado, a la palabra compartida, a guiar a la juventud y a servir a la sociedad defendiendo sus derechos y sus instituciones, Frondizi hizo de su casa de la calle Beruti un bastión de ideas al que asistían ciudadanos de todas las capas sociales y políticas del país, aun aquellos que nunca comulgaron con su credo doctrinario.

Afectuoso, sin ser efusivo, parco en el elogio, Frondizi conservó amigos que lo siguieron con fidelidad y respeto hasta sus últimas horas.

Quienes compartieron su impulso formidable para concretar la "Argentina soñada" que ilusionó a Moisés Lebensohn, le prodigaron siempre el trato deferente que se concede a los que, por propia gravitación, imponen su personalidad.

Si bien él no fue nunca distante ni altanero, muy pocos llegaron a tutearlo, y el gesto de mayor acercamiento consistía en llamarlo Arturo. Era sobrio sin afectación, y no ahorraba bromas, como la vez que ordenó "secuestrar" en Olivos a David Blejer para curarle su hábito de fumar.

Concitó a su alrededor desde su fecunda época en la Legislatura hasta la formación de su equipo de gobierno, lo que Emilio Perina denominó "el mayor yacimiento de hombres e ideas que tuvo el país".

Al releer las páginas de *El profeta de la Pampa,* de Ricardo Rojas, la lucidez erudita y la firmeza gubernativa de Domingo F. Sarmiento me hicieron entrever puntos de coincidencia con la figura de Arturo Frondizi. Provincianos, intelectuales, presidentes de la República, ambos perdieron al único hijo, a quien esperaban "confiar el culto póstumo de su nombre"; ambos vislumbraban una Argentina poblada y pujante, y ambos, octogenarios, vivían escoltados por los nombres de sus viejos amigos, "pedazos de la propia vida enterrados bajo sus lápidas".

Y Frondizi, en la paz y silencio de su escritorio, seguía buscando verdades y tratando, mediante las interminables sesiones de lectura, de incrementar el caudal de sus conocimientos.

Ordenado y previsor, registraba en una pequeña libreta de apuntes, infalible auxiliar de bolsillo, toda la actividad diaria.

Si bien había menguado su vigor, subsistía aún su voluntad de trabajo. Todavía revisaba proyectos inconclusos que esperaban en sus carpetas el momento de concretarse, como su autobiografía, cuya redacción le había sugerido Raúl Scalabrini Ortiz y de la que sólo quedaron apuntes inconclusos, transcriptos en este libro, y la biografía del presidente chileno José Manuel Balmaceda, cuyos originales retomó varias veces para efectuar correcciones y actualizarlo con nuevos aportes. Ninguno de estos trabajos llegó a su deseado epílogo.

Con una metodología propia de su primera inclinación hacia la docencia, confeccionaba fichas sobre cada visitante, sobre personajes gravitantes en el plano nacional e internacional, sobre hechos que conmovían a la humanidad. Llegó a tener, así, el fichero más completo, invalorable fuente ambicionada por investigadores históricos y sociales.

* * *

Sus diarias caminatas por las calles adyacentes a su casa y por la avenida costanera; la adhesión de comerciantes y peatones; sus recorridos por las librerías, formaban parte de una agenda respetada con verdadera unción y, entre divertido y emocionado, en charlas informales contaba de los bocinazos y gritos de "¡Adelante, Arturo!", "¡Vuelva, Presidente!", con que la gente lo saludaba al reconocerlo.

Frondizi hacía gala de muy buen humor. En una ocasión, lo detuvo un transeúnte y, con expresión admirada le dijo:

–Doctor, qué joven se lo ve; nadie creería que tiene ochenta y tres años.

Sin dilación y muy serio, le replicó:

–Señor, usted me confunde con mi padre.

* * *

A partir de 1994 comenzó el ostracismo en su hogar. Invariablemente cumplía con una obligación gratificante a la que se había ajustado con Elena. Eran dos salidas que adquirieron el carácter de un verdadero ritual. A las cinco de la tarde del día sábado tomaba el té con mi familia, en mi casa de la calle Leopardi, y los domingos, en la de su cuñada, Ana Faggionato de Sánchez Santamaría. Eran, según sus palabras, "dos tardes de gloria", en las que compartía la mesa con distintos contertulios, muchos de ellos ex colaboradores durante su presidencia, a los que seguía subyugando con su ameno anecdotario.

Así, en charlas amables, desprovistas de solemnidad, desfilaban hechos y hombres del presente y del pasado inmediato. Una abogada amiga comentó admirada: "Hablar con él es internarse en la historia de nuestro tiempo".

Ricardo Rojas, Lisandro de la Torre, Kim Il Sung, Adenauer, De Gaulle, Juan XXIII, Paulo VI o Juan Pablo II; Gromiko –de quien conservaba un bellísimo samovar que le había obsequiado en Moscú–, Perón, Kennedy, Franco y tantos otros, surgían a través de recuerdos que reflejaban aspectos de sus encuentros con ellos.

Su formación, su trayectoria, llevaban a Frondizi a identificarse con más de medio siglo de nuestra historia. A veces formulaba comentarios que revelaban un dejo de tristeza: "Comprendo que estoy viejo y solo, cuando veo que las calles llevan el nombre de mis amigos y compañeros de militancia, Balbín, Dellepiane, Larralde".

*　*　*

Luego el final. Su salud declinaba visiblemente, no sólo por su avanzada edad, sino por el agravamiento de un mal que venía arrastrando desde tiempo atrás.

Su destino le impuso la soledad, "porque no había otros como él y en esa soledad lo encontró la muerte", escribió Jorge Luis Borges sobre Leopoldo Lugones.

El 18 de abril de 1995 falleció Arturo Frondizi, un presidente de lujo para cualquier gran nación de Europa, como expresara André Malraux.

En 1962 había caído el telón sobre uno de los gobiernos más progresistas y de mayor creatividad de esta centuria sin que la República asumiera el pecado institucional que se acababa de cometer. En 1995 el pórtico del reconocimiento se abrió para Arturo Frondizi y los argentinos comenzaron a evocarlo, a admirarlo y a reivindicar sus ideas, que él asumió con pasión política, como un fin absoluto e irrevocable, con el único horizonte del bien de la Patria.

Una frase del *Dogma Socialista* de Esteban Echeverría, a quien estudió en profundidad, puede sintetizar a Frondizi: "Ser grande en política no es estar a la altura de la civilización del mundo, sino a la altura de las necesidades del país".

Sus restos fueron velados en el Salón Azul del Congreso Nacional y recibieron los más altos honores civiles y militares correspondientes a su magistratura presidencial. En un clima de congoja que alcanzó a los representantes de las más variadas gamas políticas, lo despidieron al presidente de la Nación, sus nietos y demás familiares, ex primeros magistrados, ministros, legisladores, militares, eclesiásticos, diplomáticos, gremialistas y sus amigos de siempre.

Frondizi, entre flores y aplausos, emprendió su viaje final hacia el cementerio de Olivos, para descansar junto a su esposa e hija, en la bóveda familiar. El estadista que definió un estilo de vida marcado por el rigor y la austeridad, diseñó su ascético epitafio que abraza la profundidad de sus sentimientos y calidad personal:

"Fue un ser humano. Amó a su Patria".

Documentales

Inéditas

Archivo General de la Nación
Archivo personal del doctor Arturo Frondizi
Archivo del Colegio Nacional N° 3 "Mariano Moreno"
Archivo documental de la UCR y de la UCRI

Editas

Frondizi, Arturo: *Mensajes presidenciales 1958-1962,* 5 Tomos, CEN, Buenos Aires, 1978.
Visita oficial del Presidente de la Nación a Canadá, India, Tailandia y Japón, Ministerio del Interior, 26 de noviembre-25 de diciembre 1961.
Diarios de Sesiones de la H. Cámara de Diputados de la Nación, 1946-1952.

Periodísticas

Boletín de la UCR, 1949-1950.
Cara o Cruz, 1954-1955.
Clarín, 1958-1995.
Confirmado, 1972.
Crítica, 1937.
El Informador Público, 1986-1988.
El Nacional, quincenario desarrollista, 1977-1985.
Esto Es, 1955.
Informativo Radical, órgano noticioso del Comité Nacional, 1957-1958.
L'Eugubino, 1960.
La Nación, 1937-19ss.
La Prensa, 1937-19ss.
La Razón, 1958-1962.
La Semana, 1977-1983.
País Libre, 1937.
País Unido, semanario intransigente, 1957.
Participar, 1980-1986.

530

Primera Plana, 1963-1971.
Programa Popular, 1957.
Qué!, 1956-1964.
Raíz, 1947.
Reconstrucción, órgano partidario del MID.
Somos, 1979.

Publicaciones histórico-culturales

Cursos y Conferencias, del Colegio Libre de Estudios Superiores (1940-1952).
Estimulen, 1926.
Todo es Historia N° 59-170-297-249.

Publicaciones especiales

Gente, Fotos, Hechos, Testimonios de 1.035 dramáticos días-25 de mayo de 1973-24 de marzo de 1976, Buenos Aires, 1979.
La Razón, Historia viva-1816-1966, 150 años de la vida del país en las entrañas del mundo.
La Razón, Historia viva-75 años-1905-1980.
La Prensa: *Cien años contra el país,* Sindicato de Luz y Fuerza, 1970.
"Primer Congreso contra el Racismo y el Antisemitismo", celebrado en el H. Concejo Deliberante de la Ciudad de Buenos Aires los días 6 y 7 de agosto de 1938 bajo los auspicios del Comité contra el Racismo y el Antisemitismo de la Argentina, Actas, 1938.
Revista aniversario de la Liga Argentina por los Derechos del Hombre, 1937, 20 de diciembre, 1957.
Somos, Historias y personajes de una época trágica, Las grandes investigaciones, 1977.
Todo es Historia, 20 años registrando la memoria nacional, 1987.
Todo es Historia, 30 aniversario, La Buena Gente, 1967-1997.

Bibliográficas

Acuña, Marcelo Luis: *De Frondizi a Alfonsín: la tradición política del radicalismo,* 2 tomos, Biblioteca Política Argentina, Centro Editor de América Latina, Buenos Aires, 1984.
Alemann, Roberto: *Breve historia de la política económica argentina, 1500-1989,* Claridad, Buenos Aires, 1989.
— "La política económica argentina de abril de 1961 a enero de 1962", en Roberto Pisarello Virasoro y Emilia Menotti (directores): *Arturo Frondizi. Historia y Problemática de un Estadista,* Depalma, Tomo IV, 1988.
— *Recordando a Kennedy,* Sudamericana, Buenos Aires, 1996.
Alende, Oscar: *Entretelones de la trampa,* Santiago Rueda, Buenos Aires, 1964.
— *Punto de partida,* Santiago Rueda, Buenos Aires, 1965.

Alonso, Enrique: "La caída de Frondizi", en *Todo es Historia* N° 59, marzo de 1972.

Andrada, Ovidio: "Kennedy, la Alianza para el Progreso", en *Historia de América en el siglo XX* N° 33, Centro Editor de América Latina, Buenos Aires, 1972.

Aráoz de Lamadrid, Aristóbulo: Testimonio personal, 23 de agosto 1979.

Aratti, Eduardo P.: Testimonio personal.

Avelin, Alfredo: *Los hombres que conocí*, Tomo 1, 1981.

AULA: *Libertad y progreso para la unidad de nuestra América*, 2ª Conferencia Internacional de la Asociación pro Unidad Latino-Americana, Roma, 1985.

Babini, José: Testimonio personal, 15 de diciembre 1979.

Babini, Nicolás: *Frondizi, de la oposición al gobierno*, testimonio, CELTIA, Buenos Aires, 1984.

Baldinelli, Elvio: "La reunión de los presidentes Frondizi y Quadros en Uruguayana", en Roberto Pisarello Virasoro y Emilia Menotti (directores): *Arturo Frondizi. Historia y Problemática de un Estadista*, Depalma, Tomo VII, 1994.

Beladrich, Norberto O.: *El Parlamento suicida*, Depalma, Buenos Aires, 1981.

Belenky, Silvia Leonor: "Frondizi y su tiempo", *Historia testimonial argentina, Documentos vivos de nuestro pasado*, Centro Editor de América Latina, Buenos Aires, 1984.

Belmonte, José: *Historia Contemporánea de Iberoamérica*, Guadarrama, 3 tomos, 1971.

Berenguer Carisomo, Arturo: "El hogar recoleto de Arturo Frondizi", en Roberto Pisarello Virasoro y Emilia Menotti (directores): *Arturo Frondizi. Historia y Problemática de un Estadista*, Depalma, Tomo I, 1983.

Bergalli, Eduardo H.: Testimonio personal, 1983.

Blejer, David: Testimonio personal, 28 de febrero de 1984.

Bruniard, Enrique D.: "Paso de los Libres. La ciudad y la región", en Roberto Pisarello Virasoro y Emilia Menotti (directores): *Arturo Frondizi. Historia y Problemática de un Estadista*, Depalma, Tomo I, 1983.

Cáceres Monié, José Rafael: "Las prisiones de Frondizi", en Roberto Pisarello Virasoro y Emilia Menotti (directores): *Arturo Frondizi. Historia y Problemática de un Estadista*, Depalma, Tomo I, 1983.

Cadelago, Carlos E.; Malagamba, Jorge P.: *Un proyecto nacional posible*, ensayo, prólogo de Arturo Frondizi, Conosur, Buenos Aires, 1993.

Caraballo, Liliana; Charlier, Noemí; Garulli, Liliana: *Documentos de historia argentina, 1870-1955*, Oficina de Publicaciones del CBC, UBA, 1995.

— *La dictadura 1976-1983*, Oficina de Publicaciones del CBC, UBA, 1997.

Cárcano, Miguel Angel: *Churchill-Kennedy*, Pampa y Cielo, Buenos Aires, 1966.

Carranza, Carlos P.: *Reforma agraria en América*, Temas Americanos, Caudal, Buenos Aires, 1966.

Casas, Nelly: *Frondizi. Una historia de política y soledad*, La Bastilla, Buenos Aires, 1973.

Castello, Antonio Emilio: *La democracia inestable, 1962-1966*, 2 tomos, Memorial de la Patria, La Bastilla, 1986.

Centeno, Angel: *Cuatro años de una política religiosa*, Desarrollo, Buenos Aires, 1964.

Cuadrado, Andrés: *Petróleo, contratos e YPF*, Buenos Aires, 1963.

532

Cúneo, Dardo: *Cono Sur, guión sobre petróleo,* La República, Caracas, 1964.

— *Las nuevas fronteras,* Transición, Buenos Aires, 1963.

— "La política exterior del Presidente Frondizi y la crisis del subdesarrollo, Punta del Este, Cuba y Uruguayana", en Roberto Pisarello Virasoro y Emilia Menotti (directores): *Arturo Frondizi. Historia y Problemática de un Estadista,* Depalma, Tomo VII, 1994.

Chudnovsky, José: *Pueblo y Pan,* Losada, Buenos Aires, 1967.

De Gandía, Enrique: "El problema del petróleo argentino", en Roberto Pisarello Virasoro y Emilia Menotti (directores): *Arturo Frondizi. Historia y Problemática de un Estadista,* Depalma, Tomo IV, 1988.

— "El pensamiento político del Dr. Frondizi después de su presidencia hasta el derrocamiento de Isabel Perón", en Roberto Pisarello Virasoro y Emilia Menotti (directores): *Arturo Frondizi. Historia y Problemática de un Estadista,* Depalma, Tomo VII, 1994.

Del Carril, Emilio Donato: Testimonio personal, 1979.

Del Mazo, Gabriel: *El radicalismo. Ensayo sobre su historia y doctrina,* Gure, Buenos Aires, 1959.

De Pablo, Juan Carlos: "La economía que yo hice", *El Cronista Comercial,* Buenos Aires, 1981.

Díaz Fanor: *Conversaciones con Rogelio Frigerio, sobre la crisis política argentina,* Colihue-Hachette, Buenos Aires, 1977.

Dickmann, Germán Hugo: Testimonio personal, 1980.

Di Tella, Guido: *Perón-Perón, 1973-1976,* Colección Historia y Sociedad, Sudamericana, Buenos Aires, 1983.

Domingorena, Horacio: *Artículo 28. Universidades privadas en la argentina, sus antecedentes,* Americana, Buenos Aires, 1959.

— *El Parlamento argentino, 1854-1947,* prólogo de R. Guardo, Imprenta del Congreso de la Nación, 1948.

Etchepareborda, Roberto: "De Perón a Frondizi. Nuevas interpretaciones sobre historia militar contemporánea", en *Revista de Temas Militares,* Año 1, N° 1, Buenos Aires, marzo de 1982.

Faggionato de Frondizi, Elena: Testimonio personal, 27 de julio 1984.

Ferreira, Jorge Washington: *Investigación sobre la política petrolera del presidente Frondizi,* separata del discurso pronunciado en la Cámara de Diputados de la Nación, Buenos Aires, 1965.

Ferrero, Roberto A.: *Del fraude a la soberanía,* La Bastilla, 1976.

Florit, Carlos A.: *Política exterior nacional,* Colección Día Venidero, Arayú, 1961.

Fraga, Rosendo: *El Ejército y Frondizi,* Emecé, Buenos Aires, 1992.

Frigerio, Rogelio: *Las condiciones de la victoria. Manual de Política argentina,* A. Monteverde, Montevideo, 1963.

— *La polémica con Alsogaray,* MID, Buenos Aires, 1975.

— *La crisis argentina, sus causas, los responsables, sus soluciones,* MID, Buenos Aires, 1975.

— "Una experiencia política y de gobierno que marca un camino nacional", en Roberto Pisarello Virasoro y Emilia Menotti (directores): *Arturo Frondizi. Historia y Problemática de un Estadista,* Depalma, Tomo VII, 1994.

533

— *¿Hacer el desarrollo o remendar la vieja estructura?*, prólogo de Arturo Frondizi, Desarrollo, 1965.
— *El estudio de la historia como base de la acción política del pueblo*, Concordia, 1961.
— *La integración regional instrumento del monopolio*, Hernández, Buenos Aires, 1968.
— "La crisis de noviembre de 1958", en Roberto Pisarello Virasoro y Emilia Menotti (directores): *Arturo Frondizi. Historia y Problemática de un Estadista*, Depalma, Tomo V, Buenos Aires, 1993.
Frondizi, Arturo: *Petróleo y política*, Raigal, Buenos Aires, 1954.
— "Método de exposición de nuestra realidad", en *Introducción a los problemas nacionales*, CEN, Buenos Aires, 1964.
— "La política nacional y los objetivos nacionales", en *Introducción a los problemas nacionales*, CEN, Buenos Aires, 1964.
— *Mensajes presidenciales, 1958-1962*, 5 tomos, CEN, Buenos Aires, 1978.
— *El problema agrario argentino*, Desarrollo, Buenos Aires, 1965.
— *YPF y la defensa de la soberanía nacional*, Suplemento del Nº 1 de *Programa Popular*, 1957.
— *El Radicalismo Intransigente y la Reforma de la Constitución*, Suplemento del Nº 5 de *Programa Popular*, 1957.
— *Qué es el Movimiento de Integración y Desarrollo*, Sudamericana, Buenos Aires, 1983.
— *Crisis social y crisis política*, Secretaría de Difusión del MIR, Rosario, 1954.
— *El Movimiento Nacional. Fundamentos de su estrategia*, Paidós, Buenos Aires, 1983.
— *La inversión extranjera: ¿instrumento de liberación o dependencia? Crítica a la opinión de algunos sacerdotes de América Latina*, edición del autor, Buenos Aires, 1984.
— *Cuatro años de gobierno y el futuro nacional*, Desarrollo, Buenos Aires, 1963.
— *Carta a los trabajadores. Pan, techo, cultura y libertad*, MID, Buenos Aires, 1965.
— *Petróleo y Nación*, Transición, Buenos Aires, 1963.
— *América Latina, una perspectiva política*, s/e, Buenos Aires, 1974.
— *Carlos Pellegrini, industrialista. Su vigencia en el pensamiento económico nacional*, Jockey Club, Buenos Aires, 1987.
— *La vigencia del Estado-Nación*, Buenos Aires, 1986.
— *La Nación Argentina y sus Fuerzas Armadas*, Círculo Militar, 1996.
— *La política exterior argentina*, prólogo de Dardo Cúneo, Transición, Buenos Aires, 1962.
— "Industria argentina y desarrollo nacional. Bienestar para 20 millones de argentinos", *Qué!*, Buenos Aires, marzo de 1957.
— *Paz y libertad para todos los argentinos*, Soluciones, 1957.
— *Ni odio ni miedo: reconstruir el país*, Colección SEPA, Buenos Aires, 1956.
— *Política económica nacional*, Arayú, Buenos Aires, 1963.
— "El Tratado de Río de Janeiro", *Política Internacional*, UCR, 1950.
— *Libertad y progreso para la unidad de nuestra América. Hacia la unidad latinoamericana a través del desarrollo nacional independiente*, Buenos Aires, 1986.

534

— *Las Fuerzas Armadas en el pueblo,* Buenos Aires, 1989.
— *El presidente Kennedy que yo conocí,* Leuka, Buenos Aires, 1982.
— *La conspiración reaccionaria y los objetivos del pueblo argentino,* Juventud de la UCRI, Provincia de Buenos Aires, 1962.
— *La cuestión dominicana y la soberanía argentina,* MID, 1965.
— *La lucha antiimperialista, etapa fundamental del proceso democrático en América latina,* Debate, Buenos Aires, 1955.
— *Breve historia de un yanqui que proyectó industrializar la Patagonia (1911-1914). Bailey Willis y la segunda conquista del desierto,* Colección Historia, CEN, Buenos Aires, 1964.
Frondizi, Arturo; Mercader, Amílcar: *El proceso Balbín ante la Cámara Federal,* UCR, Comité de la Provincia de Buenos Aires, 1950.
Frondizi, Arturo y varios autores: *Cultura Nacional,* Crisol, Buenos Aires, 1976.
— *Introducción a los problemas nacionales,* CEN, Buenos Aires, 1964.
Frondizi, Silvio: *Doce años de política argentina,* Praxis, Buenos Aires, 1958.
Gallo, Ricardo: *1956-1958, Balbín, Frondizi y la división del radicalismo,* Editorial de Belgrano, Buenos Aires, 1983.
García Flores, José: *Frondizi, estrategia del desarrollo argentino,* Buenos Aires, 1967.
Ghioldi, Américo: *Alpargatas y libros en la historia argentina,* La Vanguardia, Buenos Aires, 1946.
Giménez Rébora, José: *Respuestas al ingeniero Alsogaray,* Desarrollo, 1986.
— *Vigencia del desarrollismo. La gira asiática de Frondizi,* Desarrollo, Buenos Aires, 1986.
Gómez, Alejandro: *Política de entrega,* Peña Lillo, Buenos Aires, 1963.
— *Radicalismo y petróleo,* Plus Ultra, Buenos Aires, 1991.
Gómez Masía, Román: Entrevista personal, 1984.
Guevara, Ernesto "Che": *Diario de Bolivia,* introducción de Fidel Castro, Sarpe, Buenos Aires, 1985.
González, Eduardo: Entrevista personal, 1° de octubre 1987.
Grancelli Chá, N.: *De la crisis al desarrollo nacional. La UCRI y la realidad económica,* Comité Nacional de la UCRI, Buenos Aires, 1961.
Herrera Figueroa, Miguel: *Principios de política,* Leuka, Buenos Aires, 1988.
— *Estimativa iuspolítica,* Leuka, Buenos Aires, 1994.
— *Filosofía de los valores,* Leuka, Buenos Aires, 1997.
Imaz, José Luis de: *Motivación electoral,* Instituto de Desarrollo Económico y Social, Buenos Aires, 1962.
Kvaternik, Eugenio: *Crisis sin salvataje. La crisis político-militar de 1962-63,* Colección de América Latina, Ides, Buenos Aires, 1987.
Lanusse, Alejandro A.: *Mi testimonio,* Laserre, Buenos Aires, 1972.
Larroudé, Bernardo: *Argentina, Nación o Colonia,* Corregidor, Buenos Aires, 1997.
— "Frondizi y la Revolución Libertadora", testimonio personal.
La República Argentina. Aspectos de su realidad económica, Secretaría de Prensa de la Presidencia de la Nación, 1961.
Liprotti, Oscar: Testimonio personal, 11 de agosto 1979.
Lonardi, Marta: *La revolución del 55,* Cuenca del Plata, Buenos Aires, 1980.
López Alonso, Gerardo: *Cincuenta años de historia argentina,* Editorial de Belgrano, 1982.

Luna, Félix: *El 45*, Sudamericana, Buenos Aires, 1986.
— *La historia argentina en función de los objetivos nacionales*, Colección Historia, CEN, Buenos Aires, 1965.
— *La noche de la alianza*, Desarrollo, Buenos Aires, 1964.
— *Alvear*, Editorial de Belgrano, Buenos Aires, 1982.
— *Diálogos con Frondizi*, Desarrollo, Buenos Aires, 1962.
— *Perón y su tiempo*, Sudamericana, Buenos Aires, 1986.
— *Argentina, de Perón a Lanusse, 1943-1973*, Sudamericana-Planeta, Buenos Aires, 1987.
Macchi, Manuel: "La adolescencia de Arturo Frondizi en Concepción del Uruguay", en Roberto Pisarello Virasoro y Emilia Menotti (directores): *Arturo Frondizi. Historia y Problemática de un Estadista*, Depalma, Tomo II, 1984.
Machado, Daniel Cruz: *Frondizi, una conducta, un pensamiento*, Soluciones, 1957.
Mac Kay, Luis R.: *Tierra y libertad*, Raigal, Buenos Aires, 1951.
Maeder, Ernesto J. A.: "Política educacional del Presidente Frondizi", en Roberto Pisarello Virasoro y Emilia Menotti (directores): *Arturo Frondizi. Historia y Problemática de un Estadista*, Depalma, Tomo V, 1993.
Masoni, Juan José: "Breve historia física de Buenos Aires", en *Cuadernos de Buenos Aires*, XXIX.
Massuh, Víctor: *La Argentina como sentimiento*, Sudamericana, Buenos Aires, 1982.
Mauriac, François: *De Gaulle*, Sarpe, Biblioteca de Historia, Buenos Aires, 1985.
Mirarchi, Pedro: Testimonio personal, 3 de octubre de 1979.
Montemayor, Mariano: *Claves para entender a un gobierno*, Concordia, 1963.
Movimiento Nacional: *En la Hora de la Nación*, Movimiento Nacional, Buenos Aires, 1991.
Muro de Nadal, Mercedes: *50 años de historia económica argentina, 1946-1996. Una síntesis de sus principales características*, Sauce Grande, 1998.
Musich, Arnaldo T.: *La política económica argentina y su proyección internacional*, Concordia, Buenos Aires, 1962.
Nitti, Luis: *Realismo y ética en la praxis política*, prólogo de Arturo Frondizi, Grupo Editor Latinoamericano, Buenos Aires, 1994.
Noble, Roberto J.: *Argentina, potencia mundial*, Arayú, Buenos Aires, 1960.
Nosiglia, Julio E.: *El desarrollismo*, Centro Editor de América Latina, Buenos Aires, 1983.
Odena, Isidro: *Libertadores y Desarrollistas, 1955-1962*, Memorial de la Patria, La Bastilla, Buenos Aires, 1977.
— *Entrevista con el mundo en transición*, Crisol, Buenos Aires, 1977.
Pandolfi, Rodolfo: *Frondizi por él mismo*, Galerna, Buenos Aires, 1968.
Paino, Horacio: *Historia de la Triple A*, Buenos Aires, 1984.
Pataro, Francisco: Entrevista personal, 1° de octubre 1979.
Pataro, Vicente: Entrevista personal, 22 de agosto 1979.
Pellegrini, Enrique: *Paso de los Libres. Crónicas y ensayos*, López Libreros, Buenos Aires, 1974.
Perina, Emilio: *El presidente cautivo. Lecciones de la crisis*, Directrices, Buenos Aires, 1962.
— *Cuando los vicepresidentes torcieron la historia*, UNCI, Buenos Aires, 1994.

536

— *El Frente y su verdad. Razones de una actitud,* Buenos Aires, 1963.
— *Detrás de la crisis,* Periplo, Buenos Aires, 1960.
— *Cuatro confesiones y un espejo,* Sudamericana, Buenos Aires, 1988.
— Entrevista personal, 3 de agosto 1984.
Perón, Juan Domingo: *Los mensajes de Perón,* Mundo Peronista, Buenos Aires, 1952.
— *La comunidad organizada,* Secretaría Política de la Presidencia de la Nación, 1974.
— Encuentro político de la generación intermedia, *Documento de Coincidencias Básicas,* Cultura política para la liberación, Buenos Aires, 1973.
Perón, Juan Domingo; Cooke, W.: *Correspondencia,* Parlamento, Buenos Aires, 1984.
Pichetto, Juan Raúl: "Un futuro presidente en la Facultad de Derecho", en Roberto Pisarello Virasoro y Emilia Menotti (directores): *Arturo Frondizi. Historia y Problemática de un Estadista,* Depalma. Tomo II, 1984.
Pisarello Virasoro, Roberto: *Cómo y por qué fue derrocado Frondizi,* prólogo y apéndice de Dardo Cúneo, Biblos, Buenos Aires, 1996.
Roberto Pisarello Virasoro y Emilia Menotti (directores): *Arturo Frondizi. Historia y Problemática de un Estadista,* Depalma, Buenos Aires, 1983/1994.
Potash, Robert: *El ejército y la política en la Argentina, 1945-1962. De Perón a Frondizi,* Sudamericana, Buenos Aires, 1981.
— *Perón y el GOU. Los documentos de una logia secreta,* Sudamericana, Buenos Aires, 1984.
Rabanaque Caballero, Raúl: Discurso pronunciado al inaugurar la sesión del 7 de junio de 1962, Convención Nacional de la UCRI, Tandil, 1962.
Real, Juan José: *Treinta años de Historia Argentina, acción política y experiencia histórica,* Crisol, Buenos Aires, 1976.
Rodríguez Lamas, Daniel: *La presidencia de Frondizi,* Biblioteca de Política Argentina, Centro Editor de América Latina, Buenos Aires, 1984.
Romero, José Luis: *Las ideas políticas en la Argentina,* Fondo de Cultura Económica, Buenos Aires, 1980.
Rosa, José María: "Arturo Frondizi", *Los protagonistas,* N° 36, Proa, 1988.
Rostow, W. W.: *Estrategia para un mundo libre,* Troquel, Buenos Aires, 1966.
Rouquié, Alain: *Radicales y Desarrollistas,* Schapire, Buenos Aires, 1975.
— *El Estado militar en América Latina,* Emecé, 1984.
— *Poder militar y sociedad política en la Argentina,* 2 tomos, Emecé, Buenos Aires, 1982.
Saavedra, Marta: *Aldo Rico y el pensamiento nacional,* Buenos Aires, 1993.
Sábato, Arturo: "Un nuevo YPF", prólogo en Arturo Frondizi: *Petróleo y Nación,* Transición, Buenos Aires, 1963.
— *Petróleo. Dependencia o Liberación,* Macacha Güemes, 1974.
Salazar, Jaime: *Los golpes militares,* testimonio documental, diciembre de 1964.
Salonia, Antonio: "Política educacional", en *Introducción a los problemas nacionales,* CEN, Buenos Aires, 1964.
Santos Martínez, Pedro: *La Nueva Argentina, 1946-1955,* 2 tomos, Memorial de la Patria, La Bastilla, Buenos Aires, 1976.
Scenna, Miguel Angel: "Frondizi y el caso de las cartas cubanas", en *Todo es Historia* N° 48, mayo 1971.

Scilingo, Adolfo: *La instancia directa en la cuestión de las Islas Malvinas*, Buenos Aires, 1964.
— *El Tratado Antártico. Defensa de la soberanía y la proscripción nuclear*, Hachette, Buenos Aires, 1963.
Simon Hughs: *Radicales y militares, 1955-1983*, Centro de Estudios para la Nueva Mayoría, Buenos Aires, 1997.
Smulovitz, Catalina: *Oposición y gobierno: los años de Frondizi*, 2 tomos, Biblioteca Política Argentina, Centro Editor de América Latina, Buenos Aires, 1988.
Turano, Armando L.: *En busca del destino nacional*, Buenos Aires, 1962.
UCRI: *La UCRI frente a la quiebra institucional. Antecedentes de la H. Convención Nacional*, Comité Nacional, Buenos Aires, 1962.
Uzal, Francisco H.: *Frondizi y Balbín. Historia de un enfrentamiento*, Theoría, Buenos Aires, 1989.
— *Frondizi y la oligarquía*, Compañía Argentina de Editores, Buenos Aires, 1963.
— *Antología polémica*, Cultura, Política, Historia, Theoría, Buenos Aires, 1993.
Verone, Mario A.: *La caída de Illia*, Coincidencias, Buenos Aires, 1985.
Vítolo, Alfredo R.: *Frondizi y después*, Buenos Aires, 1963.
Vítolo, Alfredo (h): *La crisis argentina, sus causas y las bases para una solución*, Buenos Aires, 1971.
Yelpo, José A.: *Ejército, política, proyecto alternativo: 1920, 1943*, Guardia Nacional, Buenos Aires, 1987.
Zavala, Juan Ovidio: *Desarrollo y racionalización*, Arayú, Buenos Aires, 1963.
— *Racionalización para el desarrollo*, prólogo de Arturo Frondizi, Depalma, Buenos Aires, 1991.
— *Memorias de un militante político*, prólogo de Félix Luna, Tiym Publishing Co. Inc. U.S.A., 1998.

ÍNDICE

Esta edición
se terminó de imprimir en
Grafinor S.A.
Lamadrid 1576, Villa Ballester
en el mes de junio de 1998.